АНГЛО-РУССКИЙ РУССКО-АНГЛИЙСКИЙ СЛОВАРЬ ГЕОГРАФИЧЕСКИХ НАЗВАНИЙ

ENGLISH-RUSSIAN RUSSIAN-ENGLISH GEOGRAPHICAL DICTIONARY

M. V. GORSKAYA

ENGLISH-RUSSIAN AND RUSSIAN-ENGLISH GEOGRAPHICAL DICTIONARY

2nd Stereotype Edition

RUSSKY YAZYK PUBLISHERS
MOSCOW
1994

М. В. ГОРСКАЯ

АНГЛО-РУССКИЙ И РУССКО-АНГЛИЙСКИЙ СЛОВАРЬ ГЕОГРАФИЧЕСКИХ НАЗВАНИЙ

Издание 2-е, стереотипное

МОСКВА
«РУССКИЙ ЯЗЫК»
1994

ББК 81.2 Англ-4
Г 70

Рецензент: канд. экон. наук К. П. Кавун

Горская М. В.

Г70 Англо-русский и русско-английский словарь географических названий. 2-е изд., стереот. – М.: Рус. яз., 1994. – 272 с.
ISBN 5-200-02252-5

Словарь содержит около 6 тыс. географических названий в каждой части. В статьях дается краткое толкование, в англо-русской части приводится транскрипция заглавного слова. Словарь предназначен для советских и зарубежных читателей, занимающихся английским и русским языками.

Г $\frac{4602030000-015}{015(01)-94}$ без объявл. **ББК 81.2 Англ-4+26.8**

СПРАВОЧНОЕ ИЗДАНИЕ

ГОРСКАЯ
Маргарита Владимировна

АНГЛО-РУССКИЙ
И
РУССКО-АНГЛИЙСКИЙ
СЛОВАРЬ
ГЕОГРАФИЧЕСКИХ
НАЗВАНИЙ

Редактор
Л. А. НАБАТОВА

Художественный редактор
Ю. А. ЦВЕТАЁВ

Технический редактор
И. В. БОГАЧЕВА

Корректор
Г. Н. КУЗЬМИНА

ИБ № 9993

Лицензия ЛР № 010155 от 04.01.92

Подписано в печать 10.12.93. Формат 84х108/32. Бумага офсетн. № 1. Гарнитура таймс. Печать офсетная (с готовых диапозитивов). Усл. печ. л. 14,28. Усл. кр.-отт. 14,49. Уч.-изд. л. 21,39. Тираж 20060 экз. Заказ 1926. С 015. Издательство „Русский язык" Министерства печати и информации Российской Федерации. 103012 Москва, Старопанский пер., 1/5. Московская типография № 7. **121019, г. Москва, пер. Аксакова, д. 13**

ISBN 5-200-02252-5

ПРЕДИСЛОВИЕ

Географические названия составляют значительную часть словарного состава языка, причем такую, которая постоянно расширяется, пополняется и изменяется. Этим процессам способствует социально-экономическое развитие стран, в результате которого возникают новые географические объекты и появляются новые названия для обозначения этих объектов. Новые названия появляются также в процессе географических, гидро-геологических и космических исследований Земли.

Предлагаемый словарь является справочным изданием и предназначен для широкого круга читателей, занимающихся английским и русским языками.

Словарь содержит около 6 000 географических названий (в каждой части), отражающих современную карту мира по состоянию на 1 января 1991 г.

Главным источником отбора географических названий явились энциклопедии и энциклопедические словари, словари географических названий, новейшие картографические и справочные источники, современная периодическая литература на английском и русском языках, опубликованная в Великобритании, США и СССР.

При отборе названия для включения в словарь учитывались следующие характеристики:

1. Размер географического объекта, например, для рек — длина и площадь бассейна, для городов — население, для гор — высота и т. д.

2. Значимость географического объекта для данного континента или данного государства.

3. Историческое значение отдельных географических объектов.

В словаре представлены следующие классы географических объектов: характерные точки и линии Земли, некоторые планетарные геологические структуры, океаны, жслоба, океанические течения, моря, заливы, проливы, континенты и части света, географические области, острова, полуострова, мысы, перешейки, горные системы, хребты, вершины, возвышенности, плоскогорья, низменности и впадины, пустыни, оазисы, реки, озера, каналы и некоторые другие.

В словарь включены названия всех стран мира, их столиц, основных городов.

Автор приносит глубокую благодарность заведующему лабораторией ВНИИ экономики минерального сырья и геологоразведочных работ, кандидату экономических наук К. П. Кавуну, члену Союза писателей СССР Б. А. Малочевскому, научным сотрудникам Центрального НИИ геодезии, аэросъемки и картографии Г. П. Бондарчук, И. П. Кашниковой, И. П. Литвин и другим товарищам за рекомендации и помощь, оказанную в процессе работы над словарем.

Все замечания и пожелания, касающиеся словаря, просьба направлять по адресу: 103012, Москва, Старопанский пер., д.1/5, издательство «Русский язык».

М. В. Горская

ОТ ИЗДАТЕЛЬСТВА

В период работы над словарем в СССР произошли важные события в ходе реформы политической системы, государственно-правового устройства.

Высшими органами государственной власти ряда республик, имеющих по Конституции СССР 1977 года статус союзных, приняты Декларации об их государственном суверенитете и акты о новых названиях республик. Ряд автономных республик объявили об изменении своего статуса и соответствующем переименовании.

Эти сведения отражены в Приложении в конце словаря. Названия республик даны по состоянию на 1 ноября 1991 г.

КАК ПОЛЬЗОВАТЬСЯ СЛОВАРЕМ

Словарь состоит из двух частей — англо-русской и русско-английской.

Заглавные слова, выделенные полужирным шрифтом, в англо-русской части расположены в порядке английского алфавита, в русско-английской — в порядке русского.

Схема словарной статьи в англо-русской части: английское название, транскрипция в квадратных скобках, род объекта, перевод, указание места расположения данного географического объекта. Словарная статья русско-английской части: название, род объекта, указание места расположения объекта, перевод.

Географические названия как в русской, так и в английской части имеют ударения.

В статье о государстве даются краткая форма названия и официальное название. Например:

Ита́лия, Итальянская Республика *гос-во* (*Южная Европа*) Italy, Italian Republic

Italy [ˈɪtəlɪ] *гос-во* Ита́лия, Italian Republic [ɪˈtæljən...] Италья́нская Респу́блика (*Южная Европа*)

В статьях о реках, горах, плоскогорьях, расположенных на территории нескольких стран, указываются эти страны. Например:

Ше́льда *р.* (*Франция, Бельгия и Нидерланды*) Schelde

Для населенных пунктов СССР указываются область, край, республика, страна. Например:

Магнитого́рск *г.* (*Челябинская обл., РСФСР, СССР*) Magnitogorsk

В статьях о населенных пунктах Австралии, Великобритании, Индии, Канады, Китая, США и Югославии указаны административная единица первого порядка, страна. Для населенных пунктов крупных островных стран дано название острова. Например:

Майа́ми *г.* (*шт. Флорида, США*) Miami
Магела́нг *г.* (*о. Ява, Индонезия*) Magelang

Если название имеет несколько значений, они объединены в одной статье: отдельное значение обозначено полужирной арабской цифрой с точкой.

Различные объекты, если они имеют одинаковые названия, но разный перевод *или* транскрипцию, даны отдельными статьями под полужирными римскими цифрами. Например:

Bethlehem I [ˈbeθlɪəm] *библ. г.* Вифлее́м (*в Палестине*)
Bethlehem II [ˈbeθlɪəm] **1.** *г.* Бе́тлехем (*шт. Пенсильвания, США*); **2.** *г.* Бе́тлехем (*Оранжевая пров., ЮАР*)

По I *г.* (*Франция*) Pau
По II *р.* (*Италия*) Po

В круглых скобках даны факультативные буквы или звуки, например: **Rif(f)i**. Следует читать **Rifi** *или* **Riffi**.

При наличии старого и нового названия одного и того же объекта дается ссылка на новое название. Ссылка дается также с менее употребительного на более употребительное название, если находят употребление два и более названий одного и того же объекта.

Варианты названий приведены со знаком равенства. Например:

Aboukir [ˌæbuːˈkɪə] = Abukir
(*т. е. следует искать информацию на слово* **Abukir**).

Для удобства нахождения нужной статьи в некоторых случаях обычный порядок слов в географическом названии изменен так, что на первом месте стоит главное по смыслу слово. Например:

Адмиралте́йства острова́...
Almadies, Cape...

ОСНОВНАЯ ИСПОЛЬЗОВАННАЯ ЛИТЕРАТУРА

Webster's New Geographical Dictionary. Springfield, Mass., USA, 1977.

The Random House Dictionary of the English Language, 2nd ed. Random House, New York, 1987.

The Columbia Lippincott Gazetteer of the World. Columbia University Press, New York, USA, 1962.

Hornby A. S. Oxford Advanced Learner's Dictionary of Current English. Sp. ed. for the USSR, M., 1982. Vol. 1-2.

Jones D. Everyman's English Pronouncing Dictionary, 11th ed. London, 1958.

The Great Geographical Atlas. USA, 1982.

The Times Atlas of the World. London, 1980.

Советский энциклопедический словарь / Гл. ред. А. М. Прохоров. М., 1988.

Географический энциклопедический словарь: Географические названия / Под ред. А. Ф. Трешникова. М., 1986.

Словарь географических названий зарубежных стран. 3-е изд. М., 1986.

Словарь географических названий СССР. 2-е изд. М., 1983.

Словарь географических названий Бирмы / Сост. К. Т. Бойко. М., 1981.

Словарь географических названий Кореи / Сост. Г. Е. Тихонова, Я. А. Миропольский. М., 1973.

Миропольский Я. А., Терехова Г. Е. Словарь географических названий Китая. М., 1984.

Названия государств и территорий мира: Справочник. М., 1986.

Малый атлас мира. М., 1988.

Большой англо-русский словарь / Под общ. рук. И. Р. Гальперина. 4-е изд. М., 1987. Т. 1-2. Дополнение к Большому англо-русскому словарю. М., 1980.

СССР. Административно-территориальное деление союзных республик. М., 1983.

Агеенко Ф. Л., Зарва М. В. Словарь ударений для работников радио и телевидения / Под ред. Д. Э. Розенталя. 5-е изд. М., 1984.

СПИСОК УСЛОВНЫХ ОБОЗНАЧЕНИЙ

авт. — автономный
адм. — административный
англосакс. — англосаксонский
АО — автономная область
арх. — архипелаг
басс. — бассейн
библ. — библейский
вдп. — водопад
вдхр. — водохранилище
влад. — владение
влк. — вулкан
возв. — возвышенность
вост. — восток, восточный
г. — город
геогр. — географический
гипотет. — гипотстический
гл. — главный
горн. — горный
гос-во — государство
граф. — графство
др. — другие
др.-греч. — древнегреческий
зал. — залив
зап. — запад, западный
ист. — исторический
кор-во — королевство
лат. — латинский
м. — море
метроп. — метрополитенское
миф. — мифический
назв. — название
нац. — национальный
низм. — низменность
науч. ст. — научная станция
нп — населённый пункт
о. — остров
обл. — область
о-ва — острова
оз. — озеро
ок. — океан
окр. — округ
офиц. — официальный
пгт — посёлок городского типа
пер. — перевал
плскг. — плоскогорье
п-ов — полуостров
полит. — политический
пос. — посёлок
пров. — провинция
прол. — пролив
пуст. — пустыня
р. — река
р-н — район
с. — село
сев. — север, северный
сист. — система
см. — смотри
совр. — современный
сокр. — сокращённо
стат. — статический
терр. — территория
теч. — течение
тж. — также
уст. — устаревшее
хр. — хребет
центр. — центральный
шт. — штат
экон. — экономический
юж. — южный

АНГЛО-РУССКИЙ СЛОВАРЬ ГЕОГРАФИЧЕСКИХ НАЗВАНИЙ

около 6 000 единиц

ENGLISH-RUSSIAN GEOGRAPHICAL DICTIONARY

about 6 000 entries

АНГЛИЙСКИЙ АЛФАВИТ

Aa	Gg	Nn	Uu
Bb	Hh	Oo	Vv
Cc	Ii	Pp	Ww
Dd	Jj	Qq	Xx
Ee	Kk	Rr	Yy
Ff	Ll	Ss	Zz
	Mm	Tt	

A

Aachen [ˈɑ:kən] *г.* А́хен (*ФРГ*)

Aalborg [ˈɔ:lbɔ:g] = Ålborg

Aare [ˈɑ:rə] *р.* А(а)ре (*Швейцария*)

Aarhus [ˈɔ:hu:s] = Århus

Aba [ɑ:ˈbɑ:] *г.* Аба́ (*Нигерия*)

Abadan [ˌæbəˈdæn] *г.* Абада́н (*Иран*)

Abakan [ʌbʌˈkɑ:n] *г.* Абака́н (*центр Хакасской АО, Красноярский край, РСФСР, СССР*)

Abeokuta [æbe(ɪ)ˈəukutɑ:] *г.* Абео́кута (*Нигерия*)

Aberdeen [ˈæbədi:n] *г.* Аберди́н (*адм. центр обл. Грампиан, Шотландия, Великобритания*)

Aberystwyth [ˌæbəˈrɪstwɪθ] *г.* Абери́стуит (*граф. Дивед, Уэльс, Великобритания*)

Abidjan [ˌæbɪˈdʒɑ:n] *г.* Абиджа́н (*Кот-д'Ивуар*)

Abilene [ˈæbɪli:n] *г.* А́билин (*шт. Техас, США*)

Abkhazian Autonomous Soviet Socialist Republic [æbˈkeɪʒɪənɔ:ˈtɔnəməsˈsəuvɪetˈsəuʃəlɪstrɪˈpʌblɪk] Абха́зская Автоно́мная Сове́тская Социалисти́ческая Респу́блика, **Abkhazia** [æbˈkeɪʒɪə] Абха́зия (*Грузинская ССР, СССР*)

Åbo [ˈəubu] *г.* А́бо; *см.* Turku

Aboukir [ˌæbu:ˈkɪə] = Abukir

Abu Dhabi [ˌɑ:bu:ˈdɑ:bɪ] *г.* Абу́-Да́би (*столица Объединённых Арабских Эмиратов*)

Abukir [ˌæbu:ˈkɪə] **1**. *зал.* Абуки́р (*Средиземное м., побережье Африки*); **2**. *мыс* Абуки́р (*Египет*)

Abydos [əˈbaɪdəs] *ист. г.* А́бидос (*Египет*)

Abyssinia [ˌæbɪˈsɪnjə] Абисси́ния; *см.* Ethiopia

Abyssinian Highlands [ˌæbɪˈsɪnɪənˈhaɪləndz] Абисси́нское наго́рье; *см.* Ethiopian Highlands

Accad [ˈækæd] = Akkad

Accra [əˈkrɑ:] *г.* А́ккра (*столица Ганы*)

Achinsk [ʌˈtʃi:nsk] *г.* А́чинск (*Красноярский край, РСФСР, СССР*)

Acklins Island [ˈæklɪnzˈaɪlənd] *о.* А́клинс (*Атлантический ок., гос-во Багамские Острова*)

Aconcagua [ˌækənˈkɑ:gwə] *гора* Аконка́гуа (*горн. сист. Анды, Аргентина*)

Actium [ˈækʃɪəm, ˈæktɪəm] *ист. мыс* А́кций (*Греция*)

Acton [ˈæktən] *г.* А́ктон (*метроп. граф. Большой Лондон, Англия, Великобритания*)

Adam's Bridge [ˈædəmzˈbrɪdʒ] Ада́мов Мост (*цепь отмелей и о-вов между п-овом Индостан и о. Шри-Ланка*)

Adamstown [ˈædəmzˌtaun] *г.* А́дамстаун (*адм. центр о. Питкэрн, влад. Великобритании*)

Adana [ɑ:dɑ:ˈnɑ:] *г.* А́дана (*Турция*)

Adapazari [ˌɑ:dəˌpɑ:zəˈri:] *г.* Адапазары́ (*Турция*)

Addis Ababa [ˈædɪsˈæbəbə] *г.* Адди́с-Абе́ба (*столица Эфиопии*)

Adelaide [ˈædleɪd] *г.* Аделаи́да (*адм. центр шт. Южная Австралия, Австралия*)

Adelaide Peninsula [ˈædleɪdpɪˈnɪnsjulə] *п-ов* А́делейд, Аделаи́да (*на сев. Канады*)

Adélie Coast [əˈdeɪlɪˈkəust], **Adélie Land** [əˈdeɪlɪˈlænd] Земля́ Адели́ (*часть терр. Антарктиды*)

Aden [ˈɑ:dn] *г.* А́ден (*Йемен*)

Aden, Gulf of [ˈgʌlfəvˈɑ:dn] А́денский зали́в (*Аравийское м., между п-овами Аравийским и Сомали*)

Adige [ˈɑ:dɪdʒe(ɪ)] *р.* А́дидже (*Италия*)

Adirondack Mountains [ˌædɪˈrɔndækˈmauntɪnz] *горы* Адиро́ндак (*США*)

Admiralties [ˈædmɪrəltɪz] = Admiralty Islands

Admiralty Islands [ˈædmɪrəltɪˈaɪləndz] острова́ Адмиралте́йства (*арх. Бисмарка, Тихий ок., Папуа-Новая Гвинея*)

Adrianople [ˈeɪdrɪəˈnəup(ə)l] *г.* Адриано́поль; *см.* Edirne

Adriatic Sea [ˌeɪdrɪˈætɪkˈsi:] Адриати́ческое мо́ре (*часть Средиземного м., между п-овами Апеннинским и Балканским*)

Adygei Autonomous Region [ɑ:dɪˈgeɪɔ:ˈtɔnəməsˈri:dʒən] Адыге́йская автоно́мная о́бласть (*Краснодарский край, РСФСР, СССР*)

Adzhar Autonomous Soviet Socialist Republic [əˈdʒɑ:rɔ:ˈtɔnəməsˈsəuvɪetˈsəuʃəlɪstrɪˈpʌblɪk] Аджа́рская Автоно́мная Сове́тская Социалисти́ческая Респу́блика, **Adzharia** [əˈdʒɑ:rɪə] Аджа́рия (*Грузинская ССР, СССР*)

Aegean Sea [i(:)ˈdʒi:ənˈsi:] Эге́йское мо́ре (*часть Средиземного м., между п-овами Балканским и Малой Азией*)

Afghanistan [æfˌgænɪˈstɑ:n, æfˈgænɪstæn] *гос-во* Афганиста́н, Republic of Afghanistan Респу́блика Афганиста́н (*Юго-Западная Азия*)

Africa [ˈæfrɪkə] *материк, часть света* А́фрика

Agadir [ˌɑ:gəˈdɪə, ˌægəˈdɪə] *г.* Агади́р (*Марокко*)

Agana [ɑ:ˈgɑ:njɑ:] *г.* Ага́нья (*адм. центр о. Гуам*)

Agartala [ˈʌgətəˌlɑ:] *г.* Ага́ртала (*шт. Трипура, Индия*)

Aggtelek [ˈɔgtəlek] *пещера* А́гтелек (*Венгрия и Чехословакия*)

Agin-Buryat Autonomous Area [əˈgi:nbuərˈjɑ:tɔ:ˈtɔnəməsˈɛərɪə] Аги́нский Буря́тский автоно́мный о́круг (*Читинская обл., РСФСР, СССР*)

Aginsko(y)e [ʌˈgi:nskəjə] *пгт* Аги́нское (*центр Агинского Бурятского авт. окр., Читинская обл., РСФСР, СССР*)

Agra [ˈɑ:grə] *г.* А́гра (*шт. Уттар-Прадеш, Индия*)

Agrigento [ˌɑ:grɪˈdʒentə(u)] *г.* Агридже́нто (*о. Сицилия, Италия*)

Aguascalientes [ˌɑ:gwɑ:skɑ:ˈljeɪnte(ɪ)s] *г.* Агуаскалье́нтес (*Мексика*)

Agulhas, Cape [ˈkeɪpəˈgʌləs] Иго́льный мыс (*крайняя юж. точка Африки, ЮАР*)

Ahaggar Mountains [əˈhægəˈmauntɪnz] *нагорье* Аха́ггар (*Алжир*)

Ahmadabad [ˈɑ:mədɑ:ˈbɑ:d] *г.* Ахмадаба́д (*шт. Гуджарат, Индия*)

Ahmadnagar [ˌɑ:mədˈnʌgə] *г.* Ахмадна́гар (*шт. Махараштра, Индия*)

Ahmedabad [ˈɑ:mədɑ:ˈbɑ:d] = Ahmadabad

Ahmednagar [ˌɑ:mədˈnʌgə] = Ahmadnagar

Ahvas [ˈɑ:ˈvɑ:z] *г.* Ахва́з (*Иран*)

Ahvenanmaa [ˈɑ:hvenɑ:nˌmɑ:] *о-ва* А́хвенанма; *см.* Åland Islands

Ahwas [ɑ:ˈwɑ:z] = Ahvas

Aijal [ˈaɪdʒəl] *г.* Аиджа́л (*адм. центр шт. Мизорам, Индия*)

Aix [eɪks] = Aix-en-Provence

Aix-en-Provence [ˌeksɑ:ŋˌprɔ:ˈvɑ:ŋs] *г.* Экс-ан-Прова́нс (*Франция*)

Ajaccio [ɑ:ˈjɑ:tʃə(u)] *г.* Ая́ччо (*о. Корсика, Франция*)

Akaba [ˈækəbə] = Aqaba

Akaba, Gulf of [ˈgʌlfəvˈækəbə] = Aqaba, Gulf of

Akita [ɑ:kɪtɑ:] *г.* А́кита (*о. Хонсю, Япония*)

Akkad [ˈækæd] *ист. г.* Акка́д (*в Месопотамии*)

Akkra [əˈkrɑ:] = Accra

Akron [ˈækrən] *г.* А́крон (*шт. Огайо, США*)

Aktyubinsk [ʌkˈtju:bjɪnsk] *г.* Актю́бинск (*центр Актюбинской обл., Казахская ССР, СССР*)

Akyab [ækˈjæb] *г.* Акья́б; *см.* Sittwe

Alabama [ˌæləˈbæmə] **1**. *шт.* Алаба́ма (*США*); **2**. *р.* Алаба́ма (*США*)

Al Ahmadi [ˌælɑ:ˈmɑ:dɪ] *г.* Ахмади́, Эль-Ахмади́ (*Кувейт*)

Alakol [ɑ:ləˈkəl, ɑ:ləˈkɔ:l] *оз.* Алако́ль (*СССР*)

Alameda [ˌæləˈmi:də] *г.* Алами́да (*шт. Калифорния, США*)

Alamogordo [ˌæləmə(u)ˈgɔ:dəu] *г.* Аламогóрдо (*шт. Нью-Мексико, США*)

Alamo, the [ˈæləməu] *ист. форт* Áламо (*шт. Техас, США*)

Åland Islands [ˈəulɑ:ndˈaɪləndz] Алáндские островá (*Балтийское м., Финляндия*)

Alashan [ˈɑ:lɑ:ˈʃɑ:n] *пуст.* Алашáнь (*Китай*)

Alaska [əˈlæskə] *шт.* Аля́ска (*США*)

Alaska, Gulf of [ˈgʌlfəvəˈlæskə] *зал.* Аля́ска (*Тихий ок., между п-овом Аляска и о. Ванкувер*)

Alaska Peninsula [əˈlæskəpɪˈnɪnsjulə] *п-ов* Аля́ска (*на сев.-зап. США*)

Alaska Range [əˈlæskəˈreɪndʒ] Аля́скинский хребéт (*п-ов Аляска, США*)

Ala Tau [ˌɑ:lɑ:ˈtau] Алатáу (*назв. горн. хребтов Средней Азии*)

Albacete [ˌælbəˈseɪtɪ] *г.* Альбасéте (*Испания*)

Alba Iulia [ˌɑ:lbɑ:ˈju:ljɑ:] *г.* Áльба-Ю́лия (*Румыния*)

Alba Longa [ˈælbəˈlɔ:ŋgə] *ист. г.* Áльба-Лóнга (*на терр. совр. Италии*)

Albania [ælˈbeɪnjə] *гос-во* Албáния, Republic of Albania Респýблика Албáния (*Юго-Восточная Европа*)

Albany [ˈɔ:lbənɪ] **1.** *г.* Óлбани (*адм. центр шт. Нью-Йорк, США*); **2.** *р.* Óлбани (*Канада*)

Albemarle Island [ˈælbɪməlˈaɪlənd] *о.* Áлбемарл; *см.* Isabela Island

Alberta [ælˈbə:tə] *пров.* Альбéрта (*Канада*)

Albert, Lake [ˈleɪkˈælbət] *оз.* Альбéрт; *см.* Mobutu Sese Seko, Lake

Albion [ˈælbɪən] *ист.* Альбиóн (*древнее назв. Британских о-вов*)

Ålborg [ˈɔ:lˌbɔ:g] *г.* Óльборг (*Дания*)

Albuquerque [ˈælbəˌkə:kɪ] *г.* Альбукéрке (*шт. Нью-Мексико, США*)

Aldabra [ælˈdæbrə] *о-ва* Альдáбра (*Индийский ок., гос-во Сейшельские Острова*)

Aldan [ʌlˈdɑ:n] **1.** *г.* Алдáн (*Якутская АССР, РСФСР, СССР*); **2.** *р.* Алдáн (*СССР*)

Aldan Mountains [ʌlˈdɑ:nˈmauntɪnz] Алдáнское нагóрье (*Якутская АССР, СССР*)

Aldermaston [ˈɔ:ldəˌmɑ:stən] *г.* Óлдермастон (*граф. Беркшир, Англия, Великобритания*)

Alep(po) [əˈlep(əu)] *г.* Алéппо; *см.* Haleb

Alesia [əˈli:zɪə] *ист. г.* Алéзия (*на терр. совр. Франции*)

Alessandria [ˌæləˈsændrɪə] *г.* Алессáндрия (*Италия*)

Ålesund [ˈɔ:ləˌsun] *г.* Óлесунн (*Норвегия*)

Aleutian Islands [əˈlju:ʃənˈaɪləndz], **Aleutians** *арх.* Алеýтские островá (*Тихий ок., США*)

Aleutian Trench [əˈlju:ʃənˈtrentʃ] Алеýтский жёлоб (*Тихий ок.*)

Alexander Archipelago [ˌælɪgˈzɑ:ndəˌɑ:kɪˈpelɪgəu] архипелáг Алексáндра (*у побережья Северной Америки, Тихий ок., США*)

Alexandretta [ˌælɪgzænˈdretə] *г.* Александрéтта; *см.* Iskenderun

Alexandria I [ˌælɪgˈzændrɪə, ˌælɪgˈzɑ:ndrɪə] *г.* Алексáндрия (*шт. Виргиния, США*)

Alexandria II [ˌælɪgˈzændrɪə, ˌælɪgˈzɑ:ndrɪə] **1.** *г.* Александри́я (*Египет*); **2.** *г.* Александри́я (*Румыния*)

Alföld [ˈɑ:lfə:lt] Áльфёльд (*часть Среднедунайской равнины, Венгрия*)

Algeciras [ˌældʒəˈsɪərəs] *г.* Альхеси́рас (*Испания*)

Algeria [ælˈdʒɪərɪə] *гос-во* Алжи́р, People's Democratic Republic of Algeria Алжи́рская Нарóдная Демократи́ческая Респýблика (*Северная Африка*)

Algiers [ælˈdʒɪəz] *г.* Алжи́р (*столица Алжира*)

Al Hufuf [ælhuˈfu:f] *г.* Эль-Хуфýф (*Саудовская Аравия*)

Alicante [ˌælɪˈkæntɪ] *г.* Аликáнте (*Испания*)

Al Kuwait [ælkuˈweɪt] *г.* Эль-Кувéйт (*столица Кувейта*)

Allahabad [ˈæləhəˈbæd] *г.* Аллахабáд (*шт. Уттар-Прадеш, Индия*)

Allegheny Mountains [ˌælɪˈgeɪnɪˈmauntɪnz] *горы* Аллегáны (*США*)

Allentown [ˈæləntaun] *г.* А́ллентаун (*шт. Пенсильвания, США*)

Alma-Ata [ˌɑ:lmɑ:ɑ:ˈtɑ:] *г.* Алма́-Ата́ (*столица Казахской ССР, СССР*)

Almadén [ˌɑ:lməˈdeɪn] *г.* Альмаде́н (*Испания*)

Almadies, Cape [ˈkeɪpˌælməˈdi:əs] *мыс* Альмади́ (*крайняя зап. точка Африки, Сенегал*)

Almalyk [ˌælməˈlɪk, ʌlməˈlɪk] *г.* Алмалы́к (*Ташкентская обл., Узбекская ССР, СССР*)

Al Marj [ælˈmɑ:dʒ] *г.* Эль-Мардж (*Ливия*)

Almería [ˌɑ:lməˈri:ɑ:] *г.* Альмери́я (*Испания*)

Almetyevsk [ˌɑ:lmɪˈtjefsk] *г.* Альме́тьевск (*Татарская АССР, РСФСР, СССР*)

Alofi [ɑ:ˈləufɪ] *г.* Ало́фи (*адм. центр о. Ниуэ, влад. Новой Зеландии*)

Alor [ˈɑ:lɔ:] *о.* А́лор (*Малые Зондские о-ва, Индонезия*)

Alor Setar [ˈælˌɔ:səˈtɑ:], **Alor Star** [ˈælˌɔ:ˈstɑ:] *г.* А́лор-Сета́р, А́лор-Стар (*Малайзия*)

Alps [ælps] *горн. сист.* А́льпы (*Западная Европа*)

Al Qatif [ælkɑ:ˈti:f] *г.* Эль-Кати́ф (*Саудовская Аравия*)

Als [ɑ:ls] *о.* Альс (*Балтийское м., Дания*)

Alsace [ˈælsæs] *ист. пров.* Эльза́с (*Франция*)

Altai [ʌlˈtaɪ] *горн. сист.* Алта́й (*на юге Западной Сибири, СССР*)

Altai Territory [ʌlˈtaɪˈterɪt(ə)rɪ] Алта́йский край (*РСФСР, СССР*)

Altin Tagh [ˈɑ:ltɪnˈtɑ:] = Altyn Tagh

Altoona [ælˈtu:nə] *г.* Алту́на (*шт. Пенсильвания, США*)

Altyn Tagh [ˈɑ:ltɪnˈtɑ:] *хр.* Алты́нтаг (*Китай*)

Amadeus, Lake [ˈleɪkˌæməˈdi:əs] *оз.* Амади́ес (*Австралия*)

Amagasaki [ɑ:mɑ:gɑ:sɑ:kɪ] *г.* Амага́саки (*о. Хонсю, Япония*)

Amaravati [ˌʌməˈrɑ:vəti:] *г.* Амара́вати (*шт. Махараштра, Индия*)

Amarillo [ˌæməˈrɪləu] *г.* Амари́лло (*шт. Техас, США*)

Amazon [ˈæməzɔn] *р.* Амазо́нка (*Бразилия и Перу*)

Amazonia [ˌæməˈzəunɪə] *геогр. обл.* Амазо́ния (*Бразилия, Колумбия, Эквадор и Перу*)

Ambon [ˈɑ:mbɔ:n] **1.** *г.* Амбо́н (*о. Амбон, Индонезия*); **2.** *о.* Амбо́н (*Молуккские о-ва, м. Банда, Индонезия*)

America [əˈmerɪkə] *часть света* Аме́рика (*состоит из двух материков — Северной и Южной Америки*)

Amery Ice Shelf [ˈeɪmərɪˈaɪsˈʃelf] ше́льфовый ледни́к Э́ймери (*Антарктида*)

Amiens [ˈɑ:ˈmjæŋ] *г.* Амье́н (*Франция*)

Amirante Islands [ˈæmɪrænt-ˈaɪləndz], **Amirantes** [ˈæmɪrænts] Амира́нтские острова́ (*Индийский ок., гос-во Сейшельские Острова*)

Amman [æmˈmæn] *г.* Амма́н (*столица Иордании*)

Amoy [ɑ:ˈmɔɪ, əˈmɔɪ] *г.* Амо́й; *см.* Xiamen

Amritsar [ʌmˈrɪtsə] *г.* Амри́тсар (*шт. Пенджаб, Индия*)

Amsterdam [ˈæmstədæm] *г.* Амстерда́м (*столица Нидерландов*)

Amu Darya [ɑ:ˈmu:dɑ:rˈjɑ:] *р.* Амударья́ (*СССР и Афганистан*)

Amundsen Gulf [ˈɑ:muns(ə)nˈgʌlf] зали́в А́мундсена (*м. Бофорта, Канада*)

Amundsen-Scott [ˈɑ:muns(ə)n-ˈskɔt] А́мундсен-Скотт (*науч. ст. США, Южный полюс, Антарктида*)

Amundsen Sea [ˈɑ:muns(ə)nˈsi:] мо́ре А́мундсена (*Тихий ок., Антарктика*)

Amur [ɑ:ˈmuə] *р.* Аму́р (*СССР и Китай*)

Amur Bay [ɑ:ˈmuəˈbeɪ] Аму́рский зали́в (*Японское м., побережье СССР*)

Anadir [ʌnʌˈdɪr] = Anadyr

Anadir, Gulf of [ˈgʌlfəvʌnʌ-ˈdɪr] = Anadyr, Gulf of

Anadyr [ʌnʌˈdɪr] **1.** *г.* Ана́дырь (*центр Чукотского авт. окр., Магаданская обл., РСФСР, СССР*); **2.** *р.* Ана́дырь (*СССР*)

Anadyr, Gulf of [ˈgʌlfəvʌnʌˈdɪr]

Ана́дырский зали́в (*Берингово м., побережье СССР*)

Anaheim [ˈænəhaɪm] *г.* А́нахайм (*шт. Калифорния, США*)

Anapa [ʌˈnɑ:pʌ] *г.* Ана́па (*Краснодарский край, РСФСР, СССР*)

Anatolia [ˌænəˈtəulɪə, ˌænəˈtəuljə] *ист. обл.* Анато́лия (*азиатская часть Турции*)

Anching [ˈɑ:nˈtʃɪŋ] = Anqing

Anchorage [ˈæŋkərɪdʒ] *г.* А́нкоридж (*шт. Аляска, США*)

Ancona [æŋˈkəunə] *г.* Анко́на (*Италия*)

Anda [ˈɑ:nˈdɑ:] *г.* Аньда́ (*пров. Хэйлунцзян, Китай*)

Andalusia [ˌændəˈlu:ʒə] *ист. обл.* Андалу́сия (*Испания*)

Andaman and Nicobar Islands [ˈændəmənəndˈnɪkə(u)bɑ:ˈaɪləndz] *союзная терр.* Андама́нские и Никоба́рские острова́ (*Индия*)

Andaman Islands [ˈændəmənˈaɪləndz], **Andamans** [ˈændəmənz] Андама́нские острова́ (*между Бенгальским зал. и Андаманским м., Индийский ок., Индия*)

Andaman Sea [ˈændəmənˈsi:] Андама́нское мо́ре (*Индийский ок., между п-овами Индокитай и Малакка*)

Anderson [ˈændəsn] **1.** *г.* А́ндерсон (*шт. Индиана, США*); **2.** *г.* А́ндерсон (*шт. Южная Каролина, США*)

Andes [ˈændi:z] *горн. сист.* А́нды (*Южная Америка*)

Andhra Pradesh [ˈɑ:ndrəprəˌdeɪʃ] *шт.* А́ндхра-Пра́деш (*Индия*)

Andizhan [ˌændɪˈʒæn] *г.* Андижа́н (*центр Андижанской обл., Узбекская ССР, СССР*)

Andorra [ænˈdɔ:rə] *гос-во* Андо́рра, Principality of Andorra Кня́жество Андо́рра (*Юго-Западная Европа*)

Andorra la Vella [ɑ:nˈdɔ:rəlɑ:ˈveljɑ:] *г.* Андо́рра-ла-Ве́лья (*столица Андорры*)

Andreanof Islands [ˌɑ:ndre(ɪ)ˈɑ:nəfˈaɪləndz] Андре́яновские острова́ (*арх. Алеутские о-ва, Тихий ок., США*)

Andropov [ʌnˈdrɔ:pəf] *г.* Андро́пов; *см.* Rybinsk

Andros [ˈændrəs] **1.** *о.* А́ндрос (*Атлантический ок., гос-во Багамские Острова*); **2.** *о.* А́ндрос (*арх. Киклады, Эгейское м., Греция*)

Anécho [ˌɑ:ˌneɪˈkəu] *г.* Ане́хо (*Того*)

Anegada Passage [ˌænəˈgɑ:dəˈpæsɪdʒ] *прол.* Анега́да (*между Виргинскими и Наветренными о-вами*)

Aneto, Pico de [ˌpi:kə(u)ˌðeɪɑ:ˈneɪtə(u)] *пик* Ане́то (*горн. сист. Пиренеи, Испания*)

Angara [ʌngʌˈrɑ:] *р.* Ангара́ (*СССР*)

Angarsk [ʌnˈgɑ:rsk] *г.* Анга́рск (*Иркутская обл., РСФСР, СССР*)

Angeles [ˈɑ:ŋhe(ɪ)le(ɪ)s] *г.* А́нхелес (*о. Лусон, Филиппины*)

Angel Falls [ˈeɪndʒəlˈfɔ:lz] *вдп.* А́нхель (*р. Чурун, Венесуэла*)

Angers [ˌɑ:ŋˈʒeɪ] *г.* Анже́ (*Франция*)

Anglesea [ˈænglsɪ] = Anglesey

Anglesey [ˈæŋglsɪ] *о.* А́нглси (*Ирландское м., Великобритания*)

Angola [æŋˈgəulə] *гос-во* Анго́ла, People's Republic of Angola Наро́дная Респу́блика Анго́ла (*Центральная Африка*)

Angoulême [ˌɑ:ŋˌgu:ˈlɛəm] *г.* Ангуле́м (*Франция*)

Angren [ɑ:nˈgren, ʌnˈgrjen] *г.* Ангре́н (*Ташкентская обл., Узбекская ССР, СССР*)

Anguilla [æŋˈgwɪlə] *о.* Анги́лья (*Малые Антильские о-ва, Атлантический ок., влад. Великобритании*)

Anhui, Anhwei [ˈɑ:nˈhweɪ] *пров.* Аньхо́й (*Китай*)

Anjou [ˌɑ:ŋˈʒu:, ˈænʒu:] *ист. пров.* Анжу́ (*Франция*)

Ankara [ˈæŋkərə] *г.* Анкара́ (*столица Турции*)

Annaba [ˈænnəbə] *г.* Анна́ба (*Алжир*)

An Nafud [ˌænnæˈfu:d] *пуст.* Большо́й Нефу́д (*Саудовская Аравия*)

An Najaf [ænˈnædʒæf] *г.* Эн-На́джаф (*Ирак*)

Annapolis [əˈnæp(ə)lɪs] *г.* Анна́полис (*адм. центр шт. Мэриленд, США*)

Ann Arbor [ˈænˈɑ:bə] *г.* Анн-А́рбор (*шт. Мичиган, США*)

Annecy [ˏɑ:n'si:] *г.* Анне́си́ (*Франция*)

Anniston ['ænɪstən] *г.* А́ннистон (*шт. Алабама, США*)

Anqing ['ɑ:n'tʃɪŋ] *г.* Аньци́н (*пров. Аньхой, Китай*)

Anshan ['ɑ:n'ʃɑ:n] *г.* Аньша́нь (*пров. Ляонин, Китай*)

Antakya [ˏɑ:ntɑ:'kjɑ:] *г.* Анта́кья (*Турция*)

Antalya [ˏɑ:ntɑ:l'jɑ:] *г.* Анта́лья (*Турция*)

Antananarivo ['æntəˏnænə'ri:vəu] *г.* Антананари́ву (*столица Мадагаскара*)

Antarctica [ænt'ɑ:ktɪkə] *материк* Антаркти́да (*Антарктика*)

Antarctic Circle [ænt'ɑ:ktɪk'sə:kl] Ю́жный поля́рный круг (*параллель 66°33′ юж. широты*)

Antarctic Continent [ænt'ɑ:ktɪk'kɔntɪnənt] = Antarctica

Antarctic Peninsula [ænt'ɑ:ktɪkpɪ'nɪnsjulə] Антаркти́ческий полуо́стров (*Антарктида*)

Antarctic Regions [ænt'ɑ:ktɪk'ri:dʒ(ə)nz] Анта́рктика (*юж. полярная обл. земного шара*)

Anti-Atlas [ˏæntɪ'ætləs] *хр.* Антиатла́с (*Марокко*)

Anticosti Island [ˏæntɪ'kɔstɪ'aɪlənd] *о.* Антико́сти (*зал. Святого Лаврентия, Атлантический ок., Канада*)

Antigua [æn'ti:gə] **1.** *г.* Анти́гуа (*Гватемала*); **2.** *о.* Анти́гуа (*Малые Антильские о-ва, Карибское м., гос-во Антигуа и Барбуда*)

Antigua and Barbuda [æn'ti:gəәnbɑ:'bu:də] *гос-во* Анти́гуа и Барбу́да (*на о-вах Антигуа, Барбуда и Редонда, Вест-Индия*)

Anti-Lebanon [ˏæntɪ'lebənən] *горы* Антилива́н (*Сирия и Ливан*)

Antilles [æn'tɪli:z] *арх.* Анти́льские острова́; *см.* Greater Antilles *и* Lesser Antilles

Antipodes [æn'tɪpədi:z] острова́ Антипо́дов (*Тихий ок., Новая Зеландия*)

Anti-Taurus [ˏæntɪ'tɔ:rəs] *горы* Антита́вр (*Турция*)

Antofagasta [ˏɑ:ntə(u)fɑ:'gɑ:stɑ:] *г.* Антофага́ста (*Чили*)

Antrim ['æntrɪm] **1.** *окр.* А́нтрим (*Северная Ирландия, Великобритания*); **2.** *г.* А́нтрим (*адм. центр окр. Антрим, Северная Ирландия, Великобритания*); **3.** *плато* А́нтрим (*Северная Ирландия, Великобритания*)

Antwerp ['æntwə:p] *г.* Антве́рпен (*Бельгия*)

Anuradhapura [ʌnu'rɑ:də'purɑ:] *г.* Анурадхапу́ра (*Шри-Ланка*)

Anyang ['ɑ:n'jɑ:ŋ] *г.* Анья́н (*пров. Хэнань, Китай*)

Anzhero Sudzhensk [ʌn'ʒerəsud'ʒensk] *г.* Анже́ро-Су́дженск (*Кемеровская обл., РСФСР, СССР*)

Anzin [ˏɑ:ŋ'zæŋ] *г.* Анзе́н (*Франция*)

Aomin [ˏɑ:ə(u)'mɪn] **1.** Аомы́нь (*влад. Португалии на терр. Китая*); **2.** *г.* Аомы́нь (*адм. центр терр. Аомынь*)

Aomori [ɑ:ə(u)mə(u)rɪ] *г.* Ао́мори (*о. Хонсю, Япония*)

Aorangi [ˏɑ:ə(u)'rɑ:ŋɪ] = Cook, Mount

Apalachee Bay [ˏæpə'lætʃi(:)'beɪ] *зал.* Апала́чи (*Мексиканский зал., побережье США*)

Apalachicola [ˏæpəˏlætʃɪ'kəulə] *р.* Апалачико́ла (*США*)

Apatity [ʌpə'tji:tɪ] *г.* Апати́ты (*Мурманская обл., РСФСР, СССР*)

Apeldoorn ['ɑ:pəldəun] *г.* А́пелдорн (*Нидерланды*)

Apennines ['æpənaɪnz] *горы* Апенни́ны (*Италия*)

Apia [ɑ:'pi:ɑ:] *г.* А́пиа (*столица Западного Самоа, о. Уполу*)

Appalachian Mountains [ˏæpə'lætʃɪən'mauntɪnz] *горы* Аппала́чи (*США*)

Appalachian Plateau [ˏæpə'lætʃɪən'plætəu] Аппала́чское плато́ (*США*)

Appalachians [ˏæpə'lætʃɪənz] = Appalachian Mountains

Appleton ['æpltən] *г.* А́плтон (*шт. Висконсин, США*)

Apsheron [ʌpʃə'rɔ:n] Апшеро́нский полуо́стров (*зап. побережье Каспийского м., СССР*)

Apulia [ə'pju:lɪə] **1.** *обл.* Апу́лия (*Италия*); **2.** *п-ов* Апу́лия; *см.* Salentine Peninsula

Apure [ɑ:'pu:reɪ] *р.* Апу́ре (*Венесуэла*)

Apurímac [ˏɑ:pu:'ri:mɑ:k] *р.* Апу́ри́мак (*Перу*)

Aqaba [ˈækəbə] *г.* Ака́ба (*Иордания*)

Aqaba, Gulf of [ˈɡʌlfəvˈækəbə] *зал.* Ака́ба (*Красное м., между п-овами Аравийским и Синайским*)

Aquitania [ˌækwɪˈteɪnjə] *ист. обл.* Аквита́ния (*Франция*)

Arabia [əˈreɪbjə] Арави́йский полуо́стров (*Юго-Западная Азия*)

Arabian Desert [əˈreɪbjənˈdezət] Арави́йская пусты́ня (*Египет*)

Arabian Peninsula [əˈreɪbjənpɪˈnɪnsjulə] = Arabia

Arabian Sea [əˈreɪbjənˈsi:] Арави́йское мо́ре (*Индийский ок., между п-овами Аравийским и Индостан*)

Aracajú [ˌɑ:rəkəˈʒu:] *г.* Аракажу́ (*Бразилия*)

Arad [ɑ:ˈrɑ:d] *г.* Ара́д (*Румыния*)

Arafura Sea [ˌɑ:rɑ:ˈfu:rɑ:ˈsi:] Арафу́рское мо́ре (*Индийский ок., между Австралией, о. Новая Гвинея и Малыми Зондскими о-вами*)

Aragats [ˌærəˈɡæts] *гора* Араға́ц (*Армянское нагорье, СССР*)

Aragon [ˈærəɡən] *ист. обл.* Араго́н (*Испания*)

Araguaya [ˌærəˈɡwaɪə] *р.* Арагуа́я (*Бразилия*)

Araks [ʌˈrɑ:ks] *р.* Ара́кс (*СССР, Турция и Иран*)

Aral, Lake [ˈleɪkʌˈrɑ:l], **Aral Sea** [ʌˈrɑ:lˈsi:] Ара́льское мо́ре (*на юго-зап. азиатской части СССР*)

Aram [ˈɛərəm] *ист. гос-во* А́рам (*на терр. Сирии и Палестины*)

Aran Islands [ˈærənˈaɪləndz] *о-ва* А́ран (*Атлантический ок., Ирландия*)

Ararat [ˈærəræt] *гора* Арара́т (*Армянское нагорье, Турция*)

Arcadia [ɑ:ˈkeɪdɪə] *ист. обл.* Арка́дия (*Греция*)

Archangel [ˈɑ:kˌeɪndʒ(ə)l] = Arkhangelsk

Arctic Archipelago [ˈɑ:ktɪkˌɑ:kɪˈpelɪɡəu] Кана́дский Аркти́ческий архипела́г (*у сев. побережья Северной Америки, Канада*)

Arctic Circle [ˈɑ:ktɪkˈsə:kl] Се́верный поля́рный круг (*параллель 66°33′ сев. широты*)

Arctic Ocean [ˈɑ:ktɪkˈəuʃ(ə)n] Се́верный Ледови́тый океа́н (*между Евразией и Северной Америкой*)

Arctic Regions [ˈɑ:ktɪkˈri:dʒ(ə)nz] А́рктика (*сев. полярная обл. земного шара*)

Ardennes [ɑ:ˈden] *плато* Арде́нны (*Бельгия и Франция*)

Ards [ɑ:dz] *окр.* Ардс (*Северная Ирландия, Великобритания*)

Arequipa [ˌɑ:re(ɪ)ˈki:pɑ:] *г.* Аре́кипа (*Перу*)

Arezzo [ɑ:ˈretsəu] *г.* Аре́ццо (*Италия*)

Argentina [ˌɑ:dʒənˈti:nə], **Argentine, the** [ˈɑ:dʒənˌti:n, ˈɑ:dʒənˌtaɪn] *гос-во* Аргенти́на, Argentine Republic Аргенти́нская Респу́блика (*Южная Америка*)

Argentino, Lake [ˈleɪkˌɑ:he(ɪ)nˈti:nəu] *оз.* Ла́го-Архенти́но (*Аргентина*)

Argonne [ɑ:ˈɡɔ:n] *возв.* Арго́нн (*Франция*)

Argos [ˈɑ:ɡəs] *ист. г.* А́ргос (*Греция*)

Argun [ˈɑ:ˈɡu:n] *р.* Арғу́нь (*СССР и Китай*)

Århus [ˈɔ:ˌhu:s] *г.* О́рхус (*Дания*)

Arica [ɑ:ˈri:kɑ:] *г.* Ари́ка (*Чили*)

Arizona [ˌærɪˈzəunə] *шт.* Аризо́на (*США*)

Arkalyk [ʌrkəˈlɪk] *г.* Аркалы́к (*центр Тургайской обл., Казахская ССР, СССР*)

Arkansas [ˈɑ:kənsɔ:, ɑ:ˈkænzəs] **1.** *шт.* Арка́нзас (*США*); **2.** *р.* Арка́нзас (*США*)

Arkhangelsk [ʌrˈhɑ:ngəljsk] *г.* Арха́нгельск (*центр Архангельской обл., РСФСР, СССР*)

Armagh [ɑ:ˈmɑ:] **1.** *окр.* Арма́ (*Северная Ирландия, Великобритания*); **2.** *г.* Арма́ (*адм. центр окр. Арма, Северная Ирландия, Великобритания*)

Armavir [ˌɑ:məˈvɪər] *г.* Армави́р (*Краснодарский край, РСФСР, СССР*)

Armenia [ɑ:ˈmeɪnjə] *г.* Арме́ния (*Колумбия*)

Armenian Soviet Socialist Republic [ɑ:ˈmi:njənˈsəuvɪetˈsəuʃəlɪstrɪˈpʌblɪk] Армя́нская Сове́тская Социалисти́ческая Респу́блика, **Armenia** [ɑ:ˈmi:njə] Арме́ния (*на юге Закавказья, СССР*)

Armidale [ˈɑ:mɪdeɪl] *г.* А́рмидейл

(*шт. Новый Южный Уэльс, Австралия*)

Armorica [ɑ:ˈmɔrɪkə] *ист.* Армóрика (*кельтское назв. терр. Бретани*)

Arnhem [ˈɑ:nhem] *г.* А́рнем (*Нидерланды*)

Arnhemland [ˈɑ:nəmˏlænd] *п-ов* А́рнемленд (*на сев. Австралии*)

Arno [ˈɑ:nəu] *р.* А́рно (*Италия*)

Aroe Islands [ˈɑ:ru:ˈaɪləndz] *о-ва* А́ру (*Арафурское м., Индонезия*)

Arran [ˈærən] *о.* А́рран (*Атлантический ок., Великобритания*)

Arras [ˈærəs] *г.* Аррáс (*Франция*)

Artem [ɑ:ˈtjɔ:m, ʌrˈtjɔ:m] *г.* Артём (*Приморский край, РСФСР, СССР*)

Artemovsk [ɑ:ˈtjɔ:məfsk, ʌrˈtjɔ:məfsk] **1.** *г.* Артёмовск (*Луганская обл., Украинская ССР, СССР*); **2.** *г.* Артёмовск (*Донецкая обл., Украинская ССР, СССР*); **3.** *г.* Артёмовск (*Красноярский край, РСФСР, СССР*)

Artois [ɑ:ˈtwɑ:] *ист. пров.* Артуá (*Франция*)

Aruba [ɑ:ˈru:bɑ:] *о.* Арýба (*Малые Антильские о-ва, Карибское м., влад. Нидерландов*)

Aru Islands [ˈɑ:ru:ˈaɪləndz] = Aroe Islands

Arunachal Pradesh [ˏɑ:rəˏnɑ:tʃəlprəˈdeɪʃ] *шт.* Аруначáл-Прáдеш (*Индия*)

Arusha [əˈru:ʃə] *г.* Арýша (*Танзания*)

Aruwimi [ˏɑ:ru:ˈwi:mɪ] *р.* Арувúми (*Заир*)

Arzamas [ʌzʌˈmɑ:s] *г.* Арзамáс (*Нижегородская обл., РСФСР, СССР*)

Arzeu, Arzew [ʌˈzæu:] *г.* Арзéв (*Алжир*)

Asahigawa [ɑ:sɑ:hɪgɑ:wɑ:] *г.* Асахигáва; *см.* Asahikawa

Asahikawa [ɑ:sɑ:hɪkɑ:wɑ:] *г.* Асахикáва (*о. Хоккайдо, Япония*)

Asansol [ˏɑ:sɑ:nˈsəul] *г.* Асансóл (*шт. Западная Бенгалия, Индия*)

Asbestos [æzˈbestəs] *г.* Асбéстос (*пров. Квебек, Канада*)

Ascension Island [əˈsenʃənˈaɪlənd] óстров Вознесéния (*Атлантический ок., влад. Великобритании*)

Aseb [ˈɑ:səb] *г.* А́сэб (*Эфиопия*)

Asenovgrad [ɑ:ˈsenəfˏgrɑ:d] *г.* Асеновгрáд (*Болгария*)

Asheville [ˈæʃvɪl] *г.* А́швилл (*шт. Северная Каролина, США*)

Ashikaga [ɑ:ʃɪkɑ:gɑ:] *г.* Асикáга (*о. Хонсю, Япония*)

Ashkhabad [ˏɑ:ʃhɑ:ˈbɑ:d] *г.* Ашхабáд (*столица Туркменской ССР, СССР*)

Ashland [ˈæʃlənd] **1.** *г.* А́шленд (*шт. Висконсин, США*); **2.** *г.* А́шленд (*шт. Кентукки, США*)

Ashur [ˈɑ:ʃuə] *ист. г.* Ашшýр; *см.* Assur

Asia [ˈeɪʒə, ˈeɪʃə] *часть света* А́зия (*вост. часть материка Евразия*)

Asia Minor [ˈeɪʃəˈmaɪnə] *п-ов* Мáлая А́зия (*на зап. Азии, Турция*)

Askaniya Nova [ʌsˈkɑ:njɪəˈnɔ:və] *заповедник* Аскáния-Нóва (*Украинская ССР, СССР*)

Asmara [æzˈmɑ:rə] *г.* Асмáра (*Эфиопия*)

Assab [ˈæsəb] *г.* Ассáб; *см.* Aseb

Assam [əˈsæm] *шт.* Ассáм (*Индия*)

Ass(o)uan [æsˈwæn] = Aswan

Assur [ˈɑ:suə] *ист. г.* Ассýр (*на терр. совр. Ирака*)

Assyria [əˈsɪrɪə] *ист. гос-во* Ассúрия (*в Двуречье, на терр. совр. Ирака*)

Astrakhan [ˈɑ:strəhən] *г.* А́страхань (*центр Астраханской обл., РСФСР, СССР*)

Asturias [æsˈtjuərɪəs] *ист. обл.* Астýрия (*Испания*)

Asunción [ˏɑ:su:nˈsjɔ:n] *г.* Асунсьóн (*столица Парагвая*)

Aswan [æsˈwæn, æsˈwɔn] *г.* Асуáн (*Египет*)

Asyut [æsˈju:t] *г.* Асьют (*Египет*)

Atacama Desert [ˏɑ:tɑ:ˈkɑ:mɑ:ˈdezət] *пуст.* Атакáма (*Чили*)

Atbara [ˈɑ:tbɑ:rɑ:] **1.** *г.* А́тбара (*Судан*); **2.** *р.* А́тбара (*Судан и Эфиопия*)

Athabasca [ˏæθəˈbæskə] **1.** *г.* Атабáска (*пров. Альберта, Канада*); **2.** *р.* Атабáска (*Канада*)

Athabasca, Lake [ˈleɪkˏæθəˈbæskə] *оз.* Атабáска (*Канада*)

Athabaska [ˏæθəˈbæskə] = Athabasca

Athens [ˈæθənz] *г.* Афи́ны (*столица Греции*)

Athos [ˈæθəs] *гора* Афо́н (*Греция*)

Atlanta [ətˈlæntə] *г.* Атла́нта (*адм. центр шт. Джорджия, США*)

Atlantic City [ətˈlæntıkˈsıtı] *г.* Атла́нтик-Си́ти (*шт. Нью-Джерси, США*)

Atlantic Coastal Plain [ət-ˈlæntıkˈkəust(ə)lˈpleın] Приатланти́ческая ни́зменность (*США*)

Atlantic Ocean [ətˈlæntıkˈəuʃ(ə)n] Атланти́ческий океа́н (*между Африкой, Европой, Северной и Южной Америкой и Антарктидой*)

Atlas Mountains [ˈætləsˈmauntınz] *горн. сист.* А́тла́с (*Алжир, Марокко и Тунис*)

Atrato [ɑːˈtrɑːtə] *р.* Атра́то (*Колумбия*)

Attica [ˈætıkə] *ист. обл.* А́ттика (*Греция*)

Auburn [ˈɔːbən] **1.** *г.* О́берн (*шт. Нью-Йорк, США*); **2.** *г.* О́берн (*шт. Мэн, США*)

Auckland [ˈɔːklənd] *г.* О́кленд (*адм. центр стат. р-на Сентрал-Окленд, о. Северный, Новая Зеландия*)

Auckland Islands [ˈɔːkləndˈaıləndz] *о-ва* О́кленд (*Тихий ок., Новая Зеландия*)

Aughrabies Falls [ə(u)ˈgrɑːbısˈfɔːlz] *вдп.* Аугра́бис (*р. Оранжевая, ЮАР*)

Augsburg [ˈauksburk, ˈaugzˌbuəg] *г.* А́угсбург (*ФРГ*)

Augusta [ɔːˈgʌstə] **1.** *г.* Ога́ста (*адм. центр шт. Мэн, США*); **2.** *г.* Ога́ста (*шт. Джорджия, США*)

Aurora [ɔːˈrɔːrə] *г.* Оро́ра (*шт. Иллинойс, США*)

Austin [ˈɔːstın] *г.* О́стин (*адм. центр шт. Техас, США*)

Australia [ɔːsˈtreıljə] **1.** *материк, часть света* Австра́лия (*Южное полушарие*); **2.** *гос-во* Австра́лия, Commonwealth of Australia [ˈkɔmənwelθ...] Австрали́йский Сою́з (*на материке Австралия и прилегающих о-вах*)

Australian Alps [ɔːsˈtreıljənˈælps] *горы* Австрали́йские А́льпы (*Австралия*)

Australian Capital Territory [ɔːˈstreıljənˈkæpıtlˈterıt(ə)rı] Террито́рия столи́цы Австра́лии (*Австралия*)

Austria [ˈɔːstrıə] *гос-во* А́встрия, Republic of Austria Австри́йская Респу́блика (*Центральная Европа*)

Austria-Hungary [ˈɔːstrıəˈhʌŋgərı] *ист. гос-во* А́встро-Ве́нгрия (*Европа*)

Ava [ˈɑːvə] *ист. гос-во* А́ва (*Мьянма*)

Avalon [ˈævəlɔn] *п-ов* А́валон (*о. Ньюфаундленд, Канада*)

Avarua [ˌɑːvɑːˈruːɑː] *г.* Аварýа (*адм. центр о-вов Кука, о. Раротонга*)

Avellaneda [ˌɑːve(ı)jɑːˈneıðɑː, ˌɑːvələˈneıdə] *г.* А́вельяне́да (*Аргентина*)

Avignon [ˌɑːˌviːˈnjɔːŋ] *г.* Авиньо́н (*Франция*)

Avilés [ˌɑːvıˈleıs] *г.* Авиле́с (*Испания*)

Avon [ˈeıvən] **1.** *граф.* Э́йвон (*Англия, Великобритания*); **2.** *р.* Э́йвон (*впадает в зал. Ли-Манш, Великобритания*); **3.** *р.* Э́йвон (*приток р. Северн, Великобритания*)

Axel Heiberg [ˈæks(ə)lˈhaıbəːg] *о.* А́ксель-Хе́йберг (*Канадский Арктический арх., Канада*)

Aylesbury [ˈeılzbərı] *г.* Э́йлсбери (*адм. центр граф. Бакингемшир, Англия, Великобритания*)

Ayr [ɛə] *г.* Э́р (*обл. Стратклайд, Шотландия, Великобритания*)

Ayutthaya [ˌɑːjuːˈtaıə] *г.* Аютт-ха́я, Аю́тия (*Таиланд*)

Azerbaijan Soviet Socialist Republic [ɑːˌzəːbaıˈdʒɑːnˈsəuvıetˈsəuʃəlıstrıˈpʌblık] Азербайджа́нская Сове́тская Социалисти́ческая Респу́блика, **Azerbaijan** [ɑːˌzəːbaıˈdʒɑːn] Азербайджа́н (*вост. часть Закавказья, СССР*)

Azores [əˈzɔːz] *арх.* Азо́рские острова́ (*Атлантический ок., Португалия*)

Azov [ʌˈzɔːf] *г.* Азо́в (*Ростовская обл., РСФСР, СССР*)

Azov, Sea of [ˈsiːəvʌˈzɔːf] Азо́вское мо́ре (*на юге европейской части СССР*)

B

Baalbek [ˈbeɪəlbek] *г.* Баальбе́к (*Ливан*)

Baba, Cape [ˈkeɪpˈbɑ:bɑ:] *мыс* Баба́ (*крайняя зап. точка Азии, Турция*)

Bab el Mandeb [ˈbæbelˈmændeb] Баб-эль-Манде́бский проли́в (*между Аравийским п-овом и Африкой, соединяет Красное м. с Аравийским*)

Babuyanes [ˌbɑ:bu:ˈjɑ:ne(ɪ)s] = Babuyan Islands

Babuyan Islands [ˌbɑ:bu:ˈjɑ:nˈaɪləndz] *о-ва* Бабуя́н (*Филиппины*)

Babylon [ˈbæbɪlən] *ист. г.* Вавило́н (*столица Вавилонии, в Месопотамии, на терр. совр. Ирака*)

Babylonia [ˌbæbɪˈləunjə] *ист. гос-во* Вавило́ния (*в Месопотамии, на терр. совр. Ирака*)

Bačau [bɑ:ˈkə:u] *г.* Бакэ́у (*Румыния*)

Bacolod [bɑ:ˈkəulɔ:d] *г.* Бако́лод (*о. Негрос, Филиппины*)

Bactra [ˈbæktrə] *ист. г.* Ба́ктра (*столица Бактрии, на терр. Совр. Афганистана*)

Bactria [ˈbæktrɪə] *ист. обл.* Ба́ктрия (*в Средней Азии, Афганистан и СССР*)

Badajoz [ˌbɑ:ðɑ:ˈhɔ:s] *г.* Бадахо́с (*Испания*)

Badalona [ˌbɑ:ðɑ:ˈləunɑ:] *г.* Бадало́на (*Испания*)

Baden [ˈbɑ:dən] **1.** *г.* Ба́ден (*Австрия*); **2.** *г.* Ба́ден (*Швейцария*)

Baden-Baden [ˈbɑ:dənˈbɑ:dən] *г.* Ба́ден-Ба́ден (*ФРГ*)

Baffin Bay [ˈbæfɪnˈbeɪ] мо́ре Ба́ффина, Ба́ффинов зали́в (*между о-вами Баффинова Земля и Гренландия*)

Baffin Island [ˈbæfɪnˈaɪlənd] *о.* Ба́ффинова Земля́ (*Канадский Арктический арх., Канада*)

Bag(h)dad [ˈbægdæd] *г.* Багда́д (*столица Ирака*)

Baghlan [bægˈlɑ:n] *г.* Ба́глан (*Афганистан*)

Bahama Islands [bəˈhɑ:məˈaɪləndz], **Bahamas** [bəˈhɑ:məz] Бага́мские острова́ (*Атлантический ок., Вест-Индия, гос-во Багамские Острова*)

Bahamas, the [bəˈhɑ:məz, bəˈheɪməz] *гос-во* Бага́мские Острова́, Commonwealth of the Bahamas [ˈkɔmənwelθ...] Содру́жество Бага́мских Острово́в (*на Багамских о-вах, Вест-Индия*)

Baharîya [bæˈri:jə] *оазис* Бахари́я (*Ливийская пуст., Египет*)

Bahawalpur [bəˈhɑ:wəlpuə] *г.* Бахавалпу́р (*Пакистан*)

Bahía Blanca [bɑ:ˈi:ɑ:ˈvlɑ:ŋkɑ:] *г.* Бахи́я-Бла́нка (*Аргентина*)

Bahrain [bəˈreɪn] *гос-во* Бахре́йн, State of Bahrain Госуда́рство Бахре́йн (*на о-вах Бахрейн, Персидский зал., Юго-Западная Азия*)

Bahrain Islands [bəˈreɪnˈaɪləndz] *о-ва* Бахре́йн (*Персидский зал., Индийский ок., гос-во Бахрейн*)

Bahrein [bəˈreɪn] = Bahrain

Bahrein Islands [bəˈreɪnˈaɪləndz] = Bahrain Islands

Baia-Mare [ˈbɑ:jɑ:ˈmɑ:re] *г.* Ба́я-Ма́ре (*Румыния*)

Baikal, Lake [ˈleɪkbaɪˈkɑ:l] *оз.* Байка́л (*СССР*)

Baikal Mountains [baɪˈkɑ:lˈmauntɪnz] Байка́льский хребе́т (*сев.-зап. побережье оз. Байкал, СССР*)

Baikonur [baɪkəˈnu:ə, baɪkʌˈnu:r] *космодром* Байкону́р (*Джезказганская обл., Казахская ССР, СССР*)

Bailén [baɪˈleɪn] *г.* Байле́н (*Испания*)

Baja California [ˈbɑ:hɑ:ˌkælɪˈfɔ:njə] = Lower California

Baker Island [ˈbeɪkəˈaɪlənd] *о.* Бе́йкер (*Тихий ок., влад. США*)

Bakersfield [ˈbeɪkəzfi:ld] *г.* Бе́йкерсфилд (*шт. Калифорния, США*)

Bakhchisarai [ˌbɑ:ktʃɪsɑ:ˈraɪ] *г.* Бахчиса́ра́й (*Крымская обл., Украинская ССР, СССР*)

Baku [bʌˈku:] *г.* Баку́ (*столица Азербайджанской ССР, СССР*)

Bakwanga [bəˊkwɑ:ŋgə] *г.* Бакванга; *см.* Mbuji-Mayi

Balakovo [bəˊlɑ:kəˏvəu] *г.* Балаково (*Саратовская обл., РСФСР, СССР*)

Balashikha [ˏbæləˊʃi:kə, ˏbʌləˊʃi:hə] *г.* Балашиха (*Московская обл., РСФСР, СССР*)

Balaton [ˊbælətɔn] *оз.* Балатон (*Венгрия*)

Balboa [bælˊbəuə] *г.* Бальбоа (*Панама*)

Balboa Heights [bælˊbəuəˊhaɪts] *г.* Бальбоа-Хайтс (*Панама*)

Balearic Islands [ˏbælɪˊærɪkˊaɪləndz] Балеарские острова (*Средиземное м., Испания*)

Bali [ˊbɑ:lɪ] *о.* Бали (*Малые Зондские о-ва, Индонезия*)

Balikesir [ˏbɑ:lɪkeˊsi:r] *г.* Балыкесир (*Турция*)

Balikpapan [ˊbɑ:lɪkˊpɑ:pɑ:n] *г.* Баликпапан (*о. Калимантан, Индонезия*)

Bali Sea [ˊbɑ:lɪˊsi:] *м.* Бали (*Тихий ок., Индонезия*)

Balkan Mountains [ˊbɔ:lkənˊmauntɪnz] Балканские горы, Балканы; *см.* Stara Planina

Balkan Peninsula [ˊbɔ:lkənpɪˊnɪnsjulə] Балканский полуостров (*на юге Европы*)

Balkhash [bɑ:lˊkɑ:ʃ] *г.* Балхаш (*Джезказганская обл., Казахская ССР, СССР*)

Balkhash, Lake [ˊleɪkbɑ:lˊkɑ:ʃ] *оз.* Балхаш (*СССР*)

Ballarat [ˊbælərӕt] *г.* Балларат (*шт. Виктория, Австралия*)

Balleny Islands [ˊbælənɪˊaɪləndz] острова Баллени (*Тихий ок., Антарктика*)

Ballycastle [ˏbælɪˊkɑ:sl] *г.* Балликасл (*адм. центр окр. Мойл, Северная Ирландия, Великобритания*)

Ballymena [ˏbælɪˊmi:nə] **1.** *окр.* Баллимина (*Северная Ирландия, Великобритания*); **2.** *г.* Баллимина (*адм. центр окр. Баллимина, Северная Ирландия, Великобритания*)

Ballymoney [ˏbælɪˊmʌnɪ] **1.** *окр.* Баллимони (*Северная Ирландия, Великобритания*); **2.** *г.* Баллимони (*адм. центр окр. Баллимони, Северная Ирландия, Великобритания*)

Baltic Sea [ˊbɔ:ltɪkˊsi:] Балтийское море (*Атлантический ок., у берегов Европы*)

Baltimore [ˊbɔ:ltɪmɔ:] *г.* Балтимор (*шт. Мэриленд, США*)

Baluchistan [bəˏlu:tʃɪˊstɑ:n] *ист. обл.* Белуджистан (*Иран*)

Bamako [ˏbɑ:ˏmɑ:ˊkəu] *г.* Бамако (*столица Мали*)

Bamian [ˏbɑ:mɪˊjɑ:n] *г.* Бамиан (*Афганистан*)

Banaba [bəˊnɑ:bə] *о.* Банаба; *см.* Ocean Island

Banat [ˊbɑ:nɑ:t] *ист. обл.* Банат (*Румыния и Югославия*)

Banbridge [ˏbænˊbrɪdʒ] **1.** *окр.* Банбридж (*Северная Ирландия, Великобритания*); **2.** *г.* Банбридж (*адм. центр окр. Банбридж, Северная Ирландия, Великобритания*)

Bandar Abbas [bɑ:nˊdɑ:rɑ:ˊbɑ:s] *г.* Бендер-Аббас (*Иран*)

Bandar Seri Begawan [ˊbɑ:ndɑ:ˊserɪbəˊgɑ:wən] *г.* Бандар-Сери-Бегаван (*столица Брунея*)

Banda Sea [ˊbændəˊsi:] *м.* Банда (*Тихий ок., Индонезия*)

Bandeira, Pico da [ˊpi:ku:ðəvæŋˊdeɪrə] *гора* Бандейра (*Бразильское плоск., Бразилия*)

Bandjarmasin [ˏbɑ:ndʒəˊmɑ:sɪn] *г.* Банджармасин (*о. Калимантан, Индонезия*)

Bandoeng, Bandung [ˊbɑ:nduŋ, ˊbænˏduŋ] *г.* Бандунг (*о. Ява, Индонезия*)

Banff [bæmf] *г.* Банф (*обл. Грампиан, Шотландия, Великобритания*)

Banff National Park [ˊbæmfˊnæʃnlˊpɑ:k] *нац. парк* Банф (*Канада*)

Bangalore [ˊbæŋgələu] *г.* Бангалор (*адм. центр шт. Карнатака, Индия*)

Bangka [ˊbæŋkə] *о.* Банка (*Большие Зондские о-ва, Индонезия*)

Bangkok [bæŋˊkɔk] *г.* Бангкок (*столица Таиланда*)

Bangladesh [ˊbæŋgləˊdeʃ] *гос-во* Бангладеш, People's Republic of Bangladesh Народная Республика Бангладеш (*Южная Азия*)

Bangor [ˈbæŋgɔ:, ˈbæŋgə] **1.** *г.* Ба́нгор (*адм. центр окр. Норт-Даун, Северная Ирландия, Великобритания*); **2.** *г.* Ба́нгор (*граф. Гуинет, Уэльс, Великобритания*); **3.** *г.* Ба́нгор (*шт. Мэн, США*)

Bangui [ˌbɑ:ŋˈgi:] *г.* Банги́ (*столица Центральноафриканской Республики*)

Bangweulu, Lake [ˈleɪkˌbæŋwɪˈu:lu:] *оз.* Бангвеу́лу (*Замбия*)

Banja Luka [ˈbɑ:njɑ:ˈlu:kɑ:] *г.* Ба́ня-Лу́ка (*Социалистическая Республика Босния и Герцеговина, Югославия*)

Banjarmasin [ˌbɑ:ndʒəˈmɑ:sɪn] = Bandjarmasin

Banjul [bɑ:nˈdʒu:l] *г.* Банжу́л (*столица Гамбии*)

Banks Island [ˈbæŋksˈaɪlənd] *о.* Банкс (*Канадский Арктический арх., Канада*)

Bann [bæn] *р.* Банн (*Северная Ирландия, Великобритания*)

Banská Bystrica [ˈbɑ:nskɑ:ˈbɪstrɪtsɑ:] *г.* Ба́нска-Би́стрица (*Чехословакия*)

Baoding [ˈbauˈdɪŋ] *г.* Баоди́н (*пров. Хэбэй, Китай*)

Baotou [ˈbauˈtəu] *г.* Баото́у (*авт. р-н Внутренняя Монголия, Китай*)

Baracaldo [ˌbɑ:rɑ:ˈkɑ:ldə(u)] *г.* Брака́льдо (*Испания*)

Baranovichi [bʌˈrɑ:nəvjɪtʃɪ] *г.* Бара́новичи (*Брестская обл., Белорусская ССР, СССР*)

Barbados [bɑ:ˈbeɪdəuz] **1.** *гос-во* Барба́дос (*на о. Барбадос, Вест-Индия*); **2.** *о.* Барба́дос (*Малые Антильские о-ва, Атлантический ок., гос-во Барбадос*)

Barbuda [bɑ:ˈbu:də] *о.* Барбу́да (*Малые Антильские о-ва, Атлантический ок., гос-во Антигуа и Барбуда*)

Barcelona [ˌbɑ:səˈləunə] **1.** *г.* Барсело́на (*Испания*); **2.** *г.* Барсело́на (*Венесуэла*)

Barcoo [bɑ:ˈku:] *р.* Барку́; *см.* Cooper's Creek

Bareilly [bəˈreɪlɪ] *г.* Баре́ли (*шт. Уттар-Прадеш, Индия*)

Barents Island [ˈbærəntsˈaɪlənd] о́стров Ба́ренца (*арх. Шпицберген, Северный Ледовитый ок., Норвегия*)

Barents Sea [ˈbærəntsˈsi:] Ба́ренцево мо́ре (*Северный Ледовитый ок., у берегов СССР и Норвегии*)

Bari [ˈbɑ:rɪ] *г.* Ба́ри (*Италия*)

Barito [bɑ:ˈri:təu] *р.* Бари́то (*о. Калимантан, Индонезия*)

Barking (Town) [ˈbɑ:kɪŋ(ˈtaun)] *г.* Ба́ркинг (*метроп. граф. Большой Лондон, Англия, Великобритания*)

Barkly Tableland [ˈbɑ:klɪˈteɪbllænd] *плато* Ба́ркли (*Австралия*)

Barnaul [bərnʌˈu:l] *г.* Барнау́л (*центр Алтайского края, РСФСР, СССР*)

Barnsley [ˈbɑ:nzlɪ] *г.* Ба́рнсли (*адм. центр метроп. граф. Саут-Йоркшир, Англия, Великобритания*)

Baroda [bəˈrəudə] *г.* Баро́да, Вадо́дара (*шт. Гуджарат, Индия*)

Barquisimeto [ˌbɑ:kɪsɪˈmeɪtəu] *г.* Баркисиме́то (*Венесуэла*)

Barra [ˈbærə] *о.* Ба́рра (*арх. Гебридские о-ва, Атлантический ок., Великобритания*)

Barrancabermeja [bɑ:ˈrɑ:ŋkɑ:veˈmehɑ:] *г.* Барранкаберме́ха (*Колумбия*)

Barranquilla [ˌbærənˈki:(j)ə] *г.* Барранки́лья (*Колумбия*)

Barrow (in Furness) [ˈbærəu(ɪnˈfə:nɪs)] *г.* Ба́рроу (*граф. Ланкашир, Англия, Великобритания*)

Barrow, Point [ˈpɔɪntˈbærəu] *мыс* Ба́рроу (*п-ов Аляска, США*)

Barrow Strait [ˈbærəuˈstreɪt] *прол.* Ба́рроу (*Канадский Арктический арх.*)

Barry [ˈbærɪ] *г.* Ба́рри (*граф. Саут-Гламорган, Уэльс, Великобритания*)

Basel [ˈbɑ:zəl] *г.* Ба́зель (*Швейцария*)

Bashi Channel [ˈbɑ:ʃɪˈtʃænl] *прол.* Ба́ши (*между о. Тайвань и Филиппинскими о-вами*)

Bashkir Autonomous Soviet Socialist Republic [bʌʃˈki:rɔ:ˈtɔnəməsˈsəuvietˈsəuʃəlistrɪˈpʌblɪk] Башки́рская Автоно́мная Сове́тская Социалисти́ческая Респу́блика, **Bashkiria** [bʌʃˈki:rɪə] Башки́рия (*РСФСР, СССР*)

Basilan [bɑ:ˈsi:lɑ:n] **1.** *г.* Баси́лан (*о. Басилан, Филиппины*); **2.** *о.* Баси́лан (*арх. Сулу, Филиппины*)

Basildon [ˈbæzɪldən] *г.* Бáзилдон (*в составе Большого Лондона, Англия, Великобритания*)

Baskunchak [bʌskunˈtʃɑ:k] *оз.* Баскунчáк (*СССР*)

Basque Provinces [ˈbɑ:skˈprɔvɪnsɪz] *ист. обл.* Странá Бáсков (*Испания*)

Basra(h) [ˈbɑ:srɑ:, ˈbʌsrə] *г.* Бáсра (*Ирак*)

Bassein [bəˈseɪn] *г.* Бассéйн (*Мьянма*)

Basse-Terre [ˌbɑ:sˈtɛə] *г.* Бас-Тер (*адм. центр о. Гваделупа, Малые Антильские о-ва*)

Basseterre [ˌbɑ:sˈtɛə] *г.* Бастéр (*столица гос-ва Сент-Кристофер и Невис, о. Сент-Кристофер*)

Bass Strait [ˈbæsˈstreɪt] проли́в Бáсса (*между Австралией и о. Тасмания*)

Basutoland [bəˈsu:tə(u)lænd] Басýтоленд; *см.* Lesotho

Bata [ˈbɑ:tɑ:] *г.* Бáта (*Экваториальная Гвинея*)

Batabanó, Gulf of [ˈgʌlfəvˌbɑ:tɑ:vɑ:ˈnəu] *зал.* Батабанó (*Карибское м., о. Куба*)

Batangas [bəˈtæŋgəs] *г.* Батáнгас (*о. Лусон, Филиппины*)

Batavia [bəˈteɪvɪə] *г.* Батáвия; *см.* Djakarta

Bath [bɑ:θ] *г.* Бат (*граф. Эйвон, Англия, Великобритания*)

Bathurst [ˈbæθə:st] *г.* Бáтерст; *см.* Banjul

Bathurst Island [ˈbæθə:stˈaɪlənd] **1.** *о.* Бáтерст (*Тиморское м., Австралия*); **2.** *о.* Бáтерст (*Канадский Арктический арх., Канада*)

Batna [ˈbætnə] *г.* Бáтна (*Алжир*)

Baton Rouge [ˈbætnˈru:ʒ] *г.* Бáтон-Руж (*адм. центр шт. Луизиана, США*)

Battambang [ˈbætəmbæŋ] *г.* Баттамбáнг (*Камбоджа*)

Batticaloa [ˌbʌtɪkəˈləuə] *г.* Баттикалóа (*Шри-Ланка*)

Battle Creek [ˈbætlˌkri:k] *г.* Батл-Крик (*шт. Мичиган, США*)

Batumi [bɑ:ˈtumɪ] *г.* Батýми (*столица Аджарской АССР, Грузинская ССР, СССР*)

Baurú [bauˈru:] *г.* Баурý (*Бразилия*)

Bautzen [ˈbautsən] *г.* Бáутцен (*ФРГ*)

Bavaria [bəˈvɛərɪə] *земля* Бавáрия (*ФРГ*)

Bayamo [bɑ:ˈjɑ:mə(u)] *г.* Бая́мо (*Куба*)

Bayamón [ˌbɑ:jɑ:ˈmɔ:n] *г.* Баямóн (*о. Пуэрто-Рико, Большие Антильские о-ва*)

Bay City [ˈbeɪˈsɪtɪ] *г.* Бей-Си́ти (*шт. Мичиган, США*)

Bayonne [beɪˈəun] *г.* Бейóнн (*шт. Нью-Джерси, США*)

Béarn [ˌbeɪˈɑ:r(n)] *ист. пров.* Беáрн (*Франция*)

Beaufort Sea [ˈbəufətˈsi:] мóре Бóфорта (*Северный Ледовитый ок., у берегов Северной Америки*)

Beaumont [ˈbəumɔnt] *г.* Бóмонт (*шт. Техас, США*)

Bechuanaland [ˌbetʃuˈɑ:nəlænd] Бечуáналенд; *см.* Botswana

Bedford [ˈbedfəd] *г.* Бéдфорд (*адм. центр граф. Бедфордшир, Англия, Великобритания*)

Bedfordshire [ˈbedfədʃɪə] *граф.* Бéдфордшир (*Англия, Великобритания*)

Beersheba [bɪəˈʃi:bə] *г.* Беэ́р-Шéва (*Израиль*)

Beijing [ˈbeɪˈdʒɪŋ] *г.* Бейцзи́н; *см.* Peking

Beira [ˈbeɪrə] *г.* Бéйра (*Мозамбик*)

Beirut [beɪˈru:t] *г.* Бейрýт (*столица Ливана*)

Bei Shan [ˈbeɪˈʃɑ:n] *нагорье* Бэйшáнь (*Китай*)

Bejaïa [beˈdʒaɪə] *г.* Беджаи́я (*Алжир*)

Békéscsaba [ˈbeɪkeɪʃˌtʃɔbɔ] *г.* Бéкешчаба (*Венгрия*)

Belaya [ˈbjeləjə] *р.* Бéлая (*СССР*)

Belaya Tserkov [ˈbjeləjəˈtserkəf] *г.* Бéлая Цéрковь (*Киевская обл., Украинская ССР, СССР*)

Belcher Islands [ˈbeltʃəˈaɪləndz] *о-ва* Бéлчер (*Гудзонов зал., Канада*)

Belém [bəˈlem] *г.* Белéн (*Бразилия*)

Belfast [ˈbelfɑ:st] **1.** *окр.* Бéлфаст (*Северная Ирландия, Великобритания*); **2.** *г.* Бéлфаст (*адм. центр округов Белфаст и Каслрей, Северная Ирландия, Великобритания*); **3.** *г.* Бéлфаст (*пров. Трансвааль, ЮАР*)

Belgaum [belˈgaum] *г.* Белгáон,

Белга́ум (*шт. Карнатака, Индия*)

Belgium [ˈbeldʒəm] *гос-во* Бе́льгия, Kingdom of Belgium Короле́вство Бе́льгия (*Западная Европа*)

Belgorod [ˈbjelgərət] *г.* Бе́лгород (*центр Белгородской обл., РСФСР, СССР*)

Belgrade [ˈbelgreɪd] *г.* Белгра́д (*столица Югославии и Социалистической Республики Сербии*)

Belitung [beɪˈli:tuŋ] *о.* Белиту́нг; *см.* Billiton

Belize [bəˈli:z] **1.** *гос-во* Бели́з (*Центральная Америка*); **2.** *г.* Бели́з (*Белиз*)

Belle Isle, Strait of [ˈstreɪtəvbelˈaɪl] *прол.* Белл-Айл (*между о. Ньюфаундленд и п-овом Лабрадор, Канада*)

Belleville [ˈbelvɪl] *г.* Бе́лвилл (*пров. Онтарио, Канада*)

Bellingham [ˈbelɪŋhæm] *г.* Бе́линг(х)ем (*шт. Вашингтон, США*)

Bellingshausen Sea [ˈbelɪŋzˌhauznˈsi:] мо́ре Беллинсга́узена (*Тихий ок., Антарктика*)

Bellville [ˈbelvɪl] *г.* Бе́лвилл (*Капская пров., ЮАР*)

Belmopan [belmouˈpæn] *г.* Бельмопа́н (*столица Белиза*)

Belo Horizonte [ˌbɛəlɔ:rɪˈzəuŋtɪ] *г.* Бе́лу-Оризо́нти (*Бразилия*)

Belo(y)e Ozero [ˈbjeləjəˈɔ:zjɪrə] Бе́лое о́зеро (*СССР*)

Belper [ˈbelpə] *г.* Бе́лпер (*граф. Дербишир, Англия, Великобритания*)

Beltsy [ˈbjeltsɪ] *г.* Бе́льцы (*ССР Молдова, СССР*)

Beluchistan [bəˌlu:tʃɪˈstɑ:n] = Baluchistan

Belukha [bjɪˈlu:hə] *гора* Белу́ха (*горн. сист. Алтай, СССР*)

Benares [bɪˈnɑ:rəs] *г.* Бена́рес; *см.* Varanasi

Bendery [benˈderɪ] *г.* Бенде́ры (*ССР Молдова, СССР*)

Bendigo [ˈbendɪgəu] *г.* Бе́ндиго (*шт. Виктория, Австралия*)

Bengal [beŋˈgɔ:l] *ист. обл.* Бенга́лия (*Южная Азия*)

Bengal, Bay of [ˈbeɪəvbeŋˈgɔ:l] Бенга́льский зали́в (*Индийский ок., между п-овами Индостан и Индокитай*)

Bengasi [benˈgɑ:zɪ] *г.* Бенга́зи (*Ливия*)

Bengbu [ˈbʌŋˈbu:] *г.* Бэнбу́ (*пров. Аньхой, Китай*)

Benguela [benˈgelə] *г.* Бенге́ла (*Ангола*)

Beni [ˈbe(ɪ)nɪ] *р.* Бе́ни (*Боливия*)

Benin [beˈni(:)n] *гос-во* Бени́н, Republic of Benin Респу́блика Бени́н (*Западная Африка*)

Benin, Bight of [ˈbaɪtəvbəˈni:n] *зал.* Бени́н (*часть Гвинейского зал., побережье Африки*)

Benin City [beˈni:nˈsɪtɪ] *г.* Бени́н-Си́ти (*Нигерия*)

Beni Suef [ˈbeɪni:suˈweɪf] *г.* Бе́ни-Суэ́йф (*Египет*)

Ben Lomond [benˈləumənd] **1.** *горн. массив* Бен-Ло́монд (*о. Тасмания, Австралия*); **2.** *гора* Бен-Ло́монд (*Шотландия, Великобритания*)

Ben Nevis [benˈnevɪs] *гора* Бен-Не́вис (*Северо-Шотландское нагорье, Великобритания*)

Benoni [bəˈnəunɪ] *г.* Бено́ни (*пров. Трансвааль, ЮАР*)

Benue [ˈbeɪnweɪ] *р.* Бе́нуэ (*Камерун и Нигерия*)

Benxi [ˈbʌnˈʃi:] *г.* Бэньси́ (*пров. Ляонин, Китай*)

Berbera [ˈbə:bərə] *г.* Бе́рбера (*Сомали*)

Berdyansk [berˈdjɑ:nsk] *г.* Бердя́нск (*Запорожская обл., Украинская ССР, СССР*)

Berezina [bjerjezi:ˈnɑ:] *р.* Березина́ (*СССР*)

Berezniki [bɪrjeznjɪˈki:] *г.* Березники́ (*Пермская обл., РСФСР, СССР*)

Bergamo [ˈbegɑ:mə(u)] *г.* Бе́ргамо (*Италия*)

Bergen [ˈbə:gən] *г.* Бе́рген (*Норвегия*)

Bering Island [ˈberɪŋˈaɪlənd] о́стров Бе́ринга (*Командорские о-ва, Берингово м., СССР*)

Bering Sea [ˈberɪŋˈsi:] Бе́рингово мо́ре (*Тихий ок., между Азией и Северной Америкой*)

Bering Strait [ˈberɪŋˈstreɪt] Бе́рингов проли́в (*между Азией и Се-*

верной Америкой, соединяет Чукотское и Берингово моря)

Berkeley [ˈbə:klɪ] *г.* Бе́ркли (*шт. Калифорния, США*)

Berkshire [ˈbɑ:kʃɪə] *граф.* Бе́ркшир (*Англия, Великобритания*)

Berlin [bə:ˈlɪn] *г.* Берли́н (*столица ФРГ*)

Bermejo [beˈmehə(u)] *р.* Ри́о-Берме́хо (*Аргентина*)

Bermuda Islands [bəˈmju:də-ˈaɪləndz], **Bermudas** [bəˈmju:dəz] Берму́дские острова́ (*Атлантический ок., влад. Великобритании*)

Bern(e) [bə:n] *г.* Берн (*столица Швейцарии*)

Bernese Alps [ˈbə:ni:zˈælps] *горы* Бе́рнские А́льпы (*Швейцария*)

Bernina [bəˈni:nə] *горн. массив* Берни́на (*на границе Швейцарии и Италии*)

Berry [ˈberɪ] *ист. пров.* Берри́ (*Франция*)

Berwyn [ˈbə:wɪn] *г.* Бе́руин (*шт. Иллинойс, США*)

Besançon [bəˌzɑ:ŋˈsɔ:ŋ] *г.* Безансо́н (*Франция*)

Beskids [ˈbeskɪdz, besˈki:dz] *горы* Бески́ды (*часть Карпат, на границе Польши, Чехословакии и СССР*)

Bessarabia [ˌbesəˈreɪbɪə] *ист. обл.* Бессара́бия (*СССР*)

Bessemer [ˈbesəmə] *г.* Бе́ссемер (*шт. Алабама, США*)

Bethlehem I [ˈbeθlɪəm] *библ. г.* Вифлеем (*в Палестине*)

Bethlehem II [ˈbeθlɪəm] **1.** *г.* Бе́тлехем (*шт. Пенсильвания, США*); **2.** *г.* Бе́тлехем (*Оранжевая пров., ЮАР*)

Bezwada [beɪzˈwɑ:də] *г.* Безва́да; *см.* Vijayawada

Bhagalpur [ˈbɑ:gəlˌpuə] *г.* Бхагалпу́р (*шт. Бихар, Индия*)

Bhaktapur [ˈbʌktəˌpuə] *г.* Бхактапу́р (*Непал*)

Bhatpara [bɑ:tˈpɑ:rə] *г.* Бхатпа́ра (*шт. Западная Бенгалия, Индия*)

Bhavnagar [bauˈnʌgə] *г.* Бхавна́гар (*шт. Гуджарат, Индия*)

Bhilai [bɪˈlaɪ] *г.* Бхила́и (*шт. Мадхья-Прадеш, Индия*)

Bhopal [bəuˈpɑ:l] *г.* Бхопа́л (*адм. центр шт. Мадхья-Прадеш, Индия*)

Bhubaneshwar [ˌbuvəˈneɪʃwə] *г.* Бхубанешва́р (*адм. центр шт. Орисса, Индия*)

Bhutan [buˈtɑ:n] *гос-во* Бута́н, Kingdom of Bhutan Короле́вство Бута́н (*Южная Азия*)

Biafra, Bight of [ˈbaɪləvbɪˈɑ:frə] *зал.* Биа́фра (*часть Гвинейского зал., побережье Африки*)

Białystok [bjɑ:ˈlɪstɔ:k] *г.* Белосто́к (*Польша*)

Biarritz [ˌbjɑ:ˈri:ts] *г.* Биарри́ц (*Франция*)

Bielefeld [ˈbi:ləfelt] *г.* Би́лефельд (*ФРГ*)

Bielsko-Biała [ˈbjelskɔ:ˈbjɑ:lɑ:] *г.* Бе́льско-Бя́ла (*Польша*)

Big Bend National Park [ˈbɪg-ˈbendˈnæʃənlˈpɑ:k] *нац. парк* Биг-Бенд (*США*)

Bihar [bɪˈhɑ:] *шт.* Биха́р (*Индия*)

Biisk [bi:sk] = Biysk

Bijagos Islands [bɪʒə-ˈgɔ:ʃˈaɪləndz] = Bissagos Islands

Bikaner [ˈbi:kʌneɪə] *г.* Бикане́р (*шт. Раджастхан, Индия*)

Bikini [bɪˈki:nɪ] *атолл* Бики́ни (*Маршалловы о-ва, Тихий ок.*)

Bilbao [bɪlˈbɑ:ə(u)] *г.* Бильба́о (*Испания*)

Billings [ˈbɪlɪŋz] *г.* Би́ллингс (*шт. Монтана, США*)

Billiton [bɪˈli:tən] *о.* Биллито́н (*Большие Зондские о-ва, Южно-Китайское м., Индонезия*)

Biloxi [bɪˈlʌksɪ, bɪˈlɔksɪ] *г.* Било́кси (*шт. Миссисипи, США*)

Binghampton [ˈbɪŋəmtən] *г.* Бингемптон (*шт. Нью-Йорк, США*)

Bío-Bío [ˈbɪ:əuˈvi:əu, ˈbi:ə(u)ˈbi:əu] *р.* Би́о-Би́о (*Чили*)

Bioko [bi:ˈəukəu] *о.* Био́ко (*Гвинейский зал., Атлантический ок., Экваториальная Гвинея*)

Birkenhead [ˈbə:kənhed] *г.* Бе́ркенхед (*метроп. граф. Мерсисайд, Англия, Великобритания*)

Birmingham [ˈbə:mɪŋhæm, ˈbə:mɪŋəm] **1.** *г.* Би́рмингем (*адм. центр метроп. граф. Уэст-Мидлендс, Англия, Великобритания*); **2.** *г.* Би́рмингем (*шт. Алабама, США*)

Birobidzhan [ˌbɪrə(u)bɪˈdʒɑ:n] *г.* Биробиджа́н (*центр Еврейской АО, Хабаровский край, РСФСР, СССР*)

Biscay, Bay of [ˈbeɪəvˈbɪskeɪ] Биска́йский зали́в (*Атлантический ок., побережье Испании и Франции*)

Bishkek [bɪʃˈkek] *г.* Бишке́к (*столица Киргизской ССР, СССР*)

Biskra [ˈbɪskrə] *г.* Би́скра (*Алжир*)

Bismarck [ˈbɪzmɑ:k] *г.* Би́смарк (*адм. центр шт. Северная Дакота, США*)

Bismarck Archipelago [ˈbɪzmɑ:kˌɑ:kɪˈpelɪgəu] архипела́г Би́смарка (*Тихий ок., Меланезия, Папуа-Новая Гвинея*)

Bissagos Islands [bɪsˈɑ:gəsˈaɪləndz] *о-ва* Бижаго́ш (*зап. побережье Африки, Атлантический ок., Гвинея-Бисау*)

Bissau [bɪˈsau] *г.* Биса́у (*столица Гвинеи-Бисау*)

Bistriţa, Bistritsa [ˈbi:strɪtsɑ:] *г.* Би́стрица (*Румыния*)

Bitterroot Range [ˈbɪtəˌru:tˈreɪndʒ] *хр.* Би́ттеррут (*Скалистые горы, США*)

Biwa [ˈbɪwɑ:] *оз.* Би́ва (*о. Хонсю, Япония*)

Biysk [bi:sk] *г.* Бийск (*Алтайский край, РСФСР, СССР*)

Bizerta [bɪˈzə:tə], **Bizerte** [bɪˈzə:t(ɪ)] *г.* Бизе́рта (*Тунис*)

Blackburn [ˈblækbə:n] *г.* Блэ́кберн (*граф. Ланкашир, Англия, Великобритания*)

Black Forest [ˈblækˈfɔrɪst] *горы* Шва́рцвальд (*ФРГ*)

Black Hills [ˈblækˈhɪlz] *горы* Блэк-Хилс (*США*)

Blackpool [ˈblækpu:l] *г.* Блэ́кпул (*граф. Ланкашир, Англия, Великобритания*)

Black Sea [ˈblækˈsi:] Чёрное мо́ре (*Атлантический ок., между Европой и Малой Азией*)

Black Stream [ˈblækˈstri:m] = Japan Current

Black Volta [blækˈvɔltə] *р.* Чёрная Во́льта (*Буркина-Фасо и Гана*)

Blackwater [ˈblækˌwɔ:tə] *р.* Блэ́куотер (*Ирландия*)

Blagoevgrad [blɑ:ˈgɔ:jəfˌgrɑ:d] *г.* Благоевгра́д (*Болгария*)

Blagoveshchensk [ˌblægə(u)ˈveʃtʃensk] *г.* Благове́щенск (*центр Амурской обл., РСФСР, СССР*)

Blanca Peak [ˈblæŋkəˈpi:k] *гора* Бла́нка-Пик (*Скалистые горы, США*)

Blanc, Mont [ˌmɔ:ŋˈblɑ:ŋ] **1.** *горн. массив* Монбла́н (*горн. сист. Альпы, на границе Франции, Италии и Швейцарии*); **2.** *гора* Монбла́н (*горн. массив Монблан, Франция*)

Blantyre-Limbe [blænˈtaɪəˈlɪmbeɪ] *г.* Бланта́йр-Ли́мбе (*Малави*)

Blenheim [ˈblenɪm] *г.* Бле́нем (*адм. центр стат. р-на Марлборо, о. Южный, Новая Зеландия*)

Blida [ˈbli:də] *г.* Бли́да (*Алжир*)

Bloemfontein [ˈblu:mfɔ:nˈteɪn] *г.* Блу́мфонтейн (*адм. центр Оранжевой пров., ЮАР*)

Bloomington [ˈblu:mɪŋtən] *г.* Блу́мингтон (*шт. Индиана, США*)

Blue Mountains I [ˈblu:ˈmauntɪnz] *горы* Блу-Ма́унтинс (*США*)

Blue Mountains II [ˈblu:ˈmauntɪnz] Голубы́е го́ры (*Австралия*)

Blue Nile [ˈblu:ˈnaɪl] *р.* Голубо́й Нил (*Судан и Эфиопия*)

Blue Ridge [ˈblu:ˈrɪdʒ] Голубо́й хребе́т (*США*)

Bobo-Dioulasso [ˈbəubəud(j)uˈlæsəu] *г.* Бо́бо-Дьюла́со (*Буркина-Фасо*)

Bobruisk [bʌˈbru:ɪsk] *г.* Бобру́йск (*Могилёвская обл., Белорусская ССР, СССР*)

Bochum [ˈbəukum] *г.* Бо́хум (*ФРГ*)

Bodaibo [bədaɪˈbɔ:] *г.* Бодайбо́ (*Иркутская обл., РСФСР, СССР*)

Boden See [ˈbəudənˌzeɪ] Бо́денское о́зеро; *см.* Constance, Lake

Bodö [ˈbəuˌdə:] *г.* Бу́дё (*Норвегия*)

Boeotia [bɪˈəuʃə] *ист. обл.* Бео́тия (*Греция*)

Bogotá [ˌbəugə(u)ˈtɑ:] *г.* Богота́ (*столица Колумбии*)

Bohai I [ˈbɔ:ˈhaɪ] *прол.* Боха́й (*Жёлтое м., между п-овами Ляодунский и Шаньдун, Китай*)

Bohai II [ˈbɔ:ˈhaɪ] *зал.* Бохайва́нь (*Жёлтое м., побережье Китая*)

Bohemia [bə(u)ˈhi:mjə] *ист.* Боге́мия (*первоначальное назв. терр. Чехии*)

Bohemian Forest [bə(u)ˈhi:mjənˈfɔrɪst] *горы* Че́шский (*или* Боге́мский) Лес (*на границе Австрии, ФРГ и Чехословакии*)

Bohol [bə(u)ˈhɔ:l] *о.* Бохо́ль (*Филиппины*)

Boise [ˈbɔɪsɪ] *г.* Бо́йсе (*адм. центр шт. Айдахо, США*)

Bokaro [bəuˈkɑ:rəu] *г.* Бока́ро (*шт. Бихар, Индия*)

Boké [ˌbɔ:ˈkeɪ] *г.* Боке́ (*Гвинея*)

Boksburg [ˈbɔksbə:g] *г.* Бо́ксбург (*пров. Трансвааль, ЮАР*)

Bolivar, Pico [ˈpi:kə(u)bə(u)ˈli:vɑ:] *пик* Боли́вар (*горн. сист. Анды, Венесуэла*)

Bolivia [bəˈlɪvɪə] *гос-во* Боли́вия, Republic of Bolivia Респу́блика Боли́вия (*Южная Америка*)

Bologna [bə(u)ˈləunjə] *г.* Боло́нья (*Италия*)

Bolshevik [ˈbɔ(:)lʃəvɪk] *о.* Большеви́к (*арх. Северная Земля, СССР*)

Bolton [ˈbəultn] *г.* Бо́лтон (*метроп. граф. Большой Манчестер, Англия, Великобритания*)

Bolzano [bə(u)lˈtsɑ:nə(u)] *г.* Больца́но (*Италия*)

Boma [ˈbəumə] *г.* Бо́ма (*Заир*)

Bombay [bɔmˈbeɪ] *г.* Бомбе́й (*адм. центр шт. Махараштра, Индия*)

Bonaire [ˌbɔ:ˈnɛə] *о.* Бона́йре (*Малые Антильские о-ва, Карибское м., влад. Нидерландов*)

Bône [bəun] *г.* Бон; *см.* Annaba

Bonifacio, Strait of [ˈstreɪtəvbə(u)nɪˈfɑ:tʃə(u)] *прол.* Бонифа́чо (*между о-вами Корсика и Сардиния*)

Bonin Islands [ˈbəunɪnˈaɪləndz] *о-ва* Бони́н; *см.* Ogasawara Islands

Bonn [bɔn] *г.* Бонн (*ФРГ*)

Boothia, Gulf of [ˈgʌlfəvˈbu:θɪə] *зал.* Бу́тия (*Северный Ледовитый ок., между п-овом Бутия и о. Баффинова Земля*)

Boothia Peninsula [ˈbu:θɪəpɪˈnɪnsjulə] *п-ов* Бу́тия (*на сев. Канады*)

Bootle [ˈbu:tl] *г.* Бутл (*метроп. граф. Мерсисайд, Англия, Великобритания*)

Borås [bu:ˈrəus] *г.* Бу́рос (*Швеция*)

Bordeaux [ˌbɔ:ˈdəu] *г.* Бордо́ (*Франция*)

Borders [ˈbɔ:dəz] *обл.* Бо́рдерс (*Шотландия, Великобритания*)

Borisov [bʌˈrji:səf] *г.* Бори́сов (*Минская обл., Белорусская ССР, СССР*)

Borneo [ˈbɔ:nɪəu] *о.* Борне́о; *см.* Kalimantan

Bornholm [ˈbɔ:nhɔ:lm] *о.* Бо́рнхольм (*Балтийское м., Дания*)

Borodino [bərədjɪˈnɔ:] *пос.* Бородино́ (*Московская обл., РСФСР, СССР*)

Bosnia and Herzegovina [ˈbɔznɪəændˌhə:tsəgə(u)ˈvi:nə] Бо́сния и Герцегови́на, Socialist Republic of Bosnia and Herzegovina Социалисти́ческая Респу́блика Бо́сния и Герцегови́на (*Югославия*)

Bosporus [ˈbɔsp(ə)rəs] *прол.* Босфо́р (*соединяет Чёрное и Мраморное моря*)

Boston [ˈbɔstən] *г.* Бо́стон (*адм. центр шт. Массачусетс, США*)

Botany Bay [ˈbɔtənɪˈbeɪ] *зал.* Бо́тани-Бей (*Тасманово м., Австралия*)

Bothnia, Gulf of [ˈgʌlfəvˈbɔθnɪə] Ботни́ческий зали́в (*Балтийское м., между берегами Швеции и Финляндии*)

Botoşani, Botoshani [bɔtɔˈʃɑ:nɪ] *г.* Ботоша́ни (*Румыния*)

Botswana [bɔtsˈwɑ:nɑ:, bɔˈtswɑ:nə] *гос-во* Ботсва́на, Republic of Botswana Респу́блика Ботсва́на (*Южная Африка*)

Bottrop [ˈbɔ:trɔ:p] *г.* Бо́ттроп (*ФРГ*)

Bouaké [ˌbwɑ:ˈkeɪ] *г.* Буа́ке, Бва́ке (*Кот-д'Ивуар*)

Bougainville [ˈbu:gənvɪl] *о.* Бугенви́ль (*Соломоновы о-ва, Тихий ок., Папуа-Новая Гвинея*)

Bougie [ˌbu:ˈʒi:] *г.* Бужи́; *см.* Bejaïa

Boulogne [bu:ˈləun, bu:ˈlɔɪn] *г.* Було́нь (*Франция*)

Bournemouth [ˈbɔ:nməθ] *г.* Бо́рнмут (*граф. Дорсетшир, Англия, Великобритания*)

Boyoma Falls [bɔɪˈəuməˈfɔ:ls] *водопады* Бойо́ма (*р. Конго, Заир*)

Brabant [brəˈbænt] *ист. герцогство* Браба́нт (*Западная Европа*)

Brač, Brach [brɑ:tʃ] *о.* Брач (*Адриатическое м., Югославия*)

Bradford [ˈbrædfəd] *г.* Бра́дфорд (*метроп. граф. Уэст-Йоркшир, Англия, Великобритания*)

Braga [ˈbra:gə] *г.* Бра́га (*Португалия*)

Brahmaputra [ˌbrɑ:məˈpu:trə] *р.* Брахмапу́тра (*Китай, Индия и Бангладеш*)

Brăila [brəˈi:lɑ:] *г.* Брэи́ла (*Румыния*)

Brakpan [ˈbrækpæn] *г.* Бра́кпан (*пров. Трансвааль, ЮАР*)

Brandenburg [ˈbrændənbə:g] **1.** *г.* Бра́нденбург (*ФРГ*); **2.** *ист. обл.* Бра́нденбург (*ФРГ*)

Brashov [brɑ:ˈʃɔv] = Braşov

Brasília [brəˈzi:lɪə] *г.* Брази́лиа, Брази́лия (*столица Бразилии*)

Braşov [brɑ:ˈʃɔv] *г.* Брашо́в (*Румыния*)

Bratislava [ˈbrɑ:tjɪˌslɑ:vɑ:,ˌbrætɪˈslɑ:və] *г.* Братисла́ва (*столица Словацкой Республики, Чехословакия*)

Bratsk [brɑ:tsk] *г.* Братск (*Иркутская обл., РСФСР, СССР*)

Braunschweig [ˈbraunʃwaɪg] *г.* Бра́уншвейг (*ФРГ*)

Brazil [brəˈzɪl] *гос-во* Брази́лия, Federative Republic of Brazil Федерати́вная Респу́блика Брази́лия (*Южная Америка*)

Brazil Current [brəˈzɪlˈkʌr(ə)nt] Брази́льское тече́ние (*Атлантический ок.*)

Brazil, Plateau of [ˈplætəuəvbrəˈzɪl] Брази́льское плоского́рье (*Южная Америка*)

Brazos [ˈbræzəs] *р.* Бра́зос (*США*)

Brazzaville [ˈbræzəvɪl] *г.* Брazzа-ви́ль (*столица Конго*)

Breda [bre(ɪ)ˈdɑ:] *г.* Бреда́ (*Нидерланды*)

Bregenz [ˈbreɪgents] *г.* Бре́генц (*Австрия*)

Bremen [ˈbreɪmən] *г.* Бре́мен (*ФРГ*)

Bremerhaven [ˈbreməˌheɪvən] *г.* Бре́мерхафен (*ФРГ*)

Bremerton [ˈbremət(ə)n] *г.* Бре́мертон (*шт. Вашингтон, США*)

Brenner Pass [ˈbrenəˈpɑ:s] *пер.* Бре́ннер (*горн. сист. Альпы, на границе Австрии и Италии*)

Brentford [ˈbrentfəd] *г.* Бре́нтфорд (*метроп. граф. Большой Лондон, Англия, Великобритания*)

Brescia [ˈbreɪʃɑ:] *г.* Бре́шиа (*Италия*)

Brest [brest] **1.** *г.* Брест (*центр Брестской обл., Белорусская ССР, СССР*); **2.** *г.* Брест (*Франция*)

Bridgeport [ˈbrɪdʒpɔ:t] *г.* Бри́джпорт (*шт. Коннектикут, США*)

Bridgetown [ˈbrɪdʒtaun] *г.* Бри́джтаун (*столица Барбадоса*)

Brighton [ˈbraɪtn] *г.* Бра́йтон (*граф. Восточный Суссекс, Англия, Великобритания*)

Brindisi [ˈbrɪndɪzɪ] *г.* Бри́ндизи (*Италия*)

Brisbane [ˈbrɪzbən] *г.* Бри́сбен (*адм. центр шт. Квинсленд, Австралия*)

Bristol [ˈbrɪstl] *г.* Бри́столь (*адм. центр граф. Эйвон, Англия, Великобритания*)

Bristol Bay [ˈbrɪstlˈbeɪ] Бристо́льский зали́в (*Берингово м., побережье Аляски*)

Bristol Channel [ˈbrɪstlˈtʃænl] Бристо́льский зали́в (*Атлантический ок., о. Великобритания*)

Britain [brɪtn] Брита́ния; *см.* Great Britain 1

British Columbia [ˈbrɪtɪʃkə(u)ˈlʌmbɪə] *пров.* Брита́нская Колу́мбия (*Канада*)

British Commonwealth (of Nations) [ˈbrɪtɪʃˈkɔmənwelθ(əvˈneɪʃnz)] *ист.* Брита́нское Содру́жество (На́ций); *см.* Commonwealth, the

British Empire [ˈbrɪtɪʃˈempaɪə] *ист.* Брита́нская импе́рия (*Великобритания и её колониальные владения*)

British Honduras [ˈbrɪtɪʃhɔnˈdjuərəs] Брита́нский Гондура́с; *см.* Belize 1

British Isles, the [ˈbrɪtɪʃˈaɪlz] Брита́нские острова́ (*у сев.-зап. побережья Европы, Атлантический ок., гос-ва Великобритания и Ирландия*)

Brittany [ˈbrɪtnɪ] *ист. пров.* Брета́нь (*Франция*)

Brno [ˈbə:nɔ:] *г.* Брно (*Чехословакия*)

Brocken [ˈbrɔkən] *пик* Бро́ккен (*горы Гарц, ФРГ*)

Brockton [ˈbrɔktən] *г.* Бро́ктон (*шт. Массачусетс, США*)

Broken Hill [ˈbrəukənˈhɪl] **1.** *г.* Бро́кен-Хилл (*шт. Новый Южный Уэльс, Австралия*); **2.** *г.* Бро́кен-Хилл; *см.* Kabwe

Bromley [ˈbrɔmlɪ] *г.* Бро́мли (*метроп. граф. Большой Лондон, Англия, Великобритания*)

Bronx [brɔŋks] Бронкс (*р-н г. Нью-Йорк, США*)

Brooklyn [ˈbruklɪn] Бру́клин (*р-н г. Нью-Йорк, США*)

Brooks Range [ˈbruksˈreɪndʒ] *хр.* Брукс (*шт. Аляска, США*)

Brownsville [ˈbraunzvɪl] *г.* Бра́унсвилл (*шт. Техас, США*)

Brugge [ˈbrju:gə] *г.* Брю́гге (*Бельгия*)

Brunei [bru:ˈneɪ] *гос-во* Бруне́й (*о. Калимантан, Юго-Восточная Азия*)

Brussels [ˈbrʌslz] *г.* Брюссе́ль (*столица Бельгии*)

Bryansk [brjɑ:nsk] *г.* Брянск (*центр Брянской обл., РСФСР, СССР*)

Bucaramanga [ˈbu:kɑ:rɑ:ˈmɑ:ŋgɑ:] *г.* Букарама́нга (*Колумбия*)

Buchanan [bjuˈkænən, bəˈkænən] *г.* Бьюке́нен (*Либерия*)

Bucharest [ˈbu:kərest] *г.* Бухаре́ст (*столица Румынии*)

Buckinghamshire [ˈbʌkɪŋəmʃɪə] *граф.* Ба́кингемшир (*Англия, Великобритания*)

Bucovina [ˌbu:kəˈvi:nə] = Bukovina

Budapest [ˈbu:dəˌpest] *г.* Будапе́шт (*столица Венгрии*)

Buenaventura [ˌbwenəvenˈtuərə] *г.* Буэнавенту́ра (*Колумбия*)

Buenos Aires [ˈbweɪnəsˈɛərɪz] *г.* Буэ́нос-А́йрес (*столица Аргентины*)

Buenos Aires, Lake [ˈleɪkˈbweɪnəsˈɛərɪz] *оз.* Буэ́нос-А́йрес (*Аргентина и Чили*)

Buffalo [ˈbʌfələu] *г.* Бу́ффало (*шт. Нью-Йорк, США*)

Bug [bu:g] *р.* Буг (*СССР и Польша*)

Bujumbura [ˌbu:dʒəmˈbuərə] *г.* Бужумбу́ра (*столица Бурунди*)

Bukavu [bu:ˈkɑ:vu:] *г.* Бука́ву (*Заир*)

Bukhara [bu:ˈkɑ:rə] *г.* Бухара́ (*центр Бухарской обл., Узбекская ССР, СССР*)

Bukittinggi [ˌbu:kɪˈtɪŋgɪ] *г.* Букитти́нги (*о. Суматра, Индонезия*)

Bukoba [bu:ˈkəubə] *г.* Буко́ба (*Танзания*)

Bukovina [bu:kəˈvi:nə] *ист. обл.* Букови́на (*СССР и Румыния*)

Bulawayo [ˌbu:ləˈwɑ:jəu] *г.* Булава́йо (*Зимбабве*)

Bulgan [ˈbu:lgɑ:n] *г.* Бу́лган (*Монголия*)

Bulgaria [bʌlˈgɛərɪə] *гос-во* Болга́рия, Republic of Bulgaria Респу́блика Болга́рия (*Юго-Восточная Европа*)

Bungo Channel [buŋgəuˈtʃænl] = Bungo Strait

Bungo Strait [buŋgəuˈstreɪt] *прол.* Бу́нго (*между о-вами Кюсю и Сикоку, Япония*)

Bureya [bəˈreɪə] *р.* Буре́я (*СССР*)

Burgas [buəˈgɑ:s] *г.* Бурга́с (*Болгария*)

Burgas, Gulf of [ˈgʌlfəvbuəˈgɑ:s] Бурга́сский зали́в (*Чёрное м., побережье Болгарии*)

Burgos [ˈbuəgəus] *г.* Бу́ргос (*Испания*)

Burgundy [ˈbə:gəndɪ] *ист. пров.* Бургу́ндия (*Франция*)

Buriat Autonomous Soviet Socialist Republic [buərˈjɑ:tɔ:ˈtɔnəməsˈsəuvɪetˈsəuʃəlɪstrɪˈpʌblɪk] = Buryat Autonomous Soviet Socialist Republic

Burkina Faso [buəˈki:nəˈfɑ:sɔ:] *гос-во* Буркина́-Фасо́ (*Западная Африка*)

Burlington [ˈbə:lɪŋtən] *г.* Бе́рлингтон (*шт. Вермонт, США*)

Burma [ˈbə:mə] Би́рма; *см.* Myanma

Burnley [ˈbə:nlɪ] *г.* Бе́рнли (*граф. Ланкашир, Англия, Великобритания*)

Bursa [burˈsɑ:] *г.* Бу́рса (*Турция*)

Buru [ˈbu:ru:] *о.* Бу́ру (*Молуккские о-ва, Индонезия*)

Burundi [bu:ˈru:ndɪ] *гос-во* Бу́рунди, Republic of Burundi

Респу́блика Буру́нди (*Восточная Африка*)

Bury [ˈberɪ] *г.* Бе́ри (*метроп. граф. Большой Манчестер, Англия, Великобритания*)

Buryat Autonomous Soviet Socialist Republic [buərˈjɑ:tɔ:ˈtɔnəməsˈsəuvıetˈsəuʃəlıstrɪˈpʌblɪk] Буря́тская Автоно́мная Сове́тская Социалисти́ческая Респу́блика (*РСФСР, СССР*)

Butte [bju:t] *г.* Бьютт (*шт. Монтана, США*)

Butuan [bu:ˈtu:ɑ:n] *г.* Буту́ан (*о. Минданао, Филиппины*)

Butung [ˈbu:tuŋ] *о.* Бу́тунг (*м. Банда, Индонезия*)

Buxton [ˈbʌkstən] *г.* Ба́кстон (*граф. Дербишир, Англия, Великобритания*)

Buzău [bu:ˈzə:u] *г.* Бузэ́у (*Румыния*)

Bwake [ˈbwɑ:keɪ] = Bouaké

Bydgoszcz [ˈbɪdgɔ:ʃtʃ] *г.* Бы́дгощ (*Польша*)

Byelorussian Soviet Socialist Republic [ˌbjclə(u)ˈrʌʃənˈsəuvıetˈsəuʃəlıstrɪˈpʌblɪk] Белору́сская Сове́тская Социалисти́ческая Респу́блика, **Byelorussia** [ˌbjelə(u)ˈrʌʃə] Белору́ссия (*на зап. европейской части СССР*)

Bylot Island [ˈbaɪlətˈaɪlənd] *о.* Ба́йлот (*Канадский Арктический арх., Канада*)

Byrd [bə:d] Бэрд (*науч. ст. США, Антарктида*)

Byron, Cape [ˈkeɪpˈbaɪərən] *мыс* Ба́йрон (*крайняя вост. точка Австралии*)

Bytom [ˈbɪtɔ:m] *г.* Бы́том (*Польша*)

Byzantine Empire [bɪˈzæntɪnˈempaɪə] *ист. гос-во* Византи́я, Византи́йская импе́рия (*Балканский п-ов, Малая Азия и юго-вост. Средиземноморья*)

Byzantium [bɪˈzænʃɪəm] *ист. г.* Виза́нтий (*на терр. совр. Турции*)

C

Cabanatuan [ˌkɑ:bɑ:nɑ:ˈtwɑ:n] *г.* Кабанатуа́н (*о. Лусон, Филиппины*)

Cabimas [kɑ:ˈbi:mɑ:s] *г.* Каби́мас (*Венесуэла*)

Cabinda [kəˈbɪndə] *г.* Каби́нда (*Ангола*)

Cabo Branco [ˈkæbuˈbræŋku:] *мыс* Ка́бу-Бра́нку (*крайняя вост. точка Южной Америки, Бразилия*)

Cabot Strait [ˈkæbətˈstreɪt] *прол.* Ка́бот (*между о-вами Ньюфаундленд и Кейп-Бретон, Канада*)

Cabo Verde [ˈkɑ:vu:ˈvə:d] *гос-во* Ка́бо-Ве́рде, Republic Cabo Verde Респу́блика Ка́бо-Ве́рде (*на о-вах Зелёного Мыса, Атлантический ок.*)

Cadiz [kəˈdɪz] *г.* Ка́дис (*Испания*)

Cadiz, Gulf of [ˈgʌlfəvkəˈdɪz] Кади́сский зали́в (*Атлантический ок., побережье Пиренейского п-ова*)

Caen [kɑ:n] *г.* Кан (*Франция*)

Caere [ˈsi:ri:] *ист. город-гос-во* Це́ре (*на терр. совр. Италии*)

Caernarvon [kɑ:ˈnɑ:vən] *г.* Карна́рвон (*адм. центр граф. Гуинет, Уэльс, Великобритания*)

Caesarea [ˌsi:zəˈri:ə] *ист. г.* Цезаре́я (*на терр. совр. Израиля*)

Cagayan de Oro [ˌkɑ:gɑ:ˈjɑ:ndəˈəurəu] *г.* Кагая́н-де-О́ро (*о. Минданао, Филиппины*)

Cagliari [ˈkɑ:ljɑ:rɪ] *г.* Ка́льяри (*о. Сардиния, Италия*)

Caguas [ˈkɑ:gwɑ:s] *г.* Ка́гуас (*о. Пуэрто-Рико, Большие Антильские о-ва*)

Cairns [kɛənz] *г.* Кэрнс (*шт. Квинсленд, Австралия*)

Cairo [ˈkaɪərəu] *г.* Каи́р (*столица Египта*)

Cajamarca [ˌkɑ:hɑ:ˈmɑ:kɑ:] *г.* Кахама́рка (*Перу*)

Calabria [kəˈleɪbrɪə] *п-ов* Кала́брия (*Италия*)

Calais [ˌkɑ:ˈle, ˈkæleɪ] *г.* Кале́ (*Франция*)

Călăraşi [kələˈrɑ:ʃ(ɪ)] *г.* Кэлэра́ш(и) (*Румыния*)

Calcutta [kælˈkʌtə] *г.* Кальку́тта (*адм. центр шт. Западная Бенгалия, Индия*)

Caledonia [ˌkælɪˈdəunjə] *ист.* Каледо́ния (*древнее назв. сев. части о. Великобритания*)

Caledonian Canal [ˌkælɪˈdəunjənkə'næl] Каледóнский канáл (*соединяет Северное м. с Атлантическим ок., Великобритания*)

Calgary ['kælgərɪ] *г.* Кáлгари (*пров. Альберта, Канада*)

Cali ['kɑːlɪ] *г.* Кáли (*Колумбия*)

Calicut ['kælɪkət] *г.* Кáликут (*шт. Тамилнад, Индия*)

California [ˌkælɪ'fɔːnjə] *шт.* Калифóрния (*США*)

California Current [ˌkælɪ'fɔːnjə'kʌr(ə)nt] Калифорнúйское течéние (*Тихий ок.*)

California, Gulf of ['gʌlfəv ˌkælɪ'fɔːnjə] Калифорнúйский залúв (*Тихий ок., между п-овом Калифорния и побережьем Мексики*)

Callao [kɑː'jɑːəu] *г.* Кальяó (*Перу*)

Caloocan [ˌkɑːlɔː'ɔːkɑːn] *г.* Калоóкан (*о. Лусон, Филиппины*)

Camagücy [ˌkɑːmɑː'gweɪ] *г.* Камагуэ́й (*Куба*)

Camau [kə'mau] *п-ов* Камáу (*юж. побережье Вьетнама*)

Camau, Point ['pɔɪntkə'mau] *мыс* Камáу (*юж. оконечность п-ова Камау, Вьетнам*)

Cambay, Gulf of ['gʌlfəvkæm'beɪ] Камбéйский залúв (*Аравийское м., побережье п-ова Индостан*)

Cambodia [kæm'bəudɪə] *гос-во* Камбóджа, State of Cambodia Госудáрство Камбóджа (*Юго-Восточная Азия*)

Cambria ['kæmbrɪə] *ист.* Кéмбрия (*древнее назв. Уэльса, Великобритания*)

Cambrian Mountains ['kæmbrɪən'mauntɪnz] Кембрúйские гóры (*Уэльс, Великобритания*)

Cambridge I ['keɪmbrɪdʒ] *г.* Кéмбридж (*адм. центр граф. Кембриджшир, Англия, Великобритания*)

Cambridge II ['keɪmbrɪdʒ] *г.* Кéймбридж (*шт. Массачусетс, США*)

Cambridgeshire ['keɪmbrɪdʒʃɪə] *граф.* Кéмбриджшир (*Англия, Великобритания*)

Camden ['kæmdən] *г.* Кáмден (*шт. Нью-Джерси, США*)

Cameroon [ˌkæmə'ruːn] **1.** *гос-во* Камерýн, Republic of Cameroon Респýблика Камерýн (*Западная Африка*); **2.** *влк.* Камерýн (*Камерун*)

Cameroun [ˌkɑːm'ruːn] = Cameroon 1

Campania [kæm'peɪnjə] *обл.* Кампáния (*Италия*)

Campbell Island ['kæmbəl'aɪlənd] *о.* Кэ́мпбелл (*Тихий ок., Новая Зеландия*)

Campeche, Bay of ['beɪəvkæm'piːtʃɪ] *зал.* Кампéче (*часть Мексиканского зал., Мексика*)

Cam Pha ['kɑːm'fɑː] *г.* Камфá (*Вьетнам*)

Campina Grande [kæm'piːnə'grændɪ] *г.* Кампúна-Грáнди (*Бразилия*)

Campinas [kæm'piːnəs] *г.* Кампúнас (*Бразилия*)

Campo Grande ['kæmpuː'grændɪ] *г.* Кáмпу-Грáнди (*Бразилия*)

Campos ['kæmpuːs] *г.* Кáмпус (*Бразилия*)

Cam Ranh ['kæm'ræn] *г.* Камрáнь (*Вьетнам*)

Cana ['keɪnə] *библ. г.* Кáна (Галилéйская) (*в Палестине*)

Canaan ['keɪnən] *ист.* Ханаáн (*древнее назв. терр. Палестины, Сирии и Финикии*)

Canada ['kænədə] *гос-во* Канáда (*Северная Америка*)

Canadian [kə'neɪdjən] *р.* Канéйдиан (*США*)

Canadian Arctic Islands [kə'neɪdjən'ɑːktɪk'aɪləndz] = Arctic Archipelago

Canadian Shield [kə'neɪdjən 'ʃiːld] Канáдский щит (*выступ фундамента на сев. Северо-Американской платформы, занимающий значительную часть Северной Америки и о. Гренландия*)

Cana of Galilee ['keɪnəəv'gælɪliː] = Cana

Canaries [kə'nɛərɪz] = Canary Islands

Canary Islands [kə'nɛərɪ'aɪləndz] Канáрские островá (*Атлантический ок., Испания*)

Canaveral, Cape ['keɪpkə'nævərəl] *мыс* Канáверал (*п-ов Флорида, США*)

Canberra ['kænbərə] *г.* Кáнбéрра (*столица Австралии*)

Cancer, Tropic of ['trɔpɪkəvˈkænsə] тро́пик Ра́ка (*параллель 23°27′ сев. широты*)

Cannae [ˈkæni:] *ист. нп* Ка́нны (*Италия*)

Cannes [kæn] *г.* Ка́нн(ы) (*Франция*)

Canoas [kəˈnəuəs] *г.* Кано́ас (*Бразилия*)

Cantabrian Mountains [kænˈteɪbrɪənˈmauntɪnz] Кантабри́йские го́ры (*Испания*)

Canterbury [ˈkæntəb(ə)rɪ] **1.** *стат. р-н* Ке́нтербери (*Новая Зеландия, о. Южный*); **2.** *г.* Ке́нтербери (*граф. Кент, Англия, Великобритания*)

Can Tho [ˈkʌnˈtəu] *г.* Кантхо́ (*Вьетнам*)

Canton I [ˈkæntən] *г.* Ка́нтон (*шт. Огайо, США*)

Canton II [ˈkæntɔn] *г.* Канто́н; *см.* Guangzhou

Cape Breton Island [ˈkeɪpˈbrɪt(ə)nˈaɪlənd] *о.* Кейп-Бре́тон (*Атлантический ок., Канада*)

Cape Coast [ˈkeɪpˈkəust] *г.* Кейп-Кост (*Гана*)

Cape Cod [ˈkeɪpˈkɔd] *п-ов* Кейп-Код (*на сев.-вост. США*)

Cape Cod Bay [ˈkeɪpˈkɔdˈbeɪ] *зал.* Кейп-Код (*Атлантический ок., побережье США*)

Cape Province [ˈkeɪpˈprɔvɪns] Ка́пская прови́нция (*ЮАР*)

Capernaum [kəˈpə:neɪəm] *ист. г.* Капе́рнаум (*в Палестине*)

Cape, the [keɪp] = Cape Cod

Cape Town, Capetown [ˈkeɪpˌtaun] *г.* Ке́йптаун (*адм. центр Капской пров., ЮАР*)

Cape Verde Islands I [ˈkeɪpˈvə:dˈaɪləndz] Острова́ Зелёного Мы́са, Republic of Cape Verde Респу́блика Зелёного Мы́са; *см.* Cabo Verde

Cape Verde Islands II [ˈkeɪpˈvə:dˈaɪləndz] острова́ Зелёного Мы́са (*Атлантический ок., Кабо-Верде*)

Cape York Peninsula [ˈkeɪpˈjɔ:kpɪˈnɪnsjulə] *п-ов* Кейп-Йорк (*Австралия*)

Cappadocia [ˌkæpəˈdəuʃ(ɪ)ə] *ист. обл.* Каппадо́кия (*в Малой Азии, на терр. совр. Турции*)

Capri [ˈkɑ:prɪ] *о.* Ка́при (*Тирренское м., Италия*)

Capricorn Channel [ˈkæprɪkɔ:nˈtʃænl] *прол.* Ка́прикорн (*между Австралией и юж. частью Большого Барьерного рифа*)

Capricorn, Tropic of [ˈtrɔpɪkəvˈkæprɪkɔ:n] тро́пик Козеро́га (*параллель 23°27′ юж. широты*)

Capua [ˈkæpju:ə] *г.* Ка́пуа (*Италия*)

Caracas [kəˈrækəs] *г.* Кара́кас (*столица Венесуэлы*)

Carcassonne [ˌkɑ:ˌkɑ:ˈsɔ:n] *г.* Каркасо́н (*Франция*)

Carchemish [ˈkɑ:kəmɪʃ] *ист. г.* Кархеми́ш (*на терр. совр. Сирии*)

Cárdenas [ˈkɑ:ðeɪnɑ:s] *г.* Ка́рденас (*Куба*)

Cardiff [ˈkɑ:dɪf] *г.* Ка́рдифф (*адм. центр граф. Саут-Гламорган, Уэльс, Великобритания*)

Cardigan Bay [ˈkɑ:dɪgənˈbeɪ] *зал.* Ка́рдиган (*Атлантический ок., о. Великобритания*)

Caribbean Sea [ˌkærɪˈbi(:)ənˈsi:] Кари́бское мо́ре (*Атлантический ок., между Центральной и Южной Америкой и Антильскими о-вами*)

Cariboo Mountains [ˈkærɪbu:ˈmauntɪnz] *горы* Ка́рибу (*Канада*)

Carinthia [kəˈrɪnθɪə] *ист. обл.* Кари́нтия (*Европа*)

Carletonville [ˈkɑ:ltənvɪl] *г.* Ка́рлтонвилл (*пров. Трансвааль, ЮАР*)

Carlisle [ˈkɑ:laɪl] *г.* Карла́йл (*адм. центр граф. Камбрия, Англия, Великобритания*)

Carlow [ˈkɑ:ləu] **1.** *граф.* Ка́рлоу (*Ирландия*); **2.** *г.* Ка́рлоу (*адм. центр граф. Карлоу, Ирландия*)

Carlsbad [ˈkɑ:lzbæd] **1.** *г.* Ка́рлсбад (*шт. Нью-Мексико, США*); **2.** *г.* Ка́рлсбад; *см.* Karlovy Vary

Carmarthen [kɑ:ˈmɑ:ðən] *г.* Карма́ртен (*адм. центр граф. Дивед, Уэльс, Великобритания*)

Caroline Islands [ˈkærəlaɪnˈaɪləndz], **Carolines** [ˈkærəlaɪnz] *арх.* Кароли́нские острова́ (*Тихий ок., Микронезия, опека ООН*)

Caroní [kɑ:rəˈni:] *р.* Карони́ (*Венесуэла*)

Carpathian Mountains [kɑ:ˈpeɪθɪənˈmauntɪnz], **Carpathians**

[kɑːˈpeɪθɪənz] *горн. сист.* Карпáты (*Европа*)

Carpentaria, Gulf of [ˈgʌlfəv-ˌkɑːpənˈtɛərɪə] *зал.* Карпентáрия (*Арафурское м., побережье Австралии*)

Carrara [kəˈrɑːrə] *г.* Каррáра (*Италия*)

Carrhae [ˈkæriː] *ист. г.* Кáрры (*в Месопотамии, на терр. совр. Турции*)

Carrickfergus [ˌkærɪkˈfəːgəs] **1.** *окр.* Каррикфéргус (*Северная Ирландия, Великобритания*); **2.** *г.* Каррикфéргус (*адм. центр окр. Каррикфергус, Северная Ирландия, Великобритания*)

Carrick (on Shannon) [ˈkærɪk-(ɔnˈʃænən)] *г.* Кáррик(-он-Шáннон) (*адм. центр граф. Литрим, Ирландия*)

Carroll [ˈkærəl] *г.* Кáрролл (*шт. Айова, США*)

Carson City [ˈkɑːsnˈsɪtɪ] *г.* Кáрсон-Сúти (*адм. центр шт. Невада, США*)

Cartagena [ˌkɑːtəˈgeɪnə, kɑːtə-ˈdʒiːnə] **1.** *г.* Картахéна (*Испания*); **2.** *г.* Картахéна (*Колумбия*)

Carthago [kɑːˈθeɪgəu] *ист. город-гос-во* Карфагéн (*в Северной Африке, на терр. совр. Туниса*)

Casablanca [ˌkæsəˈblæŋkə] *г.* Касаблáнка (*Марокко*)

Cascade Range [kæsˈkeɪdˈreɪndʒ] Каскáдные гóры (*США и Канада*)

Casey [ˈkeɪsɪ] Кéйси (*науч. ст. Австралии, Антарктида*)

Casper [ˈkæspə] *г.* Кáспер (*шт. Вайоминг, США*)

Caspian Sea [ˈkæspɪənˈsiː] Каспúйское мóре (*на границе Европы и Азии, СССР и Иран*)

Castile [kæsˈtiːl] *ист. кор-во* Кастúлия (*Пиренейский п-ов, Европа*)

Castlebar [ˈkɑːslˈbɑː] *г.* Каслбáр (*адм. центр граф. Мейо, Ирландия*)

Castlereagh [ˈkɑːslreɪ] *окр.* Кáслрей (*Северная Ирландия, Великобритания*)

Castries [ˈkæstriːz] *г.* Кастрú (*столица Сент-Люсии*)

Catalonia [ˌkætəˈləunjə] *ист. обл.* Каталóния (*Испания*)

Catania [kəˈteɪnjə] *г.* Катáния (*о. Сицилия, Италия*)

Cathkin Peak [ˈkæθkɪnˈpiːk] *гора* Кáткин-Пик (*Драконовы горы, ЮАР*)

Catskill Mountains [ˈkætskɪl-ˈmauntɪnz] *горы* Кáтскилл (*США*)

Cauca [ˈkaukɑː] *р.* Кáука (*Колумбия*)

Caucasia [kɔːˈkeɪʒə] Кавкáз (*терр. между Чёрным, Азовским и Каспийским морями, СССР*)

Caucasus Mountains [ˈkɔːkəs-əsˈmauntɪnz] *горн. страна* Кавкáз (*между Чёрным, Азовским и Каспийским морями, СССР*)

Caucasus, the [ˈkɔːkəsəs] **1.** = Caucasia; **2.** = Caucasus Mountains

Cavan [ˈkævən] **1.** *граф.* Кáван (*Ирландия*); **2.** *г.* Кáван (*адм. центр граф. Каван, Ирландия*)

Cawnpore [ˌkɔːnˈpɔː] = Kanpur

Caxias do Sul [kəˈʃiːəsdəˈsuːl] *г.* Кашúас-ду-Сул (*Бразилия*)

Cayenne [kaɪˈen] *г.* Кайéнна (*адм. центр Гвианы*)

Cayman Islands [keɪˈmænˈaɪ-ləndz] островá Каймáн (*Карибское м., Вест-Индия, влад. Великобритании*)

Cayman Trench [keɪˈmænˈtrentʃ] *жёлоб* Каймáн (*Карибское м.*)

Cebu [seɪˈbuː] **1.** *г.* Себý (*о. Себу, Филиппины*); **2.** *о.* Себý (*Филиппины*)

Cedar Rapids [ˈsiːdəˈræpɪdz] *г.* Сúдар-Рáпидс (*шт. Айова, США*)

Celebes [ˈseləbiːz] *о.* Цéлебес; *см.* Sulawesi

Celebes Sea [ˈseləbiːzˈsiː] Целебéсское мóре; *см.* Sulawesi Sea

Central [ˈsentrəl] *обл.* Сéнтрал (*Шотландия, Великобритания*)

Central African Republic [ˈsentr-(ə)lˈæfrɪkənrɪˈpʌblɪk] *гос-во* Центральноафрикáнская Респýблика (*Центральная Африка*)

Central America [ˈsentr(ə)ləˈmerɪkə] Центрáльная Амéрика (*юж. часть материка Северная Америка, расположенная в тропических широтах*)

Central Asia [ˈsentr(ə)lˈeɪʃə] Срéдняя Áзия (*юго-зап. азиатской части СССР*)

Central Auckland [ˈsentrəl-ˈɔːklənd] *стат. р-н.* Сéнтрал-

О́кленд (*Новая Зеландия, о. Северный*)

Central Black Earth Region [ˈsentr(ə)lˈblækˈə:θˈrɪdʒ(ə)n] Центрально-черноземный райо́н (*экон. р-н, СССР*)

Central Polynesian Sporades [ˈsentrəl͵pɔlɪˈni:zjənˈspɔrədi:z] *о-ва* Центра́льные Полинези́йские Спора́ды; *см.* Line Islands

Central Range [ˈsentr(ə)lˈreɪndʒ] = Sredinny Range

Central Russian Upland [ˈsentr(ə)lˈrʌʃənˈʌplənd] Среднеру́сская возвы́шенность (*центр европейской части СССР*)

Central Siberian Plateau [ˈsentr(ə)lsaɪˈbɪərɪənˈplætəu] Среднесиби́рское плоского́рье (*между реками Енисей на зап. и Лена на вост., СССР*)

Central Valley [ˈsentr(ə)lˈvælɪ] Центра́льные равни́ны (*США и Канада*)

Cephalonia [͵sefəˈləunɪə] *о.* Кефалини́я (*Ионические о-ва, Ионическое м., Греция*)

Ceram [ˈseɪrɑ:m] *о.* Сера́м (*Молуккские о-ва, м. Серам, Индонезия*)

Ceram Sea [ˈseɪrɑ:mˈsi:] *м.* Сера́м (*Тихий ок., Индонезия*)

Cerigo [ˈtʃɛərɪgə(u)] = Kíthira

Cerro de Pasco [ˈserɔ:ðe(ɪ)ˈpɑ:skə(u)] *г.* Се́рро-де-Па́ско (*Перу*)

České Budějovice [ˈtʃeskɛəˈbudje͵jɔ:vɪtse] *г.* Че́ске-Бу́деёвице (*Чехословакия*)

Ceuta [ˈseɪutɑ:] *г.* Сеу́та (*влад. Испании на терр. Марокко*)

Cévennes [͵seɪˈven] *горы* Севе́нны (*Франция*)

Ceylon [sɪˈlɔn] Цейло́н; *см.* Sri Lanka

Chad [tʃæd] *гос-во* Чад, Republic of Chad Респу́блика Чад (*Центральная Африка*)

Chad, Lake [ˈleɪkˈtʃɑ:d] *оз.* Чад (*Нигер, Чад, Нигерия и Камерун*)

Chagos Archipelago [ˈtʃɑ:gəus͵ɑ:kɪˈpelɪgəu] *арх.* Ча́гос (*Индийский ок., влад. Великобритании*)

Chald(a)ea [kælˈdi:ə] *ист. обл.* Халде́я (*в Месопотамии*)

Chalk River [ˈtʃɔ:kˈrɪvə] *г.* Чок-Ри́вер (*пров. Онтарио, Канада*)

Chambéry [͵ʃɑ:ŋ͵beɪˈri:] *г.* Шамбери́ (*Франция*)

Champagne [ʃæmˈpeɪn] *ист. обл.* Шампа́нь (*Франция*)

Champlain, Lake [ˈleɪkʃæmˈpleɪn] *оз.* Шампле́йн (*США и Канада*)

Chandigarh [ˈtʃʌndi:͵gɑ:] **1.** *союзная терр.* Чандига́рх (*Индия*); **2.** *г.* Чандига́рх (*адм. центр штатов Пенджаб и Харьяна, а также союзной терр. Чандигарх, Индия*)

Changchiakou [ˈtʃɑ:ŋˈdʒɑ:kˈkəu] = Zhangjiakou

Changchun [ˈtʃɑ:ŋˈtʃun] *г.* Ханчу́нь (*адм. центр пров. Гирин, Китай*)

Chang Jiang [ˈtʃɑ:ŋˈdʒjɑ:ŋ] *р.* Чанцзя́н; *см.* Yangtze

Changsha [ˈtʃɑ:ŋˈʃɑ:] *г.* Чанша́ (*адм. центр пров. Хунань, Китай*)

Channel Islands [ˈtʃænlˈaɪləndz] Норма́ндские острова́ (*прол. Ла-Манш, Великобритания*)

Chany, Lake [ˈleɪkˈtʃɑ:nɪ] *оз.* Чаны́ (*СССР*)

Chao Phraya [ˈtʃauprɔˈjɑ:] *р.* Мена́м-Ча́о-Пра́я (*Таиланд*)

Chapala, Lake [ˈleɪktʃɑ:ˈpɑ:lɑ:] *оз.* Чапа́ла (*Мексика*)

Chardzhou [tʃɑ:ˈdʒəuu] *г.* Чарджо́у (*центр Чарджоуской обл., Туркменская ССР, СССР*)

Charente [͵ʃɑ:ˈrɑ:nt] *р.* Шара́нта (*Франция*)

Chari [͵ʃɑ:ˈri:] *р.* Ша́ри (*Центральноафриканская Республика, Чад и Камерун*)

Charleston [ˈtʃɑ:lztən] **1.** *г.* Ча́рлстон (*адм. центр шт. Западная Виргиния, США*); **2.** *г.* Ча́рлстон (*шт. Южная Каролина, США*)

Charlotte [ˈʃɑ:lət] *г.* Ша́рлотт (*шт. Северная Каролина, США*)

Charlotte Amalie [ˈʃɑ:lətəˈmɑ:ljə] *г.* Шарло́тта-Ама́лия (*адм. центр влад. США на Виргинских о-вах, о. Сент-Томас*)

Charlottetown [ˈʃɑ:lɔttaun] *г.* Ша́рлоттаун (*адм. центр пров. Остров Принца Эдуарда, Канада*)

Chatham [ˈtʃætəm] *г.* Ча́тем (*граф. Кент, Англия, Великобритания*)

Chatham Islands [ˈtʃætəmˈaɪləndz] *о-ва* Ча́тем (*Тихий ок., Новая Зеландия*)

Chattanooga [ˌtʃætəˈnu:gə] *г.* Чаттану́га (*шт. Теннесси, США*)
Chaun Bay [tʃʌˈu:nˈbeɪ] Ча́унская губа́ (*Восточно-Сибирское м., побережье СССР*)
Cheboksary [tʃɪbʌˈksɑ:rɪ] *г.* Чебокса́ры (*столица Чувашской АССР, РСФСР, СССР*)
Checheno-Ingush Autonomous Soviet Socialist Republic [tʃɪˈtʃenəuɪnˈgu:ʃɔ:ˈtɔnəməsˈsəuvɪetˈsəuʃəlɪstrɪˈpʌblɪk] Чече́но-Ингу́шская Автоно́мная Сове́тская Социалисти́ческая Респу́блика (*РСФСР, СССР*)
Cheju I [ˈtʃeɪˈdʒu:] *г.* Чеджу́ (*Республика Корея*)
Cheju II [ˈtʃeɪˈdʒu:] *о.* Чеджудо́ (*Восточно-Китайское м., Республика Корея*)
Chekiang [ˈtʃeˈkjæŋ] = Zhejiang
Chelmsford [ˈtʃemzfəd] *г.* Че́лмсфорд (*адм. центр граф. Эссекс, Англия, Великобритания*)
Cheltenham [ˈtʃeltnəm] *г.* Че́лтнем (*граф. Глостершир, Англия, Великобритания*)
Chelyabinsk [tʃɪˈlja:bjɪnsk] *г.* Челя́бинск (*центр Челябинской обл., РСФСР, СССР*)
Cholyuskin, Cape [ˈkeɪptʃɪˈlju:skɪn] *мыс* Челю́скин (*крайняя сев. точка Азии, п-ов Таймыр, СССР*)
Chemnitz [ˈkemnɪtz] *г.* Хе́мниц (*ФРГ*)
Chemulpo [dʒemu:lpɔ:] *г.* Чемульпо́; *см.* Inchon
Chenab [tʃɪˈnɑ:b] *р.* Чина́б, Чена́б (*Индия и Пакистан*)
Cheng-chou, Chengchow [ˈdʒʌŋdʒəu] = Zhengzhou
Chengde [ˈtʃʌŋˈdʌ] *г.* Чэндэ́ (*пров. Хэбэй, Китай*)
Chengdu [ˈtʃʌŋˈdu:] *г.* Чэнду́ (*адм. центр пров. Сычуань, Китай*)
Chengteh [ˈtʃʌŋˈdʌ] = Chengde
Chengtu [ˈtʃʌŋˈdu:] = Chengdu
Cherbourg [ˈʃɛəbuəg] *г.* Шербу́р (*Франция*)
Cherepovets [ˌtʃerəpəˈvets] *г.* Череповéц (*Вологодская обл., РСФСР, СССР*)
Cheribon [ˌtʃerɪˈbɔn] *г.* Чиребо́н, Черибо́н (*о. Ява, Индонезия*)
Cherkassy [tʃerˈkɑ:sɪ] *г.* Черка́ссы (*центр Черкасской обл., Украинская ССР, СССР*)
Cherkessk [tʃerˈkesk] *г.* Черке́сск (*центр Карачаево-Черкесской АО, Ставропольский край, РСФСР, СССР*)
Chernigov [tʃɪrˈnji:gɔf] *г.* Черни́гов (*центр Черниговской обл., Украинская ССР, СССР*)
Chernovtsy [tʃerˈnɔ:ftsɪ] *г.* Черновцы́ (*центр Черновицкой обл., Украинская ССР, СССР*)
Cherrapunji [ˌtʃerəˈpundʒɪ] *г.* Черапу́нджи (*шт. Мегхалая, Индия*)
Cherskogo Range [tʃerˈskɔ:vəˈreɪndʒ] хребе́т Че́рского (*сев.-вост. СССР*)
Chersonese, the [ˈkə:sə(u)ni:z] *ист. г.* Херсоне́с (*Крым, СССР*)
Chesapeake Bay [ˈtʃesəpi:kˈbeɪ] Чесапи́кский зали́в (*Атлантический ок., побережье США*)
Cheshire [ˈtʃeʃɪə] *граф.* Че́шир (*Англия, Великобритания*)
Cheshskaya Bay [ˈtʃeʃskəjəˈbeɪ] Че́шская губа́ (*Баренцево м., СССР*)
Chester [ˈtʃestə] *г.* Че́стер (*адм. центр граф. Чешир, Англия, Великобритания*)
Chesterfield [ˈtʃestəfi:ld] *г.* Че́стерфилд (*граф. Дербишир, Англия, Великобритания*)
Cheviot Hills [ˈtʃevɪətˈhɪlz] *горы* Че́виот-Хилс (*Великобритания*)
Cheyenne [ʃaɪˈen] *г.* Шайе́нн (*адм. центр шт. Вайоминг, США*)
Chiang Mai [tʃɪˈɑ:ŋˈmaɪ] *г.* Чиангма́й (*Таиланд*)
Chiatura [tʃɪˈɑ:turɑ:] *г.* Чиату́ра (*Грузинская ССР, СССР*)
Chicago [ʃɪˈkɑ:gəu] *г.* Чика́го (*шт. Иллинойс, США*)
Chiclayo [tʃɪˈklɑ:jə(u)] *г.* Чикла́йо (*Перу*)
Chihuahua [tʃɪˈwɑ:wɑ:] *г.* Чиуа́уа (*Мексика*)
Chile [ˈtʃɪlɪ] *гос-во* Чи́ли, Republic of Chile Респу́блика Чи́ли (*Южная Америка*)
Chillán [tʃɪˈjɑ:n] *г.* Чилья́н (*Чили*)
Chiloé [ˌtʃi:lə(u)ˈeɪ] *о.* Чилоэ́ (*Тихий ок., Чили*)
Chiltern Hills [ˈtʃɪltənˈhɪlz] *возв.*

Чи́лтерн-Хилс (*Великобритания*)

Chi-lung, Chilung [ˈdʒiːˈluŋ] *г.* Цзилу́н (*пров. Тайвань, Китай*)

Chimborazo [ˌtʃɪmbə(u)ˈrɑːzəu] *влк.* Чимбора́со (*горн. сист. Анды, Эквадор*)

Chimbote [tʃɪmˈbəute(ɪ)] *г.* Чимбо́те (*Перу*)

Chimkent [tʃɪmˈkent] *г.* Чимке́нт (*центр Чимкентской обл., Казахская ССР, СССР*)

China [ˈtʃaɪnə] *гос-во* Кита́й, People's Republic of China Кита́йская Наро́дная Респу́блика (*Центральная и Восточная Азия*)

Chin-chou, Chinchow [ˈdʒɪnˈdʒəu] = Jinzhou

Chindwin [ˈtʃɪnˈdwɪn] *р.* Чиндуи́н (*Мьянма*)

Chingola [tʃɪŋˈgəulə] *г.* Чинго́ла (*Замбия*)

Chingtechen [ˈdʒɪŋˈtʌˈdʒʌn] = Jingdezhen

Chinju [ˈdʒɪnˈdʒuː] *г.* Чинджу́ (*Республика Корея*)

Chinwangtao [ˈtʃɪnˈhwɑːŋˈdau] = Qinhuangdao

Chios [ˈkaɪɔs] **1.** *г.* Хи́ос (*о. Хиос, Греция*); **2.** *о.* Хи́ос (*Эгейское м., Греция*)

Chirchik [tʃɪrˈtʃiːk] *г.* Чирчи́к (*Ташкентская обл., Узбекская ССР, СССР*)

Chisimaio [kɪzɪˈmɑːjəu] *г.* Кисима́йо (*Сомали*)

Chita [tʃɪˈtɑː] *г.* Чита́ (*центр Читинской обл., РСФСР, СССР*)

Chittagong [ˈtʃɪtəgɔŋ] *г.* Чlittaго́нг (*Бангладеш*)

Choiseul [ˌʃwɑːˈzəːl] *о.* Шуазёль (*Тихий ок., гос-во Соломоновы Острова*)

Chomolungma [ˈtʃəumə(u)ˈluŋmɑː] *гора* Джомолу́нгма; *см.* Everest, Mount

Chon Buri [tʃʌnburiː] *г.* Чонбу́ри (*Таиланд*)

Chŏngjin [ˈtʃʌŋˈdʒɪn] *г.* Чхонджи́н (*КНДР*)

Chŏngju [ˈtʃʌŋˈdʒuː] *г.* Чхонджу́ (*Республика Корея*)

Chongqing [ˈtʃɔːŋˈtʃɪŋ] *г.* Чунци́н (*пров. Сычуань, Китай*)

Chŏnju [ˈtʃʌnˈdʒuː] *г.* Чонджу́ (*Республика Корея*]

Chorzów [ˈkɔːʒuːf] *г.* Хо́жув (*Польша*)

Choybalsan [ˌtʃɔɪbɑːlˈsɑːn] *г.* Чо́йбалсан (*Монголия*)

Christchurch [ˈkraɪs(t)tʃəːtʃ] *г.* Кра́йстчерч (*адм. центр стат. р-на Кентербери, о. Южный, Новая Зеландия*)

Christiania [ˌkrɪstʃɪˈænɪə] *г.* Христиа́ния; *см.* Oslo

Christmas Island [ˈkrɪsməsˈaɪlənd] **1.** о́стров Рождества́ (*Индийский ок., влад. Австралии*); **2.** о́стров Рождества́ (*о-ва Лайн, Тихий ок., Кирибати*)

Chu [tʃuː] *р.* Чу (*СССР*)

Chubut [tʃuˈvuːt, tʃuˈbuːt] *р.* Чубу́т (*Аргентина*)

Chu-chou, Chuchow [ˈdʒuːˈdʒəu] = Zhuzhou

Chuckchee Sea [ˈtʃuktʃɪˈsiː] = Chukchi Sea

Chudsko(y)e Ozero [ˈtʃuːtskəjəˈɔːzjɪrə] Чудско́е о́зеро (*СССР*)

Chukchi Peninsula [ˈtʃuktʃɪpɪˈnɪnsjulə] = Chukot(ski) Peninsula

Chukchi Sea [ˈtʃuktʃɪˈsiː] Чуко́тское мо́ре (*Северный Ледовитый ок., у берегов СССР и Аляски, США*)

Chukot Autonomous Area [tʃuˈkɔːtɔːˈtɔnəməsˈɛərɪə] Чуко́тский автоно́мный о́круг (*Магаданская обл., РСФСР, СССР*)

Chukot(ski) Peninsula [tʃuˈkɔːt(-skɪ)pɪˈnɪnsjulə] Чуко́тский полуо́стров (*на сев.-вост. азиатской части СССР*)

Chukotsk, Sea of [ˈsiːəvtʃuˈkɔːtsk] = Chukchi Sea

Chulim [tʃuˈlɪm] = Chulym

Chulym [tʃuˈlɪm] *р.* Чулы́м (*СССР*)

Chuna [tʃuˈnɑː] *р.* Чу́на (*СССР*)

Chungking [ˈtʃuŋˈkɪŋ] = Chongqing

Churchill [ˈtʃəːtʃ(h)ɪl] **1.** *г.* Че́рчилл (*пров. Манитоба, Канада*); **2.** *оз.* Че́рчилл (*Канада*); **3.** *р.* Че́рчилл (*Канада*)

Chusovaya [tʃusʌˈvɑːjə] *р.* Чусова́я (*СССР*)

Chuvash Autonomous Soviet Socialist Republic [tʃuˈvɑːʃɔːˈtɔnəməsˈsəuvietˈsəuʃəlɪstrɪˈpʌblɪk] Чува́шская Автоно́мная Сове́тская Социалисти́ческая Респу́блика,

Chuvashia [tʃu′vɑ:ʃɪə] Чува́шия (*РСФСР, СССР*)

Cicero [′sɪsərəu] *г.* Си́серо (*шт. Иллинойс, США*)

Ciego de Ávila [′sjeɪgə(u)ðe(ɪ-)′ɑ:vɪlɑ:] *г.* Сье́го-де-А́вила (*Куба*)

Cienfuegos [sje(ɪ)n′fweɪgə(u)s] *г.* Сьенфуэ́гос (*Куба*)

Cilicia [sə′lɪʃ(ɪ)ə] *ист. обл.* Кили-ки́я (*в Малой Азии, на терр. совр. Турции*)

Cimarron [′sɪmərəun] *р.* Си́маррон (*США*)

Cincinnati [ˌsɪnsɪ′nætɪ] *г.* Цинцинна́ти (*шт. Огайо, США*)

Ciscaucasia [ˌsɪskɔ:′keɪʒə] Предкавка́зье (*терр. к сев. от Большого Кавказа, СССР*)

Citlaltepetl [sɪˌtlɑ:l′teɪˌpetl] *влк.* Ситлальте́петль; *см.* Orizaba 2

City, the [′sɪtɪ] Си́ти (*центр. часть г. Лондон, Великобритания*)

Ciudad Bolívar [sju:′ðɑ:ðvə(u-)′li:vɑ:] *г.* Сьюда́д-Боли́вар (*Венесуэла*)

Ciudad Juáres [sju:′ðɑ:ð′hwɑ:res] *г.* Сьюда́д-Хуа́рес (*Мексика*)

Ciudad Madero [sju:′ðɑ:ðmɑ:-′ðeɪrə(u)] *г.* Сьюда́д-Маде́ро (*Мексика*)

Ciudad Trujillo [sju:′ðɑ:ðtru:-′hi:ljə(u)] *г.* Сьюда́д-Трухи́льо; *см.* Santo-Domingo

Civitavecchia [tʃɪvɪtɑ:′vekkjɑ:] *г.* Чивитаве́ккья (*Италия*)

Clare [klɛə] *граф.* Клэр (*Ирландия*)

Clarksburg [′klɑ:ksbə:g] *г.* Кла́рксберг (*шт. Западная Виргиния, США*)

Clermont-Ferrand [ˌkler′mɔ:ŋˌfe-′rɑ:ŋ] *г.* Клермо́н-Ферра́н (*Франция*)

Cleveland [′kli:vlənd] **1.** *граф.* Кли́вленд (*Англия, Великобритания*); **2.** *г.* Кли́вленд (*шт. Огайо, США*)

Cleveland Heights [′kli:vlənd-′haɪts] *г.* Кли́вленд-Хайтс (*шт. Огайо, США*)

Clifton [′klɪftən] *г.* Кли́фтон (*шт. Нью-Джерси, США*)

Clinton [′klɪntn] *г.* Кли́нтон (*шт. Айова, США*)

Clonmel [klən′mel] *г.* Клонме́л (*адм. центр граф. Типперэри, Ирландия*)

Cluj-Napoca [′klu:ʒnɑ:′pɔ:kɑ:] *г.* Клуж-Напо́ка (*Румыния*)

Clwyd [′klu:ɪd] *граф.* Клу́ид (*Уэльс, Великобритания*)

Clyde [klaɪd] *р.* Клайд (*Великобритания*)

Clydeside [′klaɪdsaɪd] Кла́йдсайд (*конурбация с центром в г. Глазго, обл. Стратклайд, Шотландия, Великобритания*)

Coast Range [′kəust′reɪndʒ] Берегово́й хребе́т (*Канада и США*)

Coast Ranges [′kəust′reɪndʒɪz] Берегова́е хребты́ (*США*)

Coats Island [′kəuts′aɪlənd] *о.* Котс (*Гудзонов зал., Канада*)

Coats Land [′kəuts′lænd] Земля́ Ко́тса (*часть терр. Антарктиды*)

Cochabamba [ˌkəutʃɑ:′vɑ:mbɑ:] *г.* Кочаба́мба (*Боливия*)

Cockburn Town [′kəubə:n′taun] *г.* Ко́берн-Та́ун (*адм. центр о-вов Теркс и Кайкос*)

Cocos Islands [′kəukəs′aɪləndz] Коко́совые острова́ (*Индийский ок., Австралия*)

Coimbatore [ˌkɔɪmbə′təuə] *г.* Коимбату́р, Коямпутту́р (*шт. Тамилнад, Индия*)

Coimbra [kə(u)′ɪmbrə] *г.* Ко́имбра (*Португалия*)

Colchester [′kəulˌtʃestə] *г.* Ко́лчестер (*граф. Эссекс, Англия, Великобритания*)

Colchis [′kɔlkɪs] *ист.* Колхи́да (*др.-греч. назв. Западной Грузии*)

Coleraine [kəul′reɪn] **1.** *окр.* Колре́йн (*Северная Ирландия, Великобритания*); **2.** *г.* Колре́йн (*адм. центр окр. Колрейн, Северная Ирландия, Великобритания*)

Colima [kə(u)′li:mɑ:] *влк.* Коли́ма (*Мексика*)

Colmar [′kəulmɑ:] *г.* Кольма́р (*Франция*)

Cologne [kə(u)′ləun] *г.* Кёльн (*ФРГ*)

Colombia [kə′lʌmbɪə] *гос-во* Колу́мбия, Republic of Colombia Респу́блика Колу́мбия (*Южная Америка*)

Colombo [kə(u)′lʌmbəu] *г.* Коло́мбо (*столица Шри-Ланки*)

Colón [kə(u)′ləun] *г.* Коло́н (*Панама*)

Colón Archipelago [kə(u)′ləun-

ˏɑ:kɪ′pelɪgəu] *арх.* Коло́н; *см.* Galápagos Islands

Colorado I [ˏkɔlə(u)′rɑ:dəu] **1.** *шт.* Колора́до (*США*); **2.** *р.* Колора́до (*впадает в Калифорнийский зал., США и Мексика*); **3.** *р.* Колора́до (*впадает в Мексиканский зал., США*)

Colorado II [ˏkɔlə(u)′rɑ:dəu] *р.* Ри́о-Колора́до (*Аргентина*)

Colorado Plateau [ˏkɔlə(u-)′rɑ:dəu′plætəu] *плато* Колора́до (*США*)

Colorado Springs [ˏkɔlə(u)′rɑ:dəu′sprɪŋz] *г.* Колора́до-Спрингс (*шт. Колорадо, США*)

Columbia [kə(u)′lʌmbɪə] **1.** *г.* Колу́мбия (*адм. центр шт. Южная Каролина, США*); **2.** *р.* Колу́мбия (*Канада и США*)

Columbia, District of [′dɪstrɪktəvkə(u)′lʌmbɪə] *окр.* Колу́мбия (*США*)

Columbus [kə(u)′lʌmbəs] **1.** *г.* Колу́мбус (*адм. центр шт. Огайо, США*); **2.** *г.* Колу́мбус (*шт. Джорджия, США*)

Colville [′kɔlvɪl] *р.* Ко́лвилл (*США*)

Commander Islands [kə′mɑ:ndər′aɪləndz] = Komandorskie Islands

Commonwealth, the [′kɔmənwelθ] Содру́жество (*объединение в составе Великобритании и её бывших колоний*)

Communism Peak [′kɔmjunɪz(ə)m′pi:k] пик Коммуни́зма (*Памир, СССР*)

Comodoro Rivadavia [ˏkəumə(u)′ðəurə(u)ˏri:vɑ:′ðɑ:vjɑ:] *г.* Комодо́ро-Ривада́вия (*Аргентина*)

Como, Lake [′leɪk′kəumə(u)] *оз.* Ко́мо (*Италия*)

Comorin, Cape [′keɪp′kɔmə(u)rɪn] *мыс* Ку́мари, Ко́морин (*юж. оконечность п-ова Индостан, Индия*)

Comoro Islands [′kɔmə(u)rəu′aɪləndz] Комо́рские острова́ (*Индийский ок., гос-во Коморские Острова*)

Comoros, the [′kɔmə(u)rəuz] *гос-во* Комо́рские Острова́, F e d e r a l I s l a m i c R e p u b l i c o f t h e C o m o r o s [... ɪz′læmɪk...] Федера́льная Исла́мская Респу́блика Комо́рские Острова́ (*на Коморских о-вах, Индийский ок.*)

Conakry [′kɔnəkrɪ] *г.* Ко́накри (*столица Гвинеи*)

Concepción [ˏkɔ:nsep′sjɔ:n] **1.** *г.* Консепсьо́н (*Чили*); **2.** *г.* Консепсьо́н (*Парагвай*)

Concord [′kɔŋkəd] *г.* Ко́нкорд (*адм. центр шт. Нью-Гэмпшир, США*)

Concordia [kɔ:ŋ′kɔ:ðjɑ:] *г.* Конко́рдия (*Аргентина*)

Coney Island [′kəunɪ′aɪlənd] *о.* Ко́ни-Айленд (*Атлантический ок., США*)

Congo [′kɔŋgəu] **1.** *гос-во* Ко́нго, P e o p l e ' s R e p u b l i c o f t h e C o n g o Наро́дная Респу́блика Ко́нго (*Центральная Африка*); **2.** *р.* Ко́нго (*Заир, Конго и Ангола*)

Connacht [′kɔnəht], **Connaught** [′kɔnɔ:t] *ист. пров.* Ко́ннахт (*Ирландия*)

Connecticut [kə′netɪkət] **1.** *шт.* Конне́ктикут (*США*); **2.** *р.* Конне́ктикут (*США*)

Constance, Lake [′leɪk′kɔnstəns] Конста́нцское о́зеро (*Швейцария, ФРГ и Австрия*)

Constanţa [kɔ:n′stɑ:ntsɑ:] *г.* Конста́нца (*Румыния*)

Constantine [′kɔnstənti:n] *г.* Константи́на (*Алжир*)

Constantinople [ˏkɔnstæntɪ′nəupl] *г.* Константино́поль; *см.* Istanbul

Constantsa [kɔ:n′stɑ:ntsɑ:] = Constanţa

Cook Inlet [′kuk′ɪnlet] зали́в Ку́ка (*Тихий ок., побережье Аляски, США*)

Cook Islands [′kuk′aɪləndz] острова́ Ку́ка (*Тихий ок., Полинезия, влад. Новой Зеландии*)

Cook, Mount [′maunt′kuk] гора́ Ку́ка (*о. Южный, Новая Зеландия*)

Cookstown [′kukstaun] **1.** *окр.* Ку́кстаун (*Северная Ирландия, Великобритания*); **2.** *г.* Ку́кстаун (*адм. центр окр. Кукстаун, Северная Ирландия, Великобритания*)

Cook Strait [′kuk′streɪt] проли́в Ку́ка (*между о-вами Северный и Южный, Новая Зеландия*)

Cooper's Creek [ku:pəz′kri:k] *р.* Ку́перс-Крик (*Австралия*)

Coosa [′ku:sə] *р.* Ку́са (*США*)

Copenhagen [ˏkəup(ə)n′heɪg(ə)n]

г. Копенга́ген (*столица Дании*)

Copper [ˈkɔpə] *р.* Ко́ппер (*США*)

Coral Sea [ˈkɔr(ə)lˈsi:] Кора́лловое мо́ре (*Тихий ок., у берегов Австралии, Новой Гвинеи и Новой Каледонии*)

Cordillera Central [ˌkɔ:dɪlˈjɛərəse(ɪ)nˈtrɑ:l, ˌkɔ:ðɪˈjeɪrɑ:se(ɪ)nˈtrɑ:l] *горы* Центра́льная Кордилье́ра (*Испания*)

Cordilleras [ˌkɔ:dɪlˈjɛərəz, ˌkɔ:ðɪˈjeɪrɑ:z] *горн. сист.* Кордилье́ры (*Северная и Центральная Америка*)

Córdoba [ˈkɔ:ðə(u)vɑ:] **1.** *г.* Ко́рдова (*Аргентина*); **2.** *г.* Ко́рдова (*Испания*); **3.** *г.* Ко́рдова (*Мексика*)

Corfu [kɔ:ˈfu:] *о.* Ке́ркира, Ко́рфу (*Ионические о-ва, Ионическое м., Греция*)

Corinth [ˈkɔrɪnθ] *ист. город-гос-во* Кори́нф (*п-ов Пелопоннес, Греция*)

Corinth, Gulf of [ˈgʌlfəvˈkɔrɪnθ] Кори́нфский зали́в (*Ионическое м., побережье Греции*)

Corinth, Isthmus of [ˈɪsməsəvˈkɔrɪnθ] Кори́нфский перешéек (*между заливами Коринфским и Сароникос, Греция*)

Cork [kɔ:k] **1.** *граф.* Корк (*Ирландия*); **2.** *г.* Корк (*адм. центр граф. Корк, Ирландия*)

Corno, Monte [ˌmə(u)nte(ɪ)ˈkɔ:nə(u)] *гора* Ко́рно (*Италия*)

Cornwall [ˈkɔ:nwɔ:l] **1.** *граф.* Ко́рнуолл (*Англия, Великобритания*); **2.** *п-ов* Ко́рнуолл (*на юго-зап. о. Великобритания*)

Cornwallis Island [kɔ:nˈwɔlɪsˈaɪlənd] *о.* Корнуо́ллис (*арх. Парри, Канадский Арктический арх., Канада*)

Coro [ˈkəurə(u)] *г.* Ко́ро (*Венесуэла*)

Coromandel Coast [ˌkɔrə(u-)ˈmændlˈkəust] Короманде́льский бе́рег (*вост. побережье п-ова Индостан, Индия*)

Coronation Island [ˌkɔrəˈneɪʃənˈaɪlənd] *о.* Коронéйшен (*Южные Оркнейские о-ва, Атлантический ок., Антарктика*)

Coropuna, Nevado [neɪˈvɑ:də(u)ˌkəurə(u)ˈpu:nɑ:] *гора* Коропу́на (*горн. сист. Анды, Перу*)

Corpus Christi [ˈkɔ:pəsˈkrɪstɪ] *г.* Ко́рпус-Кри́сти (*шт. Техас, США*)

Corrib, Lough [lɔhˈkɔrɪb] *оз.* Лох-Ко́рриб (*Ирландия*)

Corrientes [kɔ:rˈjeɪnte(ɪ)s] *г.* Корриéнтес (*Аргентина*)

Corsica [ˈkɔ:sɪkə] *о.* Ко́рсика (*Средиземное м., Франция*)

Cortina d'Ampezzo [kə(u)ˈti:nɑ:dɑ:mˈpetsə(u)] *г.* Ко́ртина-д'Ампéццо (*Италия*)

Corumbá [ˌkəurumˈbɑ:] *г.* Корумба́ (*Бразилия*)

Corunna [kə(u)ˈrʌnə] = La Coruña

Cosmoledo Islands [ˌkɔzməˈleɪdəuˈaɪləndz] *о-ва* Космолéдо (*Индийский ок., гос-во Сейшельские Острова*)

Costa Rica [ˈkɔstəˈri:kə] *гос-во* Ко́ста-Ри́ка, Republic of Costa Rica Респу́блика Ко́ста-Рика (*Центральная Америка*)

Côte d'Azur [ˌkəutˌdɑ:ˈzju:ə] Лазу́рный бе́рег, Францу́зская Ривье́ра (*побережье Средиземного м., Франция*)

Côte d'Ivoire [ˌkɔtdɪvˈwɑ:] *гос-во* Кот-д' Ивуа́р (*Западная Африка*)

Cotentin Peninsula [ˌkɔ:ˈtɑ:ŋˈtæŋpɪˈnɪnsjulə] *п-ов* Котанто́н (*на сев.-зап. Франции*)

Cotonou [ˌkəutəˈnu:] *г.* Тотону́ (*Бенин*)

Cotopaxi [ˌkəutə(u)ˈpæksɪ] *влк.* Котопа́хи (*горн. сист. Анды, Эквадор*)

Cottbus [ˈkɔtbəs] *г.* Ко́тбус (*ФРГ*)

Council Bluffs [ˈkaunsɪlˈblʌfs] *г.* Ка́унсил-Блафс (*шт. Айова, США*)

Coventry [ˈkɔvəntrɪ] *г.* Ко́вентри (*метроп. граф. Уэст-Мидлендс, Англия, Великобритания*)

Covington [ˈkʌvɪŋtən] *г.* Ко́вингтон (*шт. Кентукки, США*)

Cowes [kauz] *г.* Ка́ус (*граф. Айл-оф-Уайт, Англия, Великобритания*)

Cracow [ˈkreɪkəu] = Kraków

Craigavon [kreɪgˈævən] *окр.* Крейга́вон (*Северная Ирландия, Великобритания*)

Craiova [krɑ:ˈjɔ:vɑ:] *г.* Крайо́ва

(*Румыния*)

Cranston [ˈkrænstən] *г.* Кра́нстон (*шт. Род-Айленд, США*)

Cremona [krɪˈməunə] *г.* Кремо́на (*Италия*)

Cres [tsres] *о.* Црес (*Адриатическое м., Югославия*)

Crete [kri:t] *о.* Крит (*Средиземное м., Греция*)

Crewe [kru:] *г.* Кру (*граф. Чешир, Англия, Великобритания*)

Crimean Mountains [kraɪˈmɪənˈmauntɪnz] Кры́мские го́ры (*Крымский п-ов, СССР*)

Crimea, the [kraɪˈmi:ə] *п-ов* Крым, Кры́мский полуо́стров (*на юге европейской части СССР*)

Croatia [krə(u)ˈeɪʃɪə] Хорва́тия, Republic of Croatia Респу́блика Хорва́тия (*Югославия*)

Crosby [ˈkrɔzbɪ] *г.* Кро́сби (*метроп. граф. Мерсисайд, Англия, Великобритания*)

Croydon [ˈkrɔɪdn] *г.* Кро́йдон (*метроп. граф. Большой Лондон, Англия, Великобритания*)

Cuanza [ˈkwɑ:nzə] *р.* Ква́нза (*Ангола*)

Cuba [ˈkju:bə] **1.** *гос-во* Ку́ба, Republic of Cuba Респу́блика Ку́ба (*на о. Куба и прилегающих о-вах Карибского м.*); **2.** *о.* Ку́ба (*Большие Антильские о-ва, Атлантический ок., гос-во Куба*)

Cubango [ku:ˈvæŋgu:] *р.* Куба́нго; *см.* Okavango

Cúcuta [ˈku:ku:tɑ:] *г.* Ку́кута (*Колумбия*)

Cuenka [ˈkweɪŋkɑ:] **1.** *г.* Куэ́нка (*Эквадор*); **2.** *г.* Куэ́нка (*Испания*)

Cuernavaca [ˌkwernɑ:ˈvɑ:kɑ:] *г.* Куэрнава́ка (*Мексика*)

Cufra [ˈku:frɑ:] *оазисы* Ку́фра (*Ливийская пуст., Ливия*)

Cuiabá [ˌku:jəˈvɑ:] *г.* Куяба́ (*Бразилия*)

Culiacán [ˌku:ljɑ:ˈkɑ:n] *г.* Кульяка́н (*Мексика*)

Cumae [ˈkju:mi:] *ист. г.* Ку́мы (*Италия*)

Cumaná [ˌku:mɑ:ˈnɑ:] *г.* Кумана́ (*Венесуэла*)

Cumberland [ˈkʌmbələnd] *г.* Ка́мберленд (*шт. Мэриленд, США*)

Cumberland Peninsula [ˈkʌmbələndprɪˈnɪnsjulə] *п-ов* Ка́мберленд (*о. Баффинова Земля, Канада*)

Cumberland Mountains [ˈkʌmbələndˈmauntɪnz] = Cumberland Plateau

Cumberland Plateau [ˈkʌmbələndˈplætəu] *плато* Ка́мберленд (*США*)

Cumberland River [ˈkʌmbələndˈrɪvə] *р.* Ка́мберленд (*США*)

Cumbria [ˈkʌmbrɪə] *граф.* Ка́мбрия (*Англия, Великобритания*)

Cumbrian Mountains [ˈkʌmbrɪənˈmɑuntɪnz] Камберле́ндские го́ры (*Англия, Великобритания*)

Cunene [ku:ˈneɪnə] *р.* Куне́не (*Ангола и Намибия*)

Cupar [ˈku:pə] *г.* Ку́пар (*обл. Файф, Шотландия, Великобритания*)

Curaçao [ˌkuərəˈsau] *о.* Кюраса́о (*Малые Антильские о-ва, Карибское м., влад. Нидерландов*)

Curitiba [ˌku:rɪˈti:vɑ:] *г.* Курити́ба (*Бразилия*)

Cutch, Gulf of [ˈgʌlfəvˈkʌtʃ] *зал.* Кач (*Аравийское м., побережье п-ова Индостан*)

Cutch, Rann of Great and Little [ˈgreɪtˈrʌnəvˈkʌtʃ, ˈlɪtlˈrʌnəvˈkʌtʃ] *солончаки* Ка́чский Ранн Большой и Малый (*Индия и Пакистан*)

Cuzco [ˈku:skə(u)] *г.* Ку́ско (*Перу*)

Cyclades [ˈsɪklədi:z] *арх.* Кикла́ды (*Эгейское м., Греция*)

Cyprus [ˈsaɪprəs] **1.** *гос-во* Кипр, Republic of Cyprus Респу́блика Кипр (*на о. Кипр, Средиземное м., Западная Азия*); **2.** *о.* Кипр (*Средиземное м., гос-во Кипр*)

Cyrenaica [ˌsaɪrəˈneɪɪkə] *ист. обл.* Кирена́ика (*Ливия*)

Cyrene [saɪˈri:nɪ] *ист. г.* Кире́на (*на терр. совр. Ливии*)

Czechia [ˈtʃekɪə] Че́хия, Czech Republic [ˈtʃek ...] Че́шская Респу́блика (*Чехословакия*)

Czechoslovakia [ˈtʃekə(u)sl(ə)ˈvɑ:kɪə] *гос-во* Чехослова́кия, Czech and Slovak Federativ Republic [ˈtʃekəndˈsləuvæk...] Че́шская и Слова́цкая Федерати́вная Респу́блика (*Центральная Европа*)

Częstochowa [ˌtʃeŋstɔːˈkɔːvɑː] *г.* Ченстохо́ва (*Польша*)

D

Dąbrowa Górnicza [dɔːmˈbrɔːvɑːguːrˈniːtʃɑː] *г.* Домбро́ва-Гурни́ча (*Польша*)

Dacca [ˈdækə] *г.* Да́кка (*столица Бангладеш*)

Dachau [ˈdɑːhau] *г.* Да́ха́у (*ФРГ*)

Dacia [ˈdeɪʃ(ɪ)ə] *ист. римская пров.* Да́кия (*на терр. совр. Румынии*)

Dadra and Nagar Haveli [dəˈdrɑːəndˌnʌgəəˈvelɪ] *союзная терр.* Да́дра и Нагархаве́ли (*Индия*)

Dagestan Autonomous Soviet Socialist Republic [ˌdægəsˈtænɔːˈtɔnəməsˈsəuvietˈsəuʃəlistɪˈpʌblɪk] Дагеста́нская Автоно́мная Сове́тская Социалисти́ческая Респу́блика, **Dag(h)estan** [ˌdægəsˈtæn] Дагеста́н (*РСФСР, СССР*)

Dahlak Archipelago [ˈdɑːlækˌɑːkɪˈpelɪgəu] *арх.* Дахла́к (*Красное м., Эфиопия*)

Dahomey [dəˈhəumɪ] Дагоме́я; *см.* Benin

Dairen [ˈdaɪˈren] = Dalian

Dakar [dɑːˈkɑː] *г.* Дака́р (*столица Сенегала*)

Dakhla [ˈdɑːklɑː] **1.** *г.* Да́хла (*Западная Сахара*); **2.** *оазисы* Да́хла (*Ливийская пуст., Египет*)

Dalai Nor [ˈdɑːˌlaɪˈnəuə] *оз.* Далайно́р (*Китай*)

Da Lat [ˈdɑːˈlɑːt] *г.* Дала́т (*Вьетнам*)

Dalian [ˈdɑːljɑːn] *г.* Даля́нь (*пров. Ляонин, Китай*)

Dallas [ˈdæləs] *г.* Да́ллас (*шт. Техас, США*)

Dalmatia [dælˈmeɪʃɪə] *ист. обл.* Далма́ция (*Югославия*)

Dalny [ˈdɑːlniː] *г.* Да́льний; *см.* Dalian

Daman [dəˈmɑːn] *г.* Дама́н (*адм. центр союзной терр. Даман и Диу, Индия*)

Daman and Diu [dəˈmɑːnəndˈdiːu] *союзная терр.* Дама́н и Ди́у (*Индия*)

Damanhûr [dæmænˈhuːə] *г.* Даманху́р (*Египет*)

Damaraland [dəˈmɑːrəlænd] *нагорье* Да́марaленд (*Намибия*)

Damascus [dəˈmæskəs] *г.* Дама́ск (*столица Сирии*)

Damavand [ˌdɑːmɑːˈvɑːnd] = Demavend

Damietta [ˌdæmɪˈetə] *г.* Дамие́тта; *см.* Dumyat

Dammam [dæmˈmæm] *г.* Дамма́м (*Саудовская Аравия*)

Damodar [ˈdɑːmədɑː] *р.* Дамо́дар (*Индия*)

Dampier Land [ˈdæmpɪəˈlænd] *п-ов* Да́мпиер-Ленд (*Австралия*)

Danakil [ˈdænəkɪl] *геогр. обл.* Да́накиль (*Эфиопия*)

Da Nang [ˈdɑːˈnɑːŋ] *г.* Дана́нг (*Вьетнам*)

Danube [ˈdænjuːb] *р.* Дуна́й (*Европа*)

Danville [ˈdænvɪl] **1.** *г.* Да́нвилл (*шт. Виргиния, США*); **2.** *г.* Да́нвилл (*шт. Иллинойс, США*)

Danzig [ˈdæn(t)sɪg] *г.* Да́нциг; *см.* Gdańsk

Danzig, Bay of [ˈbeɪəvˈdæn(t)sɪg] = Danzig, Gulf of

Danzig, Gulf of [ˈgʌlfəvˈdæn(t)sɪg] Гда́ньский зали́в (*Балтийское м., у берегов СССР и Польши*)

Dardanelles [ˌdɑːdəˈnelz] *прол.* Дардане́ллы (*соединяет Мраморное и Эгейское моря*)

Dar es Salaam, Daressalam [ˈdɑːressəˈlɑːm] *г.* Дар-эс-Сала́м (*столица Танзании*)

Darfur [ˌdɑːˈfur] *плато* Дарфу́р (*Судан*)

Darhan [ˈdɑːˌkɑːn] *г.* Да́рхан (*Монголия*)

Darien, Gulf of [ˈgʌlfəvˈdɛərɪən, ...ˈdærɪən] Дарье́нский зали́в (*Карибское м., побережье Колумбии и Панамы*)

Darjeeling, Darjiling [dɑːˈdʒiːlɪŋ] *г.* Дардҗи́линг (*шт. Западная Бенгалия, Индия*)

Darling [ˈdɑːlɪŋ] *р.* Да́рлинг (*Австралия*)

Darling Range [ˈdɑːlɪŋˈreɪndʒ] *хр.* Да́рлинг (*Австралия*)

Darlington [ˈdɑːlɪŋtən] *г.* Да́рлингтон (*граф. Дарем, Англия, Великобритания*)

Darmstadt ['dɑ:mʃtɑ:t] *г.* Да́рмштадт (*ФРГ*)

Dartmoor ['dɑ:tmuə] *плато* Да́ртмур (*Великобритания*)

Darwin ['dɑ:wɪn] *г.* Да́рвин (*адм. центр Северной терр., Австралия*)

Daryal (Pass) [dɑ:r'jɑ:l('pɑ:s)] Дарья́льское уще́лье (*р. Терек, СССР*)

Datong ['dɑ:'tɔ:ŋ] *г.* Дату́н (*пров. Шаньси, Китай*)

Daugava ['daugɑ:vɑ:] *р.* Да́угава (*Латвия*); *см.* Zapadnaya Dvina

Daugavpils ['daugɑ:fpɪlz] *г.* Да́угавпилс (*Латвия*)

Davao ['dɑ:vau] *г.* Дава́о (*о. Минданао, Филиппины*)

Davenport ['dævənpɔ:t] *г.* Да́венпорт (*шт. Айова, США*)

Davis ['deɪvɪs] Де́йвис (*науч. ст. Австралии, Антарктида*)

Davis Sea ['deɪvɪs'si:] мо́ре Де́йвиса (*Индийский ок., Антарктика*)

Davis Strait ['deɪvɪs'streɪt] проли́в Де́йвиса (*между о-вами Гренландия и Баффинова Земля*)

Davos [dɑ:'vəus] *г.* Даво́с (*Швейцария*)

Dawson ['dɔ:sn] *г.* До́усон (*терр. Юкон, Канада*)

Dayton ['deɪtn] *г.* Де́йтон (*шт. Огайо, США*)

Daytona Beach [deɪ'təunə'bi:tʃ] *г.* Дейто́на-Бич (*шт. Флорида, США*)

Dead Sea ['ded'si:] Мёртвое мо́ре (*Иордания и Израиль*)

Dearborn ['dɪəbɔ:n] *г.* Ди́рборн (*шт. Мичиган, США*)

Death Valley ['deθ'vælɪ] *межгорная впадина* Доли́на Сме́рти (*США*)

Debrecen ['debrətsen] *г.* Де́брецен (*Венгрия*)

Decatur [dɪ'keɪtə] **1.** *г.* Деке́йтер (*шт. Иллинойс, США*); **2.** *г.* Деке́йтер (*шт. Алабама, США*)

Deccan ['dekən] *плскг.* Дека́н (*Индия*)

Dee [di:] **1.** *р.* Ди (*впадает в Ирландское м., Великобритания*); **2.** *р.* Ди (*впадает в Северное м., Великобритания*)

Dehra Dun ['dɑ:rə'du:n] *г.* Дехраду́н (*шт. Уттар-Прадеш, Индия*)

Delaware ['deləwɛə] **1.** *шт.* Де́лавэр (*США*); **2.** *р.* Де́лавэр (*США*)

Delaware Bay ['deləwɛə'beɪ] *зал.* Де́лавэр (*Атлантический ок., побережье США*)

Delft [delft] *г.* Делфт (*Нидерланды*)

Delhi ['delɪ] **1.** *союзная терр.* Де́ли (*Индия*); **2.** *г.* Де́ли (*столица Индии и адм. центр союзной терр. Дели*)

Delos ['di:lɔs] *о.* Ти́лос (*о-ва Южные Спорады, Эгейское м., Греция*)

Demavend ['deməvend] *влк.* Демаве́нд (*горы Эльбурс, Иран*)

Denizli [denɪz'li:] *г.* Денизли́ (*Турция*)

Denmark ['denmɑ:k] *гос-во* Да́ния, Kingdom of Denmark Короле́вство Да́ния (*Северо-Западная Европа*)

Denmark Strait ['denmɑ:k'streɪt] Да́тский проли́в (*между о-вами Гренландия и Исландия*)

D'Entrecasteaux Islands [ˌdɑ:ŋtrəˌkɑ:s'təu'aɪləndz] *о-ва* Д'Антркасто́ (*Тихий ок., Папуа-Новая Гвинея*)

Denver ['denvə] *г.* Де́нвер (*адм. центр шт. Колорадо, США*)

Derbent [də:'bent] *г.* Дербе́нт (*Дагестанская АССР, РСФСР, СССР*)

Derby ['dɑ:bɪ] *г.* Де́рби (*граф. Дербишир, Англия, Великобритания*)

Derbyshire ['dɑ:bɪʃɪə] *граф.* Де́рбишир (*Англия, Великобритания*)

Derg, Lough [lɔh'də:g] *оз.* Лох-Дерг (*Ирландия*)

Derwent ['də:wənt] **1.** *р.* Де́руэнт (*приток р. Трент, Великобритания*); **2.** *р.* Де́руэнт (*приток р. Уз, Великобритания*)

Des Moines [də'mɔɪn] *г.* Де-Мойн (*адм. центр шт. Айова, США*)

Desna [des'nɑ:] *р.* Десна́ (*СССР*)

Dessau ['desau] *г.* Де́ссау (*ФРГ*)

Detroit [dɪ'trɔɪt] *г.* Детро́йт (*шт. Мичиган, США*)

Detsko(y)e Selo ['djetskəjəsje'lɔ:] *г.* Де́тское Село́; *см.* Pushkin

Deurne [ˈdə:nə] *г.* Дёрне (*Бельгия*)

Deva [ˈdevɑ:] *г.* Дéва (*Румыния*)

Devon Island [ˈdevənˈaɪlənd] *о.* Дéвон (*Канадский Арктический арх., Канада*)

Devon(shire) [ˈdevən(ʃɪə)] *граф.* Дéвон(шир) (*Англия, Великобритания*)

Dewsbury [ˈdju:zbərɪ] *г.* Дьюсбери (*метроп. граф. Уэст-Йоркшир, Англия, Великобритания*)

Dezhnev, Cape [ˈkeɪpˈdeʒnəf] мыс Дéжнева (*крайняя вост. точка Азии, Чукотский п-ов, СССР*)

Dhaulagiri Mount [ˈdauləˈgɪrɪˈmaunt] *гора* Дхаулагúри (*горн. сист. Гималаи, Непал*)

Dibai [dɪˈbaɪ] *г.* Дибáй; *см.* Dubai

Dickson [ˈdi:ksn] *пгт* Дúксон (*Таймырский (Долгано-Ненецкий) авт. окр., Красноярский край, РСФСР, СССР*)

Dickson Island [ˈdi:ksnˈaɪlənd] *о.* Дúксон (*Карское м., СССР*)

Diego Garcia [ˈdjeɪgə(u)gɑ:ˈθi:ɑ:] *о.* Диéго-Гарсúя (*арх. Чагос, Индийский ок., влад. Великобритании*)

Dieppe [di(:)ˈep] *г.* Дьеп (*Франция*)

Dijon [ˌdi:ˈʒɔ:ŋ] *г.* Дижóн (*Франция*)

Dili [ˈdɪlɪ] *г.* Дúли (*адм. центр Восточного Тимора, о. Тимор*)

Dimitrovgrad [dəˈmi:trəvˌgræd] *г.* Димúтровград (*Болгария*)

Diomede Islands [ˈdaɪəmi:dˈaɪləndz] островá Диомúда (*Берингов прол., часть принадлежит СССР, часть — США*)

Dire Dawa [ˈdi:reɪdəˈwɑ:] *г.* Дыре-Дáуа (*Эфиопия*)

Disko [ˈdɪskəu] *о.* Дúско (*у зап. побережья о. Гренландия, м. Баффина, Дания*)

Dispur [ˈdɪsˌpuə] *г.* Диспýр (*адм. центр шт. Ассам, Индия*)

Dixon Entrance [ˈdɪksənˈentr(ə)ns] *прол.* Дúксон-Э́нтранс (*между о-вами Королевы Шарлотты и Принца Уэльского, Канада и США*)

Diyarbakir [dɪˌjɑ:beˈki:ə] *г.* Диярбакыр (*Турция*)

Dizful [dɪzˈfu:l] *г.* Дизфýль (*Иран*)

Djaja, Mount [ˈmauntˈdʒɑ:jə] *гора* Джáя (*о. Новая Гвинея, Индонезия*)

Djakarta [dʒəˈkɑ:tə] *г.* Джакáрта (*столица Индонезии, о. Ява*)

Djambi [ˈdʒɑ:mbɪ] **1.** *г.* Джáмби; *см.* Telenaipura; **2.** *р.* Джáмби; *см.* Hari

Djibouti [dʒɪˈbu:tɪ] **1.** *гос-во* Джибýти, Republic of Djibouti Респýблика Джибýти (*Северо-Восточная Африка*); **2.** *г.* Джибýти (*столица Джибути*)

Dmitri Laptev Strait [dəˈmi:trɪˈlɑ:pt(j)əfˈstreɪt] пролúв Дмúтрия Лáптева (*между о. Большой Ляховский и Азией, соединяет м. Лаптевых с Восточно-Сибирским м.*)

Dnepr [ˈdnjepr] = Dnieper

Dneprodzerzhinsk [dnjɪprədjerˈʒɪnsk] *г.* Днепродзержúнск (*Днепропетровская обл., Украинская ССР, СССР*)

Dnepropetrovsk [dnjɪprəpjeˈtrɔ:fsk] *г.* Днепропетрóвск (*центр Днепропетровской обл., Украинская ССР, СССР*)

Dnestr [ˈdnjestr] = Dniester

Dnieper [ˈni:pə] *р.* Днепр (*СССР*)

Dniester [ˈni:stə] *р.* Днестр (*СССР*)

Dobrudja [ˈdɔ:brudʒɑ:] = Dobruja

Dobruja [ˈdɔ:brudʒɑ:] *ист. обл.* Добруджа (*Болгария и Румыния*)

Doce [ˈdəusə] *р.* Дóси (*Бразилия*)

Dodecanese [də(u)ˈdekəni:s] *о-ва* Додеканéс (*часть о-вов Южные Спорады, Эгейское м., Греция*)

Dogger Bank [ˈdɔgəˈbæŋk] *банка* Дóггер (*Северное м.*)

Doha [ˈdəuhə] *г.* Дóха (*столица Катара*)

Dolgelley [dɔlˈgelɪ] *г.* Долгéллай (*граф. Гуинет, Уэльс, Великобритания*)

Dominica [ˌdɔmɪˈni:kə] **1.** *гос-во* Доминúка, Commonwealth of Dominica [ˈkɔmənwelθ...] Содрýжество Доминúки (*на о. Доминика, Вест-Индия*); **2.** *о.* Доминúка (*Малые Антильские о-ва, Атлантический ок., гос-во Доминика*)

Dominican Republic [də(u)ˈmɪnɪkənrɪˈpʌblɪk] *гос-во* Доминика́нская Респу́блика *(вост. часть о. Гаити, Вест-Индия)*

Dominica Passage [ˌdɔmɪˈni:kəˈpæsɪdʒ] *прол.* Домини́ка (*между о-вами Доминика и Мари-Галант, Малые Антильские о-ва*)

Don [dɔ:n] *р.* Дон (*СССР*)

Donbas(s) [dʌnˈbɑ:s] Донба́сс; *см.* Donets Basin

Doncaster [ˈdɔŋkəstə] *г.* До́нкастер (*метроп. граф. Саут-Йоркшир, Англия, Великобритания*)

Donegal [ˈdɔnɪˌgɔ:l] **1.** *граф.* До́негол (*Ирландия*); **2.** *г.* До́негол (*граф. Донегол, Ирландия*)

Donegal Bay [ˈdɔnɪˌgɔ:lbeɪ] *зал.* До́негол (*Атлантический ок., побережье Ирландии*)

Donets [dʌˈnjets] *р.* Доне́ц; *см.* Severski Donets

Donets Basin [dʌˈnjetsˈbeɪsn] Доне́цкий у́гольный бассе́йн (*Украинская ССР, СССР*)

Donetsk [dʌˈnjetsk] *г.* Доне́цк (*центр Донецкой обл., Украинская ССР, СССР*)

Dongting Hu [ˈduŋˈtɪŋˈhu:] *оз.* Дунтинху́ (*Китай*)

Dorchester [ˈdɔ:tʃɪstə] *г.* До́рчестер (*адм. центр граф. Дорсетшир, Англия, Великобритания*)

Dordogne [ˌdɔ:ˈdɔ:nj] *р.* Дордо́нь (*Франция*)

Dordrecht [ˈdɔ:drekt] *г.* До́рдрехт (*Нидерланды*)

Dornoch [ˈdɔ:nəh] *г.* До́рнох (*обл. Хайленд, Шотландия, Великобритания*)

Dorset(shire) [ˈdɔ:sɪt(ʃɪə)] *граф.* До́рсет(шир) (*Англия, Великобритания*)

Dortmund [ˈdɔ:tmunt] *г.* До́ртмунд (*ФРГ*)

Douala [duˈɑ:lə] *г.* Дуа́ла (*Камерун*)

Douglas [ˈdʌgləs] *г.* Ду́глас (*адм. центр о. Мэн, Великобритания*)

Douro [ˈdəuru:] *р.* До́ру (*Испания и Португалия*)

Dover I [ˈdəuvə] *г.* До́вер (*адм. центр шт. Делавэр, США*)

Dover II [ˈdəuvə] *г.* Дувр (*граф. Кент, Англия, Великобритания*)

Dover, Strait of [ˈstreɪtəvˈdəuvə] Ду́врский проли́в; *см.* Pas de Calais

Down [daun] *окр.* Да́ун (*Северная Ирландия, Великобритания*)

Downpatrick [daunˈpætrɪk] *г.* Даунпа́трик (*адм. центр окр. Даун, Северная Ирландия, Великобритания*)

Drakensberg Mountains [ˈdrɑ:kənzbə:gˈmauntɪnz] Драко́новы го́ры (*ЮАР*)

Drake Passage [ˈdreɪkˈpæsɪdʒ], **Drake Strait** [ˈdreɪkˈstreɪt] проли́в Дре́йка (*между арх. Огненная Земля и Южными Шетландскими о-вами*)

Drammen [ˈdrɑ:mən] *г.* Дра́ммен (*Норвегия*)

Drava [ˈdrɑ:vɑ:] *р.* Дра́ва (*Италия, Австрия и Югославия*)

Dra, Wad [ˈwædˈdrɑ:] *р.* Дра, Уэ́д-Дра (*Марокко*)

Dresden [ˈdrezdən] *г.* Дре́зден (*ФРГ*)

Drin [dri:n] *р.* Дрин (*Югославия и Албания*)

Drina [ˈdri:nɑ:] *р.* Дри́на (*Югославия*)

Duala [duˈɑ:lə] = Douala

Dubai [du:ˈbaɪ] *г.* Дуба́й (*Объединённые Арабские Эмираты*)

Dubawnt [du:ˈbɔ:nt] *р.* Дубо́нт (*Канада*)

Dublin [ˈdʌblɪn] **1.** *граф.* Ду́блин (*Ирландия*); **2.** *г.* Ду́блин (*столица Ирландии*)

Dubna [dubˈnɑ:] *г.* Дубна́ (*Московская обл., РСФСР, СССР*)

Dubrovnik [ˈdu:brə(u)vnɪk] *г.* Дубро́вник (*Республика Хорватия, Югославия*)

Dubuque [dəˈbju:k] *г.* Дубью́к (*шт. Айова, США*)

Dudinka [duˈdji:nkə] *г.* Дуди́нка (*центр Таймырского (Долгано-Ненецкого) авт. окр., Красноярский край, РСФСР, СССР*)

Dudley [ˈdʌdlɪ] *г.* Да́дли (*метроп. граф. Уэст-Мидлендс, Англия, Великобритания*)

Duero [ˈdwɛərəu] *р.* Дуэ́ро; *см.* Douro

Duisburg [ˈd(j)u:zˌbə:g] *г.* Ду́йсбург (*ФРГ*)

Duluth [dəˈlu:θ] *г.* Дулу́т (*шт. Миннесота, США*)

Dumbarton [dʌmˈbɑ:t(ə)n] *г.*

Дамба́ртон (*обл. Стратклайд, Шотландия, Великобритания*)

Dumfries [dʌm′fri:s] *г.* Дамфри́с (*адм. центр обл. Дамфрис-энд-Галловей, Шотландия, Великобритания*)

Dumfries and Galloway [dʌm-ˏfri:sən′gæləweı] *обл.* Да́мфрис-энд-Га́лловей (*Шотландия, Великобритания*)

Dumyat [dum′jɑ:t] *г.* Думья́т (*Египет*)

Dunbar [dʌn′bɑ:] *г.* Данба́р (*шт. Квинсленд, Австралия*)

Dundalk [dʌn′dɔ:(l)k] *г.* Дандо́лк (*адм. центр граф. Лаут, Ирландия*)

Dundee [dʌn′di:] *г.* Данди́ (*адм. центр обл. Тейсайд, Шотландия, Великобритания*)

Dunedin [dʌn′i:dn] *г.* Дани́дин (*адм. центр стат. р-на Отаго, о. Южный, Новая Зеландия*)

Dunfermline [dʌn′fə:mlın] *г.* Данфе́рмлин (*обл. Файф, Шотландия, Великобритания*)

Dungannon [dʌn′gænən] **1.** *окр.* Данга́ннон (*Северная Ирландия, Великобритания*); **2.** *г.* Данга́ннон (*адм. центр окр. Данганнон, Северная Ирландия, Великобритания*)

Dungarvan [dʌn′gɑ:vən] *г.* Данга́рван (*граф. Уотерфорд, Ирландия*)

Dunkerque [ˏdə:ŋ′kerk], **Dunkirk** [′dʌnkə:k] *г.* Дюнке́рк (*Франция*)

Dun Laoghaire [dʌn′lɛərə] *г.* Данлэ́ри (*граф. Дублин, Ирландия*)

Duque de Caxias [′dukede′kɑ:ʃıɑ:s] *г.* Ду́ки-ди-Каши́ас (*Бразилия*)

Durango [dju′ræŋgəu] *г.* Дура́нго (*Мексика*)

Durban [′də:bæn] *г.* Ду́рбан (*пров. Натал, ЮАР*)

Durgapur [′durgəˏpuə] *г.* Дургапу́р (*шт. Западная Бенгалия, Индия*)

Durham I [′dʌrəm] **1.** *граф.* Да́рем (*Англия, Великобритания*); **2.** *г.* Да́рем (*адм. центр граф. Дарем, Англия, Великобритания*)

Durham II [′də:rəm] *г.* Да́рем (*шт. Северная Каролина, США*)

Durrës [′duərəs] *г.* Ду́ррес (*Албания*)

Dushanbe [d(j)u:′ʃæmbə, du:′ʃɑ:nbə] *г.* Душанбе́ (*столица Таджикской ССР, СССР*)

Düsseldorf [′dju:sldɔ:f] *г.* Дю́ссельдорф (*ФРГ*)

Dvina Bay [dvjı′nɑ:′beı] = Dvina Gulf

Dvina Gulf [dvjı′nɑ:′gʌlf] Дви́нская губа́ (*Белое м., СССР*)

Dwin [dvi:n] *ист. г.* Двин (*Армянская ССР, СССР*)

Dyfed [′dʌvıd] *граф.* Ди́вед (*Уэльс, Великобритания*)

Dyushambe [dju:′ʃɑ:mbə] = Dushanbe

Dzerzhinsk [dje′ʒınsk] *г.* Дзержи́нск (*Нижегородская обл., РСФСР, СССР*)

Dzhalal Abad [dʒɑ:′lɑ:lɑ:′bɑ:d] *г.* Джала́л-Аба́д (*центр Джалал-Абадской обл., Киргизская ССР, СССР*)

Dzhambul [dʒɑ:m′bu:l] *г.* Джамбу́л (*центр Джамбульской обл., Казахская ССР, СССР*)

Dzhezkazgan [ˏdʒeskəz′gɑ:n] *г.* Джезказга́н (*центр Джезказганской обл., Казахская ССР, СССР*)

Dzhizak [dʒi:′zɑ:k] *г.* Джиза́к (*центр Джизакской обл., Узбекская ССР, СССР*)

Dzungaria [(d)zuŋ′gɛərıə] *ист. обл.* Джунга́рия (*Китай*)

Dzungarian Ala Tau [(d)zuŋ′gɛərıənˏɑ:lɑ:′tau] *хр.* Джунга́рский Алата́у (*на границе СССР и Китая*)

Dzungarian Gates [(d)zuŋ′gɛərıən′geıts] *горн. проход* Джунга́рские Воро́та (*на границе СССР и Китая*)

E

Ealing [′i:lıŋ] *г.* И́линг (*метроп. граф. Большой Лондон, Англия, Великобритания*)

East Anglia [′i:st′æŋglıə] *ист. англосакс. кор-во* Восто́чная А́нглия (*Великобритания*)

Eastbourne [′i:stbɔ:n] *г.* И́стборн (*граф. Восточный Суссекс, Англия, Великобритания*)

East China Sea [′i:st′tʃaınə′si:] Восто́чно-Кита́йское мо́ре (*Тихий ок., у берегов Азии*)

East Coast [ˈi:stˈkəust] *стат. р-н* Ист-Кост (*Новая Зеландия, о. Северный*)

East End [ˈi:stˈend] Ист-Энд (*вост. часть г. Лондон, Великобритания*)

Easter Island [ˈi:stərˈaɪlənd] о́стров Па́схи (*Тихий ок., Чили*)

Eastern Ghats [ˈi:stənˈgɔ:ts] *горы* Восто́чные Га́ты (*Индия*)

Eastern Roman Empire [ˈi:stənˈrəumənˈempaɪə] *ист.* Восто́чная Ри́мская импе́рия; *см.* Byzantine Empire

Eastern Rumelia [ˈi:stənru:ˏmi:ljə] *ист. авт. обл.* Восто́чная Руме́лия (*в составе Османской империи, на терр. совр. Болгарии*)

Eastern Samoa [ˈi:stənsəˈməuə] Восто́чное Само́а (*вост. часть о-вов Самоа, Тихий ок., влад. США*)

Eastern Siberia [ˈi:stənsaɪˈbɪərɪə] Восто́чная Сиби́рь (*часть терр. Сибири от р. Енисей на зап. до Тихого ок. на вост., СССР*)

Eastern States [ˈi:stənˈsteɪts] **1.** Восто́чные шта́ты (*штаты Новая Англия, Нью-Йорк и Нью-Джерси, США*); **2.** Восто́чные шта́ты (*все штаты США на побережье Атлантического ок.*)

East European Plain [ˈi:stˏjuərəˈpi(:)ənˈpleɪn] Восто́чно-Европе́йская (*или* Ру́сская) равни́на (*вост. часть Европы, СССР*)

East Indies [ˈi:stˈɪndɪəz] *ист.* Ост-И́ндия (*назв. терр. Индии и некоторых др. стран Южной и Юго-Восточной Азии*)

East Korea Bay [ˈi:stkə(u)ˈri:əˈbeɪ] Восто́чно-Коре́йский зали́в (*Японское м., у берегов п-ова Корея*)

Eastleigh [ˈi:stli:] *г.* И́стли (*граф. Гэмпшир, Англия, Великобритания*)

East London [ˈi:stˈlʌndən] *г.* Ист-Ло́ндон (*Капская пров., ЮАР*)

Easton [ˈi:stən] *г.* И́стон (*шт. Пенсильвания, США*)

East Orange [ˈi:stˈɔrɪn(d)ʒ] *г.* Ист-О́ринддж (*шт. Нью-Джерси, США*)

East Saint Louis [ˈi:stseɪntˈlu(:)ɪ(s)] *г.* Ист-Сент-Лу́ис (*шт. Иллинойс, США*)

East Siberian Sea [ˈi:stsaɪˈbɪərɪənˈsi:] Восто́чно-Сиби́рское мо́ре (*Северный Ледовитый ок., у берегов СССР*)

East Sussex [ˈi:stˈsʌsɪks] *граф.* Восто́чный Су́ссекс (*Англия, Великобритания*)

East Timor [ˈi:stˈti:mə] Восто́чный Тимо́р (*терр., оккупированная Индонезией, вост. часть о. Тимор, Малые Зондские о-ва*)

Eau Claire [ˏəuˈklɛə] *г.* О-Клэр (*шт. Висконсин, США*)

Ebro [ˈeɪbrəu] *р.* Э́бро (*Испания*)

Ecbatana [ekˈbæt(ə)nə] **1.** *г.* Экбата́на; *см.* Hamadan; **2.** *ист.* Экбата́на (*др.-греч. назв. г. Хамадан в Иране*)

Echmiadzin [ˏetʃmɪɑ:ˈdzi:n] *г.* Эчмиадзи́н (*Армянская ССР, СССР*)

Ecuador [ˈekwədɔ:] *гос-во* Эквадо́р, Republic of Ecuador Респу́блика Эквадо́р (*Южная Америка*)

Ede I [ˈeɪde(ɪ)] *г.* Э́де (*Нигерия*)

Ede II [ˈeɪdə] *г.* Э́де (*Нидерланды*)

Edéa [eɪˈdeɪə] *г.* Эде́а (*Камерун*)

Edge Island [ˈedʒˈaɪlənd] *о.* Эдж (*арх. Шпицберген, Северный Ледовитый ок., Норвегия*)

Edinburgh [ˈednbərə] *г.* Э́динбург (*адм. центр обл. Лотиан, Шотландия, Великобритания*)

Edirne [eˈdɪrne] *г.* Эди́рне (*Турция*)

Edmonton [ˈedməntən] **1.** *г.* Э́дмонтон (*метроп. граф. Большой Лондон, Англия, Великобритания*); **2.** *г.* Э́дмонтон (*адм. центр пров. Альберта, Канада*)

Edom [ˈi:dəm] *ист. страна* Эдо́м (*Передняя Азия*)

Edward, Lake [ˈleɪkˈedwəd] *оз.* Эдуа́рд (*Заир и Уганда*)

Edwards Plateau [ˈedwədzˈplætəu] *плато* Э́дуардс (*США*)

Efate [eˈfɑ:te(ɪ)] *о.* Эфа́те (*о-ва Новые Гебриды, Тихий ок., Вануату*)

Eger [ˈege] *г.* Э́гер (*Венгрия*)

Egypt [ˈi:dʒɪpt] *гос-во* Еги́пет, Arab Republic of Egypt Ара́бская Респу́блика Еги́пет

(*Северо-Восточная Африка и Синайский п-ов Азии*)

Eindhoven [ˈaɪntˌhəuvə(n)] *г.* Э́йндховен (*Нидерланды*)

Eire [ˈeɪrɪ] Э́йре; *см.* Ireland 1

Eisenach [ˈaɪzənɑ:k] *г.* А́йзенах (*ФРГ*)

Ekaterinburg [ɪˈkætərənˌbə:g] *г.* Екатеринбу́рг (*центр Екатеринбургской обл., РСФСР, СССР*)

Ekibastuz [ˌekɪˈbɑ:stəs] *г.* Экибасту́з (*Павлодарская обл., Казахская ССР, СССР*)

El Aaiún [elaɪˈju:n] *г.* Эль-Аю́н (*адм. центр Западной Сахары*)

Elam [ˈi:ləm] *ист. гос-во* Эла́м (*на терр. совр. Ирана*)

El Asnam [elæsˈnæm] *г.* Эль-Асна́м, Эш-Шели́фф (*Алжир*)

Elâzig [ˌeləˈzi:(g),ˌeləˈzə] *г.* Элязы́г (*Турция*)

Elba [ˈelbə] *о.* Э́льба (*Тирренское м., Италия*)

Elbasan [ˌelbɑ:ˈsɑ:n] *г.* Эльбаса́н (*Албания*)

Elbe [ˈelbə, elb] *р.* Э́льба (*Чехословакия и ФРГ*)

Elbert, Mount [ˈmauntˈelbət] *гора* Э́лберт (*Скалистые горы, США*)

Elbląg [ˈelblɔ:ŋ] *г.* Э́льблонг (*Польша*)

Elbrus [elˈbru:z] *гора* Эльбру́с (*Кавказ, СССР*)

Elburz Mountains [elˈbuəzˈmauntɪnz] *горы* Эльбу́рс (*Иран*)

Elche [ˈeltʃeɪ] *г.* Э́льче (*Испания*)

Eldorado [ˌeldə(u)ˈreɪdəu] *миф. страна* Эльдора́до (*на терр. Латинской Америки*)

Electrostal [eljektrʌˈstɑ:l] *г.* Электроста́ль (*Московская обл., РСФСР, СССР*)

Elets [jɪˈljets] = Yelets

Eleusis [ɪˈlju:sɪs] *ист. г.* Элевси́н (*Греция*)

El Faiyûm [ælfeɪˈju:m] *г.* Эль-Файю́м (*Египет*)

El Ferrol [elfəˈrɔ:l] *г.* Эль-Ферро́ль (*Испания*)

Elgin [ˈelgɪn] *г.* Э́лгин (*обл. Грампиан, Шотландия, Великобритания*).

El Gîza [elˈgi:zə] *г.* Эль-Ги́за (*Египет*)

Elgon, Mount [ˈmauntˈelgɔn] *гора* Э́лгон (*на границе Кении и Уганды*)

El Hamad [ælhæˈmæd] = Syrian Desert

Elisabethville [ɪˈlɪzəbəθˌvɪl] *г.* Элизабетви́ль; *см.* Lubumbashi

Elista [ɪˈli:stə] *г.* Эли́ста (*столица Калмыцкой АССР, РСФСР, СССР*)

Elizabeth [ɪˈlɪzəbəθ] *г.* Эли́забет (*шт. Нью-Джерси, США*)

El Jadida [ældʒæˈdi:də] *г.* Эль-Джади́да (*Марокко*)

Elkhart [ˈelkhɑ:t] *г.* Э́лкхарт (*шт. Индиана, США*)

Ellef Ringnes Island [ˈeləfˈrɪŋneɪsˈaɪlənd] *о.* Э́ллеф-Ри́нгнес (*о-ва Свердруп, Канадский Арктический арх., Канада*)

Ellesmere Island [ˈelzmɪəˈaɪlənd] *о.* Э́лсмир (*Канадский Арктический арх., Канада*)

Ellice Islands [ˈelɪsˈaɪləndz] *о-ва* Э́ллис; *см.* Tuvalu 2

Ellsworth Land [ˈelzwə:θˈlænd] Земля́ Э́лсуэрта (*часть терр. Антарктиды*)

El Mahalla el Kubra [ˌelməˌhæləelˈku:brə] *г.* Эль-Маха́лла-эль-Ку́бра (*Египет*)

El Mansura [elmænˈsuərə] *г.* Эль-Мансу́ра (*Египет*)

El Minya [elˈmɪnjə] *г.* Эль-Ми́нья (*Египет*)

El Misti [elˈmi:stɪ] *влк.* Ми́сти (*горн. сист. Анды, Перу*)

El Obeid [elə(u)ˈbeɪd] *г.* Эль-Обе́йд (*Судан*)

El Paso [elˈpæsəu] *г.* Э́ль-Па́со (*шт. Техас, США*)

El Salvador [elˈsælvədɔ:] *гос-во* Сальвадо́р, R e p u b l i c o f E l S a l v a d o r Респу́блика Эль-Сальвадо́р (*Центральная Америка*)

Elton [ˈeltn] *оз.* Эльто́н (*СССР*)

Emba [emˈbɑ:] *р.* Э́мба (*СССР*)

Emden [ˈemdən] *г.* Э́мден (*ФРГ*)

Emi Koussi [ˈeɪmɪˈku:sɪ] *гора* Эми́-Ку́си (*нагорье Тибести, Чад*)

Ems [ems,emz] *р.* Эмс (*ФРГ*)

Encarnación [ˌæŋkɑ:nɑ:ˈsjɔ:n] *г.* Энкарнасьо́н (*Парагвай*)

Enderby Land [ˈendəbɪˈlænd] Земля́ Э́ндерби (*часть терр. Антарктиды*)

Enfield [ˈenfi:ld] *г.* Э́нфилд (*граф. Мит, Ирландия*)

Engela [ˈeŋgeɪlɑ:] *мыс* Энге́ла

(*крайняя сев. точка Африки, Тунис*)

Engels [ˈeŋ(g)əlz] *г.* Э́нгельс (*Саратовская обл., РСФСР, СССР*)

England [ˈɪŋglənd] А́нглия (*адм.-полит. часть Великобритании*)

Englewood [ˈeŋglwud] *г.* Э́нглвуд (*шт. Колорадо, США*)

English Channel [ˈɪŋglɪʃˈtʃænl] *прол.* Англи́йский кана́л (*между о. Великобритания и Францией*)

Enid [ˈi:nɪd] *г.* И́нид (*шт. Оклахома, США*)

Ennedi [ˌenəˈdi:] *плато* Энне́ди (*Чад*)

Ennis [ˈenɪs] *г.* Э́ннис (*адм. центр граф. Клэр, Ирландия*)

Enniskillen [ˌenɪsˈkɪlən] *г.* Энниски́ллен (*адм. центр окр. Фермана, Северная Ирландия, Великобритания*)

Enschede [ˌenskəˈdeɪ] *г.* Э́нсхеде (*Нидерланды*)

Entebbe [enˈtebə] *г.* Энте́ббе (*Уганда*)

Entre Ríos [ˈeɪntre(ɪ)ˈrri:ə(u)s] *геогр. обл.* Междуре́чье, Э́нтре-Ри́ос (*Аргентина*)

Enugu [eɪˈnu:gu:] *г.* Эну́гу (*Нигерия*)

Enzeli [ɑ:nzɑ:ˈli:] *г.* Энзели́ (*Иран*)

Ephesus [ˈefəsəs] *ист. г.* Эфе́с (*на терр. совр. Турции*)

Epirus [ɪˈpaɪərəs] *ист.-геогр. обл.* Эпи́р (*Греция*)

Epsom [ˈepsəm] *г.* Э́псом (*граф. Суррей, Англия, Великобритания*)

equator [ɪˈkweɪtə] эква́тор (*линия, делящая земной шар на Северное и Южное полушария*)

Equatorial Countercurrent [ˌekwəˈtɔ:rɪəlˈkauntəˌkʌr(ə)nt] Экваториа́льное противотече́ние (*Атлантический и Тихий океаны*)

Equatorial Guinea [ˌekwəˈtɔ:rɪəlˈgɪnɪ] *гос-во* Экваториа́льная Гвине́я, Republic of Equatorial Guinea Респу́блика Экваториа́льная Гвине́я (*Центральная Африка*)

Erebus, Mount [ˈmauntˈerəbəs] *влк.* Э́ребус (*п-ов Росса, Антарктида*)

Erech [ˈi:rek] = Uruk

Erevan [ereˈvɑ:n] = Yerevan

Erfurt [ˈerˌfurt] *г.* Э́рфурт (*ФРГ*)

Erg Chech [ˌergˈʃeʃ] *пуст.* Эрг-Шеш (*Алжир и Мали*)

Erg Iguidi [ˌergˌi:gəˈdi:] *пуст.* Эрг-Иги́ди (*Алжир и Мавритания*)

Eridu [ˈeɪrɪdu:] *ист. г.* Эри́ду́ (*в Шумере, терр. сов. Ирака*)

Erie [ˈɪərɪ] *г.* Э́ри (*шт. Пенсильвания, США*)

Erie Canal [ˈɪərɪkəˈnæl] Э́ри-кана́л (*соединяет оз. Эри с р. Гудзон, США*)

Erie, Lake [ˈleɪkˈɪərɪ] *оз.* Э́ри (*Канада и США*)

Eritrea [ˌerɪˈtri:ə] *пров.* Эритре́я (*Эфиопия*)

Erne [ə:n] **1.** *р.* Эрн (*о. Ирландия*); **2.** *р.* Эрн (*Великобритания*)

Erne, Lough [lɔhˈə:n] *оз.* Лох-Эрн (*Северная Ирландия, Великобритания*)

Er Riad [ærrɪˈjɑ:d] = Riyadh

Erzgebirge [ˈertsgəˌbɪrgə] Ру́дные го́ры (*на границе ФРГ и Чехословакии*)

Erzincan, Erzinjan [ˌerzɪnˈdʒɑ:n] *г.* Эрзинджа́н (*Турция*)

Erzurum [ˌerzəˈru:m] *г.* Эрзуру́м (*Турция*)

Escuintla [e(ɪ)sˈkwi:ntlɑ:] *г.* Эскуи́нтла (*Гватемала*)

Eşfahan [esfəˈhɑ:n] *г.* Исфаха́н (*Иран*)

Eskilstuna [ˈeskəlˌstu:nɑ:] *г.* Э́скильстуна (*Швеция*)

Eskişehir [ˌeskɪʃəˈhɪə] *г.* Эски́шехи́р (*Турция*)

Esmeraldas [ˌeɪzme(ɪ)ˈrɑ:ldɑ:s] *г.* Эсмера́льдас (*Эквадор*)

Espíritu Santo [esˈpi:rɪtu:ˈsɑ:ntə(u)] *о.* Эспи́риту-Са́нто (*о-ва Новые Гебриды, Тихий ок., Вануату*)

Espoo [ˈespəu] *г.* Э́спо (*Финляндия*)

Essen [ˈesən] *г.* Э́ссен (*ФРГ*)

Essequibo [ˌesəˈkwi:bəu] *р.* Эссеки́бо (*Гайана*)

Essex [ˈesɪks] **1.** *граф.* Э́ссекс (*Англия, Великобритания*); **2.** *ист. англосакс. кор-во* Э́ссекс (*Великобритания*)

Estonia [esˈtəunjə] *гос-во* Эсто́ния, Estonian Republic Эсто́нская Респу́блика (*Центральная Европа*)

Ethiopia [ˌi:θɪˈəupɪə] *гос-во* Эфио́пия, People's Democratic Republic of Ethiopia Наро́дная Демократи́ческая Респу́блика Эфио́пия (*Северо-Восточная Африка*)

Ethiopian Highlands [ˌi:θɪˈəupɪən-ˈhaɪləndz] Эфио́пское наго́рье (*Эфиопия*)

Etna [ˈetnə] *влк.* Э́тна (*о. Сицилия, Италия*)

Eton [ˈi:tn] *г.* И́тон (*граф. Бакингемшир, Англия, Великобритания*)

Etruria [ɪˈtruərɪə] *ист. кор-во* Этру́рия (*на терр. Италии*)

Euboea [ju:ˈbi:ə] *о.* Эвбе́я (*Эгейское м., Греция*)

Eugene [ju:ˈdʒi:n] *г.* Юджи́н (*шт. Орегон, США*)

Euphrates [ju(:)ˈfreɪti:z] *р.* Евфра́т (*Турция, Сирия и Ирак*)

Eurasia [ju(ə)rˈeɪʒə, ju(ə)rˈeɪʃə] *материк* Евра́зия (*Северное полушарие, состоит из двух частей света — Европы и Азии*)

Europe [ˈjuərəp] *часть света* Евро́па (*зап. часть материка Евразия*)

Evanston [ˈevənstən] *г.* Э́ванстон (*шт. Иллинойс, США*)

Evansville [ˈevənzvɪl] *г.* Э́вансвилл (*шт. Индиана, США*)

Evenki Autonomous Area [eˈveŋ-kɪɔ:ˈtɔnəməsˈɛərɪə] Эвенки́йский автоно́мный о́круг (*Красноярский край, РСФСР, СССР*)

Everest, Mount [ˈmauntˈevərest] *гора* Эвере́ст (*горн. сист. Гималаи, на границе Китая и Непала*)

Everett [ˈevəret] *г.* Э́веретт (*шт. Вашингтон, США*)

Everglades National Park [ˈevə-gleɪdzˈnæʃənlˈpɑ:k] *нац. парк* Эверглейдс (*США*)

Évora [ˈɛəvu:rə] *г.* Э́вора (*Португалия*)

Evpatoria [ˌjefpʌˈtɔ:rɪə] = Yevpatoriya

Exeter [ˈeksətə] *г.* Э́ксетер (*адм. центр граф. Девоншир, Англия, Великобритания*)

Exmoor [ˈeksmuə] *плато* Э́ксмур (*Великобритания*)

Eyre, Lake [ˈleɪkˈɛə] *оз.* Эйр (*Австралия*)

Eyre Peninsula [ˈɛəpɪˈnɪnsjulə] *п-ов* Эйр (*на юге Австралии*)

Ez Zuetina [ezzwe(ɪ)ˈti:nə] *г.* Эз-Зувайти́на (*Ливия*)

F

Fadde(y)evski [fʌˈdjeɪjəfskɪ] *о.* Фадде́евский (*арх. Новосибирские о-ва, СССР*)

Faeroes [ˈfɛərəuz] Фаре́рские острова́ (*Атлантический ок., Дания*)

Fagatogo [ˌfɑ:gəˈtəugə(u)] *г.* Фагато́го (*о. Тутуила, Восточное Самоа*)

Fairbanks [ˈfɛəbæŋks] *г.* Фэ́рбенкс (*шт. Аляска, США*)

Fairfield [ˈfɛəfi:ld] *г.* Фэ́рфилд (*шт. Новый Южный Уэльс, Австралия*)

Faisalabad [ˌfaɪˌsæləˈbæd] *г.* Фейсалаба́д (*Пакистан*)

Falkirk [ˈfɔ:lkə:k] *г.* Фо́лкерк (*обл. Сентрал, Шотландия, Великобритания*)

Falkland Islands [ˈfɔ:klənd-ˈaɪləndz] *арх.* Фолкле́ндские острова́ (*у юго-вост. побережья Южной Америки, Атлантический ок., влад. Великобритании*)

Fall River [ˈfɔ:lˈrɪvə] *г.* Фолл-Ри́вер (*шт. Массачусетс, США*)

Falster [ˈfɑ:lstə] *о.* Фа́льстер (*Балтийское м., Дания*)

Famagusta [ˌfɑ:məˈgu:stə] *г.* Фагу́ста (*Кипр*)

Fao [ˈfɑ:əu] *г.* Фа́о (*Ирак*)

Farafra [fəˈrɑ:frə] *оазис* Фара́фра (*Ливийская пуст., Египет*)

Far East [ˈfɑ:rˈi:st] **1.** Да́льний Восто́к (*общее назв. гос-в и территорий на вост. Азии*); **2.** Да́льний Восто́к (*крайняя вост. часть СССР*)

Farewell, Cape [ˈkeɪpˈfɛəwəl] *мыс* Фа́руэлл (*о. Южный, Новая Зеландия*)

Fargo [ˈfɑ:gəu] *г.* Фа́рго (*шт. Северная Дакота, США*)

Fars [fɑ:s] *ист. обл.* Фарс (*Иран*)

Feira de Santana [feıərədəsæn-ˈtænə] *г.* Фе́йра-ди-Санта́на (*Бразилия*)

Feodosiya [ˌfi:əˈdəusıə] *г.* Феодо́сия (*Крымская обл., Украинская ССР, СССР*)

Ferg(h)ana [fəˈgɑ:nə] *г.* Фергана́ (*центр Ферганской обл., Узбекская ССР, СССР*)

Ferg(h)ana Basin [fəˈgɑ:nəˈbeısn] = Ferg(h)ana Valley

Ferg(h)ana Valley [fəˈgɑ:nəˈvælı] Ферга́нская доли́на (*Средняя Азия, СССР*)

Fermanagh [fəˈmænə] *окр.* Ферма́на (*Северная Ирландия, Великобритания*)

Fernando Po [ferˈnændəuˈpəu] = Fernando Poo

Fernando Poo [ferˈnændəuˈpəu-ə(u)] *о.* Ферна́ндо-По; *см.* Bioko

Ferrara [fəˈrɑ:rə] *г.* Ферра́ра (*Италия*)

Fès [fes], **Fez** [fez] *г.* Фес (*Марокко*)

Fezzan [feˈzæn] *ист. обл.* Феццáн (*Ливия*)

Fianarantsoa [fjəˌnɑ:rənˈtsəuə] *г.* Фианаранцу́а (*Мадагаскар*)

Fife [faıf] *обл.* Файф (*Шотландия, Великобритания*)

Fiji [ˈfi:dʒı] *гос-во* Фи́джи (*на о-вах Фиджи, Тихий ок.*)

Fiji Islands [ˈfi:dʒıˈaıləndz] *о-ва* Фи́джи (*Тихий ок., гос-во Фиджи*)

Filchner Ice Shelf [ˈfılknərˈaısˈʃelf] ше́льфовый ледни́к Фи́льхнера (*Антарктида*)

Finchley [ˈfıntʃlı] *г.* Фи́нчли (*метроп. граф. Большой Лондон, Англия, Великобритания*)

Findlay [ˈfınlı] *г.* Фи́ндли (*шт. Огайо, США*)

Fingal's Cave [ˈfıŋg(ə)lzˈkeıv] Финга́лова пеще́ра (*о. Стафф, Великобритания*)

Finisterre, Cape [ˈkeıpˌfınısˈtɛə] *мыс* Финисте́рре (*Пиренейский п-ов, Испания*)

Finland [ˈfınlənd] *гос-во* Финля́ндия, Republic of Finland Финля́ндская Респу́блика (*Северная Европа*)

Finland, Gulf of [ˈgʌlfəvˈfınlənd] Фи́нский зали́в (*Балтийское м., побережье СССР, Эстонии и Финляндии*)

Firth of Clyde [ˈfə:θəvˈklaıd] *зал.* Ферт-оф-Клайд (*Ирландское м., побережье о. Великобритания*)

Firth of Forth [ˈfə:θəvˈfɔ:θ] *зал.* Ферт-оф-Форт (*Северное м., побережье о. Великобритания*)

Firth of Lorne [ˈfə:θəvˈlɔ:n] *зал.* Ферт-оф-Лорн (*Атлантический ок., побережье о. Великобритания*)

Firth of Tay [ˈfə:θəvˈteı] *зал.* Ферт-оф-Тей (*Северное м., побережье о. Великобритания*)

Fitzroy [fıtsˈrɔı] *р.* Фицро́й (*Австралия*)

Flamborough Head [ˈflæm-bərəˈhed] *мыс* Фла́мборо-Хед (*о. Великобритания*)

Flanders [ˈflɑ:ndəz] *ист. пров.* Фла́ндрия (*Франция и Бельгия*)

Fleetwood [ˈfli:twud] *г.* Фли́твуд (*граф. Ланкашир, Англия, Великобритания*)

Flensburg [ˈflenzbə:g] *г.* Фле́нсбург (*ФРГ*)

Flinders [ˈflındəz] **1.** *о.* Фли́ндерс (*прол. Басса, Австралия*); **2.** *р.* Фли́ндерс (*Австралия*)

Flinders Range [ˈflındəzˈreındʒ] *хр.* Фли́ндерс (*Австралия*)

Flint [flınt] **1.** *г.* Флинт (*шт. Мичиган, США*); **2.** *г.* Флинт (*граф. Клуид, Уэльс, Великобритания*)

Florence [ˈflɔrəns] *г.* Флоре́нция (*Италия*)

Flores [ˈflɔ:rız] *о.* Фло́рес (*Малые Зондские о-ва, м. Флорес, Индонезия*)

Flores Sea [ˈflɔ:rızˈsi:] мо́ре Фло́рес (*Тихий ок., Индонезия*)

Florianópolis [ˌflɔurıəˈnɔpələs] *г.* Флориано́полис (*Бразилия*)

Florida [ˈflɔrıdə] **1.** *шт.* Флори́да (*США*); **2.** *п-ов* Флори́да (*на юго-вост. США*)

Florida Keys [ˈflɔrıdəˈki:z] *о-ва* Флори́да-Кис (*к югу от п-ова Флорида, США*)

Florida Strait [ˈflɔrıdəˈstreıt], **Florida, Straits of** [ˈstreıtsəvˈflɔrıdə] Флори́дский проли́в (*между п-овом Флорида, Багамскими о-вами и о. Куба*)

Flushing [ˈflʌʃıŋ] = Vlissingen

Fly [flaɪ] *р.* Флай (*о. Новая Гвинея, Папуа-Новая Гвинея*)

Focşani [fɔ:k'ʃɑ:nɪ] *г.* Фокша́ни (*Румыния*)

Foggia ['fɔ.dʒɑ:] *г.* Фо́джа (*Италия*)

Folkestone ['fəukstən] *г.* Фо́лкстон (*граф. Кент, Англия, Великобритания*)

Fond du Lac ['fɔndə,læk] *г.* Фон-дю-Лак (*шт. Висконсин, США*)

Fonseca Bay [fɔ:n'seɪkɑ:'beɪ] = Fonseca, Gulf of

Fonseca, Gulf of ['gʌlfəvfɔ:n'seɪkɑ:] *зал.* Фонсе́ка (*Тихий ок., побережье Сальвадора, Гондураса и Никарагуа*)

Foochow ['fu:'tʃau] = Fuzhou

Forfar ['fɔ:fə] *г.* Фо́рфар (*обл. Тейсайд, Шотландия, Великобритания*)

Forlì [fəu'li:] *г.* Форли́ (*Италия*)

Formosa [fɔ:'məusə] *о.* Формо́за; *см.* Taiwan 2

Formosa Strait [fɔ:'məusə'streɪt] Формо́зский проли́в; *см.* Taiwan Strait

Fortaleza [fɔ:tə'leɪzə] *г.* Форталé-за (*Бразилия*)

Fort-de-France [,fɔ:də'frɑ:ŋs] *г.* Фор-де-Франс (*адм. центр о. Мартиника, Малые Антильские о-ва*)

Fort Lamy [,fɔ:t'lɑ:mɪ] *г.* Форт-Лами́; *см.* N'Djamena

Fort Lauderdale ['fɔ:t'lɔ:dədeɪl] *г.* Форт-Ло́дердейл (*шт. Флорида, США*)

Fort Smith ['fɔ:t'smɪθ] **1.** *г.* Форт Смит (*шт. Арканзас, США*); **2.** *г.* Форт-Смит (*Северо-Западные территории, Канада*)

Fort Wayne ['fɔ:t'weɪn] *г.* Форт-Уэ́йн (*шт. Индиана, США*)

Fort William ['fɔ:t'wɪljəm] *г.* Форт-Уи́льям; *см.* Thunder Bay

Fort Worth ['fɔ:t'wə:θ] *г.* Форт-Уэ́рт (*шт. Техас, США*)

Foshan ['fəu'ʃɑ:n] *г.* Фоша́нь (*пров. Гуандун, Китай*)

Fou-hsin ['fu:'ʃɪn] = Fuxin

Fouta Djallon [,fu:'tɑ:,dʒɑ:'lɔ:n] *плато* Фу́та-Джалло́н (*Гвинея*)

Foveaux Strait [,fəu'vəu'streɪt] *прол.* Фо́во (*между о-вами Южный и Стьюарт, Новая Зеландия*)

Fowliang ['fu:lɪ'ɑ:ŋ] *г.* Фуля́н; *см.* Jingdezhen

Foxe Basin ['fɔks'beɪsn] *зал.* Бассе́йн Фо́кса (*между п-овом Мелвилл и о. Баффинова Земля, Канада*)

Fox Islands ['fɔ:ks'aɪləndz] *о-ва* Ли́сьи (*арх. Алеутские о-ва, Тихий ок., США*)

France [frɑ:ns] *гос-во* Фра́нция, French Republic. ['frentʃ...] Францу́зская Респу́блика (*Западная Европа*)

Franconia [fræŋ'kəunɪə] *ист. обл.* Франко́ния (*ФРГ*)

Frankfort ['fræŋkfət] *г.* Фра́нкфорт (*адм. центр шт. Кентукки, США*)

Frankfort on the Main ['fræŋkfə:tɔnðə'meɪn] = Frankfurt am Main

Frankfort on the Oder ['fræŋkfə:tɔnðə'əudə] = Frankfurt an der Oder

Frankfurt am Main ['frɑ:ŋkfurtɑ:m'maɪn] *г.* Фра́нкфурт-на-Ма́йне (*ФРГ*)

Frankfurt an der Oder ['frɑ:ŋkfurtɑ:ndə'əudə] *г.* Фра́нкфурт-на-О́дере (*ФРГ*)

Franklin ['fræŋklɪn] *г.* Фра́нклин (*шт. Индиана, США*)

Franz Josef Land [frænts'dʒəuzəflænd] *арх.* Земля́ Фра́нца-Ио́сифа (*Баренцево м., СССР*)

Fraser ['freɪzə] *р.* Фре́йзер (*Канада*)

Fraser Island ['freɪzə'aɪlənd] *о.* Фре́йзер (*Тихий ок., Австралия*)

Fredericia [,fredə'rɪʃɪə] *г.* Фредери́сия (*Дания*)

Fredericton ['fredrɪktən] *г.* Фре́дериктон (*адм. центр пров. Нью-Брансуик, Канада*)

Freetown ['fri:,taun] *г.* Фри́таун (*столица Сьерра-Леоне*)

Freiberg ['fraɪbə:g] *г.* Фра́йберг (*ФРГ*)

Freiburg ['fraɪbə:g] *г.* Фра́йбург (*ФРГ*)

Fremantle [frɪ'mæntl] *г.* Фри́мантл (*шт. Западная Австралия, Австралия*)

French Polynesia ['frentʃ,pɔlɪ'ni:ʒə] Францу́зская Полине́зия (*общее назв. островных владений*

Франции в юго-вост. части Тихого ок.)

Fresno [ˈfreznəu] *г.* Фре́сно (*шт. Калифорния, США*)

Fria [ˈfri:ə] *г.* Фри́а (*Гвинея*)

Friendly Islands [ˈfrendlɪˈaɪləndz] острова́ Дру́жбы; *см.* Tonga Islands

Frisian Islands [ˈfrɪʒənˈaɪləndz] Фри́зские острова́ (*Северное м., Нидерланды, ФРГ и Дания*)

Front Range [ˈfrʌntˈreɪndʒ] Передово́й хребе́т (*Скалистые горы, США*)

Froward, Cape [ˈkeɪpˈfrəuwəd] *мыс* Фро́уэрд (*крайняя юж. точка Южной Америки, Чили*)

Frunze [ˈfru:nzə] *г.* Фру́нзе; *см.* Bishkek

Fujian [ˈfu:ˈdʒjɑ:ŋ] *пров.* Фуцзя́нь (*Китай*)

Fujisawa [ˌfu:dʒɪˈsɑ:wə] *г.* Фудзиса́ва (*о. Хонсю, Япония*)

Fuji(yama) [ˈfu:dʒɪ(ˈjɑ:mə)] *влк.* Фудзия́ма (*о. Хонсю, Япония*)

Fukien [ˈfu:ˈkjen] = Fujian

Fukui [fukuɪ] *г.* Фукуи́ (*о. Хонсю, Япония*)

Fukuoka [fukuə(u)kɑ:] *г.* Фукуо́ка (*о. Кюсю, Япония*)

Fukushima [fukuʃɪmɑ:] *г.* Фуку́сима (*о. Хонсю, Япония*)

Fukuyama [fukujɑ:mɑ:] *г.* Фукуя́ма (*о. Хонсю, Япония*)

Funabashi [ˌfu:nəˈbɑ:ʃɪ] *г.* Фунаба́си (*о. Хонсю, Япония*)

Funafuti [fu:nəˈfu:ti:] *г.* Фунафу́ти (*столица Тувалу*)

Funchal [fu:nˈʃɑ:l] *г.* Фунша́л (*о. Мадейра, Португалия*)

Fundy, Bay of [ˈbeɪəvˈfʌndɪ] *зал.* Фа́нди (*Атлантический ок., побережье Канады*)

Fushun [ˈfu:ˈʃu:n] *г.* Фушу́нь (*пров. Ляонин, Китай*)

Fusin [ˈfu:ˈsɪn] = Fuxin

Fuxin [ˈfu:ˈʃɪn] *г.* Фуси́нь (*пров. Ляонин, Китай*)

Fuzhou [ˈfu:dʒəu] *г.* Фучжо́у (*адм. центр пров. Фуцзянь, Китай*)

Fyn [fju:n] *о.* Фюн (*Балтийское м., Дания*)

G

Gaberones [ˌgæbəˈrəunəs] *г.* Габеро́нес; *см.* Gaborone

Gabès [ˈgɑ:bes] *г.* Га́бес (*Тунис*)

Gabès, Gulf of [ˈgʌlfəvˈgɑ:bes] *зал.* Га́бес (*Средиземное м., побережье Африки*)

Gabon [gɑ:ˈbɔŋ], **Gaboon** [gəˈbu:n] *гос-во* Габо́н, Gabonese Republic [ˌgæbəˈni:z...] Габо́нская Респу́блика (*Центральная Африка*)

Gaborone [ˈgæbərɔn] *г.* Габоро́не (*столица Ботсваны*)

Gabrovo [ˈgɑ:brə(u)və(u)] *г.* Га́брово (*Болгария*)

Gafsa [ˈgæfsə] *г.* Га́фса (*Тунис*)

Gagarin [gʌˈgɑ:rɪn] *г.* Гага́рин (*Смоленская обл., РСФСР, СССР*)

Gairdner, Lake [ˈleɪkˈgɛədnə] *оз.* Гэ́рднер (*Австралия*)

Galápagos Islands [gəˈlɑ:pəgəsˈaɪləndz] *о-ва* Гала́пагос (*Тихий ок., Эквадор*)

Galaţi [gɑ:ˈlɑ:ts(ɪ)] *г.* Гала́ц (*Румыния*)

Galatia [gəˈleɪʃɪə] *ист. страна* Гала́тия (*Турция*)

Galatz [ˈgɑ:lɑ:ts] = Galaţi

Galesburg [ˈgeɪlzbə:g] *г.* Ге́йлсберг (*шт. Иллинойс, США*)

Galich [ˈgɑ:l(j)ɪtʃ] **1.** *г.* Га́лич (*Костромская обл., РСФСР, СССР*); **2.** *г.* Га́лич (*Ивано-Франковская обл., Украинская ССР, СССР*)

Galicia [gəˈlɪʃɪə] *ист. обл.* Гали́сия (*Испания*)

Galilee [ˈgælɪli:] *ист. обл.* Гали-ле́я (*в Палестине*)

Galilee, Sea of [ˈsi:əvˈgælɪli:] Галиле́йское мо́ре; *см.* Tiberias, Sea of

Galle [gɑ:l, gæl] *г.* Га́лле (*Шри-Ланка*)

Gallia [ˈgælɪə] = Gaul

Gallinas, Point [ˈpɔɪntgɑ:ˈji:nɑ:s] *мыс* Галья́нас (*крайняя сев. точка Южной Америки, Колумбия*)

Gallipoli Peninsula [gəˈlɪpəlɪpɪˈnɪnsjulə] Галли́польский полуо́стров (*между прол. Дарданеллы и Саросским зал., Турция*)

Galveston [ˈgælvəstən] *г.* Га́лвестон (*шт. Техас, США*)

Galway [ˈgɔ:lweı] **1.** *граф.* Го́луэй (*Ирландия*); **2.** *г.* Го́луэй (*адм. центр граф. Голуэй, Ирландия*)

Galway Bay [ˈgɔ:lweıˈbeı] *зал.* Го́луэй (*Атлантический ок., Ирландия*)

Gambia [ˈgæmbıə] **1.** *гос-во* Га́мбия, Republic of the Gambia Респу́блика Га́мбия (*Западная Африка*); **2.** *р.* Га́мбия (*Гвинея, Сенегал и Гамбия*)

Gandhinagar [ˈgændıˌnʌgə] *г.* Гандинага́р (*адм. центр шт. Гуджарат, Индия*)

Gandzha [ˈgɑ:ndʒə] *г.* Гянджа́ (*Азербайджанская ССР, СССР*)

Ganges [ˈgændʒi:z] *р.* Ганг (*Индия и Бангладеш*)

Gangtok [ˈgʌŋtɔk] *г.* Га́нгток (*адм. центр шт. Сикким, Индия*)

Gansu [ˈgɑ:nˈsu:] *пров.* Ганьсу́ (*Китай*)

Ganzhou [ˈgɑ:nˈdʒɔu] *г.* Ганьчжо́у (*пров. Цзянси, Китай*)

Garda, Lake [ˈleıkˈgɑ:dɑ:] *оз.* Га́рда (*Италия*)

Garden Grove [ˈgɑ:dnˈgrəuv] *г.* Га́рден-Гров (*шт. Калифорния, США*)

Garonne [gəˈrɔn] *р.* Гаро́нна (*Испания и Франция*)

Garoua, Garua [gəˈru:ə] *г.* Га́рва, Га́руа (*Камерун*)

Gary [ˈgɛərı] *г.* Гэ́ри (*шт. Индиана, США*)

Gascony [ˈgæskɔ(u)nı] *ист. обл.* Гаско́нь (*Франция*)

Gaspé Peninsula [ˈgæspeıpıˈnınsjulə] *п-ов* Гаспе́ (*на юго-вост. Канады*)

Gateshead [ˈgeıtshed] *г.* Ге́йтсхед (*метроп. граф. Тайн-энд-Уир, Англия, Великобритания*)

Gaul [gɔ:l] *ист. обл.* Га́ллия (*Европа*)

Gävle [ˈjɛəvlə] *г.* Е́вле (*Швеция*)

Gaya [gəˈjɑ:] *г.* Га́я (*шт. Бихар, Индия*)

Gaza [ˈgɑ:zə] *г.* Га́за (*Палестинские территории*)

Gaziantep [ˌgɑ:zıɑ:nˈtep] *г.* Газианте́п (*Турция*)

Gdańsk [gdɑ:njsk] *г.* Гданьск (*Польша*)

Gdynia [gəˈdınjə] *г.* Гды́ня (*Польша*)

Geelong [dʒıˈlɔŋ] *г.* Джило́нг (*шт. Виктория, Австралия*)

Gelsenkirchen [ˌgelzənˈkırkən] *г.* Ге́льзенки́рхен (*ФРГ*)

Geneva [dʒıˈni:və] *г.* Жене́ва (*Швейцария*)

Geneva, Lake of [ˈleıkəvdʒıˈni:və] Жене́вское о́зеро (*Франция и Швейцария*)

Genk [geŋk] *г.* Генк (*Бельгия*)

Genoa [ˈdʒenə(u)ə] *г.* Ге́нуя (*Италия*)

Genoa, Gulf of [ˈgʌlfəvˈdʒenə(u)ə] Генуэ́зский зали́в (*Лигурийское м., побережье Италии*)

Gent [hent] = Ghent

Geographe Bay [dʒıˈɔgrəfıˈbeı] зали́в Гео́графа (*Индийский ок., побережье Австралии*)

George Land [ˈdʒɔ:dʒˈlænd] *о.* Земля́ Ге́орга (*арх. Земля Франца-Иосифа, СССР*)

George V Coast [ˈdʒɔ:dʒðəˈfıfθˈkəust] Бе́рег Ге́орга V (*Антарктида*)

George Town [ˈdʒɔ:dʒtaun] *г.* Джо́рджтаун; *см.* Penang

Georgetown [ˈdʒɔ:dʒtaun] **1.** *г.* Джо́рджтаун (*столица Гайаны*); **2.** *г.* Джо́рджтаун (*адм. центр влад. Великобритании на о-вах Кайман, о. Большой Кайман*)

Georgia [ˈdʒɔ:dʒjə] *шт.* Джо́рджия (*США*)

Georgian Soviet Socialist Republic [ˈdʒɔ:dʒjənˈsəuvıetˈsəuʃəlıstrıˈpʌblık] Грузи́нская Сове́тская Социалисти́ческая Респу́блика, **Georgia** [ˈdʒɔ:dʒjə] Гру́зия (*центр. и зап. части Закавказья, СССР*)

Georgia, Strait of [ˈstreıtəvˈdʒɔ:dʒjə] *прол.* Джо́рджия (*между о. Ванкувер и Канадой*)

Gera [ˈgeırɑ] *г.* Ге́ра (*ФРГ*)

Germany [ˈdʒə:mənı] *гос-во* Герма́ния, Federal Republic of Germany Федерати́вная Респу́блика Герма́ния (*Центральная Европа*)

Germiston [ˈdʒə:mıstən] *г.* Дже́рмистон (*пров. Трансвааль, ЮАР*)

Gersoppa, Falls of [ˊfɔːlzəvdʒə-ˊsəupə] *вдп.* Герсо́ппа (*р. Шаравати, Индия*)

Gettysburg [ˊgetɪzbəːg] *г.* Ге́ттисберг (*шт. Пенсильвания, США*)

Gezira [dʒəˊzɪrə] Гези́ра (*междуречье Белого и Голубого Нила, Судан*)

Ghana [ˊgɑːnə] *гос-во* Га́на, Republic of Ghana Респу́блика Га́на (*Западная Африка*)

Ghats [gɔːts] *горы* Га́ты; *см.* Eastern Ghats *и* Western Ghats

Ghazni [ˊgɑːznɪ] *г.* Газни́ (*Афганистан*)

Ghent [gent] *г.* Гент (*Бельгия*)

Ghor, the [gɔː] *впадина* Гхор (*Западная Азия*)

Gibraltar [dʒɪˊbrɔːltə] Гибралта́р (*влад. Великобритании, на юге Пиренейского п-ова*)

Gibraltar, Strait(s) of [ˊstreɪt(s-)əvdʒɪˊbrɔːltə] Гибралта́рский проли́в (*между Африкой и Пиренейским п-овом Европы*)

Gibson Desert [ˊgɪbs(ə)nˊdezət] пусты́ня Ги́бсона (*Австралия*)

Gifu [ˊgiːfuː] *г.* Ги́фу (*о. Хонсю, Япония*)

Gijón [hiːˊhɔːn] *г.* Хихо́н (*Испания*)

Gila [ˊhiːlə] *р.* Хи́ла (*США*)

Gilbert Islands [ˊgɪlbətˊaɪləndz] острова́ Ги́лберта (*Тихий ок., Микронезия, Кирибати*)

Gillingham [ˊdʒɪlɪŋəm] *г.* Джи́ллингем (*граф. Кент, Англия, Великобритания*)

Girin [ˊdʒiːˊrɪn] = Kirin

Gironde [dʒɪˊrɔnd] Жиро́нда (*эстуарий рек Гаронна и Дордонь, Франция*)

Gisborne [ˊgɪzbən] *г.* Ги́сборн (*адм. центр стат. р-на Ист-Кост, о. Северный, Новая Зеландия*)

Gîza [ˊgiːzə] *г.* Ги́за; *см.* El Gîza

Glace Bay [ˊgleɪsˊbeɪ] *г.* Глейс-Бей (*пров. Новая Шотландия, Канада*)

Glasgow [ˊglɑːsgəu] *г.* Гла́зго (*адм. центр обл. Стратклайд, Шотландия, Великобритания*)

Glastonbury [ˊglæstənberɪ] *г.* Гла́стонбери (*граф. Сомерсетшир, Англия, Великобритания*)

Glendale [ˊglendeɪl] *г.* Гле́ндейл (*шт. Калифорния, США*)

Glen More, Glenmore [glenˊmɔː] = Great Glen, the

Gliwice [glɪˊviːtsə] *г.* Гливи́це (*Польша*)

Glomma [ˊglɔːmɑː] *р.* Гло́мма (*Норвегия*)

Gloucester [ˊglɔstə] **1.** *г.* Гло́стер (*адм. центр граф. Глостершир, Англия, Великобритания*); **2.** *г.* Гло́стер (*шт. Массачусетс, США*)

Gloucestershire [ˊglɔstəʃɪə] *граф.* Гло́стершир (*Англия, Великобритания*)

Gniezno [gəˊnjeznɔː] *г.* Гне́зно (*Польша*)

Goa [gəuə] *шт.* Го́а (*Индия*)

Gobi, the [ˊgəubɪ] *пуст.* Го́би (*Монголия и Китай*)

Godavari [gə(u)ˊdɑːvərɪ] *р.* Года́вари (*Индия*)

Godthaab [ˊgɔːtˌhɔːp] *г.* Го́тхоб (*адм. центр о. Гренландия*)

Godwin Austen [ˊgɔdwɪnˊɔːstən] *гора* Чогори́, Го́дуин-О́стен (*горн. сист. Каракорум, на границе Индии и Китая*)

Goiânia [gɔɪˊænɪə] *г.* Гоя́ния (*Бразилия*)

Golconda [gɔlˊkɔndə] *ист. гос-во* Голко́нда (*Индия*)

Gold Coast I [ˊgəuldˊkəust] *г.* Голд-Кост (*шт. Квинсленд, Австралия*)

Gold Coast II [ˊgəuldˊkəust] Золото́й бе́рег (*побережье Гвинейского зал., Гана*)

Gold Coast III [ˊgəuldˊkəust] Золото́й Бе́рег; *см.* Ghana

Golden Gate [ˊgəuldənˊgeɪt] *прол.* Золоты́е Воро́та (*соединяет зал. Сан-Франциско с Тихим ок.*)

Golden Horde [ˊgəuldənˊhɔːd] *ист. гос-во* Золота́я Орда́ (*Азия и Европа*)

Golden Horn [ˊgəuld(ə)nˊhɔːn] *бухта* Золото́й Рог (*прол. Босфор, Турция*)

Golgotha [ˊgɔlgə(u)θə] *библ. холм* Голго́фа (*в окрестностях Иерусалима*)

Gomel [ˊgəuməl] *г.* Го́мель

(*центр Гомельской обл., Белорусская ССР, СССР*)

Gondar [ˈgɔndɑ:], **Gonder** [ˈgɔndə] *г.* Го́ндар, Го́ндэр (*Эфиопия*)

Gondwana [gɔndˈwɑ:nə] *гипотет. материк* Гондва́на (*Южное полушарие*)

Good Hope, Cape of [ˈkeɪpəv-ˈgudˈhəup] мыс До́брой Наде́жды (*на юге ЮАР*)

Gorakhpur [ˈgəurəkpuə] *г.* Горакхпу́р (*шт. Уттар-Прадеш, Индия*)

Gorki [ˈgɔ:rjkɪ] *г.* Го́рький; *см.* Nizhni Novgorod

Gorlovka [gʌrˈlɔ:fkə] *г.* Го́рловка (*Донецкая обл., Украинская ССР, СССР*)

Gorno-Altai Autonomous Region [ˌgɔ:rnəʌlˈtaɪɔ:ˈtɔnəməsˈri:dʒən] Го́рно-Алта́йская автоно́мная о́бласть (*Алтайский край, РСФСР, СССР*)

Gorno-Altaisk [ˈgɔ:rnəʌlˈtaɪsk] *г.* Го́рно-Алта́йск (*центр Горно-Алтайской АО, РСФСР, СССР*)

Gorno-Badakhshan Autonomous Region [ˈgɔ:rnəbədʌkˈʃɑ:nɔ:ˈtɔnəməsˈri:dʒən] Го́рно-Бадахша́нская автоно́мная о́бласть (*Таджикская ССР, СССР*)

Gosport [ˈgɔspɔ:t] *г.* Го́спорт (*граф. Гэмпшир, Англия, Великобритания*)

Göteborg [ˌjə:tɪˈbɔ:rj] *г.* Гётеборг (*Швеция*)

Gotha [ˈgəuθə] *г.* Го́та (*ФРГ*)

Gotland [ˈgɔtˌlænd] = Gottland

Goto Archipelago [ˈgəutəuˌɑ:kɪˈpelɪgəu] *о-ва* Гото́ (*Восточно-Китайское м., Япония*)

Göttingen [ˈgə:tɪŋən] *г.* Гёттинген (*ФРГ*)

Gottland [ˈgɔtˌlænd] *о.* Го́тланд (*Балтийское м., Швеция*)

Gottwaldov [ˈgɔtvəlˌdɔ:f] *г.* Го́твальдов; *см.* Zlín

Governador Valadares [ˌgʌvənəˌdɔ:ˌvæləˈdɑ:rəs] *г.* Говернадо́р-Валада́рис (*Бразилия*)

Gozo [ˈgɔ:tsə(u)] *о.* Го́цо (*Средиземное м., гос-во Мальта*)

Grain Coast [ˈgreɪnˈkəust] Перцо́вый бе́рег (*побережье Атлантического ок., Либерия*)

Grampian [ˈgræmpɪən] *обл.* Гра́мпиан (*Шотландия, Великобритания*)

Grampian Hills [ˈgræmpɪənˈhɪlz], **Grampians, the** [ˈgræmpɪənz] Грампиа́нские го́ры (*Шотландия, Великобритания*)

Granada [grəˈnɑ:də] **1.** *г.* Грана́да (*Испания*); **2.** *г.* Грана́да (*Никарагуа*)

Gran Chaco [ˈgrɑ:nˈtʃɑ:kəu] *геогр. обл.* Гран-Ча́ко (*Аргентина, Парагвай и Боливия*)

Grand Bahama [ˈgrændbəˈhɑ:mə] *о.* Большо́й Бага́ма (*Атлантический ок., гос-во Багамские Острова*)

Grand Banks [ˈgrændˈbæŋks] Больша́я Ньюфаундле́ндская ба́нка (*у о. Ньюфаундленд, Атлантический ок.*)

Grand Canary [ˈgrændkəˈnɛərɪ] *о.* Гран-Кана́рия (*Канарские о-ва, Атлантический ок., Испания*)

Grand Canyon [ˈgrændˈkænjən] Большо́й каньо́н (*р. Колорадо, США*)

Grand Coulee [ˈgrændˈku:lɪ] *каньон* Гранд-Ку́ли (*Колумбийское плато, США*)

Grand Erg Occidental [ˈgrænd-ˈergˌɔ:ksɪðeɪnˈtɑ:l] *пуст.* Большо́й За́падный Эрг (*Алжир*)

Grand Erg Oriental [ˈgrændˈerg-əurjenˈtɑ:l] *пуст.* Большо́й Восто́чный Эрг (*Алжир и Тунис*)

Grand Falls [ˈgrændˈfɔ:lz] *вдп.* Гранд-Фолс (*р. Черчилл, Канада*)

Grand Forks [ˈgrændˈfɔ:ks] *г.* Гранд-Форкс (*шт. Северная Дакота, США*)

Grand Island [ˈgrændˈaɪlənd] *г.* Гранд-А́йленд (*шт. Небраска, США*)

Grand Rapids [ˈgrændˈræpɪdz] *г.* Гранд-Ра́пидс (*шт. Мичиган, США*)

Grand Turk [ˈgrændˈtə:k] *о.* Гранд-Терк (*о-ва Теркс, Атлантический ок., влад. Великобритании*)

Grasse [grɑ:s] *г.* Грас (*Франция*)

Graz [grɑ:ts] *г.* Грац (*Австрия*)

Great Abaco [ˈgreɪtˈæbəkəu] *о.* Большо́й А́бако (*Атлантический ок., гос-во Багамские Острова*)

Great Artesian Basin [ˈgreɪt-ɑ:ˈti:zjənˈbeɪsn] *геогр. обл.* Большо́й Артезиа́нский Бассе́йн (*Австралия*)

Great Australian Bight [ˈgreɪtɔːs-ˈtreɪljənˈbaɪt] Большо́й Австрали́йский зали́в (*Индийский ок., побережье Австралии*)

Great Bahama [ˈgreɪtbəˈhɑːmə] = Grand Bahama

Great Bahama Bank [ˈgreɪtbə-ˈhɑːməˈbæŋk] Больша́я Бага́мская ба́нка (*между Багамскими о-вами и о. Куба, Атлантический ок.*)

Great Barrier Reef [ˈgreɪtˈbærɪə-ˈriːf] Большо́й Барье́рный риф (*Коралловое м., у сев.-вост. побережья Австралии*)

Great Basin [ˈgreɪtˈbeɪsn] *нагорье* Большо́й Бассе́йн (*США*)

Great Bear Lake [ˈgreɪtˈbɛəˈleɪk] Большо́е Медве́жье о́зеро (*Канада*)

Great Belt [ˈgreɪtˈbelt] *прол.* Большо́й Бельт (*между о-вами Фюн и Зеландия, соединяет Балтийское м. с прол. Каттегат*)

Great Britain [ˈgreɪtˈbrɪtn] **1.** *гос-во* Великобрита́ния, United Kingdom of Great Britain and Northern Ireland Соединённое Короле́вство Великобрита́нии и Се́верной Ирла́ндии (*на Британских о-вах, Западная Европа*); **2.** *о.* Великобрита́ния (*Британские о-ва, Атлантический ок., гос-во Великобритания*)

Great Comoro [ˈgreɪtˈkɔmərəu] *о.* Гранд-Комо́р (*Индийский ок., гос-во Коморские Острова*)

Great Dividing Range [ˈgreɪtdɪ-ˈvaɪdɪŋˈreɪndʒ] Большо́й Водоразде́льный хребе́т (*Австралия*)

Greater Antilles [ˈgreɪtərænˈtɪliːz] Больши́е Анти́льские острова́ (*Карибское м., Вест-Индия*)

Greater London [ˈgreɪtəˈlʌndən] *метроп. граф.* Большо́й Ло́ндон (*Англия, Великобритания*)

Greater Manchester [ˈgreɪtə-ˈmæntʃɪstə] *метроп. граф.* Большо́й Манче́стер (*Англия, Великобритания*)

Greater Sunda Isles [ˈgreɪtə-ˈsʌndəˈaɪlz] Больши́е Зо́ндские острова́ (*Малайский арх., Индонезия, Малайзия, Бруней и Тимор*)

Great Falls [ˈgreɪtˈfɔːlz] *г.* Грейт-Фолс (*шт. Монтана, США*)

Great Glen, the [ˈgreɪtˈglen] *низм.* Глен-Мор (*Шотландия, Великобритания*)

Great Inagua [ˈgreɪtɪˈnɑːgwə] *о.* Большо́й Ина́гуа (*Атлантический ок., гос-во Багамские Острова*)

Great Karroo [ˈgreɪtkəˈruː] *плато* Большо́е Кар(р)у́ (*ЮАР*)

Great Khingan Mountains [ˈgreɪt-ˈʃɪŋˈɑːnˈmauntɪnz] *горы* Большо́й Хинга́н (*Китай и Монголия*)

Great Lakes [ˈgreɪtˈleɪks] Вели́кие озёра (*Верхнее, Гурон, Мичиган, Эри, Онтарио; Канада и США*)

Great Plain of China [ˈgreɪt-ˈpleɪnəvˈtʃaɪnə] Вели́кая Кита́йская равни́на (*Китай*)

Great Plains [ˈgreɪtˈpleɪnz] *плато* Вели́кие равни́ны (*Канада и США*)

Great Rift Valley [ˈgreɪtˈrɪftˈvælɪ] Восто́чно-Африка́нская зо́на разло́мов (*Африка*)

Great Saint Bernard [ˈgreɪt-seɪntbəːˈnɑːd] *пер.* Большо́й Сен-Берна́р (*горн. сист. Альпы, на границе Швейцарии и Италии*)

Great Salt Lake [ˈgreɪtˈsɔːltˈleɪk] Большо́е Солёное о́зеро (*США*)

Great Sandy Desert [ˈgreɪtˈsændɪ-ˈdezət] **1.** Больша́я Песча́ная пусты́ня; *см.* Rub' al Khali; **2.** Больша́я Песча́ная пусты́ня (*Австралия*)

Great Slave Lake [ˈgreɪtˈsleɪvˈleɪk] Большо́е Нево́льничье о́зеро (*Канада*)

Great Valley [ˈgreɪtˈvælɪ] Больша́я доли́на, Грейт-Ва́лли (*горы Аппалачи, США*)

Great Victoria Desert [ˈgreɪtvɪk-ˈtɔːrɪəˈdezət] Больша́я пусты́ня Викто́рия (*Австралия*)

Greece [griːs] *гос-во* Гре́ция, Hellenic Republic [heˈliːnɪk...] Гре́ческая Респу́блика (*Юго-Восточная Европа*)

Green Bay [ˈgriːnˈbeɪ] *г.* Грин-Бей (*шт. Висконсин, США*)

Greenland [ˈgriːnlənd] *о.* Гренла́ндия (*между Северным Ледовитым и Атлантическим океана-*

ми, у сев.-вост. берегов Северной Америки, Дания)

Greenland Sea [ˈgri:nləndˈsi:] Гренла́ндское мо́ре (*Северный Ледовитый ок., между о-вими Гренландия и Шпицберген*)

Green Mountains [ˈgri:nˈmauntɪnz] Зелёные го́ры (*США*)

Greenock [ˈgri:nək] *г.* Гри́нок (*обл. Стратклайд, Шотландия, Великобритания*)

Green River [ˈgri:nˈrɪvə] *р.* Грин-Ри́вер (*США*)

Greensboro [ˈgri:nzˌbə:rə(u)] *г.* Гри́нсборо (*шт. Северная Каролина, США*)

Greenville [ˈgri:nvɪl] **1.** *г.* Гри́нвилл (*шт. Южная Каролина, США*); **2.** *г.* Гри́нвилл (*шт. Миссисипи, США*)

Greenwich [ˈgrɪnɪdʒ] *г.* Гри́нвич (*метроп. граф. Большой Лондон, Англия, Великобритания*)

Greenwich meridian [ˈgrɪnɪdʒməˈrɪdɪən] Гри́нвичский меридиа́н (*начальный (нулевой) меридиан, от которого ведётся счёт долгот на Земле*)

Grenada [grəˈneɪdə] **1.** *гос-во* Грена́да (*на о. Гренада и юж. части о-вов Гренадины, Вест-Индия*); **2.** *о.* Грена́да (*Малые Антильские о-ва, Атлантический ок., гос-во Гренада*)

Grenadines [grenəˈdi:nz] *о-ва* Гренади́ны (*Малые Антильские о-ва, Атлантический ок., часть гос-в Гренада и Сент-Винсент и Гренадины*)

Grenoble [grəˈnəubl] *г.* Грено́бль (*Франция*)

Grimsby [ˈgrɪmzbɪ] *г.* Гри́мсби (*граф. Хамберсайд, Англия, Великобритания*)

Grodno [ˈgrɔ:dnɔ:] *г.* Гро́дно (*центр Гродненской обл., Белорусская ССР, СССР*)

Groningen [ˈgrəunɪŋən] *г.* Гро́нинген (*Нидерланды*)

Grootfontein [ˈgru:tfɔ:nˈteɪn] *г.* Гро́тфонтейн, Хру́тфонтейн (*Намибия*)

Grozny [ˈgrɔ:znɪ] *г.* Гро́зный (*столица Чечено-Ингушской АССР, РСФСР, СССР*)

Grudziądz [ˈgru:ˌdʒɔ:ŋts, ˈgru:dʒɔ:n(t)s] *г.* Гру́дзёндз (*Польша*)

Guadalajara [ˌgwɔdələˈhɑ:rə] **1.** *г.* Гвадалаха́ра (*Мексика*); **2.** *г.* Гвадалаха́ра (*Испания*)

Guadalcanal [ˌgwɔd(ə)lkəˈnæl] *о.* Гуадалкана́л (*Тихий ок., гос-во Соломоновы Острова*)

Guadalquivir [ˌgwɔdlˈkwɪvə] *р.* Гвадалквиви́р (*Испания*)

Guadeloupe [ˈgwɔdlu:p] *о.* Гваделу́па (*Малые Антильские о-ва, Атлантический ок., влад. Франции*)

Guadeloupe Passage [ˈgwɔdlu:pˈpæsɪdʒ] *прол.* Гваделу́па (*между о-вами Гваделупа и Монтсеррат, Малые Антильские о-ва*)

Guadiana [gwɑ:ˈðjɑ:nɑ:] *р.* Гвадиа́на (*Испания и Португалия*)

Guam [gwɔm] *о.* Гуа́м (*Марианские о-ва, Тихий ок., влад. США*)

Guangdong [ˈgwɑ:ŋˈdɔ:ŋ] *пров.* Гуанду́н (*Китай*)

Guangxi Zhuang Autonomous Region [ˈgwɑ:ŋˈʃi:ˈdʒwɑ:ŋɔ:ˈtɔnəməsˈri:dʒən] Гуанси́-Чжуа́нский автоно́мный райо́н (*Китай*)

Guangzhou [ˈgwɑ:ŋˈdʒəu] *г.* Гуанчжо́у (*адм. центр пров. Гуандун, Китай*)

Guantánamo [gwɑ:nˈtɑ:nɑ:mə(u)] *г.* Гуанта́намо (*Куба*)

Guaporé [ˌgwɑ:pɔˈre] *р.* Гуапоре́ (*Бразилия и Боливия*)

Guardafui, Cape [ˈkeɪpˌgwɑ:dəˈfwi:, ...ˌgwɑ:dəˈfu:ɪ] *мыс* Гвардафу́й (*п-ов Сомали, Сомали*)

Guarulhos [gwəˈru:ljus] *г.* Гуару́льюс (*Бразилия*)

Guatemala [ˌgwɑ:tɪˈmɑ:lə] **1.** *гос-во* Гватема́ла, Republic of Guatemala Респу́блика Гватема́ла (*Центральная Америка*); **2.** *г.* Гватема́ла (*столица Гватемалы*)

Guaviare [gwɑ:vˈjɑ:rɪ] *р.* Гуавья́ре (*Колумбия и Венесуэла*)

Guayama [gwɑ:ˈɑ:mɑ:] *г.* Гуая́ма (*о. Пуэрто-Рико, Большие Антильские о-ва*)

Guayaquil [ˌgwɑ:jɑ:ˈki:l] *г.* Гуаяки́ль (*Эквадор*)

Guayaquil, Gulf of [ˈgʌlfəvˌgwɑ:jɑ:ˈki:l] *зал.* Гуаяки́ль (*Тихий ок., побережье Эквадора*)

Guernica [gerˈni:kɑ:] *г.* Герни́ка, Герни́ка-и-Лу́но (*Испания*)

Guernsey [ˈgə:nzɪ] *о.* Ге́рнси (*Нормандские о-ва, прол. Ла-Манш, Великобритания*)
Guiana (French) [gɪˈɑ:nə(ˈfrentʃ)] Гвиа́на (*влад. Франции, Южная Америка*)
Guiana Highlands [gɪˈɑ:nə-ˈhaɪləndz] Гвиа́нское плоского́рье (*Южная Америка*)
Guienne [gju:ˌi:ˈjen] *ист. обл.* Гие́нь, Гюйе́нн (*Франция*)
Guildford [ˈgɪldfəd] *г.* Ги́л(д-)форд (*граф. Суррей, Англия, Великобритания*)
Guilin [ˈgwi:ˈlɪn] *г.* Гуйли́нь (*Гуанси-Чжуанский авт. р-н, Китай*)
Guinea [ˈgɪnɪ] *гос-во* Гвине́я, Republic of Guinea Гвине́йская Респу́блика (*Западная Африка*)
Guinea-Bissau [ˈgɪnɪbɪˈsau] *гос-во* Гвине́я-Биса́у, Republic of Guinea-Bissau Респу́блика Гвине́я-Биса́у (*Западная Африка*)
Guinea Current [ˈgɪnɪˈkʌr(ə)nt] Гвине́йское тече́ние (*Атлантический ок.*)
Guinea, Gulf of [ˈgʌlfəvˈgɪnɪ] Гвине́йский зали́в (*Атлантический ок., побережье Африки*)
Guiyang [ˈgwi:ˈjɑ:ŋ] *г.* Гуйя́н (*адм. центр пров. Гуйчжоу, Китай*)
Guizhou [ˈgweɪˈdʒəu] *пров.* Гуйчжо́у (*Китай*)
Gujarat [ˌgudʒəˈrɑ:t] *шт.* Гуджара́т (*Индия*)
Gujranwala [ˌgu(:)dʒrənˈwɑ:lə] *г.* Гуджранва́ла (*Пакистан*)
Gulf Plain [ˈgʌlfˈpleɪn] Примексика́нская ни́зменность (*США и Мексика*)
Gulfport [ˈgʌlfpəut] *г.* Га́лфпорт (*шт. Миссисипи, США*)
Gulf Stream [ˈgʌlfˈstri:m] *теч.* Гольфстри́м (*Атлантический ок.*)
Gulistan [ˌgu:lɪˈstɑ:n] *г.* Гулиста́н (*центр Сырдарьинской обл., Узбекская ССР, СССР*)
Gumry [gumˈrɪ] *г.* Кумайри́ (*Армянская ССР, СССР*)
Guntur [gunˈtuə] *г.* Гунту́р(у) (*шт. Андхра-Прадеш, Индия*)
Guryev [ˈgurjəf] *г.* Гу́рьев (*центр Гурьевской обл., Казахская ССР, СССР*)
Guyana [gaɪˈɑ:nə] *гос-во* Гайа́на, Co-operative Republic of Guyana [kəuˈɔp(ə)rətɪv...] Кооперати́вная Респу́блика Гайа́на (*Южная Америка*)
Guyenne [gju:ˌi:ˈjen] = Guienne
Gwalior [ˈgwɑ:lɪɔ:] *г.* Гва́лияр (*шт. Мадхья-Прадеш, Индия*)
Gwelo [ˈgweɪləu] *г.* Гве́ло; *см.* Gweru
Gwent [gwent] *граф.* Гуэ́нт (*Уэльс, Великобритания*)
Gweru [ˈgweɪru] *г.* Гве́ру (*Зимбабве*)
Gwynedd [ˈgwɪnəð] *граф.* Гуи́нет (*Уэльс, Великобритания*)
Gyöngyös [ˈdjə:ndjə:ʃ] *г.* Дьёндьёш (*Венгрия*)
Györ [djə:] *г.* Дьёр (*Венгрия*)

H

Haapai [ˌhɑ:ɑ:ˈpaɪ] *о-ва* Хаапа́й (*Тихий ок., гос-во Тонга*)
Haarlem [ˈhɑ:ləm] *г.* Ха́рлем (*Нидерланды*)
Hachinohe [hɑ:tʃɪnəuhe] *г.* Хатино́хе (*о. Хонсю, Япония*)
Hachioji [hɑ:tʃɪəudʒɪ] *г.* Хатио́дзи (*о. Хонсю, Япония*)
Haddington [ˈhædɪŋtən] *г.* Ха́ддингтон (*обл. Лотиан, Шотландия, Великобритания*)
Haeju [ˈhaɪˌdʒu:] *г.* Хэджу́ (*КНДР*)
Hafun, Cape [ˈkeɪphæˈfu:n] *мыс* Хафу́н (*крайняя вост. точка Африки, Сомали*)
Hagen [ˈhɑ:gəŋ] *г.* Ха́ген (*ФРГ*)
Hagerstown [ˈheɪgəztaun] *г.* Хе́йгерстаун (*шт. Мэриленд, США*)
Hague, the [heɪg] *г.* Гаа́га (*Нидерланды*)
Haifa [ˈhaɪfə] *г.* Ха́йфа (*Израиль*)
Haikou [ˈhaɪˈkəu] *г.* Хайко́у (*пров. Гуандун, Китай*)
Hainan [ˈhaɪˈnɑ:n] *о.* Хайна́нь (*Южно-Китайское м., Китай*)
Hainan Strait [ˈhaɪˈnɑ:nˈstreɪt] *прол.* Хайна́нь (*между о. Хайнань и п-овом Лэйчжоу, Китай*)
Haiphong, Hai Phong [ˈhaɪˈfɔ:ŋ] *г.* Хайфо́н (*Вьетнам*)
Haiti [ˈheɪtɪ] **1.** *гос-во* Гаи́ти, Republic of Haiti Респу́бли-

ка Гаи́ти *(в зап. части о. Гаити и на прилегающих о-вах, Вест-Индия)*; **2.** *о.* Гаити *(Большие Антильские о-ва, Атлантический ок., гос-во Гаити)*

Hakodate [hɑ:kə(u)dɑ:te] *г.* Хакода́те *(о. Хоккайдо, Япония)*

Haleb [ˈhælæb] *г.* Ха́леб *(Сирия)*

Halifax [ˈhælɪfæks] **1.** *г.* Га́лифакс *(метроп. граф. Уэст-Йоркшир, Англия, Великобритания)*; **2.** *г.* Га́лифакс *(адм. центр пров. Новая Шотландия, Канада)*

Halle [ˈhɑ:lɪ] *г.* Га́лле *(ФРГ)*

Halle Neustadt [ˈhɑ:ləˈnɔɪˌstɑ:t] *г.* Га́лле-Но́йштадт *(ФРГ)*

Halley [ˈhælɪ] Ха́лли (*науч. ст. Великобритании, Антарктида*)

Halmahera [ˌhælməˈherə] *о.* Хальмахе́ра *(Молуккские о-ва, Индонезия)*

Halmstad [ˈhɑ:lmˌstɑ:d] *г.* Ха́льмстад *(Швеция)*

Hälsingborg [ˈhelsɪŋˌbɔ:] *г.* Хе́льсингборг *(Швеция)*

Hama [ˈhæmæ] *г.* Ха́ма *(Сирия)*

Hamadan [ˈhæmædæn] *г.* Хамада́н *(Иран)*

Hamamatsu [hɑ:mɑ:mɑ:tsu] *г.* Хамама́цу *(о. Хонсю, Япония)*

Hamburg [ˈhæmbə:g] *г.* Га́мбург *(ФРГ)*

Hameenlinna [ˈhæmεənˌlɪnɑ:] *г.* Хя́меэнлинна *(Финляндия)*

Hamersley Range [ˈhæməzlɪˈreɪndʒ] *хр.* Ха́мерсли *(Австралия)*

Hamhung [hɑ:mhuŋ] *г.* Хамхы́н *(КНДР)*

Hamilton [ˈhæmɪltən] **1.** *г.* Га́мильтон *(пров. Онтарио, Канада)*; **2.** *г.* Га́мильтон *(шт. Огайо, США)*; **3.** *г.* Га́мильтон *(обл. Стратклайд, Шотландия, Великобритания)*; **4.** *г.* Га́мильтон *(адм. центр стат. р-на Саут-Оклend-Бей-оф-Пленти, о. Северный, Новая Зеландия)*; **5.** *г.* Га́мильтон *(шт. Виктория, Австралия)*; **6.** *г.* Га́мильтон *(адм. центр Бермудских о-вов)*

Hamilton Inlet [ˈhæmɪltənˈɪnlet] *зал.* Га́мильтон *(Атлантический ок., побережье Канады)*

Hammond [ˈhæmənd] *г.* Ха́ммонд *(шт. Индиана, США)*

Hampshire [ˈhæm(p)ʃɪə] *граф.* Гэ́мпшир *(Англия, Великобритания)*

Hampton [ˈhæ(m)ptən] *г.* Ха́мптон, Хэ́мптон *(шт. Виргиния, США)*

Han [hɑ:n] *р.* Ханьшу́й *(Китай)*

Handan [ˈhɑ:nˈdɑ:n] *г.* Ханьда́нь *(пров. Хэбэй, Китай)*

Hanford [ˈhænfəd] *г.* Ха́нфорд *(шт. Вашингтон, США)*

Hangchow [ˈhæŋˈtʃau] = Hangzhou

Hangchow Bay [ˈhæŋˈtʃaɪˈbeɪ] = Hangzhou Bay

Hangö [ˈhɑ:ŋˌə:] *п-ов* Ха́нко *(Финляндия)*

Hangzhou [ˈhɑ:ŋˈdʒəu] *г.* Ханчжо́у *(адм. центр пров. Чжэцзян, Китай)*

Hangzhou Bay [ˈhɑ:ŋˈdʒəuˈbeɪ] *зал.* Ханчжоува́нь *(Восточно-Китайское м., побережье Китая)*

Hanko [ˈhɑ:ŋkɔ:] = Hangö

Hankow [ˈhæŋˌkau] *г.* Ханько́у; *см.* Wuhan

Hannibal [ˈhænɪbəl] *г.* Ха́ннибал, Га́ннибал *(шт. Миссури, США)*

Han(n)over [ˈhænəvə] *г.* Ганно́вер *(ФРГ)*

Hanoi [hɑ:ˈnɔɪ] *г.* Хано́й *(столица Вьетнама)*

Hantan [ˈhɑ:nˈtɑ:n, ˈhɑ:nˈdɑ:n] = Handan

Hants [hænts] *сокр. от* Hampshire

Hanyang [ˈhɑ:nˈjɑ:ŋ] *г.* Ханья́н; *см.* Wuhan

Harare [ˈhɑ:rəre] *г.* Хара́ре *(столица Зимбабве)*

Harbin [ˈhɑ:bɪn] *г.* Харби́н *(адм. центр пров. Хэйлунцзян, Китай)*

Hardanger Fjord [hɑ:ˈdɑ:ŋəˈfjɔ:d] Харда́нгер-фьорд *(Северное м., побережье Норвегии)*

Hargeisa [hɑ:ˈgeɪsə] *г.* Харге́йса (*Сомали*)

Hari [ˈhɑ:rɪ] *р.* Ха́ри (*о. Суматра, Индонезия*)

Hari Rud [ˌhærɪˈru:d] *р.* Герииру́д (*Афганистан и Иран*); *см. тж.* Tedzhen 2

Harlem [ˈhɑ:ləm] Га́рлем (*негритянский квартал г. Нью-Йорк, США*)

Har(r)ar [ˈhɑ:rə] *г.* Ха́рэр, Ха́рар (*Эфиопия*)

Harrisburg [ˈhærɪsbə:g] *г.* Ха́ррисберг (*шт. Пенсильвания, США*)

Harrison [ˈhærɪsn] *г.* Га́ррисон (*шт. Северная Дакота, США*)

Harrogate [ˈhærə(u)gɪt] *г.* Ха́ррогит (*граф. Норт-Йоркшир, Англия, Великобритания*)

Harrow (on the Hill) [ˈhærəu(ɔnðəˈhɪl)] *г.* Ха́рроу(-он-те-Хилл) (*метроп. граф. Большой Лондон, Англия, Великобритания*)

Hartford [ˈhɑ:tfəd] *г.* Ха́ртфорд (*адм. центр шт. Коннектикут, США*)

Hartford City [ˈhɑ:tfədˈsɪtɪ] *г.* Ха́ртфорд-Си́ти (*шт. Индиана, США*)

Hartlepool [ˈhɑ:tl(ɪ)pu:l] *г.* Ха́ртлпул (*граф. Кливленд, Англия, Великобритания*)

Harwell [ˈhɑ:wel] *г.* Ха́руэлл (*граф. Беркшир, Англия, Великобритания*)

Haryana [ˌheərɪˈɑ:nə] *шт.* Харья́на (*Индия*)

Harz [hɑ:ts] *горы* Гарц (*ФРГ*)

Hasselt [ˈhɑ:səlt] *г.* Ха́сселт (*Бельгия*)

Hastings I [ˈheɪstɪŋz] *г.* Га́стингс (*граф. Восточный Суссекс, Англия, Великобритания*)

Hastings II [ˈheɪstɪŋz] **1.** *г.* Хе́йстингс (*шт. Небраска, США*); **2.** *г.* Хе́йстингс (*о. Северный, Новая Зеландия*)

Hatteras, Cape [ˈkeɪpˈhætərəs] *мыс* Ха́ттерас (*вост. побережье США*)

Hattiesburg [ˈhætɪzbə:g] *г.* Ха́ттисберг (*шт. Миссисипи, США*)

Havana [həˈvænə] *г.* Гава́на (*столица Кубы*)

Havant [ˈhævənt] *г.* Ха́вант (*граф. Гэмпшир, Англия, Великобритания*)

Havel [ˈhɑ:fəl] *р.* Ха́фель (*ФРГ*)

Haverfordwest [ˈhævəfədˈwest] *г.* Ха́верфордуэст (*граф. Дивед, Уэльс, Великобритания*)

Haverhill [ˈheɪvərɪl] *г.* Хе́йверилл (*граф. Суффолк, Англия, Великобритания*)

Havířov [ˈhɑ:vəˌrɔ:f] *г.* Га́виржов (*Чехословакия*)

Havre [hɑ:vr] = Le Havre

Hawaii [həˈwaɪɪ] **1.** *шт.* Гава́йи (*США, Гавайские о-ва*); **2.** *о-ва* Гава́йи; *см.* Hawaiian Islands; **3.** *о.* Гава́йи (*Гавайские о-ва, Тихий ок., США*)

Hawaiian Islands [həˈwaɪənˈaɪləndz] Гава́йские острова́ (*Тихий ок., США*)

Hawke's Bay [ˈhɔ:ksˈbeɪ] *стат. р-н* Хокс-Бей (*Новая Зеландия, о. Северный*)

Hazleton [ˈheɪzltən] *г.* Хе́йзлтон (*шт. Пенсильвания, США*)

Hebei [ˈhʌˈbeɪ] *пров.* Хэбэ́й (*Китай*)

Hebrides [ˈhebrɪdi:z] *арх.* Гебри́дские острова́, Гебри́ды; *см.* Inner Hebrides *и* Outer Hebrides

Hebron [ˈhi:brən] *г.* Хевро́н, Эль-Хали́ль (*Иордания*)

Hecate Strait [ˈhekətɪˈstreɪt] *прол.* Хе́катс (*между о-вами Королевы Шарлотты и побережьем Канады*)

Hefei [ˈhʌˈfeɪ] *г.* Хэфэ́й (*адм. центр пров. Аньхой, Китай*)

Heidelberg [ˈhaɪdlbə:g] *г.* Ге́йдельберг, Ха́йдельберг (*ФРГ*)

Heilongjiang [ˈheɪˈlɔ:ŋˈdʒjɑ:ŋ], **Heilungkiang** [ˈheɪˈluŋˈgjɑ:ŋ] *пров.* Хэйлунцзя́н (*Китай*)

Hejaz [həˈdʒæz] *пров.* Хиджа́з (*Саудовская Аравия*)

Hekla [ˈheklə] *влк.* Ге́кла (*Исландия*)

Helena [ˈhelənə] *г.* Хе́лена (*адм. центр шт. Монтана, США*)

Helgoland [ˈhelgə(u)ˌlænd] = Heligoland

Helicon [ˈhelɪkɔn] *гора* Гелико́н (*Греция*)

Heligoland [ˈhelɪgə(u)ˌlænd] *о.* Ге́льголанд (*Северное м., ФРГ*)

Heligoland Bight [ˈhelɪgə(u)ˌlændˈbaɪt] Гельгола́ндская бу́хта (*Северное м., ФРГ*)

Heliopolis [ˌhi:lɪˈɔpə(u)lɪs] *ист. г.* Гелио́поль (*Египет*)

Hellespont [ˈheləspɔnt], **Hellespontus** [ˌheləsˈpɔntəs] *ист.* Геллеспо́нт (*др.-греч. назв. прол. Дарданеллы*)

Helmand [ˈhelmənd] *р.* Гильме́нд (*Афганистан*)

Helsingborg [ˈhelsıŋˌbɔ:] = Hälsingborg

Helsingfors [ˈhelsıŋfɔ:z] *г.* Гéльсингфорс; *см.* Helsinki

Helsingör [ˌhelsıŋˈə:] *г.* Хельсингёр (*Дания*)

Helsinki [ˈhelsıŋkı] *г.* Хéльсинки (*столица Финляндии*)

Helwân [helˈwɑ:n] *г.* Хелуáн (*Египет*)

Henan [ˈhʌˈnɑ:n] *пров.* Хэнáнь (*Китай*)

Hengelo [ˈheŋələu] *г.* Хéнгело (*Нидерланды*)

Hengyang [ˈhʌŋˈjɑ:ŋ] *г.* Хэнъя́н (*пров. Хунань, Китай*)

Heptarchy, the [ˈheptɑ:kı] *ист.* Гептáрхия, Семь Королéвств (*назв. семи англосакс. королевств Британии*)

Herat [heˈrɑ:t] *г.* Герáт (*Афганистан*)

Herculaneum [ˌhə:kju:ˈleınıəm] *ист. г.* Геркулáнум (*на терр. Италии*)

Hereford [ˈherıfəd] *г.* Хéрефорд (*адм. центр граф. Херефорд-энд-Вустер, Англия, Великобритания*)

Hereford and Worcester [ˌherıfədnˈwustə] *граф.* Хéрефорд-энд-Вýстер (*Англия, Великобритания*)

Hermosillo [ˌerməˈsi:jəu] *г.* Эрмосúльо (*Мексика*)

Hertford [ˈhɑ:fəd] *г.* Хáртфорд (*адм. центр граф. Хартфордшир, Англия, Великобритания*)

Hertfordshire [ˈhɑ:fədʃıə] *граф.* Хáртфордшир (*Англия, Великобритания*)

Herts [hɑ:ts] *сокр. от* Hertfordshire

Hialeah [ˌhaıəˈli:ə] *г.* Хайалúа (*шт. Флорида, США*)

Higashiosaka [hıˌgɑ:ʃıəuˈsɑ:kə] *г.* Хигасиóсака (*о. Хонсю, Япония*)

Highland [ˈhaılənd] *обл.* Хáйленд (*Шотландия, Великобритания*)

High Plains [ˈhaıˈpleınz] Высóкие равнúны (*часть плато Великих равнин, США*)

High Point [ˈhaıˈpɔınt] *г.* Хай-Пойнт (*шт. Северная Каролина, США*)

High Tatra [ˈhaıˈtɑ:trə] *горы* Высóкие Тáтры; *см.* Tatra Mountains

Hiiumaa [ˈhi:umɑ:] *о.* Хúйумаа (*Балтийское м., Эстония*)

Hijaz [hıˈdʒæz] = Hejaz

Hildesheim [ˈhıldəshaım] *г.* Хúльдесхайм (*ФРГ*)

Hilla [ˈhılə] *г.* Хúлла (*Ирак*)

Hilo [ˈhi:ləu] *г.* Хúло (*шт. Гавайи, о. Гавайи, США*)

Hilversum [ˈhılvəsəm] *г.* Хúлверсюм (*Нидерланды*)

Hilwân [hılˈwɑ:n] = Helwân

Himachal Pradesh [hıˈmɑ:tʃəlprəˈdeıʃ] *шт.* Химáчал-Прáдеш (*Индия*)

Himalaya(s), the [ˌhıməˈleıə(z)] *горн. сист.* Гималáи (*Южная Азия*)

Himeji [hımedʒı] *г.* Химéдзи (*о. Хонсю, Япония*)

Hinckley [ˈhıŋklı] *г.* Хúнкли (*граф. Лестершир, Англия, Великобритания*)

Hindostan [ˌhındə(u)ˈstɑ:n] = Hindustan

Hindu Kush [ˈhındu:ˈkuʃ] *горн. сист.* Гиндукýш (*Южная Азия*)

Hindustan [ˌhınduˈstɑ:n] *п-ов* Индостáн (*Южная Азия*)

Hiratsuka [hıraıtsukaı] *г.* Хирáцука (*о. Хонсю, Япония*)

Hirosaki [hırə(u)sɑ:kı] *г.* Хирóсаки (*о. Хонсю, Япония*)

Hiroshima [hıˈrɔ:ʃmɑ:, ˌhi:rə(u-)ˈʃi:mə] *г.* Хирóсúма (*о. Хонсю, Япония*)

Hispaniola [ˌhıspənˈjəulə] = Haiti 2

Hissar Mountains [hıˈsɑ:ˈmauntınz] Гиссáрский хребéт (*Средняя Азия, СССР*)

Hitachi [hıtɑ:tʃı] *г.* Хитáти (*о. Хонсю, Япония*)

Hobart [ˈhəubɑ:t] *г.* Хóбарт (*адм. центр шт. Тасмания, Австралия*)

Hoboken [ˈhəuˌbəukən] *г.* Хóбокен (*шт. Нью-Джерси, США*)

Ho Chi Minh (City) [ˌhouˌtʃi:ˈmın(ˈsıtı)] *г.* Хошимúн (*Вьетнам*)

Hodeida [həuˈdeıdə] *г.* Ходéйда (*Йемен*)

Hofei [ˈhʌˈfeı] = Hefei

Hofuf [hu'fu:f] *г.* Хуфу́ф; *см.* Al Hufuf

Hohhot ['həu'həut] *г.* Хух-Хо́то (*адм. центр авт. р-на Внутренняя Монголия, Китай*)

Hoihow ['hɔɪ'hau] = Haikou

Hokitika [ˌhəukɪ'ti:kɑ:] *г.* Хоки́тика (*о. Южный, Новая Зеландия*)

Hokkaido [hɔ'kaɪdəu] *о.* Хокка́йдо (*Тихий ок., Япония*)

Holguín [(h)ɔ:l'gi:n] *г.* Ольги́н (*Куба*)

Holland ['hɔlənd] Голла́ндия; *см.* Netherlands

Hollywood ['hɔlɪwud] **1.** *г.* Го́лливу́д, Хо́лливуд (*шт. Флорида, США*); **2.** Го́лливу́д, Хо́лливуд (*р-н г. Лос-Анджелес, США*)

Holyoke ['həuljəuk] *г.* Хо́льок (*шт. Массачусетс, США*)

Holy Roman Empire ['həulɪ'rəumən'empaɪə] *ист. гос-во* Свяще́нная Ри́мская импе́рия (*Европа*)

Homs [hɔ:ms] *г.* Хомс (*Сирия*)

Honan ['həu'næn] = Henan

Hondo ['hɔndəu] *о.* Хо́ндо; *см.* Honshu

Honduras [hɔn'djuərəs] *гос-во* Гондура́с, Republic of Honduras Респу́блика Гондура́с (*Центральная Америка*)

Honduras, Gulf of ['gʌlfəvhɔn'djuərəs] Гондура́сский зали́в (*Карибское м., Центральная Америка*)

Hon Gai, Hongai ['hɔ:n'gaɪ] *г.* Хонга́й (*Вьетнам*)

Hong Kong ['hɔŋ'kɔŋ] Гонко́нг; *см.* Xianggan 1

Honiara [ˌhəunɪ'ɑ:rə] *г.* Хониа́ра (*столица гос-ва Соломоновы Острова, о. Гуадалканал*)

Honolulu [ˌhɔn(ə)'lu:lu:] *г.* Гонолу́лу (*адм. центр шт. Гавайи, о. Оаху, США*)

Honshu ['hɔnʃu:] *о.* Хо́нсю (*Тихий ок., Япония*)

Hooghly ['hu:glɪ] *р.* Ху́гли (*зап. рукав дельты Ганга, Индия*)

Hopeh ['həu'peɪ] = Hebei

Hopei ['həu'peɪ] = Hebei

Hormuz, Strait of ['streɪtəv'hɔ:mʌz] Хорму́зский проли́в; *см.* Ormuz, Strait of

Horn, Cape ['keɪp'hɔ:n] *мыс* Горн (*крайняя юж. точка Южной Америки, о. Горн, Чили*)

Hornchurch ['hɔ:ntʃə:tʃ] *г.* Хо́рнчерч (*метроп. граф. Большой Лондон, Англия, Великобритания*)

Horn of Africa ['hɔ:nəv'æfrɪkə] Африка́нский Рог (*назв. терр. Северо-Восточной Африки, выступающей в виде рога в Индийский ок.*)

Hornsey ['hɔ:nzɪ] *г.* Хо́рнси (*метроп. граф. Большой Лондон, Англия, Великобритания*)

Hospitalet [ɔspi:tə'let] *г.* Оспитале́т (*Испания*)

Hot Springs ['hɔt'sprɪŋz] *г.* Хот-Спрингс (*шт. Арканзас, США*)

Houston ['hju:stən] *г.* Хью́стон (*шт. Техас, США*)

Houston Ship Canal ['hju:stən'ʃɪpkə'næl] Хью́стонский судохо́дный кана́л (*соединяет г. Хьюстон с Мексиканским зал., США*)

Hove [həuv] *г.* Хов (*граф. Восточный Суссекс, Англия, Великобритания*)

Howland Island ['haulənd'aɪlənd] *о.* Ха́уленд (*Тихий ок., влад. США*)

Hoy [hɔɪ] *о.* Хой (*Оркнейские о-ва, Атлантический ок., Великобритания*)

Hradec Králové ['hrɑ:dets'krɑ:lɔ:vεə] *г.* Гра́дец-Кра́лове (*Чехословакия*)

Hsiamen ['ʃjɑ:'men] = Xiamen

Hsinhsiang ['ʃɪn'ʃjɑ:ŋ] = Xinxiang

Hsining ['ʃi:'nɪŋ] = Xining

Huai He ['hwaɪ'hʌ] *р.* Хуайхэ́ (*Китай*)

Huainan ['(h)waɪ'nɑ:n] *г.* Хуайна́нь (*пров. Аньхой, Китай*)

Huallaga [wɑ:'jɑ:gɑ:] *р.* Уалья́га (*Перу*)

Huambo ['wɑ:mbəu] *г.* Уа́мбо (*Ангола*)

Huang He ['hwɑ:ŋ'hʌ] *р.* Хуанхэ́ (*Китай*)

Huascán [wɑ:s'kɑ:n] = Huascarán

Huascarán [ˌwɑ:skɑ:'rɑ:n] *гора* Уаскара́н (*горн. сист. Анды, Перу*)

Hubei ['hu:'beɪ] *пров.* Хубэ́й (*Китай*)

Hubli-Dharwar [ˌhublɪˈdɑ:wɑ:] *г.* Ху́бли-Дха́рвар (*шт. Карнатака, Индия*)

Huddersfield [ˈhʌdəzfi:ld] *г.* Ха́ддерсфилд (*метроп. граф. Уэст-Йоркшир, Англия, Великобритания*)

Hudson [ˈhʌdsn] *р.* Гудзо́н (*США*)

Hudson Bay [ˈhʌdsnˈbeɪ] Гудзо́нов зали́в (*Северный Ледовитый ок., Канада*)

Hudson Strait [ˈhʌdsnˈstreɪt] Гудзо́нов проли́в (*между п-овом Лабрадор и о. Баффинова Земля, Канада*)

Hué [hjuˈeɪ] *г.* Хюэ́ (*Вьетнам*)

Huelva [ˈwelvɑ:] *г.* Уэ́льва (*Испания*)

Hugli [ˈhu:glɪ] = Hooghly

Huhehot [ˈhu:ˈheɪˈhəut] = Hohhot

Hull I [hʌl] *г.* Гулль (*адм. центр граф. Хамберсайд, Англия, Великобритания*)

Hull II [hʌl] *г.* Халл (*пров. Квебек, Канада*)

Humber [ˈhʌmbə] Ха́мбер (*эстуарий рек Уз и Трент, о. Великобритания*)

Humberside [ˈhʌmbəsaɪd] *граф.* Ха́мберсайд (*Англия, Великобритания*)

Hunan [ˈhu:ˈnɑ:n] *пров.* Хуна́нь (*Китай*)

Hunedoara [ˌhu:nəˈdwɑ:rə] *г.* Хунедоа́ра (*Румыния*)

Hungary [ˈhʌŋgərɪ] *гос-во* Ве́нгрия, Republic of Hungary Венге́рская Респу́блика (*Центральная Европа*)

Hungnam [ˌhuŋˈnæem] *г.* Хынна́м (*КНДР*)

Huntingdon [ˈhʌntɪŋdən] *г.* Ха́нтингдон (*граф. Кембриджшир, Англия, Великобритания*)

Huntington [ˈhʌntɪŋtən] **1.** *г.* Ха́нтингтон (*шт. Западная Виргиния, США*); **2.** Ха́нтингтон (*шт. Индиана, США*)

Huntington Beach [ˈhʌntɪŋtənˈbi:tʃ] *г.* Ха́нтингтон-Бич (*шт. Калифорния, США*)

Huntsville [ˈhʌntsvɪl] *г.* Ха́нтсвилл (*шт. Алабама, США*)

Hupeh [ˈhu:ˈpeɪ] = Hubei

Hupei [ˈhu:ˈbeɪ] = Hubei

Huron, Lake [ˈleɪkˈhju:rəən] *оз.* Гуро́н (*США и Канада*)

Hutchinson [ˈhʌtʃɪnsn] *г.* Ха́тчинсон (*шт. Канзас, США*)

Hwai (Ho) [ˈhwaɪ(ˈhəu)] = Huai He

Hwang Ho [ˈhwɑ:ŋˈhəu] = Huang He

Hyderabad [ˈhaɪdərəˌbæd] **1.** *г.* Хайдараба́д (*адм. центр шт. Андхра-Прадеш, Индия*); **2.** *г.* Хайдараба́д (*Пакистан*)

Hyesan [(h)jeɪˈsɑ:n] *г.* Хеса́н (*КНДР*)

Hyrcania [hə:ˈkeɪnɪə] *ист. обл.* Гирка́ния (*Иран*)

I

Iaşi [jɑ:ʃ,ˈjɑ:ʃɪ] *г.* Я́ссы (*Румыния*)

Ibadan [ɪˈbɑ:dɑ:n] *г.* Иба́дан (*Нигерия*)

Ibagué [ˌi:vɑ:ˈgeɪ] *г.* Ибаге́ (*Колумбия*)

Ibaraki [ɪbɑ:rɑ:kɪ] *г.* Ибара́ки (*о. Хонсю, Япония*)

Iberia [aɪˈbɪərɪə] **1.** Ибе́рия (*древнее назв. Испании*); **2.** Ибе́рия (*античное и византийское назв. Восточной Грузии*)

Iberian Peninsula [aɪˈbɪərɪənpɪˈnɪnəjulə] Пирене́йский полуо́стров (*на юго-зап. Европы, Испания и Португалия*)

Ibiza [ɪˈvi:θɑ:] *о.* Иви́са (*Балеарские о-ва, Средиземное м., Испания*)

Iceland [ˈaɪslənd] **1.** *гос-во* Исла́ндия, Republic of Iceland Респу́блика Исла́ндия (*на о. Исландия, в сев. части Атлантического ок., Европа*); **2.** *о.* Исла́ндия (*Атлантический ок., гос-во Исландия*)

Ichang [ˈi:ˈtʃɑ:ŋ] = Yichang

Ichun [ˈi:ˈtʃun] = Yichun

Idaho [ˈaɪdəhəu] *шт.* А́йдахо (*США*)

Idaho Falls [ˈaɪdəhəuˈfɔ:lz] *г.* А́йдахо-Фолс (*шт. Айдахо, США*)

Idrija [ˈi:drɪjɑ:] *г.* И́дрия (*Республика Словения, Югославия*)

Ieper [ˈjeɪpə] *г.* Ипр (*Бельгия*)

Ife [ˈi:feɪ] *г.* И́фе (*Нигерия*)

Igarka [ɪˈgɑ:kə] *г.* Ига́рка (*Красноярский край, РСФСР, СССР*)

Iguaçú [ɪgwəˈsu:] *р.* Игуасу́ (*Бразилия и Аргентина*)

Iguaçú Falls [ɪgwəˈsu:ˈfɔ:lz] *вдп.* Игуасу́ (*р. Игуасу, на границе Аргентины и Бразилии*)

Ijsselmeer [ˈɪsəlˌmeɪə] *зал.* Э́йс(с)елмер; *см.* Zuider Zee

Ile-de-France [ˈi:ldəˈfrɑ:ŋs] *ист. пров.* Иль-де-Франс (*Франция*)

Ilesha [ɪˈleʃə] *г.* Иле́ша (*Нигерия*)

Ilhéus [ɪˈljɛəu:s] *г.* Илье́ус (*Бразилия*)

Ili [ˈi:ˈli:] *р.* Или́ (*СССР и Китай*)

Iliamna Lake [ˌɪlɪˈæmnəˈleɪk] *оз.* Илиа́мна (*п-ов Аляска, США*)

Iliamna Peak [ˌɪlɪˈæmnəˈpi:k] *влк.* Илиа́мна (*п-ов Аляска, США*)

Iligan [ɪˈli:gɑ:n] *г.* Или́ган (*о. Минданао, Филиппины*)

Ilium [ˈɪlɪəm] *ист. г.* Илио́н; *см.* Troy

Illampu [ɪˈjɑ:mpu:] *гора* Ильямпу́ (*горн. сист. Анды, Боливия*)

Illimani [ˌi:jɪˈmɑ:nɪ] *гора* Ильима́ни (*горн. сист. Анды, Боливия*)

Illinois [ˌɪlɪˈnɔɪ] **1.** *шт.* Иллино́йс (*США*); **2.** *р.* Иллино́йс (*США*)

Illyria [ɪˈlɪrɪə] *ист. обл.* Илли́рия (*Европа*)

Ilmen [ˈɪlmən] *оз.* И́льмень (*СССР*)

Iloilo [ˌi:lə(u)ˈi:lə(u)] *г.* Ило́йло (*о. Панай, Филиппины*)

Ilorin [ˌi:lə(u)ˈri:n, ɪˈlɔ:ri:n] *г.* Илори́н (*Нигерия*)

Imabari [ɪmɑ:bɑ:rɪ] *г.* Имаба́ри (*о. Сикоку, Япония*)

Imandra [ɪˈmɑ:ndrə] *оз.* И́мандра (*СССР*)

Imatra [ˈɪməˌtrɑ:] **1.** *г.* И́матра (*Финляндия*); **2.** *вдп.* И́матра (*р. Вуокса, Финляндия*)

Imeretia [ɪməˈri:ʃɪə] *ист. обл.* Имере́ти (*Грузинская ССР, СССР*)

Imphal [ˈɪmphʌl] *г.* И́мпхал (*адм. центр шт. Манипур, Индия*)

Inari [ˈɪnɑ:rɪ] *оз.* И́нари (*Финляндия*)

Inchon [ˈɪnˈtʃɔn] *г.* Инчхо́н (*Республика Корея*)

Independence [ˌɪndɪˈpendəns] *г.* Индепе́нденс (*шт. Канзас, США*)

India [ˈɪndjə, ˈɪndɪə] *гос-во* И́ндия, Republic of India Респу́блика И́ндия (*Южная Азия*)

Indiana [ˌɪndɪˈænə] *шт.* Индиа́на (*США*)

Indianapolis [ˌɪndɪənˈæpə(u)lɪs] *г.* Индиана́полис (*адм. центр шт. Индиана, США*)

Indian Desert [ˈɪndjənˈdezət] = Thar Desert

Indian Ocean [ˈɪndjənˈəuʃ(ə)n] Инди́йский океа́н (*между Африкой, Азией, Австралией и Антарктидой*)

Indigirka [ˌɪndɪˈgɪrkə] *р.* Индиги́рка (*СССР*)

Indochina, Indo-China [ˈɪndə(u)ˈtʃaɪnə] *п-ов* Индокита́й (*Юго-Восточная Азия*)

Indo-Gangetic Plain [ˈɪndə(u)gænˈdʒetɪkˈpleɪn] И́ндо-Га́нгская равни́на (*Индия, Пакистан и Бангладеш*)

Indonesia [ˌɪndə(u)ˈni:zjə, ˌɪndə(u)ˈni:ʒə] *гос-во* Индоне́зия, Republic of Indonesia Респу́блика Индоне́зия (*Юго-Восточная Азия*)

Indore [ɪnˈdəuə] *г.* Инда́ур (*шт. Мадхья-Прадеш, Индия*)

Indus [ˈɪndəs] *р.* Инд (*Китай, Индия и Пакистан*)

Inglewood [ˈɪŋg(ə)lwud] *г.* И́нглвуд (*шт. Калифорния, США*)

Ingolstadt [ˈɪŋgəlstæt] *г.* И́нгольштадт (*ФРГ*)

Ingrid Christensen Coast [ˈɪŋgrɪdˈkrɪstənsnˈkəust] Бе́рег И́нгрид Кри́стенсен (*Антарктида*)

Inhambane [ˌɪnjəmˈbænə] *г.* Иньямба́не (*Мозамбик*)

Inland Sea [ˈɪnləndˈsi:] Вну́треннее Япо́нское мо́ре (*между о-вами Хонсю, Сикоку и Кюсю, Япония*)

Inn [ɪn] *р.* Инн (*Швейцария, Австрия и ФРГ*)

Inner Hebrides [ˈɪnəˈhebrɪdi:z] Вну́тренние Гебри́дские острова́ (*Атлантический ок., Великобритания*)

Inner Mongolia [ˈɪnəmɔŋˈgəuljə] *авт. р-н* Вну́тренняя Монго́лия (*Китай*)

Innsbruck [ˈɪnzbruk] *г.* И́нсбрук (*Австрия*)

Inowrocław [ˌi:nɔ:ˈvrɔ:tslɑ:f] *г.* Иновро́цлав (*Польша*)

Invercargill [ˌɪnvəˈkɑ:gɪl] *г.* Инверка́ргилл (*адм. центр стат. р-на Саутленд, о. Южный, Новая Зеландия*)

Inverness [ˌɪnvəˈnes] *г.* Инверне́сс (*адм. центр обл. Хайленд, Шотландия, Великобритания*)

Ionia [aɪˈəunɪə] *ист. обл.* Ио́ния (*Малая Азия*)

Ionian Islands [aɪˈəunjənˈaɪləndz] Иони́ческие острова́ (*Ионическое м., Греция*)

Ionian Sea [aɪˈəunjənˈsi:] Иони́ческое мо́ре (*часть Средиземного м., между Апеннинским и Балканским п-овами*)

Ioshkar Ola [jəʃˈkɑ:rʌˈlɑ:] *г.* Йошка́р-Ола́ (*столица Марийской АССР, РСФСР, СССР*)

Iowa [ˈaɪə(u)wə] *шт.* А́йова (*США*)

Ipin [ˈi:ˈbɪn] = Yibin

Ipoh [ˈi:pəu] *г.* И́пох (*Малайзия*)

Ipswich [ˈɪpswɪtʃ] **1.** *г.* И́псуич (*адм. центр граф. Суффолк, Англия, Великобритания*); **2.** *г.* И́псуич (*шт. Квинсленд, Австралия*)

Iquique [ɪˈki:ke(ɪ)] *г.* Ики́ке (*Чили*)

Iquitos [ɪˈki:təus] *г.* Ики́тос (*Перу*)

Iran [ɪˈrɑ:n] *гос-во* Ира́н, Islamic Republic of Iran [ɪzˈlæmɪk...] Исла́мская Респу́блика Ира́н (*Юго-Западная Азия*)

Iran, Plateau of [ˈplætəuəvɪˈrɑ:n] Ира́нское наго́рье (*Афганистан, Иран, Пакистан*)

Irapuato [ˌi:rɑ:ˈpwɑ:tə(u)] *г.* Ирапуа́то (*Мексика*)

Iraq [ɪˈrɑ:k] *гос-во* Ира́к, Republic of Iraq Ира́кская Респу́блика (*Западная Азия*)

Irazú [ˌi:rɑ:ˈsu:] *влк.* Ирасу́ (*Коста-Рика*)

Ireland [ˈaɪələnd] **1.** *гос-во* Ирла́ндия, Republic of Ireland Ирла́ндская Респу́блика (*на о. Ирландия, Западная Европа*); **2.** *о.* Ирла́ндия (*Британские о-ва, Атлантический ок., гос-ва Ирландия и Великобритания*)

Irish Sea [ˈaɪərɪʃˈsi:] Ирла́ндское мо́ре (*Атлантический ок., между о-вами Великобритания и Ирландия*)

Irkutsk [ɪrˈku:tsk] *г.* Ирку́тск (*центр Иркутской обл., РСФСР, СССР*)

Iron Gate(s) [ˈaɪənˈgeɪt(s)] *теснина* Желе́зные Воро́та (*р. Дунай, на границе Югославии и Румынии*)

Irrawaddy [ˌɪrəˈwɔdɪ] *р.* Ирава́ди (*Мьянма*)

Irtish, Irtysh [ɪrˈtɪʃ] *р.* Ирты́ш (*СССР*)

Irvington [ˈə:vɪŋtən] *г.* Э́рвингтон, И́рвингтон (*шт. Нью-Джерси, США*)

Isabela Island [ˌɪzəˈbeləˈaɪlənd] *о.* Исабе́ла (*о-ва Галапагос, Тихий ок., Эквадор*)

Ise [ɪse] *г.* И́се (*о. Хонсю, Япония*)

Ise Bay [ɪseˈbeɪ] *зал.* И́се (*Тихий ок., о. Хонсю, Япония*)

Iseyin [ˌi:se(ɪ)ˈji:n] *г.* Исе́йин (*Нигерия*)

Isfahan [ˈɪsfəhæn] = Eşfahan

Ishikari [ɪʃɪkɑ:rɪ] *р.* Исика́ри (*о. Хоккайдо, Япония*)

Ishim [ɪˈʃɪm] *р.* Иши́м (*СССР*)

Ishimbay [ˌi:ʃɪmˈbaɪ] *г.* Ишимба́й (*Башкирская АССР, РСФСР, СССР*)

Iskenderun [ˌi:skendeˈru:n] *г.* Искендеру́н (*Турция*)

Iskenderun, Gulf of [ˈgʌlfəvˌi:skendeˈru:n] *зал.* Искендеру́н (*Средиземное м., побережье Турции*)

Islamabad [ɪsˈlɑ:məˌbɑ:d] *г.* Исламаба́д (*столица Пакистана*)

Islay [ˈaɪleɪ] *о.* А́йлей (*Внутренние Гебридские о-ва, Атлантический ок., Великобритания*)

Ismailia [ˌɪzme(ɪ)əˈli:ə] *г.* Исмаили́я (*Египет*)

Israel [ˈɪzreɪ(ə)l] *гос-во* Изра́иль, State of Israel Госуда́рство Изра́иль (*Западная Азия*)

Issyk Kul [ˈɪsɪkˈkə:l] *оз.* Иссы́к-Куль (*СССР*)

Istanbul [ˌɪstæmˈbu:l] *г.* Стамбу́л (*Турция*)

Istria [ˈɪstrɪə], **Istrian Peninsula** [ˈɪstrɪənpɪˈnɪnsjulə] *п-ов* И́стрия (*Югославия и Италия*)

Itabira [ˌɪtəˈvi:rə] *г.* Итаби́ра (*Бразилия*)

Italy [ˈɪtəlɪ] *гос-во* Ита́лия, Italian Republic [ɪˈtæljən...] Ита-

3*

льянская Республика (*Южная Европа*)

Itanagar [ˌɪtəˈnʌgə] *г.* Итана́гар (*адм. центр шт. Аруначал-Прадеш, Индия*)

Iturup [ˈi:tərʌp] *о.* Итуру́п (*арх. Курильские о-ва, СССР*)

Ivano-Frankovsk [ɪˈvɑ:nɔ:-frɑ:ŋˈkɔ:fsk] *г.* Ива́но-Франко́вск (*центр Ивано-Франковской обл., Украинская ССР, СССР*)

Ivanovo [ɪˈvɑ:nəvə] *г.* Ива́ново (*центр Ивановской обл., РСФСР, СССР*)

Iviza [ɪˈvi:θɑ:] = Ibiza

Ivory Coast [ˈaɪvə(u)rɪˈkəust] Бе́рег Слоно́вой Ко́сти; *см.* Côte d'Ivoire

Iwaki [ɪwɑ:kɪ] *г.* Ива́ки (*о. Хонсю, Япония*)

Iwakuni [ˌi:wɑ:ˈku:nɪ] *г.* Ива́куни (*о. Хонсю, Япония*)

Iwo [ˈi:wəu] *г.* И́во (*Нигерия*)

Izalco [ɪˈsɑ:lkə(u)] *влк.* Иса́лько (*Сальвадор*)

Izhevsk [ˈi:ʒəfsk] *г.* Иже́вск (*столица Удмуртской АССР, РСФСР, СССР*)

Izmail [ˈɪzmɪɪl, ˈɪzme(ɪ)ɪl] *г.* Изма́ил (*Одесская обл., Украинская ССР, СССР*)

Izmir [ɪzˈmɪr] *г.* Изми́р (*Турция*)

Izmir, Gulf of [ˈgʌlfəvɪzˈmɪr] Изми́рский зали́в (*Эгейское м., побережье Турции*)

Izmit [ɪzˈmɪt] *г.* Изми́т (*Турция*)

Izmit, Gulf of [ˈgʌlfəvɪzˈmɪt] Изми́тский зали́в (*Мраморное м., побережье Турции*)

J

Jabalpur [ˈdʒʌbəlpuə] *г.* Джабалпу́р (*шт. Мадхья-Прадеш, Индия*)

Jackson [ˈdʒæksn] *г.* Джэ́ксон (*адм. центр шт. Миссисипи, США*)

Jacksonville [ˈdʒæksnvɪl] *г.* Джэ́ксонвилл (*шт. Флорида, США*)

Jaffa [ˈdʒæfə] *г.* Я́ффа (*Израиль*)

Jaffna [ˈdʒɑ:fnə] *г.* Джа́фна (*Шри-Ланка*)

Jaipur [ˈdʒaɪpuə] *г.* Джайпу́р (*адм. центр шт. Раджастхан, Индия*)

Jajce [ˈjaɪtse] *г.* Я́йце (*Социалистическая Республика Босния и Герцеговина, Югославия*)

Jakarta [dʒəˈkɑ:tə] = Djakarta

Jalalabad [dʒəˈlæləˌbæd] *г.* Джелалаба́д (*Афганистан*)

Jalandhar [ˈdʒʌləndə] = Jullundur

Jalapa [hɑ:ˈlɑ:pɑ:] *г.* Хала́па (*Мексика*)

Jamaica [dʒəˈmeɪkə] **1.** *гос-во* Яма́йка (*на о. Ямайка, Вест-Индия*); **2.** *о.* Яма́йка (*Большие Антильские о-ва, Атлантический ок., гос-во Ямайка*)

Jambi [ˈdʒɑ:mbɪ] **1.** *г.* Джа́мби; *см.* Telanaipura; **2.** *р.* Джа́мби; *см.* Hari

James [dʒeɪmz] **1.** *р.* Джеймс (*приток р. Миссури, США*); **2.** *р.* Джеймс (*впадает в Чесапикский зал., США*)

James Bay [ˈdʒeɪmzˈbeɪ] *зал.* Джеймс (*часть Гудзонова зал., Канада*)

James Ross Island [ˈdʒeɪmzˈrɔs-ˈaɪlənd] о́стров Дже́ймса Ро́сса (*м. Уэдделла, Антарктика*)

Jamestown [ˈdʒeɪmztaun] **1.** *г.* Дже́ймстаун (*шт. Северная Дакота, США*); **2.** *г.* Дже́ймстаун (*адм. центр о-ва Святой Елены*)

Jammu [ˈdʒʌmu:] *г.* Джа́мму (*шт. Джамму и Кашмир, Индия*)

Jammu and Kashmir [ˈdʒʌ-mu:əndˈkæʃmɪə] *шт.* Джа́мму и Кашми́р (*Индия*)

Jamnagar [dʒɑ:mˈnʌgə] *г.* Джамна́гар (*шт. Гуджарат, Индия*)

Jamshedpur [ˈdʒɑ:mʃedˌpuə] *г.* Джамшедпу́р (*шт. Бихар, Индия*)

Jan Mayen Island [jɑ:nˈmaɪən-ˈaɪlənd] *о.* Ян-Ма́йен (*Атлантический ок., Норвегия*)

Japan [dʒəˈpæn] *гос-во* Япо́ния (*на Японских о-вах, Восточная Азия*)

Japan Current [dʒəˈpænˈkʌr(ə)nt] Япо́нское тече́ние (*Тихий ок.*)

Japan, Sea of [ˈsi:əvdʒəˈpæn] Япо́нское мо́ре (*Тихий ок., между Азией и Японскими о-вами*)

Japan Trench [dʒəˈpænˈtrentʃ] Япо́нский жёлоб (*Тихий ок.*)

Japurá [ˌʒɑ:pu:ˈrɑ:] *р.* Жапурá, Япурá (*Колумбия и Бразилия*)

Jarvis Island [ˈdʒɑ:vɪsˈaɪlənd] *о.* Джáрвис (*о-ва Лайн, Тихий ок. влад. США*)

Jasło [ˈjɑ:slɔ:] *г.* Я́сло (*Польша*)

Jasper [ˈdʒæspə] *г.* Джáспер (*шт. Алабама, США*)

Jasper National Park [ˈdʒæspəˈnæʃənlˈpɑ:k] *нац. парк* Джáспер (*Канада*)

Java [ˈdʒɑ:və] *о.* Я́ва (*Большие Зондские о-ва, Индонезия*)

Javarí [ˌʒɑ:vəˈri:] *р.* Жаварú (*Бразилия и Перу*)

Java Sea [ˈdʒɑ:vəˈsi:] Явáнское мóре (*Тихий ок., между о-вами Калимантан, Суматра, Сулавеси и Ява*)

Java Trench [ˈdʒɑ:vəˈtrentʃ] Явáнский жёлоб; *см.* Sunda Deep

Jaworzno [jɑ:ˈvɔ:ʒnɔ:] *г.* Явóжно (*Польша*)

Jedburgh [ˈdʒedbərə] *г.* Джéдборо (*обл. Бордерс, Шотландия, Великобритания*)

Jefferson City [ˈdʒefəsnˈsɪtɪ] *г.* Джéфферсон-Сúти (*адм. центр шт. Миссури, США*)

Jelalabad [dʒəˈlæləˌbæd] = Jalalabad

Jelenia Góra [jeˈlenjɑ:ˈgu:rɑ:] *г.* Елéня-Гýра (*Польша*)

Jelgava [ˈjelgəvə] = Yelgava

Jena [ˈjemɑ:] *г.* Йéна (*ФРГ*)

Jequitinhonha [ʒəˌki:təˈnjəunjə] *р.* Жекитиньóнья (*Бразилия*)

Jerez de la Frontera [heˈreɪzdəlɑ:frənˈterə] *г.* Херéс-де-ла-Фронтéра (*Испания*)

Jericho [ˈdʒerɪkəu] *ист. г.* Иерихóн (*в Палестине*)

Jersey [ˈdʒə:zɪ] *о.* Джéрси (*Нормандские о-ва, прол. Ла-Манш, Великобритания*)

Jersey City [ˈdʒə:zɪˈsɪtɪ] *г.* Джéрси-Сúти (*шт. Нью-Джерси, США*)

Jerusalem [dʒəˈru:sələm] *г.* Иерусалúм (*к зап. от Мёртвого м., Азия*)

Jewish Autonomous Region [ˈdʒu:ɪʃɔ:ˈtɔnəməsˈri:dʒən] Еврéйская автонóмная óбласть (*Хабаровский край, РСФСР, СССР*)

Jhang-Maghiana [ˈdʒʌŋˌmʌgɪˈɑ:nɑ:] *г.* Джхангмагхиянa (*Пакистан*)

Jhansi [ˈdʒɑ:nsɪ] *г.* Джхáнси (*шт. Уттар-Прадеш, Индия*)

Jiangsu [ˈdʒjɑ:ŋˈsu:] *пров.* Цзянсý (*Китай*)

Jiangxi [ˈdʒjɑ:ŋˈʃi:] *пров.* Цзянсú (*Китай*)

Jidda [ˈdʒɪdə] *г.* Джúдда (*Саудовская Аравия*)

Jilin [ˈdʒi:ˈlɪn] Цзилúнь; *см.* Kirin

Jinan [ˈdʒi:ˈnɑ:n] *г.* Цзинáнь (*адм. центр пров. Шаньдун, Китай*)

Jingdezhen [ˈdʒɪŋˈdʌˈdʒʌn] *г.* Цзиндэчжэ́нь (*пров. Цзянси, Китай*)

Jining [ˈdʒi:ˈnɪŋ] *г.* Цзинúн (*авт. р-н Внутренняя Монголия, Китай*)

Jinja [ˈdʒɪndʒɑ:] *г.* Джúнджа (*Уганда*)

Jinzhou [ˈdʒɪnˈdʒəu] *г.* Цзиньчжóу (*пров. Ляонин, Китай*)

Jiulong [ˈdʒju:ˈlɔ:ŋ] *г.* Цзюлýн (*Сянган (Гонконг)*)

João Pessoa [ˌʒwauŋpəˈsəuə] *г.* Жуáн-Песóа (*Бразилия*)

Jodhpur [ˈdʒɔdpə] *г.* Джодхпýр (*шт. Раджастхан, Индия*)

Jogjakarta [ˌdʒɔugjəˈkɑ:tə] *г.* Джокьякáрта (*о. Ява, Индонезия*)

Johannesburg [dʒə(u)ˈhænɪsbə:g] *г.* Йохáннесбург (*пров. Трансвааль, ЮАР*)

Johnson City [ˈdʒɔnsnˈsɪtɪ] *г.* Джóнсон-Сúти (*шт. Теннесси, США*)

Johnston [ˈdʒɔnstən] *атолл* Джóнстон (*Тихий ок., влад. США*)

Johnstown [ˈdʒɔnztaun] *г.* Джóнстаун (*шт. Пенсильвания, США*)

Johore Bahru [dʒə(u)ˈhəuəˈbɑ:ru:] *г.* Джохóр-Бáру (*Малайзия*)

Johore Strait [dʒə(u)ˈhəuəˈstreɪt] *прол.* Джохóр (*между п-овом Малакка и о. Сингапур*)

Jokjakarta [ˌdʒəukjɑ:ˈkɑ:tə:] = Jogjakarta

Jönköping [ˈjə:nˌtʃə:pɪŋ] *г.* Йёнчёпинг (*Швеция*)

Joplin [ˈdʒɔplɪn] *г.* Джóплин (*шт. Миссури, США*)

Jordan I [ˈdʒɔ:d(ə)n] *гос-во* Иордáния, Hashemite Kingdom of Jordan [ˈhæʃəmaɪt...]

Иорда́нское Хашими́тское Короле́вство (*Западная Азия*)

Jordan II [ˈdʒɔ:d(ə)n] *р.* Иорда́н (*Восточное Средиземноморье*)

Joseph Bonaparte Gulf [ˈdʒəuzɪf-ˈbəunəˌpɑ:tˈgʌlf] *зал.* Жозе́ф-Бонапа́рт (*Тиморское м., Австралия*)

Juan de Fuca, Strait of [ˈstreɪtəv-ˈhwɑ:ndəˈfu:kə] *прол.* Хуа́н-де-Фу́ка (*между о. Ванкувер и п-овом Олимпик, Тихий ок.*)

Juan Fernández [ˈdʒu:ənfəˈnændez] *о-ва* Хуа́н-Ферна́ндес (*Тихий ок., Чили*)

Juba [ˈdʒu:bə] *р.* Джу́ба (*Эфиопия и Сомали*)

Jud(a)ea [dʒu:ˈdɪə] *ист. пров.* Иуде́я (*в Палестине*)

Judah [ˈdʒu:də] *ист. гос-во* Иуде́йское ца́рство (*в Палестине*)

Juiz de Fora [ˈʒwi:ʒðəˈfɔ:rə] *г.* Жуи́с-ди-Фо́ра (*Бразилия*)

Jujuy [hu:ˈhwi:] *г.* Жужу́й, Сан-Сальвадо́р-де-Жужу́й (*Аргентина*)

Jullundur [ˈdʒʌləndə] *г.* Джаландха́р (*шт. Пенджаб, Индия*)

Jumna [ˈdʒʌmnə] *р.* Джа́мна (*Индия*)

Jundiaí [ˌʒu:ndjəˈi:] *г.* Жундиаи́ (*Бразилия*)

Juneau [ˈdʒu:nəu] *г.* Джу́но (*адм. центр шт. Аляска, США*)

Jungfrau [ˈjuŋˌfrau] *гора* Ю́нгфрау (*горы Бернские Альпы, Швейцария*)

Junín [hu:ˈni:n] *г.* Хуни́н (*Аргентина*)

Jura I [ˈdʒuərə] *горы* Юра́ (*на границе Франции и Швейцарии*)

Jura II [ˈdʒuərə] *о.* Джу́ра (*арх. Гебридские о-ва, Атлантический ок., Великобритания*)

Juruá [ʒu:ˈrwɑ:] *р.* Журуа́ (*Бразилия*)

Jutaí [ˌʒu:təˈi:] *р.* Жутаи́ (*Бразилия*)

Jutland [ˈdʒʌtlənd] *п-ов* Ютла́ндия (*между Балтийским и Северным морями, Дания и ФРГ*)

Jyväskylä [ˈju:væsku:læ] *г.* Ю́вяскюля (*Финляндия*)

K

Kaapstad [ˈkɑ:pˌstɑ:t] *г.* Ка́пстад; *см.* Cape Town

Kabardino-Balkarian Autonomous Soviet Socialist Republic [ˌkæbəˈdi:nəubælˈkɛərɪənɔ:ˈtɔnəməs-ˈsəuvɪetˈsəuʃəlɪstrɪˈpʌblɪk] Кабарди́но-Балка́рская Автоно́мная Сове́тская Социалисти́ческая Респу́блика, **Kabardino-Balkaria** [ˌkæbəˈdi:nəubælˈkɛərɪə] Кабарди́но-Балка́рия (*РСФСР, СССР*)

Kabul [ˈkɑ:bul, kəˈbu:l] **1.** *г.* Кабу́л (*столица Афганистана*); **2.** *р.* Кабу́л (*Афганистан и Пакистан*)

Kabwe [ˈkɑ:bweɪ] *г.* Ка́бве (*Замбия*)

Kadesh [ˈkeɪdeʃ] *ист. г.* Каде́ш (*на терр. совр. Сирии*)

Kadiak [kʌˈdjɑ:k] = Kodiak

Kaduna [kəˈdu:nə] *г.* Каду́на (*Нигерия*)

Kaesong [keɪsɔ:ŋ] *г.* Кэсо́н (*КНДР*)

Kafue [kɑ:ˈfue(ɪ)] *р.* Кафу́э (*Замбия*)

Kagera [kɑ:ˈgeɪrɑ:] *р.* Каге́ра (*Руанда, Танзания и Уганда*)

Kagoshima [kɑ:gə(u)ʃɪmɑ:] *г.* Кагосима (*о. Кюсю, Япония*)

Kaifeng [ˈkaɪˈfʌŋ] *г.* Кайфы́н (*пров. Хэнань, Китай*)

Kailas [kaɪˈlɑ:s] *хр.* Кайла́с (*Китай*)

Kaiserslautern [ˌkaɪzəsˈlautən] *г.* Ка́йзерсла́утерн (*ФРГ*)

Kakhovka [kʌˈhɔ:fkə] *г.* Кахо́вка (*Херсонская обл., Украинская ССР, СССР*)

Kalahari Desert [ˌkɑ:lɑ:ˈhɑ:rɪ-ˈdezət] *пуст.* Калаха́ри (*Южная Африка*)

Kalahari Gemsbok [ˌkɑ:lɑ:ˈhɑ:rɪ-ˈgemzˌbɔk] *нац. парк* Калаха́ри-Ге́мсбок (*ЮАР*)

Kalamazoo [ˌkæləməˈzu:] *г.* Каламазу́ (*шт. Мичиган, США*)

Kalgan [ˈkælˈgæn, ˈkɑ:lˈgɑ:n] *г.* Калга́н; *см.* Zhangjiakou

Kalgoorlie [kælˈguəlɪ] *г.* Калгу́рли (*шт. Западная Австралия, Австралия*)

Kaliakra, Cape [ˈkeɪpkɑːˈljɑːkrɑː] *мыс* Калиа́кра (*Болгария*)

Kalimantan [ˌkɑːlɪˈmɑːntɑːn] *о.* Калиманта́н (*Малайский арх., Большие Зондские о-ва, Индонезия, Малайзия и Бруней*)

Kalinin [kəˈliːnɪn] *г.* Кали́нин; *см.* Tver

Kaliningrad [kəˌliːnɪnˈgrɑːd] **1.** *г.* Калинингра́д (*центр Калининградской обл., РСФСР, СССР*); **2.** *г.* Калинингра́д (*Московская обл., РСФСР, СССР*)

Kalisz [ˈkɑːlɪʃ] *г.* Ка́лиш (*Польша*)

Kalka [ˈkælkə] *р.* Ка́лка, *совр.* Ка́льчик (*СССР*)

Kalmar [ˈkɑːlmɑː] *г.* Ка́льмар (*Швеция*)

Kalmuck Autonomous Soviet Socialist Republic [ˈkælmʌkɔːˈtɔnəməsˈsəuvɪetˈsəuʃəlɪstrɪˈpʌblɪk] = Kalmyk Autonomous Soviet Socialist Republic

Kalmyk Autonomous Soviet Socialist Republic [ˈkælmɪkɔːˈtɔnəməsˈsəuvɪetˈsəuʃəlɪstrɪˈpʌblɪk] Калмы́цкая Автоно́мная Сове́тская Социалисти́ческая Респу́блика, **Kalmykia** [kælˈmɪkɪə] Калмы́кия (*РСФСР, СССР*)

Kaluga [kəˈluːgə] *г.* Калу́га (*центр Калужской обл., РСФСР, СССР*)

Kama [ˈkɑːmə] *р.* Ка́ма (*СССР*)

Kamakura [kɑːmɑːkurɑː] *г.* Ка́макура (*о. Хонсю, Япония*)

Kamchatka [kʌmˈtʃɑːtkə] *п-ов* Камча́тка (*на сев.-вост. СССР*)

Kamensk-Uralski [ˈkɑːmənskjuːˈrælskɪ] *г.* Ка́менск-Ура́льский (*Екатеринбургская обл., РСФСР, СССР*)

Kammon [kʌˈmɔːn] *прол.* Кам-мо́н; *см.* Shimonoseki Strait

Kampala [kɑːmˈpɑːlɑː] *г.* Кампа́ла (*столица Уганды*)

Kampong Cham [ˌkɑːmpɔːŋˈtʃɑːm] *г.* Кампонгтя́м (*Камбоджа*)

Kâmpóng Saôm [ˈkɑːmˈpɔːŋˈsaum] = Kompong Som

Kampuchea [ˌkæmpuːˈtʃɪə] Кампучи́я; *см.* Cambodia

Kamyshin [kʌˈmɪʃɪn] *г.* Камы́шин (*Волгоградская обл., РСФСР, СССР*)

Kananga [kəˈnɑːŋgə] *г.* Кана́нга (*Заир*)

Kanazawa [kɑːnɑːzɑːwɑː] *г.* Кандза́ва (*о. Хонсю, Япония*)

Kanchenjunga [ˌkʌntʃənˈdʒʌŋgə] *гора* Канченджа́нга (*горн. сист. Гималаи, на границе Непала и Индии*)

Kanchou[ˈgɑːnˈdʒəu] = Ganzhou

Kanchow [ˈgɑːnˈtʃəu] = Ganzhou

Kandahar [ˈkændəˌhɑː] *г.* Кандага́р (*Афганистан*)

Kandalaksha [ˌkændəˈlækʃə] *г.* Кандала́кша (*Мурманская обл., РСФСР, СССР*)

Kandalaksha Bay [ˌkændəˈlækʃəˈbeɪ] = Kandalaksha Gulf

Kandalaksha Gulf [ˌkændəˈlækʃəˈgʌlf] Кандала́кшский зали́в, Кандала́кшская губа́ (*Белое м., СССР*)

Kandy [ˈkændɪ] *г.* Ка́нди (*Шри-Ланка*)

Kangaroo Island [ˌkæŋgəˈruːˈaɪlənd] *о.* Кенгуру́ (*Индийский ок., Австралия*)

Kanggye [ˌkɑːŋˈɥjeɪ] г. Канге́ (*КНДР*)

Kanin Peninsula [ˈkɑːnjɪnpɪˈnɪnsjulə] полуо́стров Ка́нин (*между Белым м. и Чешской губой Баренцева м., СССР*)

Kankan [ˌkɑːŋˈkɑːŋ] *г.* Канка́н (*Гвинея*)

Kano [ˈkɑːnəu] *г.* Ка́но (*Нигерия*)

Kanpur [ˈkɑːnpuə] *г.* Канпу́р (*шт. Уттар-Прадеш, Индия*)

Kansas [ˈkænzəs] **1.** *шт.* Ка́нзас (*США*); **2.** *р.* Ка́нзас (*США*)

Kansas City [ˈkænzəsˈsɪtɪ] **1.** *г.* Ка́нзас-Си́ти (*шт. Миссури, США*); **2.** *г.* Ка́нзас-Си́ти (*шт. Канзас, США*)

Kansk [kɑːnsk] *г.* Канск (*Красноярский край, РСФСР, СССР*)

Kansu [ˈkænˈsuː] = Gansu

Kaohsiung[ˈkauʃiːˈuŋ,ˈgauʃjiːˈuŋ] *г.* Гаосю́н (*пров. Тайвань, Китай*)

Kaolack [ˈkaulæk] *г.* Каола́к (*Сенегал*)

Kaposvár [ˈkɔːpəuʃˌvɑː] *г.* Ка́пошвар (*Венгрия*)

Kapuas [ˈkɑːpəˌwɑːs] *р.* Ка́пуас (*о. Калимантан, Индонезия*)

Kara Bogaz Gol [kɑːˌrɑːbə(u-)

ˈɑ:zˌgə:l] *оз.* Кара́-Бога́з-Гол (*СССР*)

Karachai-Cherkess Autonomous Region [ˌkɑ:rəˈtʃaɪtʃɪrˈkesɔ:ˈtɔnəməsˈri:dʒən] = Karachayevo-Cherkess Autonomous Region

Karachayevo-Cherkess Autonomous Region [ˌkɑ:rəˈtʃɑ:jevətʃɪrˈkesɔ:ˈtɔnəməsˈri:dʒən] Карача́ево-Черке́сская автоно́мная о́бласть (*Ставропольский край, РСФСР, СССР*)

Karachi [kəˈrɑ:tʃɪ] *г.* Кара́чи (*Пакистан*)

Karadağ, Kara Dağ [ˌkɑ:rɑ:ˈdɑ:] *хр.* Карада́г (*Иран*)

Karaganda [ˌkɑ:rɑ:gɑ:nˈdɑ:] *г.* Караганда́ (*центр Карагандинской обл., Казахская ССР, СССР*)

Kara-Kalpak Autonomous Soviet Socialist Republic [ˌkɑ:rɑ:kɑ:lˈpɑ:kɔ:ˈtɔnəməsˈsəuvɪetˈsəuʃəlɪstrɪˈpʌblɪk] Каракалпа́кская Автоно́мная Сове́тская Социалисти́ческая Респу́блика, **Kara-Kalpak** [ˌkɑ:rɑ:kɑ:lˈpɑ:k] Каракалпа́кия (*Узбекская ССР, СССР*)

Karakoram Pass [ˌkærəˈkəurəmˈpɑ:s] *пер.* Каракору́м (*горн. сист. Каракорум, на границе Индии и Китая*)

Karakoram Range [ˌkærəˈkəurəmˈreɪndʒ] *горн. сист.* Каракору́м (*Индия и Китай*)

Karakorum [ˌkærəˈkəurəm] *ист. г.* Каракору́м (*на терр. Монголии*)

Karakorum Range [ˌkærəˈkəurəmˈreɪndʒ] = Karakoram Range

Kara Kum [ˌkɑ:rɑ:ˈku:m] *пуст.* Караку́мы (*Туркменская ССР, СССР*)

Kara Kum Canal [ˌkɑ:rɑ:ˈku:mkəˈnæl] Караку́мский кана́л (*соединяет р. Амударья с р. Теджен и Каспийским м., СССР*)

Kara Sea [ˈkɑ:rəˈsi:] Ка́рское мо́ре (*Северный Ледовитый ок., у берегов СССР*)

Kara Strait [ˈkɑ:rəˈstreɪt] *прол.* Ка́рские Воро́та (*между о-вами Новая Земля и Вайгач, соединяет Баренцево и Карское моря*)

Karbala [ˈkɑ:bələ] *г.* Кербела́ (*Ирак*)

Karelian Autonomous Soviet Socialist Republic [kəˈri:lɪənɔ:ˈtɔnəməsˈsəuvɪetˈsəuʃəlɪstrɪˈpʌblɪk] Каре́льская Автоно́мная Сове́тская Социалисти́ческая Респу́блика, **Karelia** [kəˈri:lɪə] Каре́лия (*РСФСР, СССР*)

Karelian Isthmus [kəˈri:lɪənˈɪsməs] Каре́льский перешéек (*между Финским зал. и Ладожским оз., СССР*)

Karimata Strait [ˌkɑ:rɪˈmɑ:tɑ:ˈstreɪt] *прол.* Карима́та (*между о-вами Калимантан и Белитунг, Индонезия*)

Karisimbi [ˌkærɪˈsɪmbɪ] *влк.* Кариси́мби (*горы Вирунга, на границе Заира и Руанды*)

Karl-Marx-Stadt [ˈkɑ:lˈmɑ:ksˌʃtɑ:t] *г.* Карл-Маркс-Штадт; *см.* Chemnitz

Karlovac [ˈkɑ:lə(u)vɑ:ts] *г.* Ка́рловац (*Республика Хорватия, Югославия*)

Karlovy Vary [ˈkɑ:lɔ:vɪˈvɑ:rɪ] *г.* Ка́рлови-Ва́ри (*Чехословакия*)

Karlsbad [ˈkɑ:lzbæd] *г.* Ка́рлсбад; *см.* Karlovy Vary

Karlskrona [kɑ:lsˈkru:nɑ:] *г.* Ка́рльскруна (*Швеция*)

Karlsruhe [ˈkɑ:lzˌru:ə] *г.* Ка́рлсруэ (*ФРГ*)

Karlstad [ˈkɑ:lˌstɑ:(d)] *г.* Ка́рлстад (*Швеция*)

Karnataka [kɑ:rˈnɑ:təkə] *шт.* Карната́ка (*Индия*)

Kars [kɑ:s] *г.* Карс (*Турция*)

Karshi [ˈkɑ:ʃɪ] *г.* Карши́ (*центр Кашкадарьинской обл., Узбекская ССР, СССР*)

Kartli [ˈkɑ:tlɪ] *ист. обл.* Ка́ртли (*Грузинская ССР, СССР*)

Karun [kɑ:ˈru:n] *р.* Кару́н (*Иран*)

Karviná [ˈkɑ:vɪˌnɑ:] *г.* Ка́рвина (*Чехословакия*)

Kasai [kɑ:ˈsaɪ] *р.* Каса́и (*Ангола и Заир*)

Kashan [kɑ:ˈʃɑ:n] *г.* Каша́н (*Иран*)

Kashgar [ˈkæʃˌgɑ:] = Kaxgar

Kashgaria [kæʃˈgɛərɪə] *ист. обл.* Кашга́рия (*Китай*)

Kashi [ˈkɑ:ˈʃi:] *г.* Каши́; *см.* Kaxgar

Kashira [kʌˈʃɪrə] *г.* Каши́ра (*Московская обл., РСФСР, СССР*)

Kashmir [ˈkæʃmɪə] *ист. обл.* Кашми́р (*Индия и Пакистан*)

Kassala [ˈkæsələ] *г.* Ка́ссала (*Судан*)

Kassel [ˈkæs(ə)l, ˈkɑːs(ə)l] *г.* Ка́ссель (*ФРГ*)

Kathiawar [ˈkɑːtɪəˌwɑː] *п-ов* Катхиява́р (*Индия*)

Katmai, Mount [ˈmauntˈkætˌmaɪ] *влк.* Ка́тмай (*Алеутский хр., США*)

Katmandu [ˌkɑːtmɑːnˈduː] *г.* Катманду́ (*столица Непала*)

Katowice [ˌkɑːtɔːˈviːtse] *г.* Катови́це (*Польша*)

Katsina [ˈkɑːtsɪnə] *г.* Каци́на (*Нигерия*)

Kattegat [ˈkætəgæt] *прол.* Каттега́т (*между п-овами Скандинавским и Ютландия*)

Katun [kʌˈtuːn] *р.* Кату́нь (*СССР*)

Kauai [ˈkauaɪ] *о.* Ка́уаи (*Гавайские о-ва, Тихий ок., США*)

Kaunas [ˈkaunɑːs] *г.* Ка́унас (*Литва*)

Kavaratti [ˌkævəˈrʌtɪ] *г.* Кавара́тти (*адм. центр союзной терр. Лакшадвип, Индия*)

Kavieng [ˌkævɪˈeŋ] *г.* Кавие́нг (*о. Новая Ирландия, Папуа-Новая Гвинея*)

Kawaguchi [kɑːvɑːgutʃɪ] *г.* Каваѓути (*о. Хонсю, Япония*)

Kawasaki [kɑːvɑːsɑːkɪ] *г.* Каваса́ки (*о. Хонсю, Япония*)

Kaxgar [ˈkɑːʃˌgɑː] *г.* Кашга́р (*Синьцзян-Уйгурский авт. р-н, Китай*)

Kayes [keɪz] *г.* Ка́ес (*Мали*)

Kayseri [ˌkaɪseˈriː] *г.* Ка́йсери (*Турция*)

Kazakh Soviet Socialist Republic [kəˈzɑːhˈsəuvɪetˈsəuʃəlɪstrɪˈpʌblɪk] Каза́хская Сове́тская Социалисти́ческая Респу́блика, **Kazak(h)stan** [ˌkɑːzɑːhˈstɑːn] Казахста́н (*на юго-зап. азиатской части СССР*)

Kazan [kʌˈzɑːnj] *г.* Каза́нь (*столица Татарской АССР, РСФСР, СССР*)

Kazanlik [ˌkɑːzɑːnˈlɪk] *г.* Казанлы́к (*Болгария*)

Kazbek [kʌzˈbjek] *гора* Казбе́к (*Кавказ, СССР*)

Kazvin [kɑːzˈviːn] = Qazvin

Kecskemét [ˈketʃkeˌmeɪt] *г.* Ке́чкемет (*Венгрия*)

Keeling Islands [ˈkiːlɪŋˈaɪləndz] *о-ва* Ки́линг; *см.* Cocos Islands

Kelang [kəˈlɑːŋ] *г.* Кела́нг; *см.* Klang

Kemerovo [ˈkeməˌrəuvəu] *г.* Ке́мерово (*центр Кемеровской обл., РСФСР, СССР*)

Kemi [ˈkemɪ] *р.* Ке́ми-Йо́ки (*Финляндия*)

Kenai Peninsula [ˈkiːnaɪpɪˈnɪnsjulə] *п-ов* Ке́най (*юж. побережье шт. Аляска, США*)

Kendal [ˈkendl] *г.* Ке́ндал (*граф. Камбрия, Англия, Великобритания*)

Kénitra [kəˈniːtrə] *г.* Кени́тра (*Марокко*)

Kennedy, Cape [ˈkeɪpˈkenədɪ] мыс Ке́ннеди; *см.* Canaveral, Cape

Kenosha [kəˈnəuʃə] *г.* Кено́ша (*шт. Висконсин, США*)

Kent [kent] **1.** *граф.* Кент (*Англия, Великобритания*); **2.** *ист. англосакс. кор-во* Кент (*Великобритания*)

Kentucky [kənˈtʌkɪ] *шт.* Кенту́кки (*США*)

Kenya [ˈkiːnjə,ˈkenjə] *гос-во* Ке́ния, Republic of Kenya Респу́блика Ке́ния (*Восточная Африка*)

Kenya, Mount [ˈmauntˈkiːnjə] *влк.* Ке́ния (*Кения*)

Kerala [ˈkeɪrələ] *шт.* Ке́рала (*Индия*)

Kerbela [ˈkəːbələ] = Karbala

Kerch [kertʃ] *г.* Керчь (*Крымская обл., Украинская ССР, СССР*)

Kerch (Peninsula) [ˈkertʃ(pɪˈnɪnsjulə)] Ке́рченский полуо́стров (*вост. часть Крымского п-ова, СССР*)

Kerch Strait [ˈkertʃˈstreɪt] Ке́рченский проли́в (*соединяет Азовское и Чёрное моря, СССР*)

Kerguelen [ˈkəːgələn] *арх.* Kергеле́н (*Индийский ок., Антарктика, влад. Франции*)

Kerintji [kəˈrɪntʃɪ] *влк.* Кери́нчи (*о. Суматра, Индонезия*)

Kermadec Islands [kəˈmædekˈaɪləndz] *о-ва* Керма́дек (*Тихий ок., влад. Новой Зеландии*)

Kermadec Trench [kəˈmædek-

ˈtrentʃ] *жёлоб* Кермáдек (*Тихий ок.*)

Kerman [kerˈmɑ:n] *г.* Кермáн (*Иран*)

Kermanshah [kerˌmɑ:nˈʃɑ:] *г.* Керманшáх (*Иран*)

Kerry [ˈkerɪ] *граф.* Кéрри (*Ирландия*)

Kerulen [ˈkerulen] *р.* Керулéн (*Монголия и Китай*)

Ket [ket] *р.* Кеть (*СССР*)

Ketchikan [ˈketʃɪkæn] *г.* Кéтчикан (*шт. Аляска, США*)

Kettering [ˈketərɪŋ] *г.* Кéттеринг (*граф. Нортхемптоншир, Англия, Великобритания*)

Key West [ˈki:ˈwest] *г.* Ки-Уэ́ст (*шт. Флорида, США*)

Khabarovsk [hʌˈbɑ:rəfsk] *г.* Хабáровск (*центр Хабаровского края, РСФСР, СССР*)

Khabarovsk Territory [hʌˈbɑ:rəfskˈterɪt(ə)rɪ] Хабáровский край (*РСФСР, СССР*)

Khakass Autonomous Region [həˈkæsɔ:ˈtɔnəməsˈri:dʒən] Хакáсская автонóмная óбласть (*Красноярский край, РСФСР, СССР*)

Khanka [ˈhɑ:ŋkə] *оз.* Хáнка (*СССР и Китай*)

Khan Tengri [ˈhɑ:nˈteŋrɪ] = Tengri Khan

Khanty-Mansi Autonomous Area [ˈkɑ:ntɪˈmɑ:nsɪɔ:ˈtɔnəməsˈɛərɪə] Хáнты-Мансúйский автонóмный óкруг (*Тюменская обл., РСФСР, СССР*)

Khanty-Mansi(y)sk [ˈkɑ:ntɪˈmɑ:nsɪsk] *г.* Хáнты-Мансúйск (*центр Ханты-Мансийского авт. окр., Тюменская обл., РСФСР, СССР*)

Kharagpur [ˈkʌrəgpuə] *г.* Кхарагпýр (*шт. Западная Бенгалия, Индия*)

Khara Usu Nur [ˈkɑ:rɑ:ˈu:su:ˈnu:r] *оз.* Хáра-Ус-Нур (*Монголия*)

Khark [hɑ:k, kɑ:k] *г.* Харк (*Иран*)

Kharkov [ˈkɑ:rjkəf] *г.* Хáрьков (*центр Харьковской обл., Украинская ССР, СССР*)

Khart(o)um [kɑ:ˈtu:m] *г.* Хартýм (*столица Судана*)

Khaskovo [ˈkɑ:skə(u)və(u)] *г.* Хáсково (*Болгария*)

Khatanga [hʌˈtɑ:ŋgə] *р.* Хáтанга (*СССР*)

Khatanga Bay [hʌˈtɑ:ŋgəˈbeɪ] Хáтангский залúв (*м. Лаптевых, побережье СССР*)

Khatyn [hʌˈtɪnj] *ист. деревня* Хатынь (*Минская обл., Белорусская ССР, СССР*)

Kherson [kerˈsɔ:n, herˈsɔ:n] *г.* Херсóн (*центр Херсонской обл., Украинская ССР, СССР*)

Khimki [ˈhi:mkɪ] *г.* Хúмки (*Московская обл., РСФСР, СССР*)

Khiva I [ˈki:və, ˈhi:və] *г.* Хивá (*Хорезмская обл., Узбекская ССР, СССР*)

Khiva II [ˈki:və, ˈhi:və] *ист. гос-во* Хивúнское хáнство (*в Средней Азии, Узбекская ССР и Туркменская ССР, СССР*)

Khmelnitski [hmɪlˈnji:tskɪ, kəmelˈnɪtskɪ] *г.* Хмельнúцкий (*центр Хмельницкой обл., Украинская ССР, СССР*)

Khojend [kouˈdʒend] *г.* Худжáнд (*центр Худжандской обл., Таджикская ССР, СССР*)

Khoper [kʌˈpjɔ:r] *р.* Хопёр (*СССР*)

Khoresm [kə(u)ˈrezm] *ист. гос-во* Хорéзм (*Средняя Азия*)

Khorog [kɔ:ˈrəug] *г.* Хорóг (*центр Горно-Бадахшанской АО, Таджикская ССР, СССР*)

Khorramabad [kɔ:ˈræməˌbɑ:d] *г.* Хорремабáд (*Иран*)

Khorramshahr [ˌkurɑ:mˈʃɑ:] *г.* Хорремшéхр (*Иран*)

Khubsugul, Lake [ˈleɪkˈkə:bsə:gə:l] *оз.* Хубсугýл (*Монголия*)

Khulna [ˈkulnɑ:] *г.* Кхýлна (*Бангладеш*)

Khurasan [ˈkuərəsɑ:n] *ист. обл.* Хорасáн (*Иран*)

Khuzistan [ˌku:zɪˈstɑ:n] *ист. обл.* Хузистáн (*Иран*)

Kiangsi [ˈkjæŋˈsi:] = Jiangxi

Kiangsu [ˈkjæŋˈsu:] = Jiangsu

Kiel [ki:l] *г.* Киль (*ФРГ*)

Kiel Bay [ˈki:lˈbeɪ] Кúльская бýхта (*Балтийское м., ФРГ*)

Kiel Canal [ˈki:lkəˈnæl] Кúльский канáл (*соединяет Балтийское и Северное моря, ФРГ*)

Kielce [ˈkjeltse] *г.* Кéльце (*Польша*)

Kieta [kɪˈeɪtə] *г.* Киéта (*о. Буген-*

виль, Соломоновы о-ва, Папуа-Новая Гвинея)

Kiev [ˈki:jef] *г.* Ки́ев (*столица Украинской ССР, СССР*)

Kigali [kɪˈgɑ:lɪ] *г.* Кига́ли (*столица Руанды*)

Kigoma [kɪˈgəumə] *г.* Кигóма (*Танзания*)

Kii Channel [ˈki:(i:)ˈtʃænl] *прол.* Ки́и (*между о-вами Сикоку и Хонсю*)

Kilauea [ˌki:lauˈeɪɑ:] *влк.* Килауэ́а (*о. Гавайи, США*)

Kildare [kɪlˈdɛə] **1.** *граф.* Килдэ́р (*Ирландия*); **2.** *г.* Килдэ́р (*граф. Килдэр, Ирландия*)

Kilimanjaro, Mount [ˈmauntˌkɪlɪmənˈdʒɑ:rəu] *гора* Килиманджа́ро (*Танзания*)

Kilkenny [kɪlˈkenɪ] **1.** *граф.* Килке́нни (*Ирландия*); **2.** *г.* Килке́нни (*адм. центр граф. Килкенни, Ирландия*)

Kilmarnock [kɪlˈmɑ:nək] *г.* Килма́рнок (*обл. Стратклайд, Шотландия, Великобритания*)

Kimberley [ˈkɪmbəlɪ] *г.* Ки́мберли (*Капская пров., ЮАР*)

Kimberleys [ˈkɪmbəlɪz] *плато* Ки́мберли (*Австралия*)

Kim-Ch'aek [kɪmˈtʃæk] *г.* Ким-Чхэк (*КНДР*)

Kinabalu [ˌkɪnɪbəˈlu:] *гора* Кинаба́лу (*о. Калимантан, Малайзия*)

Kinchinjunga [ˌkɪntʃɪnˈdʒʌŋgə] = Kanchenjunga

Kindia [ˈkɪndɪə] *г.* Ки́ндиа (*Гвинея*)

Kineshma [ˈki:nɪʃmə] *г.* Ки́нешма (*Ивановская обл., РСФСР, СССР*)

King George Island [ˈkɪŋˈdʒɔ:dʒˈaɪlənd] *о.* Кинг-Джордж (*Южные Шетландские о-ва, Атлантический ок., Антарктика*)

King Island [ˈkɪŋˈaɪlənd] *о.* Кинг (*прол. Басса, Австралия*)

Kingman Reef [ˈkɪŋmənˈri:f] *риф* Ки́нгмен (*о-ва Лайн, Тихий ок., влад. США*)

Kingston [ˈkɪŋstən] **1.** *г.* Ки́нгстон (*столица Ямайки*); **2.** *г.* Ки́нгстон (*пров. Онтарио, Канада*); **3.** *нп* Ки́нгстон (*адм. центр о. Норфолк*)

Kingston on Thames [ˈkɪŋstənɔnˈtemz] *г.* Ки́нгстон-он-Темс; *см.* Kingston upon Thames

Kingston upon Thames [ˈkɪŋstənəpɔnˈtemz] *г.* Ки́нгстон-апóн-Темс (*адм. центр метроп. граф. Большой Лондон и граф. Суррей, Англия, Великобритания*)

Kingstown [ˈkɪŋztaun] *г.* Ки́нгстаун (*столица гос-ва Сент-Винсент и Гренадины, о. Сент-Винсент*)

Kingtehchen [ˈdʒɪŋˈtʌˈdʒʌn] = Jingdezhen

King William Island [ˈkɪŋˈwɪljəmˈaɪlənd] *о.* Кинг-Уи́льям (*Канадский Арктический арх., Канада*)

Kinross [kɪnˈrɔs] *г.* Кинрóсс (*обл. Тейсайд, Шотландия, Великобритания*)

Kinshasa [kɪnˈʃɑ:sə] *г.* Кинша́са (*столица Заира*)

Kioga [ˈkjəugə] = Kyoga

Kirg(h)iz Soviet Socialist Republic [kə:ˈgi:zˈsəuvɪetˈsəuʃəlɪstrɪˈpʌblɪk] Кирги́зская Сове́тская Социалисти́ческая Респу́блика, **Kirg(h)izia** [kə:ˈgi:zɪə] Кирги́зия (*на сев.-вост. Средней Азии, СССР*)

Kiribati [kɪrɪˈbɑ:tɪ] *гос-во* Кириба́ти, Republic of Kiribati Респу́блика Кириба́ти (*на о-вах Гилберта, Лайн, Феникс и Ошен (Банаба), Тихий ок.*)

Kirikkale [kəˈrɪkəˌleɪ] *г.* Кыры́ккале́ (*Турция*)

Kirin [ˈki:ˈrɪn] **1.** *пров.* Гири́н (*Китай*); **2.** *г.* Гири́н (*пров. Гирин, Китай*)

Kirkcaldy [kə:ˈkɔ:ldɪ] *г.* Керкóлди (*обл. Файф, Шотландия, Великобритания*)

Kirkcudbright [kə:ˈku:brɪ] *г.* Керку́бри (*обл. Дамфрис-энд-Галловей, Шотландия, Великобритания*)

Kirkuk [kɪəˈku:k] *г.* Кирку́к (*Ирак*)

Kirkwall [ˈkə:kwɔ:l] *г.* Ке́ркуолл (*адм. центр обл. Оркни, о. Мейнленд, Шотландия, Великобритания*)

Kirov [ˈki:rəf] *г.* Ки́ров; *см.* Vyatka 2

Kirovabad [kɪˈrəuvəˌbæd] *г.* Кироваба́д; *см.* Gandzha

Kirovakan [ˏki:rəvʌ'kɑ:n, kɪˏrəuvə'kɑ:n] *г.* Кироваќан (*Армянская ССР, СССР*)

Kirovograd [kɪ'rəuvəˏgrɑ:d] *г.* Кировогра́д (*центр Кировоградской обл., Украинская ССР, СССР*)

Kirovsk ['ki:rəfsk] *г.* Ки́ровск (*Мурманская обл., РСФСР, СССР*)

Kiruna ['kɪruˏnɑ:] *г.* Ки́руна (*Швеция*)

Kiryu [kɪ(ə)rju:] *г.* Кирю́ (*о. Хонсю, Япония*)

Kisangani [ˏkɪsən'gɑ:nɪ] *г.* Кисанга́ни (*Заир*)

Kiselevsk [ki:ˏsɪ'ljɔ:fsk, kɪ'selˏjɔfsk] *г.* Киселёвск (*Кемеровская обл., РСФСР, СССР*)

Kishinev [kɪʃɪ'njɔ:f] *г.* Кишинёв (*столица ССР Молдова, СССР*)

Kishiwada [ˏki:ʃɪ'wɑ:də] *г.* Кисива́да (*о. Хонсю, Япония*)

Kislovodsk ['kɪslə(u)vɔtsk] *г.* Кислово́дск (*Ставропольский край, РСФСР, СССР*)

Kismayu [kɪs'maɪu:] *г.* Кисма́йо; *см.* Chisimaio

Kistna ['kɪstnə] *р.* Ки́стна; *см.* Krishna

Kisumu [kɪ'su:mu:] *г.* Кису́му (*Кения*)

Kitakyushu [ˏki:tɑ:'kju:ʃu:] *г.* Китаќюсю (*о. Кюсю, Япония*)

Kitchener ['kɪtʃənə] *г.* Ки́тченер (*пров. Онтарио, Канада*)

Kíthira ['kji:θɪrɑ:] *о.* Ки́тира (*Средиземное м., Греция*)

Kitimat ['kɪtɪˏmæt] *г.* Ки́тимат (*пров. Британская Колумбия, Канада*)

Kitwe-Nkana ['ki:tweɪəŋ'kɑ:nɑ:] *г.* Ки́тве-Нка́на (*Замбия*)

Kivu, Lake ['leɪk'ki:vu:] *оз.* Ки́ву (*Руанда и Заир*)

Kizil Irmak [kə'zɪlɪr'mɑ:k] *р.* Кызы́л-Ирма́к (*Турция*)

Kladno ['klædnəu] *г.* Кла́дно (*Чехословакия*)

Klagenfurt ['klɑ:gənˏfurt] *г.* Кла́генфурт (*Австрия*)

Klaipeda ['klaɪpədə] *г.* Кла́йпеда (*Литва*)

Klang [klɑ:ŋ] *г.* Кланг (*Малайзия*)

Klin [kli:n, klɪn] *г.* Клин (*Московская обл., РСФСР, СССР*)

Klondike ['klɔndaɪk] Кло́ндайк (*золотоносный р-н, Канада*)

Klondike River ['klɔndaɪk'rɪvə] *р.* Кло́ндайк (*Канада*)

Klyuchevskaya Sopka [klju:'tʃefskəjə'sɔ:pkə] *влк.* Ключевска́я Со́пка (*п-ов Камчатка, СССР*)

Knossos ['nɔsəs] *ист. г.* Кнос (*о. Крит, Греция*)

Knox Coast ['nɔks'kəust] Бе́рег Но́кса (*Антарктида*)

Knoxville ['nɔksvɪl] *г.* Но́ксвилл (*шт. Теннесси, США*)

Kobdo ['kɔbdəu] *г.* Ко́бдо (*Монголия*)

Kobe ['kəubɪ] *г.* Ко́бе (*о. Хонсю, Япония*)

Koblenz ['kəuˏblents] *г.* Ко́бленц (*ФРГ*)

Kochi ['kəutʃɪ] *г.* Ко́ти (*о. Сикоку, Япония*)

Kodiak ['kəudɪæk] *о.* Ка́дьяк (*Тихий ок., США*)

Koforidua [ˏkəuˏfəurɪ'du:ə] *г.* Кофориду́а (*Гана*)

Kofu ['kəufu] *г.* Ко́фу (*о. Хонсю, Япония*)

Kohima ['kəuki:mə] *г.* Кохи́ма (*адм. центр шт. Нагаленд, Индия*)

Kohtla-Järve [ˏkəutlə'jɑ:rveɪ] *г.* Ко́хтла-Я́рве (*Эстония*)

Kokand [kəu'kænd] *г.* Кока́нд (*Ферганская обл., Узбекская ССР, СССР*)

Kokchetav [kəktʃə'tɑ:f] *г.* Кокчета́в (*центр Кокчетавской обл., Казахская ССР, СССР*)

Kokhtla-Yarve [ˏkəutlə'jɑ:rveɪ] = Kohtla-Järve

Koko Nor ['kəukəu'nɔ:] *оз.* Куку-Но́р (*Китай*)

Kola Bay ['kəulə'beɪ] Ко́льский зали́в (*Баренцево м., СССР*)

Kola Peninsula ['kɔ:ləpɪ'nɪnsjulə] Ко́льский полуо́стров (*на сев.-зап. европейской части СССР*)

Kolguev [kʌl'gu:jəf] *о.* Колгу́ев (*Баренцево м., СССР*)

Kolhapur ['kəuləpuə] *г.* Колхапу́р (*шт. Махараштра, Индия*)

Kolima [kʌ'lɪmə] = Kolyma

Kołobrzeg [kɔ:'lɔ:bʒek] *г.* Коло́бжег (*Польша*)

Kolomna [kʌ'lɔ:mnə] *г.* Коло́мна (*Московская обл., РСФСР, СССР*)

Kolyma [kʌ′lɪmə] *р.* Колыма́ (*СССР*)

Kolyma Range [kʌ′li:mə′reɪndʒ] Колы́мское наго́рье (*сев.-вост. СССР*)

Komandorskie Islands [kəmʌn′dɔ:rskɪjə′aɪləndz] Командо́рские острова́ (*Берингово м., СССР*)

Komi Autonomous Soviet Socialist Republic [′kəumɪɔ:′tɔnəməs′səuvɪet′səuʃəlɪstrɪ′pʌblɪk] Ко́ми Автоно́мная Сове́тская Социалисти́ческая Респу́блика (*РСФСР, СССР*)

Komi-Permyak Autonomous Area [′kəumɪ′pə:mjækɔ:′tɔnəməs′ɛərɪə] Ко́ми-Пермя́цкий автоно́мный о́круг (*Пермская обл., РСФСР, СССР*)

Kommunarsk [ˌkʌmu:′nɑ:rsk] *г.* Коммуна́рск (*Луганская обл., Украинская ССР, СССР*)

Kompong Som [′kɔm′pɔ:ŋ′sɔ:m] *г.* Кампонгса́ом (*Камбоджа*)

Komsomolets [ˌkɔmsə′mɔ:ləts] *о.* Комсомо́лец (*арх. Северная Земля, Северный Ледовитый ок., СССР*)

Komsomolsk [ˌkɔmsə′mɔ:lsk], **Komsomolsk-on-Amur** [ˌkɔmsə′mɔ:lskɔnɑ:′muə] *г.* Комсомо́льск-на-Аму́ре (*Хабаровский край, РСФСР, СССР*)

Königsberg [′kə:nɪhsberh] *г.* Кёнигсберг; *см.* Kaliningrad 1

Konin [′kɔ:ni:n] *г.* Ко́нин (*Польша*)

Konstantinovka [ˌkɔnstən′ti:nəfkə] *г.* Константи́новка (*Донецкая обл., Украинская ССР, СССР*)

Konya [kɔ:n′jɑ:] *г.* Ко́нья (*Турция*)

Kopeisk [kəu′peɪsk] *г.* Копе́йск (*Челябинская обл., РСФСР, СССР*)

Kopet Dagh [ˌkɔ:pet′dɑ:] *хр.* Копетда́г (*на границе СССР и Ирана*)

Kopeysk [kəu′peɪsk] = Kopeisk

Korçë [′kɔ:tʃə] *г.* Ко́рча (*Албания*)

Korea [kə′rɪə, kə(u)′ri:ə] **1.** *гос-во* Коре́я, Korean People's Democratic Republic [kə′rɪən...] Коре́йская Наро́дно-Демократи́ческая Респу́блика (*сев. часть п-ова Корея, Восточная Азия*); **2.** *гос-во* Коре́я, Republic of Korea Респу́блика Коре́я (*юж. часть п-ова Корея, Восточная Азия*); **3.** *п-ов* Коре́я (*между Японским и Жёлтым морями, Азия*)

Korea Bay [kə′rɪə′beɪ] За́падно-Коре́йский зали́в (*Жёлтое м., между п-овами Корея и Ляодунский*)

Korea Strait [kə′rɪə′streɪt] Коре́йский проли́в (*между п-овом Корея и Японскими о-вами*)

Koriyama [kəurɪjɑ:mɑ:] *г.* Ко-рия́ма (*о. Хонсю, Япония*)

Korsun-Shevchenkovski [′kɔ:rsu:njʃɪf′tʃenkəfskɪ] *г.* Ко́рсунь-Шевче́нковский (*Черкасская обл., Украинская ССР, СССР*)

Koryak Autonomous Area [kʌ′rjɑ:kɔ:′tɔnəməs′ɛərɪə] Коря́кский автоно́мный о́круг (*Камчатская обл., РСФСР, СССР*)

Kosciusko, Mount [′mauntˌkɔzɪ′ʌskəu] *гора* Косцю́шко (*горы Австралийские Альпы, Австралия*)

Košice [′kɔ:ʃɪtse] *г.* Ко́шице (*Чехословакия*)

Kosovo [′kɔ:sə(u)və(u)] *социалистический авт. край* Косово (*Югославия*)

Kostroma [kɔstrʌ′mɑ:] *г.* Кострома́ (*центр Костромской обл., РСФСР, СССР*)

Koszalin [kɔ:′ʃɑ:li:n] *г.* Коша́лин (*Польша*)

Kota Bharu [ˌkəutə′bɑ:ru:] *г.* Ко́та-Ба́ру (*Малайзия*)

Kotah [′kəutə] *г.* Ко́та (*шт. Раджастхан, Индия*)

Kota Kinabalu [′kəutəˌkɪnəbə′lu:] *г.* Ко́та-Кинаба́лу (*о. Калимантан, Малайзия*)

Kotelni [kə(u)′telnɪ] = Kotelny

Kotelny [kə(u)′telnɪ] *о.* Коте́льный (*арх. Новосибирские о-ва, Восточно-Сибирское м., СССР*)

Kotka [′kɔtkə] *г.* Ко́тка (*Финляндия*)

Kotlas [kʌt′lɑ:s] *г.* Ко́тлас (*Архангельская обл., РСФСР, СССР*)

Kotzebue Sound [′kɔtsɪbu:′saund]

залив Коцебу (*Чукотское м., побережье Аляски, США*)

Kovrov [kʌv'rɔ:f] *г.* Ковров (*Владимирская обл., РСФСР, СССР*)

Kowloon ['kau'lu:n] *г.* Коулун; *см.* Jiulong

Kozhikode ['kəuʒɪˌkəud] *г.* Кожикоде; *см.* Calicut

Kragujevac ['krɑ:gu:eˌvɑ:ts] *г.* Крагуевац (*Социалистическая Республика Сербия, Югославия*)

Kra, Isthmus of ['ɪsməsəv'krɑ:] *перешеек* Кра (*соединяет п-ов Малакка с материком Азия, Таиланд*)

Krakatau [ˌkrɑ:kə'tau] *влк.* Кракатау (*Зондский прол., Индонезия*)

Kraków ['krɑ:ku:f] *г.* Краков (*Польша*)

Kramatorsk [krəmʌ'tɔ:rsk] *г.* Краматорск (*Донецкая обл., Украинская ССР, СССР*)

Krasnodar [krəsnʌ'dɑ:] *г.* Краснодар (*центр Краснодарского края, РСФСР, СССР*)

Krasnodar Territory [krəsnʌ'dɑ:'terɪt(ə)rɪ] Краснодарский край (*РСФСР, СССР*)

Krasnodon [krəsnʌ'dɔ:n] *г.* Краснодон (*Луганская обл., Украинская ССР, СССР*)

Krasnovodsk ['kræsnə(u)vɔtsk] *г.* Красноводск (*центр Красноводской обл., Туркменская ССР, СССР*)

Krasnoyarsk [krəsnʌ'jɑ:sk] *г.* Красноярск (*центр Красноярского края, РСФСР, СССР*)

Krasnoyarsk Territory [krəsnʌ'jɑ:sk'terɪt(ə)rɪ] Красноярский край (*РСФСР, СССР*)

Krefeld ['kreɪfelt] *г.* Крефельд (*ФРГ*)

Kremenchug [kremɪn'tʃu:g] *г.* Кременчуг (*Полтавская обл., Украинская ССР, СССР*)

Krishna ['krɪʃnə] *р.* Кришна (*Индия*)

Kristiansand ['krɪstʃənˌsænd] *г.* Кристиансанн (*Норвегия*)

Krivoi Rog [krjɪ'vɔɪ'rɔ:k] *г.* Кривой Рог (*Днепропетровская обл., Украинская ССР, СССР*)

Krk [kə:rk] *о.* Крк (*Адриатическое м., Югославия*)

Krons(h)tadt [krʌn'ʃtɑ:t] *г.* Кронштадт (*Ленинградская обл., РСФСР, СССР*)

Krosno ['krɔ:snɔ:] *г.* Кросно (*Польша*)

Krugersdorp ['kru:gəzdɔ:p] *г.* Крюгерсдорп (*пров. Трансвааль, ЮАР*)

Kuala Lumpur ['kwɑ:lə'lumpuə] *г.* Куала-Лумпур (*столица Малайзии*)

Kuban [ku'bɑ:nj] *р.* Кубань (*СССР*)

Kuching ['ku:tʃɪŋ] *г.* Кучинг (*о. Калимантан, Малайзия*)

Kudymkar [ku'dɪmkə] *г.* Кудымкар (*центр Коми-Пермяцкого авт. окр., Пермская обл., РСФСР, СССР*)

Kuei-lin ['gweɪ'lɪn] = Guilin

Kuenlun Shan ['kun'lun'ʃɑ:n] = Kunlun Shan

Kuibyshev ['ku:ɪbɪʃəf] *г.* Куйбышев; *см.* Samara

Kulyab [ku'ljɑ:b] *г.* Куляб (*центр Кулябской обл., Таджикская ССР, СССР*)

Kuma [ku'mɑ:] *р.* Кума (*СССР*)

Kumamoto [kumɑ:mə(u)tə(u)] *г.* Кумамото (*о. Кюсю, Япония*)

Kumasi [ku:'mɑ:sɪ] *г.* Кумаси (*Гана*)

Kunlun Shan ['kun'lun'ʃɑ:n] *горн. сист.* Куньлунь (*Китай*)

Kunming ['kun'mɪŋ] *г.* Куньмин (*адм. центр пров. Юньнань, Китай*)

Kunsan ['kun'sɑ:n] *г.* Кунсан (*Республика Корея*)

Kuopio ['kwɔ:pjɔ:] *г.* Куопио (*Финляндия*)

Kura [ku'rɑ:] *р.* Кура (*СССР и Турция*)

Kurashiki [ku'rɑ:ʃɪkɪ, ˌkurə'ʃi:kɪ] *г.* Курасики (*о. Хонсю, Япония*)

Kurdistan [ˌkuədɪ'stɑ:n] *ист. обл.* Курдистан (*Турция, Ирак, Иран и Сирия*)

Kure ['ku:reɪ] *г.* Куре (*о. Хонсю, Япония*)

Kurgan [kur'gɑ:n] *г.* Курган (*центр Курганской обл., РСФСР, СССР*)

Kurgan Tyube [kur'gɑ:ntju:'be] *г.* Курган-Тюбе (*центр Курган-Тюбинской обл., Таджикская ССР, СССР*)

Kuril(e) Islands [ku:'ri:l'aɪləndz],

Kuril(e)s [kuːˈriːlz] *арх.* Кури́льские острова́ (*между о. Хоккайдо и п-овом Камчатка, Тихий ок., СССР*)

Kurland [ˈkuələnd] *ист. обл.* Курля́ндия (*Латвия*)

Kuroshio [ˌkurəuˈʃiːəu] *теч.* Куросио; *см.* Japan Current

Kursk [kursk] *г.* Курск (*центр Курской обл., РСФСР, СССР*)

Kurume [kurumə] *г.* Куруме́ (*о. Кюсю, Япония*)

Kushiro [kuʃɪrə(u)] *г.* Куси́ро (*о. Хоккайдо, Япония*)

Kushka [ˈkuʃkə] *г.* Ку́шка (*Марыйская обл., Туркменская ССР, СССР*)

Kuskokwim [ˈkʌskəkwɪm] *р.* Ку́скоквим (*США*)

Kustanai [kustʌˈnaɪ] *г.* Кустана́й (*центр Кустанайской обл., Казахская ССР, СССР*)

Kütahya [kjuːˈtɑːjɑː] *г.* Кюта́хья (*Турция*)

Kutaisi [kuˈtɑːɪsɪ] *г.* Кутаи́си (*Грузинская ССР, СССР*)

Kutch, Gulf of [ˈgʌlfəvˈkʌtʃ] = Cutch, Gulf of

Kutch, Rann of Great and Little [ˈgreɪtˈrʌnəvˈkʌtʃ, ˈlɪtlˈrʌnəvˈkʌtʃ] = Cutch, Rann of Great and Little

Kuwait, Kuweit [kuˈwaɪt, kuˈweɪt] **1.** *гос-во* Куве́йт, State of Kuwait Госуда́рство Куве́йт (*Аравийский п-ов, Западная Азия*); **2.** *г.* Куве́йт; *см.* Al Kuwait

Kuzbas(s) [kuzˈbɑːs] Кузба́сс; *см.* Kuznetsk Basin

Kuznetsk [kuzˈnetsk] *г.* Кузне́цк (*Пензенская обл., РСФСР, СССР*)

Kuznetsk Basin [kuzˈnetskˈbeɪsn] Кузне́цкий у́гольный бассе́йн (*Кемеровская обл., СССР*)

Kwajalein [ˈkwɔdʒəlɪn, ˈkwɔdʒəleɪn] *атолл* Ква́джалейн (*Маршалловы о-ва, Тихий ок.*)

Kwangchow [ˈkwæŋˈdʒəu] = Guangzhou

Kwangju [ˈgwɔːŋˈdʒuː] *г.* Кванджу́ (*Республика Корея*)

Kwango [ˈkwɑːŋgəu] *р.* Ква́нго (*Ангола и Заир*)

Kwangsi Chuang Autonomous Region [ˈkwɑːŋˈsiːˈtʃwɑːŋɔːˈtɔnəməsˈriːdʒən] = Guangxi Zhuang Autonomous Region

Kwangtung [ˈkwɑːŋˈtuŋ] = Guangdong

Kweichow [ˈkweɪˈtʃəu] = Guizhou

Kweilin [ˈgweɪˈlɪn] = Guilin

Kweiyang [ˈgweɪˈjɑːŋ] = Guiyang

Kwinana [kwɪˈnɑːnə] *г.* Куина́на (*шт. Западная Австралия, Австралия*)

Kyakhta [ˈkjɑːhtɑː] *г.* Кя́хта (*Бурятская АССР, РСФСР, СССР*)

Kyoga [ˈkjəugə] *оз.* Кьо́га (*Уганда*)

Kyoto [ˈkjəutə(u)] *г.* Кио́то (*о. Хонсю, Япония*)

Kyushu [ˈkjuːʃuː] *о.* Кю́сю (*Тихий ок., Япония*)

Kyustendil [ˌkjuːstənˈdɪl] *г.* Кюстенди́л (*Болгария*)

Kyzyl [kɪˈzɪl] *г.* Кызы́л (*столица Тувинской АССР, РСФСР, СССР*)

Kyzyl Kum [kɪˈzɪlˈkuːm] *пуст.* Кызылку́м (*междуречье Сырдарьи и Амударьи, СССР*)

Kzyl-Orda [kəˈzɪlɔːˈdɑː] *г.* Кзыл-Орда́ (*центр Кзыл-Ординской обл., Казахская ССР, СССР*)

L

Laba [ˈlɑːbe] *р.* Ла́ба; *см.* Elbe

Labrador [ˈlæbrədɔː] *п-ов* Лабрадо́р (*на сев.-вост. Канады*)

Labrador Current [ˈlæbrədɔːˈkʌr(ə)nt] Лабрадо́рское тече́ние (*Атлантический ок.*)

Laccadive Islands [ˈlækədɪvˈaɪləndz] Лаккади́вские острова́ (*Аравийское м., Индия*)

Lacedaemon [ˌlæsɪˈdiːmən] *ист. город-гос-во* Лакедемо́н; *см.* Sparta 2

La Chaux-de-Fonds [lɑːˌʃəudˈfɔːŋ] *г.* Ла-Шо-де-Фон (*Швейцария*)

Lachlan [ˈlɑːklən] *р.* Ла́клан (*Австралия*)

Laconia [ləˈkəunjə], **Laconica** [ləˈkɔnɪkə] Лако́ния, Лако́ника (*юго-вост. часть п-ова Пелопоннес, Греция*)

La Coruña [lɑːkəˈruːnjɑː] *г.* Ла-Кору́нья (*Испания*)

La Crosse [ləˈkrɔs] *г.* Ла-Кросс (*шт. Висконсин, США*)

Ladoga (Lake) [ˈlɑ:dəgə(ˈleɪk)], **Ladozhsko(y)e Ozero** [ˈlɑ:dəʃskəjəˈɔ:zjɪrə] Ла́дожское о́зеро (*СССР*)

Lafayette [ˌlɑ:fɪˈet] **1.** *г.* Лафейе́тт (*шт. Индиана, США*); **2.** *г.* Лафейе́тт (*шт. Луизиана, США*)

Lagash [ˈleɪgæʃ] *ист. гос-во и г.* Лага́ш (*в Шумере, на терр. совр. Ирака*)

Lagos [ˈlɑ:gəs] *г.* Ла́гос (*столица Нигерии*)

La Guaira [lɑ:ˈgwaɪrɑ:] *г.* Ла-Гуа́йра (*Венесуэла*)

Lahore [ləˈhəuə] *г.* Лахо́р (*Пакистан*)

Lahti [ˈlɑ:tɪ] *г.* Ла́хти (*Финляндия*)

Lake Charles [ˈleɪkˈtʃɑ:lz] *г.* Лейк-Чарльз (*шт. Луизиана, США*)

Lake District [ˈleɪkˈdɪstrɪkt] Озёрный край (*Англия, Великобритания*)

Lakeland [ˈleɪklənd] *г.* Ле́йкленд (*шт. Флорида, США*)

Lakewood [ˈleɪkwud] *г.* Ле́йквуд (*шт. Огайо, США*)

Lakshadweep [ˌlækˈʃædwi:p] *союзная терр.* Лакшадви́п (*Индия*)

Lalitpur [ləˈlɪtˌpuə] *г.* Лалитпу́р; *см.* Patan

La Manche [lɑ:ˈmɑ:ŋʃ] *прол.* Ла-Манш; *см.* English Channel

Lambaréné [ˌlɑ:mbəˈreɪnɪ] *г.* Ламбарене́ (*Габон*)

Lambert Glacier [ˈlæmbə(:)tˈglæsjə] ледни́к Ла́мберта (*Антарктида*)

Lammermoor (*или* **Lammermuir) Hills** [ˈlæməˌmuə (*или* ˈlæməˌmju:ə)ˈhɪlz] *горы* Ла́ммермур-Хилс (*Великобритания*)

Lampang [ˈlɑ:mˌpɑ:ŋ] *г.* Лампа́нг (*Таиланд*)

Lampedusa [ˌlæmpɪˈdu:sə] *о.* Лампеду́за (*Средиземное м., Италия*)

Lanark [ˈlænək] *г.* Ла́нарк (*обл. Стратклайд, Шотландия, Великобритания*)

Lancashire [ˈlæŋkəʃɪə] *граф.* Ла́нкашир (*Англия, Великобритания*)

Lancaster [ˈlæŋkəstə] **1.** *г.* Ла́нкастер (*граф. Ланкашир, Англия, Великобритания*); **2.** *г.* Ла́нкастер (*шт. Огайо, США*); **3.** *г.* Ла́нкастер (*шт. Пенсильвания, США*)

Lancaster Sound [ˈlæŋkəstəˈsaund] *прол.* Ла́нкастер (*между о-вами Баффинова Земля, Байлот и Девон, Канадский Арктический арх.*)

Lanchow [ˈlɑ:nˈdʒəu] = Lanzhou

Lancs [læŋks] *сокр. от* Lancashire

Land's End [ˈlændzˈend] *мыс* Лендс-Энд (*п-ов Корнуолл, Великобритания*)

Languedoc [ˌlæŋˈdɔk, ˈlæŋgwɪˈdɔk] *ист. обл.* Лангедо́к (*Франция*)

Lansing [ˈlænsɪŋ] *г.* Ла́нсинг (*адм. центр шт. Мичиган, США*)

Lanzhou [ˈlɑ:nˈdʒəu] *г.* Ланьчжо́у (*адм. центр пров. Ганьсу, Китай*)

Laoighis [ˈleɪʃ] *граф.* Ле́йишь; *см.* Leix

La Oroya [lɑ:ə(u)ˈrəujɑ:] *г.* Оро́я (*Перу*)

Laos [ˈlauz, ˈleɪɔs] *гос-во* Лао́с, Lao People's Democratic Republic [ˈlau...] Лао́сская Наро́дно-Демократи́ческая Респу́блика (*Юго-Восточная Азия*)

La Paz [lɑ:ˈpɑ:s, ləˈpæz] **1.** *г.* Ла-Пас (*фактическая столица Боливии*); **2.** *г.* Ла-Пас (*Мексика*)

La Pérouse Strait [ˈlɑ:pəˌru:zˈstreɪt] проли́в Лаперу́за (*между о-вами Сахалин и Хоккайдо, соединяет Охотское и Японское моря*)

Lapland [ˈlæplænd] *ист.-геогр. обл.* Лапла́ндия (*Скандинавский и Кольский п-ова, Европа*)

La Plata [ləˈplɑ:tə] *г.* Ла-Пла́та (*Аргентина*)

Lappenranta [ˈlɑ:pɛənˌrɑ:ntɑ:] *г.* Ла́ппеэнранта (*Финляндия*)

Lapteva Strait [ˈlɑ:pt(j)əvəˈstreɪt] = Dmitri Laptev Strait

Laptev Sea [ˈlɑ:ptjəfˈsi:] мо́ре Ла́птевых (*Северный Ледовитый ок., у берегов СССР*)

Laredo [ləˈreɪdəu] *г.* Ларе́до (*шт. Техас, США*)

Larissa [ləˈrɪsə] *г.* Ла́риса (*Греция*)

Larne [lɑ:n] **1.** *окр.* Ларн (*Северная Ирландия, Великобритания*); **2.** *г.* Ларн (*адм. центр окр. Ларн, Северная Ирландия, Великобритания*)

La Rochelle [lɑ:ˌrɔ:ˈʃel] *г.* Ла-Роше́ль (*Франция*)

Larsa [ˈlɑ:sə] *ист. город-гос-во* Ла́рса (*на терр. совр. Ирака*)

Lars Christensen Coast [lɑ:zˈkrɪstənsnˈkəust] Бе́рег Ла́рса Кри́стенсена (*Антарктида*)

Larsen Ice Shelf [ˈlɑ:snˈaɪsˈʃelf] ше́льфовый ледни́к Ла́рсена (*Антарктида*)

Las Palmas [lɑ:sˈpɑ:lmɑ:s] *г.* Лас-Па́льмас (*о. Гран-Канария, Испания*)

La Spezia [lɑ:ˈspɛətsjɑ:] *г.* Спе́ция (*Италия*)

Lassen Peak [ˈlæsnˈpi:k] *влк.* Ла́ссен-Пик (*Каскадные горы, США*)

Las Vegas [lɑ:sˈveɪgəs] *г.* Лас-Ве́гас (*шт. Невада, США*)

Latakia [lætəˈki:ə] *г.* Латаки́я (*Сирия*)

Latgale [ˈlɑ:tgɑ:le] *ист. обл.* Латга́ле, Латга́лия (*Латвия*)

Latin America [ˈlætɪnəˈmerɪkə] Лати́нская Аме́рика (*общее назв. стран, расположенных в юж. части Северной Америки, к югу от р. Рио-Браво-дель-Норте (включая Вест-Индию), и в Южной Америке*)

Latium [ˈleɪʃɪəm] *обл.* Ла́цио (*Италия*)

Latvia [ˈlætvɪə] *гос-во* Ла́твия, Latvian Republic [ˈlætvɪən...] Латви́йская Респу́блика (*Центральная Европа*)

Lau Islands [ˈlɑ:uˈaɪləndz] *о-ва* Ла́у (*о-ва Фиджи, Тихий ок., гос-во Фиджи*)

Launceston [ˈlɔ:nsestən] *г.* Ло́нсестон (*шт. Тасмания, Австралия*)

Laurentian Highlands [lɔ:ˈrenʃənˈhaɪləndz] Лаврента́йская возвы́шенность; *см.* Canadian Shield

Lausanne [lə(u)ˈzæn] *г.* Лоза́нна (*Швейцария*)

Lavongai [ləˈvɔ:ŋgaɪ] *о.* Лаво́нгай (*арх. Бисмарка, Тихий ок., Папуа-Новая Гвинея*)

Lawrence [ˈlɔ:rəns] *г.* Ло́ренс (*шт. Массачусетс, США*)

Lawton [ˈlɔ:tn] *г.* Ло́тон (*шт. Оклахома, США*)

Leamington I [ˈlemɪŋtən] *г.* Ле́мингтон (*граф. Уорикшир, Англия, Великобритания*)

Leamington II [ˈli:mɪŋtən] *г.* Ле́мингтон (*пров. Онтарио, Канада*)

Lebanon [ˈlebənən] *гос-во* Лива́н, Lebanese Republic [ˌlebəˈni:z...] Лива́нская Респу́блика (*Западная Азия*)

Lebanon Mountains [ˈlebənənˈmauntɪnz] *хр.* Лива́н (*Ливан*)

Leeds [li:dz] *г.* Лидс (*метроп. граф. Уэст-Йоркшир, Англия, Великобритания*)

Leeuwarden [ˈleɪvɑ:d(ə)n] *г.* Ле́уварден (*Нидерланды*)

Leeward Islands [ˈli:wədˈaɪləndz] Подве́тренные острова́ (*юж. группа Малых Антильских о-вов, Карибское м.*)

Leghorn [ˈleghɔ:n] *г.* Ливо́рно (*Италия*)

Legnica [legˈni:tsɑ:] *г.* Легни́ца (*Польша*)

Le Havre [ləˈɑ:vr] *г.* Гавр (*Франция*)

Leicester [ˈlestə] *г.* Ле́стер (*адм. центр граф. Лестершир, Англия, Великобритания*)

Leicestershire [ˈlestəʃɪə] *граф.* Ле́стершир (*Англия, Великобритания*)

Leiden [ˈlaɪdn] *г.* Ле́йден (*Нидерланды*)

Leinster [ˈlenstə] *ист. пров.* Ле́нстер (*Ирландия*)

Leipzig [ˈlaɪpsɪg] *г.* Ле́йпциг (*ФРГ*)

Leitrim [ˈli:trɪm] *граф.* Ли́трим (*Ирландия*)

Leix [li:ʃ] *граф.* Лишь (*Ирландия*)

Le Mans [ləˈmɑ:ŋ] *г.* Ле-Ман (*Франция*)

Lemnos [ˈlemnɔs] *о.* Ле́мнос (*Эгейское м., Греция*)

Lena [ˈljenə] *р.* Ле́на (*СССР*)

Leninabad [ˈlenɪnəˌbæd] *г.* Ленинаба́д; *см.* Khojend

Leninakan [ˌlenɪnɑ:ˈkɑ:n] *г.* Ленинака́н; *см.* Gumry

Leningrad [lenɪnˈgrɑ:d] *г.* Ленингра́д; *см.* Saint Petersburg II

Leninogorsk [ˈlenɪnəˌgɔ:rsk] *г.* Лениного́рск (*Восточно-Казах-*

станская обл., Казахская ССР, СССР)

Lenin Peak [ˈlenɪnˈpiːk] пик Ле́нина (*Заалайский хр., СССР*)

Leninsk-Kuznetski [ˈlenɪnskkuzˈnetskɪ] *г.* Ле́нинск-Кузне́цкий (*Кемеровская обл., РСФСР, СССР*)

Lenkoran [ˌleŋkəˈrɑːn] *г.* Ленкора́нь (*Азербайджанская ССР, СССР*)

León [le(ɪ)ˈɔːn] **1.** *г.* Лео́н (*Испания*); **2.** *г.* Лео́н (*Мексика*); **3.** *г.* Лео́н (*Никарагуа*); **4.** *ист. обл. и гос-во* Лео́н (*Испания*)

Leopold II, Lake [ˈleɪkˈliːə(u)pəuldðəˈsek(ə)nd] о́зеро Леопо́льда II; *см.* Mai Ndombe, Lake

Leopoldville [ˌleɪɔːˌpɔːldˈviːl, ˈliːə(u)pəuldvɪl] *г.* Леопольдви́ль; *см.* Kinshasa

Lepanto [lɪˈpæntəu] *г.* Лепа́нто; *см.* Návpaktos

Lepanto, Gulf of [ˈɡʌlfəvlɪˈpæntəu] = Corinth, Gulf of

Le Port [ləˈpɔː] *г.* Ле-Пор (*о. Реюньон*)

Lerwick [ˈləːwɪk] *г.* Ле́руик (*адм. центр обл. Шетланд, о. Мейнленд, Шотландия, Великобритания*)

Lesbos [ˈlezbɔs] *о.* Ле́сбос (*Эгейское м., Греция*)

Leskovac [ˈleskə(u)vɑːts] *г.* Ле́ковац (*Социалистическая Республика Сербия, Югославия*)

Lesotho [leˈsɔtə, lɪˈsuːtu] *гос-во* Лесо́то, Kingdom of Lesotho Короле́вство Лесо́то (*Южная Африка*)

Lesser Antilles [ˈlesərænˈtɪlɪz] Ма́лые Анти́льские острова́ (*Карибское м., Вест-Индия*)

Lesser Slave Lake [ˈlesəˈsleɪvˈleɪk] Ма́лое Нево́льничье о́зеро (*Канада*)

Lesser Sunda Isles [ˈlesəˈsʌndəˈaɪlz] Ма́лые Зо́ндские острова́ (*Малайский арх., Индонезия, Малайзия, Бруней и Тимор*)

Leuctra [ˈljuːktrə] *ист. г.* Ле́вктры (*в Беотии, Греция*)

Leukas [ˈljuːkəs] *о.* Лефка́с (*Ионические о-ва, Ионическое м., Греция*)

Levant [lɪˈvænt] Лева́нт (*общее назв. стран вост. части Средиземного м.*)

Leverkusen [ˌleɪvəˈkuːzən] *г.* Леверку́зен (*ФРГ*)

Levkás [lɛəˈkɑːs] = Leukas

Lewes [ˈljuːɪs] *г.* Лью́ис (*адм. центр граф. Восто́чный Суссекс, Англия, Великобритания*)

Lewis [ˈljuːɪs] *о.* Лью́ис (*арх. Гебридские о-ва, Атлантический ок., Великобритания*)

Lewiston [ˈljuːɪstən] *г.* Лью́истон (*шт. Мэн, США*)

Lexington [ˈleksɪŋtən] **1.** *г.* Ле́ксингтон (*шт. Кентукки, США*); **2.** *г.* Ле́ксингтон (*шт. Массачусетс, США*)

Leyden [ˈlaɪdn] = Leiden

Leyte [ˈleɪtɪ] *о.* Ле́йте (*Филиппины*)

Leyton [ˈleɪtn] *г.* Ле́йтон (*метроп. граф. Большой Лондон, Англия, Великобритания*)

Lhasa [ˈlɑːsə] *г.* Лха́са (*адм. центр Тибетского авт. р-на, Китай*)

Liao [lɪˈau] *р.* Ляохэ́ (*Китай*)

Liaodong [ˈljauˈdɔːŋ] Ляоду́нский полуо́стров (*на сев.-вост. Китая*)

Liaodong, Gulf of [ˈɡʌlfəvˈljauˈdɔːŋ] Ляоду́нский зали́в (*Жёлтое м., побережье Китая*)

Liaoning [ˈljauˈnɪŋ] *пров.* Ляони́н (*Китай*)

Liaotung, Gulf of [ˈɡʌlfəvlɪˈauˈduŋ] = Liaodong, Gulf of

Liaotung Peninsula [lɪˈauˈduŋpɪˈnɪnsjulə] = Liaodong

Liaoyang [ˈljauˈjɑːŋ] *г.* Ляоя́н (*пров. Ляонин, Китай*)

Liard [ˈliːɑːd] *р.* Ли́ард, Ла́йард (*Канада*)

Liberec [ˈlɪberets] *г.* Ли́берец (*Чехословакия*)

Liberia [laɪˈbɪərɪə] *гос-во* Либе́рия, Republic of Liberia Респу́блика Либе́рия (*Западная Африка*)

Libreville [ˌliːbrəˈviːl] *г.* Либреви́ль (*столица Габона*)

Libya [ˈlɪbɪə] *гос-во* Ли́вия, Socialist People's Libyan Arab Jamahiriya [...ˈlɪbɪən... dʒʌmʌhɪˈriːjə] Социалисти́ческая Наро́дная Ливи́йская Ара́бская Джамахири́я (*Северная Африка*)

Libyan Desert [ˈlɪbɪənˈdezət] Ливийская пустыня (*Ливия, Египет и Судан*)

Lidice [ˈlɪdɪsɪ] *ист. пос.* Лидице (*Чехословакия*)

Liechtenstein [ˈlɪhtənʃtaɪn, ˈlɪktənstaɪn] *гос-во* Лихтенштейн, Principality of Liechtenstein Княжество Лихтенштейн (*Центральная Европа*)

Liége [lɪˈeɪʒ] *г.* Льеж (*Бельгия*)

Liepāja [ləˈjepəjə] *г.* Лиепая (*Латвия*)

Lifford [ˈlɪfəd] *г.* Лиффорд (*адм. центр граф. Донегол, Ирландия*)

Liguria [lɪˈgju:ərɪə] *обл.* Лигурия (*Италия*)

Ligurian Sea [lɪˈgju:ərɪənˈsi:] Лигурийское море (*часть Средиземного м., у берегов Франции и Италии*)

Likasi [lɪˈkɑ:sɪ] *г.* Ликаси (*Заир*)

Lille [li:l] *г.* Лилль (*Франция*)

Lilongwe [lɪˈlɔŋgwə] *г.* Лилонг-ве (*столица Малави*)

Lima I [ˈli:mə] *г.* Лима (*столица Перу*)

Lima II [ˈlaɪmə] *г.* Лайма (*шт. Огайо, США*)

Limas(s)ol [lɪməˈsɔ:l] *г.* Лимасол (*Кипр*)

Limavady [ˌlɪməˈvædɪ] **1.** *окр.* Лимавади (*Северная Ирландия, Великобритания*); **2.** *г.* Лимавади (*адм. центр окр. Лимавади, Северная Ирландия, Великобритания*)

Limerick [ˈlɪmərɪk] **1.** *граф.* Лимерик (*Ирландия*); **2.** *г.* Лимерик (*адм. центр граф. Лимерик, Ирландия*)

Limoges [lɪˈməuʒ] *г.* Лимож (*Франция*)

Limón [lɪˈmɔ:n] *г.* Лимон (*Коста-Рика*)

Limpopo [lɪmˈpəupəu] *р.* Лимпопо (*ЮАР, Мозамбик, Ботсвана и Зимбабве*)

Linares [lɪˈnɑ:re(ɪ)s] **1.** *г.* Линарес (*Испания*); **2.** *г.* Линарес (*Чили*)

Lincoln [ˈlɪŋkən] **1.** *г.* Линкольн (*адм. центр шт. Небраска, США*); **2.** *г.* Линкольн (*адм. центр граф. Линкольншир, Англия, Великобритания*)

Lincolnshire [ˈlɪŋkənʃɪə] *граф.* Линкольншир (*Англия, Великобритания*)

Lincs [lɪŋks] *сокр. от* Lincolnshire

Line Islands [ˈlaɪnˈaɪləndz] *о-ва* Лайн (*Тихий ок., Полинезия, часть о-вов принадлежит Кирибати, часть — влад. США*)

Linköping [ˈlɪnˌtʃə:pɪŋ] *г.* Линчёпинг (*Швеция*)

Linlithgow [lɪnˈlɪθgəu] *г.* Линлитгоу (*обл. Лотиан, Шотландия, Великобритания*)

Linz [lɪnts] *г.* Линц (*Австрия*)

Lions, Gulf of [ˈgʌlfəvˈlaɪənz] Лионский залив (*Средиземное м., побережье Франции*)

Lipari Islands [ˈlɪpərɪˈaɪləndz] Липарские острова (*Тирренское м., Италия*)

Lipetsk [ˈli:petsk] *г.* Липецк (*центр Липецкой обл., РСФСР, СССР*)

Lisbon [ˈlɪzbən] *г.* Лис(с)абон (*столица Португалии*)

Lisburn [ˈlɪzbə:n] **1.** *окр.* Лисберн (*Северная Ирландия, Великобритания*); **2.** *г.* Лисберн (*окр. Лисберн, Северная Ирландия, Великобритания*)

Lisichansk [ˌlɪsɪˈtʃɑ:nsk] *г.* Лисичанск (*Луганская обл., Украинская ССР, СССР*)

Lithgow [ˈlɪθgəu] *г.* Литгоу (*шт. Новый Южный Уэльс, Австралия*)

Lithuania [ˌlɪθju(:)ˈeɪnjə] *гос-во* Литва, Lithuanian Republic [ˌlɪθju(:)ˈeɪnjən...] Литовская Республика (*Центральная Европа*)

Little Bahama Bank [ˈlɪtlbəˈhɑ:məˈbæŋk] Малая Багамская банка (*Багамские о-ва, Атлантический ок.*)

Little Belt [ˈlɪtlˈbelt] *прол.* Малый Бельт (*между п-овом Ютландия и о. Фюн, соединяет Балтийское м. с прол. Каттегат*)

Little Karroo [ˈlɪtlkəˈru:] *плато* Малое Кар(р)у (*ЮАР*)

Little Khingan Mountains [ˈlɪtlˈʃɪŋˈɑ:nˈmauntɪnz] *горы* Малый Хинган (*Китай*)

Little Minch [ˈlɪtlˈmɪntʃ] *прол.* Литл-Минч (*между о. Скай и Внешними Гебридскими о-вами, Великобритания*)

Little Missouri [ˈlɪtlmɪˈzuərɪ] *р.* Ма́лая Миссу́ри (*США*)

Little Rock [ˈlɪtlˈrɔk] *г.* Литл-Рок (*адм. центр шт. Арканзас, США*)

Little Saint Bernard [ˈlɪtl-seɪntbəːˈnɑːd] *пер.* Ма́лый Сен-Берна́р (*горн. сист. Альпы, на границе Франции и Италии*)

Liushung [ˈljuːˈʃuːŋ] — Lüshun

Liverpool [ˈlɪvəpuːl] *г.* Ли́верпул(ь) (*адм. центр метроп. граф. Мерсисайд, Англия, Великобритания*)

Livingstone [ˈlɪvɪŋstən] *г.* Ли́вингстон (*Замбия*)

Livingstone Falls [ˈlɪvɪŋstənˈfɔːlz] водопа́ды Ли́вингстона (*р. Конго, Заир*)

Livonia [lɪˈvəunɪə] *ист. обл.* Ливо́ния (*терр. совр. Латвии и Эстонии*)

Livorno [lɪˈvɔːnə(u)] = Leghorn

Lizard Head [ˈlɪzədˈhed] *мыс* Ли́зард (*п-ов Корнуолл, Великобритания*)

Ljubljana [ˈljuːbljɑːnɑː] *г.* Любля́на (*столица Республики Словения, Югославия*)

Llandrindod Wells [lænˈdrɪndɔd-ˈwelz] *г.* Лландри́ндод-Уэ́лс (*адм. центр граф. Поуис, Уэльс, Великобритания*)

Llandudno [lænˈdɪdnəu] *г.* Лланди́дно (*граф. Гуинет, Уэльс, Великобритания*)

Llanelly [læˈnelɪ] *г.* Ллане́лли (*граф. Дивед, Уэльс, Великобритания*)

Llangefni [lænˈgevnɪ] *г.* Ллланге́вни (*граф. Гуинет, Уэльс, Великобритания*)

Llano Estacado [ˈlænəuˌestə-ˈkɑːdəu] *плато* Лла́но-Эстака́до (*США*)

Llanos [ˈlɑːnəuz] *геогр. обл.* Лья́нос (*Колумбия и Венесуэла*)

Llullaillaco [ˌjuːjarˈjɑːkə(u)] *влк.* Льюльяйлья́ко (*горн. сист. Анды, на границе Чили и Аргентины*)

Loanda [ləuˈændə] = Luanda

Lobito [ˈləuˈbiːtəu] *г.* Лоби́ту (*Ангола*)

Locarno [ləuˈkɑːnəu] *г.* Лока́рно (*Швейцария*)

Łódź [luːʒ], **Lodz** [lɔːtsj] *г.* Лодзь (*Польша*)

Lofoten Islands [ˈləuˌfəut(ə)n-ˈaɪləndz] Лофоте́нские острова́ (*Норвежское м., Норвегия*)

Logan [ˈləugən] *г.* Ло́ган (*шт. Юта, США*)

Logan, Mount [ˈmauntˈləugən] *гора* Ло́ган (*горы Святого Ильи, Канада*)

Logone [ˌlɔːˈgɔːn] *р.* Луго́не (*Камерун и Чад*)

Loire [lwɑː] *р.* Луа́ра (*Франция*)

Lolland [ˈlɔlənd] *о.* Ло́лланн (*Балтийское м., Дания*)

Lomami [ləuˈmɑːmɪ] *р.* Лома́ми (*Заир*)

Lombardy [ˈlɔmbədɪ] *обл.* Ломба́рдия (*Италия*)

Lombok [lɔmˈbɔk] *о.* Ломбо́к (*Малые Зондские о-ва, Индонезия*)

Lomé [ˌlɔːˈmeɪ] *г.* Ломе́ (*столица Того*)

Lomond, Loch [lɔhˈləumənd] *оз.* Лох-Ло́монд (*Великобритания*)

Lomonosov [lɑˈmɔːnəsɔːv, ləmʌ-ˈnɔːsəf] *г.* Ломоно́сов (*Ленинградская обл., РСФСР, СССР*)

London [ˈlʌndən] **1.** *г.* Ло́ндон (*столица Великобритании*); **2.** *г.* Ло́ндон (*пров. Онтарио, Канада*)

Londonderry [ˌlʌndənˈderɪ] **2.** *окр.* Лондонде́рри (*Северная Ирландия, Великобритания*); **2.** *г.* Лондонде́рри (*адм. центр окр. Лондондерри, Северная Ирландия, Великобритания*)

Londrina [ləunˈdriːnə] *г.* Лондри́на (*Бразилия*)

Long Beach [ˈlɔŋˈbiːtʃ] *г.* Лонг-Бич (*шт. Калифорния, США*)

Longford [ˈlɔŋfəd] **1.** *граф.* Ло́нгфорд (*Ирландия*); **2.** *г.* Ло́нгфорд (*адм. центр граф. Лонгфорд, Ирландия*)

Long Island [ˈlɔŋˈaɪlənd] **1.** *о.* Лонг-А́йленд (*Атлантический ок., у вост. побережья США*); **2.** *о.* Лонг-А́йленд (*Атлантический ок., гос-во Багамские Острова*)

Long Strait [ˈlɔŋˈstreɪt] проли́в Ло́нга (*между о. Врангеля и берегом Азии, соединяет Восточно-Сибирское и Чукотское моря*)

Longview [ˈlɔŋˌvjuː] *г.* Ло́нгвью (*шт. Вашингтон, США*)

Longyear City [ˈlɔŋˌjɪəˈsɪtɪ] *г.*

Ло́нгйир (*о. Западный Шпицберген, Норвегия*)

Lopatka, Cape [ˈkeɪpləuˈpætkə] *мыс* Лопа́тка (*юж. оконечность п-ова Камчатка, СССР*)

Lop Nor [lɔ:pnɔ:] *оз.* Лобно́р (*Китай*)

Lorain [lə(u)ˈreɪn] *г.* Лоре́йн (*шт. Огайо, США*)

Lorient [ˌlɔ:ˈrjɑ:ŋ] *г.* Лорья́н (*Франция*)

Lorraine [ləˈreɪn] *ист. пров.* Лотари́нгия (*Франция*)

Los Alamos [lɔsˈæləməus] *г.* Лос-А́ламос (*шт. Нью-Мексико, США*)

Los Angeles [lɔsˈændʒələs] *г.* Лос-А́нджелес (*шт. Калифорния, США*)

Los Ángeles [lə(u)sˈɑ:ŋhe(ɪ)leɪs] *г.* Лос-А́нхелес (*Чили*)

Lota [ˈləutɑ:] *г.* Ло́та (*Чили*)

Lothian [ˈləuðɪən] *обл.* Ло́тиан (*Шотландия, Великобритания*)

Loughborough [ˈlʌfbərə] *г.* Ла́фборо (*граф. Лестершир, Англия, Великобритания*)

Lough Foyle [ˈlɔhˈfɔɪl] *зал.* Лох-Фойл (*Атлантический ок., побережье о. Ирландия*)

Louisiade Archipelago [ˌluɪzɪˈɑ:dˌɑ:kɪˈpelɪgəu] *арх.* Луизиа́да (*Коралловое м., Папуа-Новая Гвинея*)

Louisiana [ˌluɪzɪˈænə] *шт.* Луизиа́на (*США*)

Louisville [ˈlu:ɪvɪl] *г.* Лу́исвилл (*шт. Кентукки, США*)

Lourdes [ˈluɔd(z)] *г.* Лурд (*Франция*)

Lourenço Marques [ləuˈreɪŋsu:mə:ˈkeɪʃ] *г.* Лоре́нсу-Ма́ркиш; *см.* Maputo

Louth [lauθ] *граф.* Ла́ут (*Ирландия*)

Lovech [ˈlɔ:vetʃ] *г.* Ло́веч (*Болгария*)

Lowell [ˈləuəl] *г.* Ло́уэлл (*шт. Массачусетс, США*)

Lower California [ˈləuəˌkælɪˈfɔ:njə] *п-ов* Калифо́рния (*на зап. Северной Америки, Мексика*)

Lower Guinea [ˈləuəˈgɪnɪ] *геогр. обл.* Ни́жняя Гвине́я (*Центральная Африка*)

Lower Hutt [ˈləuəˈhʌt] *г.* Ло́уэр-Хатт (*о. Северный, Новая Зеландия*)

Lower Tunguska [ˈləuətunˈgu:skə] *р.* Ни́жняя Тунгу́ска (*СССР*)

Lowestoft [ˈləustɔft] *г.* Ло́устофт (*граф. Суффолк, Англия, Великобритания*)

Lowlands, the [ˈləuləndz] Среднешотла́ндская ни́зменность (*Великобритания*)

Loyalties [ˈlɔɪəltɪz] = Loyalty Islands

Loyalty Islands [ˈlɔɪəltɪˈaɪləndz] *о-ва* Луайоте́, Ло́ялти (*Тихий ок., влад. Франции*)

Loyang [ˈlɔ:ˈjɑ:ŋ] = Luoyang

Lualaba [ˌlu:əˈlɑ:bə] Луала́ба (*назв. верхнего теч. р. Конго, Заир*)

Luanda [lu:ˈændə] *г.* Луа́нда (*столица Анголы*)

Luang Prabang [ˈlwɑ:ŋprɑ:ˈbɑ:ŋ] *г.* Луангпраба́нг (*Лаос*)

Luanshya [lu:ˈɑ:nʃjɑ:] *г.* Луа́ншья (*Замбия*)

Lubbock [ˈlʌbək] *г.* Ла́ббок (*шт. Техас, США*)

Lübeck [ˈlju:bek] *г.* Лю́бек (*ФРГ*)

Lubin [ˈlu:bi:n] *г.* Лю́бин (*Польша*)

Lublin [ˈluɪbli:n] *г.* Лю́блин (*Польша*)

Lubumbashi [ˌlu:bu:mˈbɑ:ʃɪ] *г.* Лубумба́ши (*Заир*)

Lucca [ˈlu:kɑ:] *г.* Лу́кка (*Италия*)

Lucerne [lju:ˈsə:n] *г.* Люце́рн (*Швейцария*)

Luchow [ˈlu:ˈtʃəu] = Luzhou

Lucknow [ˈlʌknau] *г.* Лакхна́у (*адм. центр шт. Уттар-Прадеш, Индия*)

Lüderitz [ˈlu:dərɪts] *г.* Лю́дериц (*Намибия*)

Ludhiana [ˌlu:dhɪˈɑ:nə] *г.* Лудхия́на (*шт. Пенджаб, Индия*)

Ludwigshafen [ˈlu:dvɪgzˈhɑ:fən] *г.* Лю́двигсхафен (*ФРГ*)

Luga [ˈlu:gə] *г.* Лу́га (*Ленинградская обл., РСФСР, СССР*)

Lugano [lu:ˈgɑ:nə(u)] *г.* Луга́но (*Швейцария*)

Lugansk [lu:ˈgɑ:nsk] *г.* Луга́нск (*центр Луганской обл., Украинская ССР, СССР*)

Luleå [ˈlu:ləˌəu] *г.* Лу́лео (*Швеция*)

Lund [lʌnd] *г.* Лунд (*Швеция*)

Lundy Isle [ˈlʌndɪˈaɪl] *о.* Ла́нди (*Бристольский зал., Атлантический ок., Великобритания*)

Luoyang [ˈlwɔ:ˈjɑ:ŋ] *г.* Лоя́н (*пров. Хэнань, Китай*)

Luristan [ˌlurɪˈstɑ:n] *ист. обл.* Луриста́н (*Иран*)

Lusaka [lu:ˈsɑ:kə] *г.* Луса́ка (*столица Замбии*)

Lüshun [ˈlju:ˈʃu:n] *г.* Люйшу́нь (*пров. Ляонин, Китай*)

Lutetia [ljuˈti:ʃ(ɪ)ə] *ист.* Люте́ция (*древнее поселение на месте совр. Парижа*)

Luton [ˈlju:tn] *г.* Лу́тон (*граф. Бедфордшир, Англия, Великобритания*)

Lutsk [lu:tsk] *г.* Луцк (*центр Волынской обл., Украинская ССР, СССР*)

Luxembourg, Luxemburg [ˈlʌksəmbə:g] **1.** *гос-во* Люксембу́рг, Grand Duchy of Luxembourg [ˈgrændˈdʌtʃɪ...] Вели́кое Ге́рцогство Люксембу́рг (*Западная Европа*); **2.** *г.* Люксембу́рг (*столица Люксембурга*)

Luxor [ˈlʌksɔ:, ˈluksɔ:] *г.* Луксо́р (*Египет*)

Luzhou [ˈlu:ˈdʒəu] *г.* Лучжо́у (*пров. Сычуань, Китай*)

Luzon [lu:ˈzɔn] *о.* Лусо́н (*Филиппины*)

Lvov [ljˈvɔ:f] *г.* Львов (*центр Львовской обл., Украинская ССР, СССР*)

Lyallpur [ˈlaɪəlpuə] *г.* Лайалпу́р; *см.* Faisalabad

Lycia [ˈlɪʃɪə] *ист. страна* Ли́кия (*Малая Азия*)

Lydia [ˈlɪdɪə] *ист. страна* Ли́дия (*Малая Азия*)

Lyme Bay [ˈlaɪmˈbeɪ] *зал.* Лайм (*прол. Ла-Манш, Великобритания*)

Lynchburg [ˈlɪntʃbə:g] *г.* Ли́нчберг (*шт. Виргиния, США*)

Lynn [lɪn] *г.* Линн (*шт. Массачусетс, США*)

Lyons [ˌli:ˈɔ:ŋ, ˈlaɪənz] *г.* Лио́н (*Франция*)

Lyubertsy [ˈl(j)u:b(j)ertsɪ] *г.* Лю́берцы (*Московская обл., РСФСР, СССР*)

M

Maas [mɑ:s] *р.* Маа́с (*Бельгия, Нидерланды и Франция*)

Macao [məˈkau] Мака́о; *см.* Aomin 1

Macdonnell Ranges [məkˈdɔnlˈreɪndʒɪz] *горы* Макдо́ннелл (*Австралия*)

Macedonia [ˌmæsɪˈdəunɪə] **1.** Македо́ния, Socialist Republic of Macedonia Социалисти́ческая Респу́блика Македо́ния (*Югославия*); **2.** *ист. обл.* Македо́ния (*Югославия, Греция и Болгария*)

Maceió [ˌmɑ:seɪˈɔ:] *г.* Масейо́ (*Бразилия*)

Machu Picchu [ˈmɑ:tʃu:ˈpi:ktʃu:] *ист. крепость* Ма́чу-Пи́кчу (*Перу*)

Mackenzie [məˈkenzɪ] *р.* Мак(к)е́нзи (*Канада*)

Mackenzie Bay [məˈkenzɪˈbeɪ] *зал.* Мак(к)е́нзи (*м. Бофорта, побережье Канады*)

Mackenzie Mountains [məˈkenzɪˈmauntɪnz] *горы* Мак(к)е́нзи (*Канада*)

MacMurdo [məkˈmə:dəu] Мак-Ме́рдо (*науч. ст. США, Антарктида*)

Macon [ˈmeɪkən] *г.* Ме́йкон (*шт. Джорджия, США*)

MacRobertson Land [mækˈrɔbətsnˈlænd] Земля́ Мак-Ро́бертсона (*часть терр. Антарктиды*)

Madagascar [ˌmædəˈgæskə] **1.** *гос-во* Мадагаска́р, Democratic Republic of Madagascar Демократи́ческая Респу́блика Мадагаска́р (*на о. Мадагаскар, Индийский ок.*); **2.** *о.* Мадагаска́р (*Индийский ок., гос-во Мадагаскар*)

Madiera [məˈdɪərə] **1.** *о-ва* Маде́йра (*Атлантический ок., Португалия*); **2.** *о.* Маде́йра (*о-ва Мадейра, Атлантический ок., Португалия*); **3.** *р.* Маде́йра (*Бразилия и Боливия*)

Madhya Pradesh [ˈmʌdjəprəˈdeɪʃ] *шт.* Мáдья-Прáдеш (*Индия*)

Madison [ˈmædɪsn] *г.* Мáдисон (*адм. центр шт. Висконсин, США*)

Madiun [ˌmædɪˈu:n] *г.* Мадиýн (*о. Ява, Индонезия*)

Madoera [məˈduərə] = Madura

Madras [məˈdræs] **1.** *шт.* Мадрáс; *см.* Tamil Nadu; **2.** *г.* Мадрáс (*адм. центр шт. Тамилнад, Индия*)

Madrid [məˈdrɪd] *г.* Мадрид (*столица Испании*)

Madura [məˈduərə] *г.* Мадýра (*Большие Зондские о-ва, Яванское м., Индонезия*)

Madurai [ˌmʌduˈraɪ] *г.* Мадурáй (*шт. Тамилнад, Индия*)

Maebashi [mɑ:jebɑ:ʃɪ] *г.* Маэбáси (*о. Хонсю, Япония*)

Magadan [məgʌˈdɑ:n] *г.* Магадáн (*центр Магаданской обл., РСФСР, СССР*)

Magdalena [ˌmægdəˈli:nə] *р.* Магдалéна (*Колумбия*)

Magdeburg [ˈmægdəbə:g] *г.* Мáгдебург (*ФРГ*)

Magelang [ˌmɑ:gəˈlɑ:ŋ] *г.* Магелáнг (*о. Ява, Индонезия*)

Magellan, Strait of [ˈstreɪtəv-məˈgelən] Магеллáнов проли́в (*между Южной Америкой и арх. Огненная Земля*)

Mageröy [ˈmɑ:gəˌə:ju:] *о.* Мáгерёйа (*Северный Ледовитый ок., Норвегия*)

Maghreb, Maghrib [ˈmʌgrəb] Мáгриб (*регион в Африке, включающий Тунис, Алжир, Марокко*)

Magnitogorsk [mægˈni:tə(u)-gɔ:rsk] *г.* Магнитогóрск (*Челябинская обл., РСФСР, СССР*)

Mahanadi [məˈhɑ:nədɪ] *р.* Маханáди (*Индия*)

Maharashtra [məˈhɑ:ˈrɑ:ʃtrə] **1.** *шт.* Махарáштра (*Индия*); **2.** *ист. обл.* Махарáштра (*Индия*)

Mahé [mɑ:ˈheɪ] *о.* Маэ́ (*Индийский ок., гос-во Сейшельские Острова*)

Maidstone [ˈmeɪdstən] *г.* Мéйдстон (*адм. центр граф. Кент, Англия, Великобритания*)

Maikop [maɪˈkɔ:p] *г.* Майкóп (*центр Адыгейской АО, Краснодарский край, РСФСР, СССР*)

Main [meɪn] *р.* Майн (*ФРГ*)

Mai Ndombe, Lake [ˈleɪk-ˌmaɪenˈdɔ:mbɪ] *оз.* Маи-Ндóмбе (*Заир*)

Maine I [meɪn] *шт.* Мэн (*США*)

Maine II [meɪn] *ист. пров.* Мен (*Франция*)

Mainland [ˈmeɪnˌlænd] **1.** *о.* Мéйнленд (*Оркнейские о-ва, Атлантический ок., Великобритания*); **2.** *о.* Мéйнленд (*Шетландские о-ва, Атлантический ок., Великобритания*)

Mainz [maɪnts] *г.* Майнц (*ФРГ*)

Maiquetía [ˌmaɪkəˈti:ə] *г.* Майкети́я (*Венесуэла*)

Maizuru [maɪzuru] *г.* Мáйдзуру (*о. Хонсю, Япония*)

Majorca [məˈdʒɔ:kə] *о.* Мальóрка, Майóрка (*Балеарские о-ва, Средиземное м., Испания*)

Makassar [məˈkæsə] *г.* Макáсар; *см.* Ujung Pandang

Makassar Strait [məˈkæsəˈstreɪt] Макасáрский проли́в (*между о-вами Калимантан и Сулавеси, Индонезия*)

Makeyevka [mʌˈkeɪjəfkə] *г.* Макéевка (*Донецкая обл., Украинская ССР, СССР*)

Makhachkala [ˌmɑ:hɑ:tʃkɑ:ˈlɑ:] *г.* Махачкалá (*столица Дагестанской АССР, РСФСР, СССР*)

Malabar Coast [ˈmæləbɑ:ˈkəust] Малабáрский бéрег (*юго-зап. побережье п-ова Индостан, Индия*)

Malabo [məˈlɑ:bəu] *г.* Малáбо (*столица Экваториальной Гвинеи, о. Биоко*)

Malacca [məˈlækə] *г.* Малáкка (*Малайзия*)

Malacca, Strait of [ˈstreɪtəv-məˈlækə] Малáккский проли́в (*между п-овом Малакка и о. Суматра*)

Málaga [ˈmæləgə] *г.* Мáлага (*Испания*)

Malaita [məˈleɪtə] *о.* Малáита (*Тихий ок., гос-во Соломоновы Острова*)

Malang [mɑ:ˈlɑ:ŋ] *г.* Малáнг (*о. Ява, Индонезия*)

Mälaren [ˈmεəlɑ:rən] *оз.* Мéларен (*Швеция*)

Malatya [ˏmɑ:lɑ:ˊtjɑ:] *г.* Мала́тья (*Турция*)

Malawi [məˊlɑ:wɪ, mɑ:ˊlɑ:wɪ] *гос-во* Мала́ви, Republic of Malawi Респу́блика Мала́ви (*Восточная Африка*)

Malawi, Lake [ˊleɪkmɑ:ˊlɑ:wɪ] *оз.* Мала́ви; *см.* Nyas(s)a, Lake

Malaya [məˊleɪə] Мала́йя (*зап. часть Малайзии, на п-ове Малакка*)

Malay Archipelago [məˊleɪˏɑ:kɪˊpelɪgəu] Мала́йский архипела́г (*группа о-вов между Азией и Австралией, Индонезия, Малайзия и Филиппины*)

Malay Peninsula [məˊleɪpɪˊnɪnsjulə] *п-ов* Мала́кка (*юж. часть п-ова Индокитай, Азия*)

Malaysia [məˊleɪʒə] *гос-во* Мала́йзия (*Юго-Восточная Азия*)

Malden [ˊmɔ:ldən] **1.** *г.* Мо́лден (*шт. Массачусетс, США*); **2.** *о.* Мо́лден (*о-ва Лайн, Тихий ок., Кирибати*)

Maldive Islands [ˊmældaɪvˊaɪləndz] = Maldives 2

Maldives [ˊmældaɪvz] **1.** *гос-во* Мальди́вы, Republic of Maldives Мальди́вская Респу́блика (*на Мальдивских о-вах, Индийский ок.*); **2.** Мальди́вские острова́, Мальди́вы (*Индийский ок., гос-во Мальдивы*)

Male [ˊmɑ:leɪ] *г.* Ма́ле (*столица Мальдивской Республики*)

Malea, Cape [ˊkeɪpməˊli:ə] *мыс* Мале́я (*п-ов Пелопоннес, Греция*)

Mali [ˊmɑ:lɪ] *гос-во* Мали́, Republic of Mali Респу́блика Мали́ (*Западная Африка*)

Malines [mɑ:ˊli:n] *г.* Мали́н; *см.* Mechelen

Malin Head [ˊmælɪnˊhed] *мыс* Ма́лин-Хед (*о. Ирландия*)

Malmö [ˊmɑ:lˏmə:] *г.* Ма́льмё (*Швеция*)

Maloyaroslavets [ˏmɑ:ləˏjərʌˊslɑ:vjəts] *г.* Малояросла́вец (*Калужская обл., РСФСР, СССР*)

Malta [ˊmɔ:ltə] **1.** *гос-во* Ма́льта, Republic of Malta Респу́блика Ма́льта (*на о. Мальта и прилегающих о-вах, Средиземное м.*); **2.** *о.* Ма́льта (*Средиземное м., гос-во Мальта*)

Malta Channel [ˊmɔ:ltəˊtʃænl] Мальти́йский проли́в (*между о-вами Сицилия и Мальта, Средиземное м.*)

Malvinas Islands [mɑ:lˊvi:nɑ:sˊaɪləndz] Мальви́нские острова́; *см.* Falkland Islands

Mamberamo [ˏmɑ:mbe(ɪ)ˊrɑ:məu] *р.* Мамбера́мо (*о. Новая Гвинея, Индонезия*)

Mammoth Cave [ˊmæməθˊkeɪv] Ма́монтова пеще́ра (*горы Аппалачи, США*)

Mamoré [ˏmɑ:mə(u)ˊreɪ] *р.* Маморе́ (*Боливия и Бразилия*)

Manado [mɑ:ˊnɑ:dəu] *г.* Мана́до (*о. Сулавеси, Индонезия*)

Managua [məˊnɑ:gwə] *г.* Мана́гуа (*столица Никарагуа*)

Managua, Lake [ˊleɪkməˊnɑ:gwə] *оз.* Мана́гуа (*Никарагуа*)

Manama [mæˊnæmə] *г.* Мана́ма (*столица Бахрейна*)

Manaus [məˊnaus] *г.* Мана́ус (*Бразилия*)

Manchester [ˊmæntʃɪstə] **1.** *г.* Ма́нчестер (*адм. центр метроп. граф. Большой Манчестер, Англия, Великобритания*); **2.** *г.* Ма́нчестер (*шт. Нью-Гэмпшир, США*)

Manchester Ship Canal [ˊmæntʃɪstəˊʃɪpkəˊnæl] Манче́стерский кана́л (*соединяет г. Манчестер с Ирландским м., Великобритания*)

Manchuria [mænˊtʃuərɪə] *ист.* Маньчжу́рия (*наименование совр. сев.-вост. части Китая*)

Mandalay [ˊmændəˊleɪ] *г.* Мандала́й (*Мьянма*)

Mandal Gobi [ˊmɑ:ndɑ:lˊgəubɪ] *г.* Манда́лго́би (*Монголия*)

Mangalore [ˊmɑ:ŋgəˏləuə] *г.* Мангалу́ру (*шт. Карнатака, Индия*)

Mangishlak [ˏmɑ:ŋgɪʃˊlɑ:k] = Mangyshlak

Mangyshlak [ˏmɑ:ŋgɪʃˊlɑ:k] *п-ов* Мангышла́к (*сев.-вост. побережье Каспийского м., СССР*)

Manhattan [mænˊhætn] **1.** Манха́ттан (*р-н г. Нью-Йорк, США*); **2.** *о.* Манха́ттан (*р. Гудзон, США*)

Manila [məˊnɪlə] *г.* Мани́ла (*столица Филиппин, о. Лусон*)

Manipur [ˊmɑ:nɪpuə] *шт.* Мани́пу́р (*Индия*)

Man, Isle of [ˈaɪləvˈmæn] *о.* Мэн (*Ирландское м., Великобритания*)

Manitoba [ˌmænɪˈtəubə] *пров.* Манито́ба (*Канада*)

Manitoba, Lake [ˈleɪkˌmænɪˈtəubə] *оз.* Манито́ба (*Канада*)

Manitoulin Island [ˌmænɪˈtu:lɪnˈaɪlənd] *о.* Маниту́лин (*оз. Гурон, Канада*)

Manitowoc [ˈmænɪtə(u)ˌwɔk] *г.* Манитово́к (*шт. Висконсин, США*)

Manizales [ˌmænɪˈzɑ:ləs] *г.* Маниса́лес (*Колумбия*)

Mannar, Gulf of [ˈgʌlfəvməˈnɑ:] Мана́рский зали́в (*Индийский ок., побережье п-ова Индостан*)

Mannheim [ˈmænhaɪm, ˈmɑ:nhaɪm] *г.* Ма́нгейм (*ФРГ*)

Mansfield [ˈmænzfi:ld] **1.** *г.* Ма́нсфилд (*граф. Ноттингемшир, Англия, Великобритания*); **2.** *г.* Ма́нсфилд (*шт. Виктория, Австралия*)

Mantinea [ˌmæntɪˈni:ə] *ист. г.* Мантине́я (*п-ов Пелопоннес, Греция*)

Mantua [ˈmæntʃəwə] *г.* Ма́нтуя (*Италия*)

Manua Islands [məˈnu:əˈaɪləndz] *о-ва* Ману́а (*Тихий ок., Восточное Самоа, влад. США*)

Manus [ˈmɑ:nu:s] *о.* Ма́нус (*о-ва Адмиралтейства, Тихий ок., Папуа-Новая Гвинея*)

Manzanillo [ˌmɑ:nsɑ:ˈni:jə(u)] *г.* Мансани́льо (*Куба*)

Maputo [məˈpu:təu] *г.* Мапу́ту (*столица Мозамбика*)

Maracaibo [ˌmærəˈkaɪbəu] *г.* Марака́йбо (*Венесуэла*)

Maracaibo, Gulf of [ˈgʌlfəvˌmærəˈkaɪbəu] *зал.* Марака́йбо; *см.* Venezuela, Gulf of

Maracaibo, Lake [ˈleɪkˌmærəˈkaɪbəu] *оз.* Марака́йбо (*Венесуэла*)

Maracay [ˌmɑ:rəˈkaɪ] *г.* Марака́й (*Венесуэла*)

Maradi [məˈrɑ:dɪ] *г.* Маради́ (*Нигер*)

Marañón [ˌmɑ:rɑ:ˈnjɔ:n] *р.* Мараньо́н (*Перу*)

Maraş, Marash [mɑ:ˈrɑ:ʃ] *г.* Мара́ш (*Турция*)

Marathon [ˈmærəθɔn] **1.** *г.* Марафо́н (*Греция*); **2.** *ист. селение* Марафо́н (*в Аттике, Греция*)

Marburg [ˈmɑ:bə:g], **Marburg an der Lahn** [ˈmɑ:bə:gɑ:nderˈlɑ:n] *г.* Ма́рбург, Ма́рбург-ан-дер-Лан (*ФРГ*)

March [mɑ:tʃ] *г.* Марч (*граф. Кембриджшир, Англия, Великобритания*)

Marche [mɑ:ʃ] *ист. пров.* Марш (*Франция*)

Mardan [ˈmɑ:dæn] *г.* Марда́н (*Пакистан*)

Mar del Plata [ˌmɑ:delˈplɑ:tə] *г.* Мар-дель-Пла́та (*Аргентина*)

Mare Nostrum [ˈmeɪri:ˈnɔstrəm] *ист.* Средизе́мное мо́ре

Margarita [ˌmɑ:gaˈri:tə] *о.* Марга́рита (*Карибское м., Венесуэла*)

Margate [ˈmɑ:gɪt] *г.* Ма́ргит (*граф. Кент, Англия, Великобритания*)

Margelan [ˌmɑ:gəˈlɑ:n] = Margilan

Margilan [ˌmɑ:gəˈlɑ:n] *г.* Маргила́н (*Ферганская обл., Узбекская ССР, СССР*)

Mariana Islands [ˌmɛərɪˈænəˈaɪləndz], **Marianas** [ˌmɛərɪˈænəz] Мариа́нские острова́ (*Тихий ок., Микронезия, опека ООН*)

Mariana Trench [ˌmɛərɪˈænəˈtrentʃ] Мариа́нский жёлоб (*Тихий ок.*)

Mari Autonomous Soviet Socialist Republic [ˈmɑ:rɪɔ:ˈtɔnəməsˈsəuvɪetˈsəuʃəlɪstɪrˈpʌblɪk] Мари́йская Автоно́мная Сове́тская Социалисти́ческая Респу́блика (*РСФСР, СССР*)

Maribor [ˈmɑ:rɪbə(u)] *г.* Ма́рибор (*Республика Словения, Югославия*)

Marie Byrd Land [məˈri:ˈbə:dˈlænd] Земля́ Мэ́ри Бэрд (*часть терр. Антарктиды*)

Maritime Alps [ˈmærɪtaɪmˈælps] *горы* Примо́рские А́льпы (*Франция и Италия*)

Maritime Territory [ˈmærɪtaɪmˈterɪt(ə)rɪ] = Primorski Krai

Maritsa [mɑ:ˈri:tsɑ:] *р.* Мари́ца (*Болгария, Греция и Турция*)

Mariupol [ˌmærɪˈu:pɔ:l] *г.* Мариу́поль (*Донецкая обл., Украинская ССР, СССР*)

Marlborough [ˈmɑ:lb(ə)rə, ˈmɔ:lb(ə)rə] *стат. р-н* Ма́рлборо (*Новая Зеландия, о. Южный*)

Marmara, Sea of [ˈsi:əvˈmɑ:m(ə)rə] Мра́морное мо́ре (*между Европой и Малой Азией*)

Marne [mɑ:n] *р.* Ма́рна (*Франция*)

Marquesas Islands [mɑ:ˈkeɪzəsˈaɪləndz] Марки́зские острова́ (*Тихий ок., Полинезия, влад. Франции*)

Marrakech, Marrakesh [məˈrɑ:keʃ] *г.* Марра́ке́ш (*Марокко*)

Marroquí, Point [ˈpɔɪntˌmɑ:rə(u)ˈki:] *мыс* Марроки́ (*крайняя юж. точка Европы, Испания*)

Marsala [mɑ:ˈsɑ:lɑ:] *г.* Марса́ла (*о. Сицилия, Италия*)

Marseilles [mɑ:ˈseɪlz] *г.* Марсе́ль (*Франция*)

Marshall [ˈmɑ:ʃəl] *г.* Ма́ршалл (*шт. Техас, США*)

Marshall Islands [ˈmɑ:ʃəlˈaɪləndz] Марша́лловы острова́ (*Тихий ок., Микронезия, опека ООН*)

Martaban, Gulf of [ˈɡʌlfəvˌmɑ:təˈbɑ:n] *зал.* Моутама́, Мартаба́н (*Андаманское м., Мьянма*)

Martinique [ˌmɑ:tɪˈni:k] *о.* Марти́ника (*Малые Антильские о-ва, Атлантический ок., влад. Франции*)

Martinique Passage [ˌmɑ:tɪˈni:kˈpæsɪdʒ] *прол.* Марти́ника (*между о-вами Доминика и Мартиника, Малые Антильские о-ва*)

Mary [mɑ:ˈri:] *г.* Мары́ (*центр Марыйской обл., Туркменская ССР, СССР*)

Maryborough [ˈmɛərɪbərə] **1.** *г.* Мэ́риборо (*шт. Квинсленд, Австралия*); **2.** *г.* Мэ́риборо (*шт. Виктория, Австралия*); **3.** *г.* Мэ́риборо; *см.* Port Laoighise

Maryland [ˈmɛərɪlənd, ˈmerɪlənd] *шт.* Мэ́риленд (*США*)

Masan [mɑ:sɑ:n] *г.* Маса́н (*Республика Корея*)

Masbate [mɑ:sˈbɑ:te(ɪ)] **1.** *г.* Масба́те (*о. Масбате, Филиппины*); **2.** *о.* Масба́те (*Филиппины*)

Mascarene Islands [ˈmæskəri:nˈaɪləndz] Маскаре́нские острова́ (*Индийский ок., вост. часть — гос-во Маврикий, зап. часть, о. Реюньон — влад. Франции*)

Maseru [ˈmæzəru:] *г.* Ма́серу (*столица Лесото*)

Mashhad [məˈʃæd] *г.* Мешхе́д (*Иран*)

Mask, Lough [lɔhˈmɑ:sk] *оз.* Лох-Маск (*Ирландия*)

Mason City [ˈmeɪsnˈsɪtɪ] *г.* Ме́йсон-Си́ти (*шт. Айова, США*)

Masqat [ˈmʌskæt] *г.* Маска́т (*столица Омана*)

Massa [ˈmɑ:sɑ:] *г.* Ма́сса (*Италия*)

Massachusetts [ˌmæsəˈtʃu:sets] *шт.* Массачу́сетс (*США*)

Massachusetts Bay [ˌmæsəˈtʃu:setsˈbeɪ] *зал.* Массачу́сетс (*Атлантический ок., побережье США*)

Massif Central [mæˌsi:fsenˈtrɑ:l] *горн. массив* Центра́льный масси́в (*Франция*)

Masurian Lakes [məˈzurɪənˈleɪks] Мазу́рские озёра (*Польша*)

Matadi [məˈtɑ:dɪ] *г.* Мата́ди (*Заир*)

Matagalpa [ˌmætəˈɡælpə] *г.* Мата́гальпа (*Никарагуа*)

Matamoros [ˌmætəˈməurəs] *г.* Матамо́рос (*Мексика*)

Matanzas [məˈtænzəs] *г.* Мата́нсас (*Куба*)

Matochkin Shar [ˈmɑ:tətʃkɪnˈʃɑ:r] = Matochkin Strait

Matochkin Strait [ˈmɑ:tətʃkɪnˈstreɪt] *прол.* Ма́точкин Шар (*между Северным и Южным о-вами Новой Земли, соединяет Баренцево и Карское моря*)

Mato Grosso, Plateau of [ˈplætəuəvˈmɑ:tu:ˈɡrəusu:] *плато* Ма́ту-Гро́су (*Бразилия*)

Matsudo [mɑ:tˈsu:dəu] *г.* Мацу́до (*о. Хонсю, Япония*)

Matsumoto [mɑ:tsumə(u)tə(u)] *г.* Мацумо́то (*о. Хонсю, Япония*)

Matsuyama [mɑ:tsujɑ:mɑ:] *г.* Мацуя́ма (*о. Сикоку, Япония*)

Matterhorn [ˈmætəhɔ:n] *гора* Ма́ттерхорн (*горн. сист. Альпы, на границе Швейцарии и Италии*)

Maui [ˈmauɪ] *о.* Ма́уи (*Гавайские о-ва, Тихий ок., США*)

Mauna Kea [ˈmaunɑ:ˈkeɪɑ:] *влк.* Ма́уна-Ке́а (*о. Гавайи, США*)

Mauna Loa [ˈmaunɑːˈləuɑː] *влк.* Мáуна-Лóа (*о. Гавайи, США*)

Mauritania [ˌmɔːrɪˈteɪnɪə] *гос-во* Мавритáния, Islamic Republic of Mauritania [ɪzˈlæmɪk...] Ислáмская Респýблика Мавритáния (*Северо-Западная Африка*)

Mauritius [mɔːˈrɪʃɪəs] **1.** *гос-во* Маврúкий (*на о. Маврикий и ряде о-вов в зап. части Индийского ок.*); **2.** *о.* Маврúкий (*Маскаренские о-ва, Индийский ок., гос-во Маврикий*)

Mauthausen [ˈmautˌhauzən] *г.* Мáутхаузен (*Австрия*)

Mawson [ˈmɔːsən] Мóусон (*науч. ст. Австралии, Антарктида*)

Mayagüez [ˌmɑːjɑːˈgweɪs] *г.* Маягуэ́с (*о. Пуэрто-Рико, Большие Антильские о-ва*)

Mayo [ˈmeɪəu] *граф.* Мéйо (*Ирландия*)

Mazar-i-Sharif [mɑːˈzɑːrɪʃɑːˈriːf] *г.* Мазáри-Шарúф (*Афганистан*)

Mbabane [ˌmbɑːˈbɑːn] *г.* Мбабáне (*столица Свазиленда*)

Mbandaka [ˌembɑːnˈdɑːkə] *г.* Мбандáка (*Заир*)

Mbuji-Mayi [emˈbuːdʒɪˌmaɪiː] *г.* Мбýжи-Мáйи (*Заир*)

McClure Strait [məˈkluəˈstreɪt] = M'Clure Strait

McKeesport [məˈkiːzpɔːt] *г.* Мак-Кúспорт (*шт. Пенсильвания, США*)

McKinley, Mount [ˈmauntməˈkɪnlɪ] *гора* Мак-Кúнли (*Аляскинский хр., США*)

M'Clintock Channel [məˈklɪntəkˈtʃænl] *прол.* Мак-Клúнток (*между о-вами Принца Уэльского и Виктория, Канадский Арктический арх.*)

M'Clure Strait [məˈkluəˈstreɪt] *прол.* Мак-Клур (*между о-вами Банкс и Мелвилл, Канадский Арктический арх.*)

Mead, Lake [ˈleɪkˈmiːd] *вдхр.* Мид (*США*)

Meath [miːθ] *граф.* Мит (*Ирландия*)

Mecca [ˈmekə] *г.* Мéкка (*Саудовская Аравия*)

Mechelen [ˈmekələn], **Mechlin** [ˈmeklɪn] *г.* Мéхелен (*Бельгия*)

Mecklenburg [ˈmeklənbəːg] *ист. обл.* Мéкленбург (*ФРГ*)

Mecklenburg, Bay of [ˈbeɪəvˈmeklənbɑːg] Мекленбýргская бýхта (*Балтийское м., ФРГ*)

Medan [me(ɪ)ˈdɑːn] *г.* Медáн (*о. Суматра, Индонезия*)

Médéa [ˌmeɪdeɪˈɑː] *г.* Медеá (*Алжир*)

Medellín [ˌmedlˈiːn, ˌmeɪðə(ɪ)ˈjiːn] *г.* Медельúн (*Колумбия*)

Medford [ˈmedfəd] *г.* Мéдфорд (*шт. Массачусетс, США*)

Media [ˈmiːdɪə] *ист. обл.* Мúдия (*Малая Азия*)

Mediaş [medˈjɑːʃ] *г.* Медиáш (*Румыния*)

Medina [məˈdiːnə] *г.* Медúна (*Саудовская Аравия*)

Mediterranean Sea [ˌmedɪtəˈreɪnjənˈsiː] Средизéмное мóре (*Атлантический ок., между Евразией и Африкой*)

Meghalaya [ˌmehəˈlɑːɪə] *шт.* Мегхалáя (*Индия*)

Megiddo [mɪˈgɪdəu] *ист. г.* Мегúддо (*в Палестине*)

Meissen [ˈmaɪs(ə)n] *г.* Мáйсен (*ФРГ*)

Meknes [mekˈnes] *г.* Мекнéс (*Марокко*)

Mekong [meɪˈkɔːŋ] *р.* Мекóнг (*Юго-Восточная Азия*)

Melanesia [ˌmeləˈniːʒə] Меланéзия (*общее назв. о-вов в юго-зап. части Тихого ок.*)

Melbourne [ˈmelbən] *г.* Мéльбурн (*адм. центр шт. Виктория, Австралия*)

Melilla [me(ɪ)ˈliː(l)jɑː] *г.* Мелúлья (*влад. Испании на терр. Марокко*)

Melitopol [ˌmelɪˈtɔːp(ə)l] *г.* Мелитóполь (*Запорожская обл., Украинская ССР, СССР*)

Melos [ˈmiːlɔs] *о.* Мúлос (*арх. Киклады, Эгейское м., Греция*)

Melville Island [ˈmelvɪlˈaɪlənd] **1.** *о.* Мéлвилл (*Канадский Арктический арх., Канада*); **2.** *о.* Мéлвилл (*Тиморское м., Австралия*)

Melville, Lake [ˈleɪkˈmelvɪl] *оз.* Мéлвилл (*Канада*)

Melville Peninsula [ˈmelvɪlpɪˈnɪnsjulə] *п-ов* Мéлвилл (*Канада*)

Memphis I [ˈmemfɪs] *г.* Мéмфис (*шт. Теннесси, США*)

Memphis II [ˈmemfɪs] *ист. г.* Мéмфи́с (*Египет*)

Menam [mi:ˈnæm] *р.* Менáм; *см.* Chao Phraya

Mendoza [menˈdəuzə] *г.* Мендóса (*Аргентина*)

Mentawai [menˈtɑ:waɪ] *о-ва* Ментáвай (*Индийский ок., Индонезия*)

Mercia [ˈmə:ʃɪə] *ист. англосакс. кор-во* Мéрсия (*Великобритания*)

Mergui [mə:ˈgwi:] *г.* Мьей, Мергуи́ (*Мьянма*)

Mergui Archipelago [mə:ˈgwi:ˌɑ:kɪˈpelɪgəu] *арх.* Мьей, Мергуи́ (*Андаманское м., Мьянма*)

Mérida [ˈmerɪdə,ˈmeɪrɪðɑ:] **1.** *г.* Мéрида (*Мексика*); **2.** *г.* Мéрида (*Венесуэла*)

Meriden [ˈmerɪd(ə)n] *г.* Мéриден (*шт. Коннектикут, США*)

Meridian [məˈrɪdɪən] *г.* Мери́диан (*шт. Миссисипи, США*)

Meroë [ˈmerə(u)i:] *г.* Мерóэ (*Судан*)

Mersey [ˈmə:zɪ] *р.* Мéрси (*Великобритания*)

Merseyside [ˈmə:zɪsaɪd] *метроп. граф.* Мéрсисайд (*Англия, Великобритания*)

Mersin [merˈsi:n] *г.* Мерси́н (*Турция*)

Merthyr Tydfil [ˈmə:θəˈtɪdvɪl] *г.* Мéртир-Ти́двил (*граф. Мид-Гламорган, Уэльс, Великобритания*)

Meru, Mount [ˈmauntˈmeɪru:] *влк.* Мéру (*Танзания*)

Merv [mɛəv] *ист. г.* Мерв (*в Средней Азии, Туркменская ССР, СССР*)

Meshed [məˈʃed] = Mashhad

Mesopotamia [ˌmesə(u)pə(u)ˈteɪmɪə] *ист. обл.* Месопотáмия, Двурéчье (*Западная Азия*)

Messina [məˈsi:nə] *г.* Месси́на (*о. Сицилия, Италия*)

Messina, Strait of [ˈstreɪtəvməˈsi:nə] Месси́нский проли́в (*между Апеннинским п-овом и о. Сицилия, Средиземное м.*)

Meta [ˈmeɪtə] *р.* Мéта (*Колумбия и Венесуэла*)

Metz [mets] *г.* Мец (*Франция*)

Meuse [mju:z, mə:z] *р.* Мёз; *см.* Maas

Mexicali [ˌmeksɪˈkælɪ] *г.* Мехикáли (*Мексика*)

Mexican Plateau [ˈmeksɪkənˈplætəu] = Mexico, Plateau of

Mexico [ˈmeksɪkəu] *гос-во* Мéксика, United Mexican States [...ˈmeksɪkən...] Мексикáнские Соединённые Штáты (*Северная Америка*)

Mexico (City) [ˈmeksɪkəu(ˈsɪtɪ)] *г.* Мéхико (*столица Мексики*)

Mexico, Gulf of [ˈgʌlfəvˈmeksɪkəu] Мексикáнский зали́в (*Атлантический ок., побережье Северной Америки*)

Mexico, Plateau of [ˈplætəuəvˈmeksɪkəu] Мексикáнское нагóрье (*Мексика и США*)

Mezen [meɪzn] *р.* Мезéнь (*СССР*)

Mezen Gulf [ˈmeɪznˈgʌlf] Мезéнская губá (*Белое м., СССР*)

Miami [maɪˈæmɪ] *г.* Майáми (*шт. Флорида, США*)

Miami Beach [maɪˈæmɪˈbi:tʃ] *г.* Майáми-Бич (*шт. Флорида, США*)

Miass [mi:ˈɑ:s] *г.* Миáсс (*Челябинская обл., РСФСР, СССР*)

Michigan [ˈmɪʃɪgən] *шт.* Мичигáн (*США*)

Michigan, Lake [ˈleɪkˈmɪʃɪgən] *оз.* Мичигáн (*США*)

Michurinsk [mi:ˈtʃurɪnsk] *г.* Мичýринск (*Тамбовская обл., РСФСР, СССР*)

Micronesia [ˌmaɪkrə(u)ˈni:ʒə] Микронéзия (*общее назв. о-вов в зап. части Тихого ок.*)

Middelburg [ˈmɪdlbə:g] *г.* Ми́делбург (*Нидерланды*)

Middle East [ˈmɪdlˈi:st] Срéдний Востóк (*условное назв. стран Ближнего Востока вместе с Ираном и Афганистаном, Азия*)

Middlesbrough [ˈmɪdlzbrə] *г.* Ми́длсбро (*адм. центр граф. Кливленд, Англия, Великобритания*)

Middletown [ˈmɪdltaun] *г.* Ми́длтаун (*шт. Огайо, США*)

Mid Glamorgan [ˌmɪdgləˈmɔ:gən] *граф.* Мид-Гламóрган (*Уэльс, Великобритания*)

Midland [ˈmɪdlənd] *г.* Ми́дленд (*шт. Техас, США*)

Midlands, the [ˈmɪdləndz] Ми́длендс (*центр. графства Англии, Великобритания*)

Midway Islands [ˊmɪdweɪˊaɪləndz] *атолл* Ми́дуэй (*Гавайские о-ва, Тихий ок., США*)

Milan [mɪˊlæn] *г.* Мила́н (*Италия*)

Miletus [maɪˊli:təs] *ист. г.* Миле́т (*в Ионии, Малая Азия*)

Milwaukee [mɪlˊwɔ:ki(:)] *г.* Милуо́ки (*шт. Висконсин, США*)

Minas de Ríotinto [ˊmi:nəsdeɪˌri:əuˊti:ntəu] *г.* Ми́нас-де-Рио-ти́нто (*Испания*)

Minatitlán [ˌmi:nɑ:tɪˊtlɑ:n] *г.* Минатитла́н (*Мексика*)

Mindanao [ˌmɪndəˊnɑ:ə(u)] *о.* Минданáо (*Филиппины*)

Mindanao Sea [ˌmɪndəˊnɑ:ə(u)ˊsi:] мо́ре Минданáо (*Филиппины*)

Mindello [mi:ŋˊdɛəlu:] *г.* Минде́лу (*Кабо-Верде*)

Mindoro [mɪnˊdəurəu] *о.* Миндо́ро (*Филиппины*)

Mingrelia [mɪnˊgri:lɪə,mɪŋˊgri:lɪə] *ист. обл.* Мегре́лия, Мингре́лия (*Грузинская ССР, СССР*)

Minneapolis [ˌmɪnɪˊæpəlɪs] *г.* Миннеа́полис (*шт. Миннесота, США*)

Minnesota [ˌmɪnəˊsəutə] *шт.* Миннесо́та (*США*)

Minorca [mɪˊnɔ:kə] *о.* Мено́рка (*Балеарские о-ва, Средиземное м., Испания*)

Minot [ˊmaɪnɔt] *г.* Ма́йнот (*шт Северная Дакота, США*)

Minsk [mɪnsk] *г.* Минск (*столица Белорусской ССР, СССР*)

Minusinsk [mɪnuˊsɪnsk] *г.* Минуси́нск (*Красноярский край, РСФСР, СССР*)

Miri [ˊmi:rɪ] *г.* Ми́ри (*о. Калимантан, Малайзия*)

Mirim, Lake [ˊleɪkmɪˊri:ŋ] *оз.* Лаго́а-Мири́н (*Бразилия и Уругвай*)

Mirny [ˊmi:rnɪ] **1.** *г.* Ми́рный (*Якутская АССР, РСФСР, СССР*); **2.** Ми́рный (*науч. ст. СССР, Антарктида*)

Mishawaka [ˌmɪʃəˊwɔ:kə] *г.* Мишаво́ка (*шт. Индиана, США*)

Mishikamau Lake [ˊmɪʃɪkəˌmɔ:ˊleɪk] *оз.* Мишика́мо (*Канада*)

Miskolc [ˊmɪʃkə(u)lts] *г.* Ми́школьц (*Венгрия*)

Mississippi [ˌmɪsɪˊsɪpɪ] **1.** *шт.* Миссиси́пи (*США*); **2.** *р.* Миссиси́пи (*США*)

Missoula [mɪˊzu:lə] *г.* Мизу́ла (*шт. Монтана, США*)

Missouri [mɪˊzuərɪ] **1.** *шт.* Миссу́ри (*США*); **2.** *р.* Миссу́ри (*США*)

Missouri Plateau [mɪˊzuərɪˊplætəu] *плато* Миссу́ри (*США и Канада*)

Mistassini [ˌmɪstəˊsi:nɪ] *оз.* Мистасси́ни (*Канада*)

Mitaka [mɪˊtɑ:kə] *г.* Мита́ка (*о. Хонсю, Япония*)

Mitchell, Mount [ˊmauntˊmɪtʃəl] *гора* Ми́тчелл (*горы Аппалачи, США*)

Miyazaki [mɪjɑ:zɑ:kɪ] *г.* Мияд-за́ки (*о. Кюсю, Япония*)

Mizen Head [ˊmɪz(ə)nˊhed] *мыс* Ми́зен-Хед (*о. Ирландия*)

Mizoram [mɪˊzɔ:rəm] *шт.* Мизора́м (*Индия*)

Mjösa [ˊmjə:sɑ:] *оз.* Мьёса (*Норвегия*)

Mladá Boleslav [ˊmlɑ:dɑ:ˊbɔ:ləslɑ:f] *г.* Мла́да-Бо́леслав (*Чехословакия*)

Moa [ˊməuə] *г.* Мо́а (*Куба*)

Moab [ˊməuæb] *ист. страна* Моа́в (*на вост. берегу р. Иордан и побережье Мёртвого м.*)

Mobile [mə(u)ˊbi:l] **1.** *г.* Моби́л (*шт. Алабама, США*); **2.** *р.* Моби́л (*США*)

Mobutu Sese Seko, Lake [ˊleɪkməuˊbu:tu:ˊseseɪˊsekəu] *оз.* Мобу́ту-Се́се-Се́ко (*Заир и Уганда*)

Mocha [ˊməukə] *г.* Мо́ха, Мо́кка (*Йемен*)

Modena [ˊmɔ:dnə] *г.* Моде́на (*Италия*)

Moesia [ˊmi:ʃɪə] *ист. обл.* Мёзия (*Восточная Европа*)

Mogadiscio [ˌmɔgəˊdɪʃəu], **Mogadishu** [ˌmɔgəˊdɪʃu:] *г.* Могади́шо (*столица Сомали*)

Mogilev [ˊmɔgɪlef] *г.* Могилёв (*центр Могилёвской обл., Белорусская ССР, СССР*)

Mohammedia [məuˌhæməˊdjɑ:] *г.* Мохаммеди́я (*Марокко*)

Mohave (*или* **Mojave**) **Desert** [mə(u)ˊhɑ:vɪˊdezət] *пуст.* Моха́ве (*США*)

Mokpo [ˊmɔkpəu] *г.* Мокпхо́ (*Республика Корея*)

Moldavia [mɔl'deɪvjə] Молда́вия; *см.* Moldova

Moldova [mɔ:l'dɔ:vɑ:] Молдо́ва, **Soviet Socialist Republic of Moldova** Сове́тская Социалисти́ческая Респу́блика Молдо́ва (*на юго-зап. СССР*)

Moluccas [mə(u)'lʌkəs] Молу́ккские острова́ (*Малайский арх., Индонезия*)

Molucca Sea [mə(u)'lʌkə'si:] Молу́ккское мо́ре (*Тихий ок., между о. Сулавеси и Молуккскими овами, Индонезия*)

Mombasa [mɔm'bɑ:sə] *г.* Момба́са (*Кения*)

Monaco ['mɔnəkəu] **1.** *гос-во* Мона́ко, Principality of Monaco Кня́жество Мона́ко (*Западная Европа*); **2.** *г.* Мона́ко (*столица Монако*)

Monaghan ['mɔnəhən] **1.** *граф.* Мо́нахан (*Ирландия*); **2.** *г.* Мо́нахан (*адм. центр граф. Монахан, Ирландия*)

Mona Passage ['məunə'pæsɪdʒ] *прол.* Мо́на (*между о-вами Гаити и Пуэрто-Рико, Большие Антильские о-ва*)

Monchegorsk ['mɔntʃə'gɔ:rsk] *г.* Мончего́рск (*Мурманская обл., РСФСР, СССР*)

Moncton ['mʌŋktən] *г.* Мо́нктон (*пров. Нью-Брансуик, Канада*)

Mongolia [mɔŋ'gəuljə] *гос-во* Монго́лия, Mongolian People's Republic [mɔŋ'gəuljən...] Монго́льская Наро́дная Респу́блика (*Центральная Азия*)

Mongolian Altai [mɔŋ'gəuljənʌl'taɪ] *горн. сист.* Монго́льский Алта́й (*Монголия и Китай*)

Monroe [mən'rəu] **1.** *г.* Монро́ (*шт. Луизиана, США*); **2.** *г.* Монро́ (*шт. Мичиган, США*)

Monrovia [mən'rəuvɪə] *г.* Монро́вия (*столица Либерии*)

Mons [mɔnz, mɔ:ŋs] *г.* Монс (*Бельгия*)

Montana [mɔn'tænə] *шт.* Монта́на (*США*)

Mont Blanc [ˏmɔ:ŋ'blɑ:ŋ] = Blanc, Mont

Monte Carlo [ˏmɔntɪ'kɑ:ləu] *г.* Мо́нте-Ка́рло (*Монако*)

Montego Bay [mɔn'ti:gəu'beɪ] *г.* Монте́го-Бей (*Ямайка*)

Montenegro [mɔntɪ'ni:grəu] Черного́рия, Socialist Republic of Montenegro Социалисти́ческая Респу́блика Черного́рия (*Югославия*)

Montería [ˏmɔ:ntə'ri:ɑ:] *г.* Монтери́я (*Колумбия*)

Monterrey [ˏmɔntə'reɪ] *г.* Монтерре́й (*Мексика*)

Montevideo [ˏmɔntɪvɪ'deɪəu] *г.* Монтевиде́о (*столица Уругвая*)

Montgomery [mən(t)'gʌmərɪ] *г.* Монтго́мери (*адм. центр шт. Алабама, США*)

Montpelier [mɔnt'pi:ljə] *г.* Монтпи́лиер (*адм. центр шт. Вермонт, США*)

Montpellier [ˏmɔ:ŋpe'ljeɪ] *г.* Монпелье́ (*Франция*)

Montreal [ˏmɔntrɪ'ɔ:l] *г.* Монреа́ль (*пров. Квебек, Канада*)

Montserrat [ˏmɔntsə'ræt] *о.* Монтсерра́т (*Малые Антильские о-ва, Атлантический ок., влад. Великобритании*)

Monza ['məuntsɑ:] *г.* Мо́нца (*Италия*)

Moradabad [mu'rɑ:dəˏbɑ:d, mə'rædəˏbæd] *г.* Морадаба́д (*шт. Уттар-Прадеш, Индия*)

Moratuwa [mə'rʌtəwə] *г.* Морату́ва (*Шри-Ланка*)

Morava ['mɔ:rɑ:vɑ:] **1.** *р.* Мо́ра́ва (*Чехословакия и Австрия*); **2.** *р.* Мо́ра́ва (*Югославия*)

Moravia [mə(u)'reɪvɪə] *ист. обл.* Мора́вия (*Чехословакия*)

Moravská Ostrava ['mɔ:rɑ:fskɑ:'ɔ:strɑ:vɑ:] *г.* Мо́равска-О́страва; *см.* Ostrava

Moray Firth ['mə:rɪ'fə:θ] *зал.* Мо́ри-Ферт (*Северное м., о. Великобритания*)

Mordovian Autonomous Soviet Socialist Republic [mɔ:'dəuvɪənɔ:'tɔnəməs'səuviet'səuʃəlɪstrɪ'pʌblɪk] Мордо́вская Автоно́мная Сове́тская Социалисти́ческая Респу́блика, **Mordovia** ['mɔ:'dəuvɪə] Мордо́вия (*РСФСР, СССР*)

Morecambe Bay ['mɔ:kəm'beɪ] *зал.* Мо́ркам (*Ирландское м., о. Великобритания*)

Morelia [mə'reɪljɑ:] *г.* Море́лия (*Мексика*)

Moresby Island ['məuəzbɪ'aɪlənd]

о. Мóрсби (*о-ва Королевы Шарлотты, Тихий ок., Канада*)

Morioka [mə(u)rɪə(u)kɑ:] *г.* Мориóка (*о. Хонсю, Япония*)

Morocco [mə(u)ˊrɔkəu] *гос-во* Марóкко, Kingdom of Morocco Королéвство Марóкко (*Северо-Западная Африка*)

Moro Gulf [ˊməurəuˊgʌlf] *зал.* Мóро (*м. Минданао, Филиппины*)

Moroni [ˏmɔrɔˊni:] *г.* Морóни (*столица гос-ва Коморские Острова, о. Гранд-Комор*)

Moscow [ˊmɔskəu] *г.* Москвá (*столица СССР и РСФСР*)

Moscow Canal [ˊmɔskəukəˊnæl] канáл úмени Москвы́ (*соединяет р. Волга с р. Москва, СССР*)

Moselle [mə(u)ˊzel] *р.* Мóзéль (*Франция, Люксембург и ФРГ*)

Moskva [mʌsˊkvɑ:] *р.* Москвá (*СССР*)

Mosquito Coast [məsˊki:təuˊkəust] Москúтовый бéрег (*побережье Карибского м., Гондурас и Никарагуа*)

Most [mɔ:st] *г.* Мост (*Чехословакия*]

Mostaganem [məˏstɑ:gəˊnem] *г.* Мостаганéм (*Алжир*)

Mostar [ˊməustɑ:] *г.* Мóстар (*Социалистическая Республика Босния и Герцеговина, Югославия*)

Mosul [mə(u)ˊsu:l] *г.* Мосýл (*Ирак*)

Motherwell [ˊmʌðəwəl] *г.* Мóтеруэлл (*обл. Стратклайд, Шотландия, Великобритания*)

Moulmein [mu:lˊmeɪn, ˏməulˊmeɪn] *г.* Моламьяйн, Моулмéйн (*Мьянма*)

Moundou [ˊmu:nˏdu:] *г.* Мýнду (*Чад*)

Mount Lavinia [ˏmauntləˊvɪnɪə] *г.* Мáунт-Лавúния (*Шри-Ланка*)

Mozambique [ˏməuzəmˊbi:k, ˏməuzæmˊbi:k] **1.** *гос-во* Мозамбúк, Republic of Mozambique Респýблика Мозамбúк (*Юго-Восточная Африка*); **2.** *г.* Мозамбúк (*Мозамбик*)

Mozambique Channel [ˏməuzəmˊbi:kˊtʃænl] Мозамбúкский пролúв (*между о. Мадагаскар и Африкой*)

Mozhaisk [mʌˊʒaɪsk] *г.* Можáйск (*Московская обл., РСФСР, СССР*)

Muharraq [muˊhɑ:rək] *г.* Мухáррак (*Бахрейн*)

Mukden [ˊmu:kˊden] *г.* Муклéн; *см.* Shenyang

Mulhacén [ˏmu:lɑ:ˊseɪn, ˏmu:lɑ:ˊθeɪn] *гора* Муласéн (*хр. Сьерра-Невада, Испания*)

Mulheim [ˊm(j)u:lhaɪm] *г.* Мю́льхайм (*ФРГ*)

Mulhouse [ˏmu:ˊlu:z] *г.* Мюлýз (*Франция*)

Mull [mʌl] *о.* Малл (*арх. Гебридские о-ва, Атлантический ок., Великобритания*)

Mullingar [ˏmʌlɪnˊgɑ:] *г.* Маллингáр (*адм. центр граф. Уэстмит, Ирландия*)

Multan [mulˊtɑ:n] *г.* Мултáн (*Пакистан*)

Muncie [ˊmʌnsɪ] *г.* Мáнси (*шт. Индиана, США*)

Munich [ˊmju:nɪk] *г.* Мю́нхен (*ФРГ*)

Munku-Sardyk [ˏmʌŋku:ˊsɑ:rdɪk] *гора* Мункý-Сардык (*горн. сист. Восточный Саян, на границе СССР и Монголии*)

Munster [ˊmʌnstə] *ист. пров.* Мáнстер (*Ирландия*)

Munster [ˊmju:nstə] *г.* Мю́нстер (*ФРГ*)

Murat [mu:ˊrɑ:t] *р.* Мурáт (*Турция*)

Murchison [ˊmə:tʃɪsn] *р.* Мéрчисон (*Австралия*)

Murchison, Cape [ˊkeɪpˊmə:tʃɪsn] *мыс* Мéрчисон (*крайняя сев. точка Северной Америки, п-ов Бутия, Канада*)

Murcia [ˊmə:ʃɪə] **1.** *г.* Мýрсия (*Испания*); **2.** *ист. обл.* Мýрсия (*Испания*)

Mureş [ˊmu:reʃ] *р.* Мýреш (*Венгрия и Румыния*)

Murghab [murˊgɑ:b] *р.* Мургáб (*СССР и Афганистан*)

Murmansk [muəˊmɑ:nsk] *г.* Мýрманск (*центр Мурманской обл., РСФСР, СССР*)

Murman(sk) Coast [muəˊmɑ:n(sk)ˊkəust] Мýрманский бéрег (*побережье Баренцева м., Кольский п-ов, СССР*)

Murom [ˊmu:rəm] *г.* Мýром

(*Владимирская обл., РСФСР, СССР*)

Murray [ˈmə:rɪ] *р.* Му́ррей, Ма́рри (*Австралия*)

Murrumbidgee [ˌmʌrəmˈbɪdʒɪ] *р.* Маррамби́джи (*Австралия*)

Musala [ˌmu:sɑ:ˈlɑ:] *гора* Мусала́ (*горн. массив Рила, Болгария*)

Musan [ˈmu:ˈsɑ:n] *г.* Муса́н (*КНДР*)

Muscat [ˈmʌskæt] = Masqat

Musgrave Ranges [ˈmʌsgreɪv-ˈreɪndʒɪz] *горы* Ма́сгрейв (*Австралия*)

Muskegon [mʌsˈki:gən] *г.* Маски́гон (*шт. Мичиган, США*)

Muskogee [mʌsˈkəugɪ] *г.* Маско́ги (*шт. Оклахома, США*)

Muzaffarnagar [muˈzʌfəˌnʌgə] *г.* Музаффарна́гар (*шт. Уттар-Прадеш, Индия*)

Muztagh [muzˈtɑ:] = Ulugh Muztagh

Mwanza [ˈmwɑ:nzɑ:] *г.* Мва́нза (*Танзания*)

Mweru [ˈmweɪru:] *оз.* Мве́ру (*Заир и Замбия*)

Myanma [ˈmjɑ:nmɑ] *гос-во* Мья́нма, Union of Myanma Сою́з Мья́нма (*Юго-Восточная Азия*)

Mycenae [maɪˈsi:ni:] *ист. г.* Мике́ны (*Греция*)

Myingyan [ˈmjɪndʒɑ:n] *г.* Мьиндджа́н (*Мьянма*)

Mylae [ˈmaɪli:] *ист. г.* Ми́лы (*о. Сицилия*)

Mysłowice [ˌmɪslɔ:ˈvi:tsə] *г.* Мыслови́це (*Польша*)

Mysore [maɪˈsəuə] *г.* Майсу́р (*шт. Карнатака, Индия*)

My Tho [ˈmi:ˈtəu] *г.* Митхо́ (*Вьетнам*)

Mytishchi [mɪˈt(j)i:ʃɪ, mɪˈtji:ʃtʃɪ] *г.* Мыти́щи (*Московская обл., РСФСР, СССР*)

N

Naas [neɪs] *г.* Нейс (*адм. центр граф. Килдэр, Ирландия*)

Naberezhnye Chelny [ˈnɑ:bəˌreʒni:ətʃelˈni:] *г.* На́бережные Челны́ (*Татарская АССР, РСФСР, СССР*)

Nablus [ˈnæbləs, ˈnɑ:bləs] *г.* На́блус (*Иордания*)

Nadym [nʌˈdɪm] *г.* Нады́м (*Ямало-Ненецкий авт. окр., Тюменская обл., РСФСР, СССР*)

Nagaland [ˈnɑ:gəˌlænd] *шт.* Нагале́нд (*Индия*)

Nagano [nɑ:gɑ:nə(u)] *г.* Нага́но (*о. Хонсю, Япония*)

Nagaoka [nɑ:gɑ:ə(u)kɑ:] *г.* Нагао́ка (*о. Хонсю, Япония*)

Nagasaki [ˌnɑ:gəˈsɑ:kɪ] *г.* Нагаса́ки (*о. Кюсю, Япония*)

Nagorno-Karabakh Autonomous Region [nʌˈgɔ:rnəkərʌˌbɑ:kɔ:-ˈtɔnəməsˈri:dʒən] Наго́рно-Караба́хская автоно́мная о́бласть (*Азербайджанская ССР, СССР*)

Nagoya [nɑ:gə(u)jɑ:] *г.* Наго́я (*о. Хонсю, Япония*)

Nagpur [ˈnɑ:gpuə] *г.* Нагпу́р (*шт. Махараштра, Индия*)

Naha [nɑ:hɑ:] *г.* На́ха (*о. Окинава, Япония*)

Nairn [nɛən] *г.* Нэрн (*обл. Хайленд, Шотландия, Великобритания*)

Nairobi [naɪˈrəubɪ] *г.* Найро́би (*столица Кении*)

Nairobi National Park [naɪˈrəu-bɪˈnæʃənlˈpɑ:k] *нац. парк* Найро́би (*Кения*)

Najin [ˈnɑ:ˈdʒi(:)n] *г.* Наджи́н (*КНДР*)

Nakhichevan [ˌnɑ:hɪtʃeˈvɑ:n] *г.* Нахичева́нь (*столица Нахичеванской АССР, Азербайджанская ССР, СССР*)

Nakhichevan Autonomous Soviet Socialist Republic [ˌnɑ:hɪtʃeˈvɑ:n-ɔ:ˈtɔnəməsˈsəuvɪetˈsəuʃəlɪstrɪˈpʌ-blɪk] Нахичева́нская Автоно́мная Сове́тская Социалисти́ческая Респу́блика (*Азербайджанская ССР, СССР*)

Nakhodka [nʌˈhɔ:tkə] *г.* Нахо́дка (*Приморский край, РСФСР, СССР*)

Nakhon Ratchasima [nɑ:k-hɔ:nrɑ:ttʃɑ:si:mɑ:] *г.* Накхо́нратчасима́ (*Таиланд*)

Naktong [ˈnɑ:kˈtɔ:n] *р.* Нактонга́н (*Республика Корея*)

Nakuru [nɑ:ˈku:ru:] *г.* Наку́ру (*Кения*)

Nalchik [ˈnɑ:ljtʃɪk] *г.* На́льчик (*столица Кабардино-Балкарской АССР, РСФСР, СССР*)

Namangan [ˌnɑ:mɑ:ŋ'gɑ:n] *г.* Наманга́н (*центр Наманганской обл., Узбекская ССР, СССР*)

Namaqualand [nə'mɑ:kwəˌlænd] **1.** *ист. обл.* Нама́кваленд (*ЮАР*); **2.** *плскг.* Нама́кваленд (*Намибия и ЮАР*)

Nam Co ['nɑ:m'tsɔ:] *оз.* На́мцо (*Китай*)

Nam Dinh [nɑ:m'di:n(j)] *г.* Намди́нь (*Вьетнам*)

Namib Desert ['nɑ:mɪb'dezət] *пуст.* На́миб (*Намибия*)

Namibia ['næmɪbjə] *гос-во* Нами́бия, Republic of Namibia Респу́блика Нами́бия (*Юго-Западная Африка*)

Namp'o [nɑ:m'pəu] *г.* Нампхо́ (*КНДР*)

Nam Tso ['nɑ:m'tsɔ:] = Nam Co

Namur [nɑ:'muə] *г.* Наму́р (*Бельгия*)

Nanchang ['nɑ:n'tʃɑ:ŋ] *г.* Наньча́н (*адм. центр пров. Цзянси, Китай*)

Nanchong ['nɑ:n'tʃɔ:ŋ], **Nanchung** ['nɑ:n'tʃuŋ] *г.* Наньчу́н (*пров. Сычуань, Китай*)

Nancy ['nænsɪ] *г.* Нанси́ (*Франция*)

Nanga Parbat ['nʌŋgə'pʌrbət] *гора* Нангапарбат (*горн. сист. Гималаи, Индия*)

Nanjing ['nɑ:n'dʒɪŋ] *г.* Наньцзи́н; *см.* Nanking

Nanking ['næn'kɪŋ] *г.* Нанки́н (*адм. центр пров. Цзянсу, Китай*)

Nan Ling ['nɑ:n'lɪŋ] *горн. сист.* Наньли́н (*Китай*)

Nanning ['næn'nɪŋ] *г.* Наньни́н (*адм. центр Гуанси-Чжуанского авт. р-на, Китай*)

Nan Shan ['nɑ:n'ʃɑ:n] *горн. сист.* Наньша́нь (*Китай*)

Nantes [nænts] *г.* Нант (*Франция*)

Nantong ['nɑ:n'tɔ:ŋ], **Nantung** ['nɑ:n'tuŋ] *г.* Наньту́н (*пров. Цзянсу, Китай*)

Napier ['neɪpɪə] *г.* Не́йпир (*адм. центр стат. р-на Хокс-Бей, о. Северный, Новая Зеландия*)

Naples ['neɪplz] *г.* Неа́поль (*Италия*)

Naples, Bay of ['beɪəv'neɪplz] Неаполита́нский зали́в (*Тирренское м., Италия*)

Nara [nɑ:rɑ:] *г.* На́ра (*о. Хонсю, Япония*)

Narayanganj [nɑ:'rɑ:jənˌgʌndʒ] *г.* Нараянга́ндж (*Бангладеш*)

Narbada [nə'bʌdə], **Narmada** [nə'mʌdə] *р.* Нарба́да, Нарма́да (*Индия*)

Narodnaya, Mount ['maunt'nɑ:rɔ:dnəjə] *гора* На́родная (*Уральские горы, СССР*)

Naro Fominsk ['nɑ:rə'fɔ:mjɪnsk] *г.* На́ро-Фоми́нск (*Московская обл., РСФСР, СССР*)

Narva ['nɑ:və] *г.* На́рва (*Эстония*)

Narvik ['nɑ:vɪk] *г.* На́рвик (*Норвегия*)

Naryan-Mar [nər'jɑ:n'mɑ:] *г.* Нарья́н-Мар (*центр Ненецкого авт. окр., Архангельская обл., РСФСР, СССР*)

Naryn [nʌ'rɪn] **1.** *г.* Навы́н (*центр Нарынской обл., Киргизская ССР, СССР*); **2.** *р.* Нары́н (*СССР*)

Nashville ['næʃvɪl] *г.* На́швилл (*адм. центр шт. Теннесси, США*)

Nassau ['næsɔ:] *г.* На́ссо, На́ссау (*столица гос-ва Багамские Острова, о. Нью-Провиденс*)

Natal [nə'tæl] **1.** *пров.* Ната́ль, Ната́л (*ЮАР*), **2.** *г.* Ната́л (*Бразилия*)

Natanya [næ'tɑ:njɑ:] *г.* Ната́нья (*Израиль*)

Nauru [nɑ:'u:ru:] **1.** *гос-во* Нау́ру, Republic of Nauru Респу́блика Нау́ру (*на о. Науру, Тихий ок.*); **2.** *о.* Нау́ру (*Тихий ок., гос-во Науру*)

Navarre [nə'vɑ:] *ист. обл.* Нава́рра (*Испания*)

Navigators Islands ['nævɪˌgeɪtəz'aɪləndz] острова́ Морепла́вателей; *см.* Samoa Islands

Návpaktos ['nɑ:fpɑ:ktɔ:s] *г.* На́фпактос (*Греция*)

Naxos ['næksəs] *о.* На́ксос (*арх. Киклады, Эгейское м., Греция*)

Nazareth ['næzərəθ] *г.* Назаре́т (*Палестинские территории*)

Nazilli [ˌnɑ:zɪ'li:] *г.* Назилли́ (*Турция*)

N'Djamena [ndʒɑ:'menə] Нджаме́на (*столица Чада*)

Ndola [en'dəulə] *г.* Ндо́ла (*Замбия*)

Neagh, Lough [lɔh′neɪ] *оз.* Лох-Ней (*Северная Ирландия, Великобритания*)

Near East [′nɪər′i:st] Бли́жний Восто́к (*терр. на зап. и юго-зап. Азии и сев.-вост. Африки, на которой расположены Египет, Судан, Турция, Кипр, Израиль, Иордания, Ливан, Сирия, Ирак, Саудовская Аравия и др. страны Аравийского п-ова*)

Near Islands [′nɪər′aɪləndz] *о-ва* Бли́жние (*арх. Алеутские о-ва, Тихий ок., США*)

Nebit-Dag [n(j)e′bi:t′dɑ:k] *г.* Неби́т-Даг (*Красноводская обл., Туркменская ССР, СССР*)

Nebraska [nɪ′bræskə] *шт.* Небра́ска (*США*)

Neckar [′nekɑ:r] *р.* Не́ккар (*ФРГ*)

Neftechala [ˌnjeftjɪtʃʌ′lɑ:] *г.* Нефтечала́ (*Азербайджанская ССР, СССР*)

Neftekamsk [ˌnjeftɪ′kɑ:msk] *г.* Нефтека́мск (*Башкирская АССР, РСФСР, СССР*)

Nefteyugansk [ˌnjeftɪju′gɑ:nsk] *г.* Нефтеюга́нск (*Ханты-Мансийский авт. окр., Тюменская обл., РСФСР, СССР*)

Nefud [ne′fu:d] Нефу́д; *см.* An Nafud

Negombo [nɪ′gɔmbəu] *г.* Него́мбо (*Шри-Ланка*)

Negros [′neɪgrə(u)s] *о.* Не́грос (*Филиппины*)

Neisse [′naɪsə] *р.* Ны́са-Лужи́цка, Не́йсе (*Чехословакия, Польша и ФРГ*)

Neiva [′neɪvɑ:] *г.* Не́йва (*Колумбия*)

Nejd [nedʒd] *пров.* Неджд (*Саудовская Аравия*)

Nelson [′nelsn] **1.** *стат. р-н* Не́льсон (*Новая Зеландия, о. Южный*); **2.** *г.* Не́льсон (*адм. центр стат. р-на Нельсон, о. Южный, Новая Зеландия*); **3.** *р.* Не́льсон (*Канада*)

Neman [′nemən] *р.* Не́ман (*СССР, Литва*)

Nenets Autonomous Area [nə′netsɔ:′tɔnəməs′ɛərɪə] Не́нецкий автоно́мный о́круг (*Архангельская обл., РСФСР, СССР*)

Nepal [nɪ′pɔ:l] *гос-во* Непа́л, Kingdom of Nepal Короле́вство Непа́л (*Южная Азия*)

Nerchinsk [′nertʃɪnsk] *г.* Не́рчинск (*Читинская обл., РСФСР, СССР*)

Ness, Loch [lɔh′nes] *оз.* Лох-Несс (*Великобритания*)

Netherlands [′neðələndz] *гос-во* Нидерла́нды, Kingdom of the Netherlands Короле́вство Нидерла́ндов (*Западная Европа*)

Netherlands Guiana [′neðələndz-gɪ′ɑ:nə] Нидерла́ндская Гвиа́на; *см.* Surinam

Neuchâtel [ˌnə:ˌʃɑ:′tel] *г.* Невшате́ль (*Швейцария*)

Neuchâtel, Lake of [′leɪkəvˌnə:ˌʃɑ:′tel] Невшате́льское о́зеро (*Швейцария*)

Neva [nje′vɑ:] *р.* Нева́ (*СССР*)

Nevada [nɪ′vædə] *шт.* Нева́да (*США*)

Nevinnomyssk [n(j)eˌvɪnə′mɪsk] *г.* Невинномы́сск (*Ставропольский край, РСФСР, СССР*)

Nevis [′ni:vɪs] *о.* Не́вис (*Малые Антильские о-ва, Антлантический ок., гос-во Сент-Кристофер и Невис*)

New Albany [′nju:′ɔ:lbənɪ] *г.* Нью-О́лбани (*шт. Индиана, США*)

New Amsterdam I [′nju:′æmstədæm] *г.* Нью-Амстерда́м (*Гайана*)

New Amsterdam II [′nju:′æmstədæm] Но́вый Амстерда́м (*назв. г. Нью-Йорк до 1664 г.*)

Newark [′nju:ək] *г.* Нью́арк (*шт. Нью-Джерси, США*)

New Bedford [′nju:′bedfəd] *г.* Нью-Бе́дфорд (*шт. Массачусетс, США*)

New Britain I [′nju:′brɪtn] *г.* Нью-Бри́тен (*шт. Коннектикут, США*)

New Britain II [′nju:′brɪtn] *о.* Но́вая Брита́ния (*арх. Бисмарка, Тихий ок., Папуа-Новая Гвинея*)

New Brunswick [′nju:′brʌnzwɪk] **1.** *пров.* Нью-Бра́нсуик (*Канада*); **2.** *г.* Нью-Бра́нсуик (*шт. Нью-Джерси, США*)

Newburgh [′nju:bə:g] *г.* Нью́берг (*шт. Нью-Йорк, США*)

New Caledonia [′nju:ˌkælɪ′dəunjə]

о. Но́вая Каледо́ния (*Тихий ок., Меланезия, влад. Франции*)

New Castile [ˈnju.kæsˈti.l] *ист. обл.* Но́вая Касти́лия (*Испания*)

Newcastle [ˈnjuːˌkɑːsl] **1.** *г.* Нью-ка́сл (*адм. центр метроп. граф. Тайн-энд-Уир, Англия, Великобритания*); **2.** *г.* Ньюка́сл (*шт. Новый Южный Уэльс, Австралия*); **3.** *г.* Ньюка́сл (*пров. Натал, ЮАР*)

Newcastle upon Tyne [ˈnjuːˌkɑːsləpɔnˈtaɪn] *г.* Ньюка́сл-апо́н-Тайн; *см.* Newcastle 1

New Delhi [ˈnjuːˈdelɪ] Нью-Де́ли, Но́вый Де́ли (*часть г. Дели, Индия*)

New England [njuːˈɪŋglənd] Но́вая А́нглия (*назв. р-на на сев. Атлантического побережья США*)

Newfoundland [ˌnjuːfən(d)ˈlænd] **1.** *пров.* Ньюфа́ундле́нд (*Канада*); **2.** *о.* Ньюфа́ундле́нд (*Атлантический ок., Канада*)

New Georgia [ˈnjuːˈdʒɔːdʒjə] *о.* Нью-Джо́рджия, Но́вая Гео́ргия (*Тихий ок., гос-во Соломоновы Острова*)

New Guinea [ˈnjuːˈgɪnɪ] *о.* Но́вая Гвине́я (*Тихий ок., зап. часть принадлежит Индонезии, вост. часть — Папуа-Новой Гвинее*)

New Hampshire [ˈnjuːˈhæm(p)ʃɪə] *шт.* Нью-Хэ́мпшир (*США*)

New Hanover [ˈnjuːˈhænə(u)və] *о.* Но́вый Ганно́вер; *см.* Lavongai

New Haven [ˈnjuːˈheɪvən] *г.* Нью-Хе́йвен (*шт. Коннектикут, США*)

New Hebrides [ˈnjuːˈhebrɪdiːz] *о-ва* Но́вые Гебри́ды (*Тихий ок., Вануату*)

New Ireland [ˈnjuːˈaɪələnd] *о.* Но́вая Ирла́ндия (*арх. Бисмарка, Тихий ок., Папуа-Новая Гвинея*)

New Jersey [ˈnjuːˈdʒəːzɪ] *шт.* Нью-Дже́рси (*США*)

New Land [ˈnjuːˈlænd] = Novaya Zemlya

New London [ˈnjuːˈlʌndən] *г.* Нью-Ло́ндон (*шт. Коннектикут, США*)

New Mexico [ˈnjuːˈmeksɪkəu] *шт.* Нью-Ме́ксико (*США*)

New Orleans [ˈnjuːˈɔːlɪənz] *г.* Но́вый Орлеа́н (*шт. Луизиана, США*)

New Plymouth [ˈnjuːˈplɪməθ] *г.* Нью-Пли́мут (*адм. центр стат. р-на Тириники, о. Северный, Новая Зеландия*)

Newport [ˈnjuːpɔːt] **1.** *г.* Нью́порт (*адм. центр граф. Айл-оф-Уайт, Англия, Великобритания*); **2.** *г.* Нью́порт (*граф. Гуэнт, Уэльс, Великобритания*)

Newport News [ˈnjuːpɔːtˈnjuːz] *г.* Нью́порт-Ньюс (*шт. Виргиния, США*)

New Providence [ˈnjuːˈprɔvɪdəns] *о.* Нью-Про́виденс (*Атлантический ок., гос-во Багамские Острова*)

New Rochelle [ˈnjuːrə(u)ˈʃel] *г.* Нью-Роше́лл (*шт. Нью-Йорк, США*)

Newry [ˈnjuːrɪ] *г.* Нью́ри (*адм. центр окр. Ньюри-энд-Морн, Северная Ирландия, Великобритания*)

Newry and Mourne [ˈnjuːrɪəndmɔː(r)n] *окр.* Нью́ри-энд-Морн (*Северная Ирландия, Великобритания*)

New Siberia [ˈnjuːsaɪˈbɪərɪə] = Novaya Sibir

New Siberian Islands [ˈnjuːsaɪˈbɪərɪənˈaɪləndz] *арх.* Новосиби́рские острова́ (*Восточно-Сибирское м., СССР*)

New South Wales [ˈnjuːˈsauθˈweɪlz] *шт.* Но́вый Ю́жный Уэ́льс (*Австралия*)

Newton [ˈnjuːtn] *г.* Нью́тон (*шт. Массачусетс, США*)

Newtownabbey [ˈnjut(ə)nˈæbɪ] **1.** *окр.* Ньютауна́бби (*Северная Ирландия, Великобритания*); **2.** *г.* Ньютауна́бби (*адм. центр окр. Ньютаунабби, Северная Ирландия, Великобритания*)

Newtownards [ˌnjuːtnˈɑːdz] *г.* Ньютауна́рдс (*адм. центр окр. Ардс, Северная Ирландия, Великобритания*)

New Westminster [ˈnjuːˈwes(t)ˌmɪnstə] *г.* Нью-Уэ́стминстер (*пров. Британская Колумбия, Канада*)

New York [ˈnjuːˈjɔːk] **1.** *шт.* Нью-Йорк (*США*); **2.** *г.* Нью-Йорк (*шт. Нью-Йорк, США*)

New York State Barge Canal [ˈnjuːˈjɔːkˈsteɪtˈbɑːdʒkəˈnæl] Нью-

Йорк-Стейт-Бардж-кана́л (*сист. каналов, США*)

New Zealand [ˈnju:ˈzi:lənd] **1.** *гос-во* Но́вая Зела́ндия (*на о-вах Новая Зеландия, Тихий ок.*); **2.** *о-ва* Но́вая Зела́ндия (*Тихий ок.*)

Nezhin [ˈnjeʒɪn] *г.* Не́жин (*Черниговская обл., Украинская ССР, СССР*)

Nha Trang [ˈnjɑ:ˈtrɑ:ŋ] *г.* Нятча́нг (*Вьетнам*)

Niagara [naɪˈægərə] *р.* Ниага́ра (*Канада и США*)

Niagara Falls I [naɪˈægərəˈfɔ:lz] **1.** *г.* Ниага́ра-Фолс (*шт. Нью-Йорк, США*); **2.** *г.* Ниага́ра-Фолс (*пров. Онтарио, Канада*)

Niagara Falls II [naɪˈægərəˈfɔ:lz] Ниага́рский водопа́д (*р. Ниагара, на границе Канады и США*)

Niamey [ˌnjɑ:ˈmeɪ] *г.* Ниаме́й (*столица Нигера*)

Nias [ˈni:ɑ:s] *о.* Ни́ас (*Индийский ок., Индонезия*)

Nicaragua [ˌnɪkəˈrɑ:gwa, ˌnɪkəˈrægjuə] *гос-во* Никара́гуа, Republic of Nicaragua Респу́блика Никара́гуа (*Центральная Америка*)

Nicaragua, Lake [ˈleɪkˌnɪkəˈrɑ:gwə] *оз.* Никара́гуа (*Никарагуа*)

Nice [ni:s] *г.* Ни́цца (*Франция*)

Nicobar Islands [ˈnɪkə(u)bɑ:rˈaɪləndz] Никоба́рские острова́ (*между Бенгальским зал. и Андаманским м., Индийский ок., Индия*)

Nicosia [ˌnɪkə(u)ˈsi:ə] *г.* Никоси́я (*столица Кипра*)

Niger [ˈnaɪdʒə] **1.** *гос-во* Ни́гер, Republic of the Niger Респу́блика Ни́гер (*Западная Африка*); **2.** *р.* Ни́гер (*Гвинея, Мали, Нигер и Нигерия*)

Nigeria [naɪˈdʒɪərɪə] *гос-во* Ниге́рия, Federal Republic of Nigeria Федерати́вная Респу́блика Ниге́рия (*Западная Африка*)

Niigata [nɪɪgɑ:tɑ:] *г.* Ниига́та (*о. Хонсю, Япония*)

Nijmegen [ˈnaɪˌmeɪgən] *г.* Не́ймеген (*Нидерланды*)

Nikola(y)ev [njɪkʌˈlɑ:jəf] *г.* Никола́ев (*центр Николаевской обл., Украинская ССР, СССР*)

Nikopol [nɪˈkɔ:pəl] *г.* Ни́кополь (*Днепропетровская обл., Украинская ССР, СССР*)

Nile [naɪl] *р.* Нил (*сев.-вост. Африки*)

Nilgiri Hills [ˈnɪlgərɪˈhɪlz], **Nilgiris** [ˈnɪlgərɪz] *горн. массив* Нилги́ри (*Индия*)

Nîmes [ni:m] *г.* Ним (*Франция*)

Nineveh [ˈnɪnəvə] *ист. г.* Нине́ви́я (*в Ассирии, на терр. совр. Ирака*)

Ningbo, Ningpo [ˈnɪŋˈbɔ:] *г.* Нинбо́ (*пров. Чжэцзян, Китай*)

Ningsia Hui Autonomous Region [ˈnɪŋˈʃjɑ:ˈhwi:ɔ:ˈtɒnəməsˈri:dʒən] = Ningxia Hui Autonomous Region

Ningxia Hui Autonomous Region [ˈnɪŋˈʃjɑ:ˈhwi:ɔ:ˈtɒnəməsˈri:dʒən] Нинся́-Хуэ́йский автоно́мный райо́н (*Китай*)

Nipigon, Lake [ˈleɪkˈnɪpɪgən] *оз.* Ни́пигон (*Канада*)

Nippur [nɪˈpuə] *ист. г.* Ниппу́р (*в Шумере, на терр. совр. Ирака*)

Niš, Nish [nɪʃ] *г.* Ниш (*Социалистическая Республика Сербия, Югославия*)

Niterói [ˌni:təˈrɔɪ] *г.* Нитеро́й (*Бразилия*)

Nitra [ˈn(j)ɪtrə] *г.* Ни́тра (*Чехословакия*)

Niue [nɪˈu:eɪ] *о.* Ниу́э (*Тихий ок., влад. Новой Зеландии*)

Nivernais [ˌni:vəˈne] *ист. пров.* Ниверне́ (*Франция*)

Nizhnekamsk [ˌnɪʒnəˈkæmsk] *г.* Нижнека́мск (*Татарская АССР, РСФСР, СССР*)

Nizhnevartovsk [ˌnɪʒnɪˈvɑ:rtəfsk] *г.* Нижнева́ртовск (*Тюменская обл., РСФСР, СССР*)

Nizhni Novgorod [ˈnɪʒni:ˈnɔvgərəd] *г.* Ни́жний Но́вгород (*центр Нижегородской обл., РСФСР, СССР*)

Nizhni Tagil [ˈnɪʒnɪtəˈgi:l] *г.* Ни́жний Таги́л (*Екатеринбургская обл., РСФСР, СССР*)

Nkongsamba [eŋkɔ:ŋˈsɑ:mbə] *г.* Нконгса́мба (*Камерун*)

Nobeoka [ˌnəubɪˈəukə] *г.* Нобео́ка (*о. Кюсю, Япония*)

Noginsk [nəuˈgɪnsk] *г.* Ноги́нск (*Московская обл., РСФСР, СССР*)

Nome [nəum] *г.* Ном (*шт. Аляска, США*)

Nordkyn, Cape [ˈkɪpˈnɔ:ˌkju:n] *мыс* Нóрдкин (*крайняя сев. точка Европы, Норвегия*)

Norfolk [ˈnɔ:fək] **1.** *граф.* Нóрфолк (*Англия, Великобритания*); **2.** *г.* Нóрфолк (*шт. Виргиния, США*)

Norfolk Island [ˈnɔ:fəkˈaɪlənd] *о.* Нóрфолк (*м. Фиджи, влад. Австралии*)

Norilsk [nəˈri:lsk] *г.* Нори́льск (*Красноярский край, РСФСР, СССР*)

Normandy [ˈnɔ:məndɪ] *ист. обл.* Норма́ндия (*Франция*)

Norman Isles [ˈnɔ:mənˈaɪlz] = Channel Islands

Norristown [ˈnɔrɪstaun] *г.* Нóрристаун (*шт. Пенсильвания, США*)

Norrköping [ˈnɔ:ˌtʃə:pɪŋ] *г.* Нóрчёпинг (*Швеция*)

Norrland [ˈnɔ:lɑ:nd] **1.** *ист. обл.* Нóрланд (*Швеция*); **2.** *плато* Нóрланд (*Швеция*)

North Albanian Alps [ˈnɔ:θælˈbeɪnjənˈælps] *горы* Се́веро-Алба́нские А́льпы (*Албания и Югославия*)

Northallerton [nɔ:ˈθæl(ə)tn] *г.* Норта́ллертон (*адм. центр граф. Норт-Йоркшир, Англия, Великобритания*)

North America [ˈnɔ:θəˈmerɪkə] *материк* Се́верная Аме́рика (*Западное полушарие*)

Northampton [nɔ:ˈθæm(p)tən] *г.* Нортхе́мптон (*адм. центр граф. Нортхемптоншир, Англия, Великобритания*)

Northamptonshire [nɔ:ˈθæm(p)tənʃɪə] *граф.* Нортхе́мптоншир (*Англия, Великобритания*)

Northants [nɔ:ˈθænts] *сокр. от* Northamptonshire

North Canadian [ˈnɔ:θkəˈneɪdɪən] *р.* Норт-Кане́йдиан (*США*)

North Carolina [ˈnɔ:θˌkærəˈlaɪnə] *шт.* Се́верная Кароли́на (*США*)

North Channel [ˈnɔ:θˈtʃænl] Се́верный проли́в (*между о-вами Великобритания и Ирландия*)

North Dakota [ˈnɔ:θdəˈkəutə] *шт.* Се́верная Дакóта (*США*)

North Down [ˈnɔ:θˈdaun] *окр.* Норт-Да́ун (*Северная Ирландия, Великобритания*)

North Downs [ˈnɔ:θˈdaunz] *возв.* Норт-Да́унс (*Великобритания*)

North East Land [ˈnɔ:θˌi:stˈlænd] *о.* Се́веро-Востóчная Земля́ (*арх. Шпицберген, Северный Ледовитый ок., Норвегия*)

Northern Caucasia [ˈnɔ:ð(ə)nkɔ:ˈkeɪʒə] Се́верный Кавка́з (*терр., охватывающая Предкавказье, часть сев. склона Большого Кавказа и его зап. оконечность, СССР*)

Northern Dvina [ˈnɔ:ð(ə)ndvɪˈnɑ:] *р.* Се́верная Двина́ (*СССР*)

Northern Highlands [ˈnɔ:ð(ə)nˈhaɪləndz] Се́веро-Шотла́ндское нагóрье (*Великобритания*)

Northern Ireland [ˈnɔ:ðənˈaɪələnd] Се́верная Ирла́ндия (*адм.-полит. часть Великобритании*)

Northern Land [ˈnɔ:ð(ə)nˈlænd] = Severnaya Zemlya

Northern Rhodesia [ˈnɔ:ðənrə(u)ˈdi:ʒə] Се́верная Родéзия; *см.* Zambia

Northern Sea Route [ˈnɔ:ð(ə)nˈsi:ˈru:t] Се́верный морскóй путь (*главная судоходная магистраль СССР по морям и проливам Северного Ледовитого ок.*)

Northern Sporades [ˈnɔ:ð(ə)nˈspɔrədi:z] *о-ва* Се́верные Спора́ды (*Эгейское м., Греция*)

Northern Territory [ˈnɔ:ð(ə)nˈterɪt(ə)rɪ] Се́верная территóрия (*Австралия*)

North German Plain [ˈnɔ:θˈdʒə:mənˈpleɪn] Се́веро-Герма́нская ни́зменность (*часть Среднеевропейской равнины, ФРГ*)

North Island [ˈnɔ:θˈaɪlənd] Се́верный óстров (*Тихий ок., Новая Зеландия*)

Northland [ˈnɔ:θlənd] *стат. р-н* Нóртленд (*Новая Зеландия, о. Северный*)

North Little Rock [ˈnɔ:θˈlɪtlˈrɔk] *г.* Норт-Литл-Рок (*шт. Арканзас, США*)

North Minch [ˈnɔ:θˈmɪntʃ] *прол.* Норт-Минч (*между о-вами Великобритания и Льюис*)

North Ossetian Autonomous So-

viet Socialist Republic [ˈnɔːθɔˈsiːʃənɔːˈtɔnəməsˈsəuvietˈsəuʃəlıst-rıˈpʌblık] Се́веро-Осети́нская Автоно́мная Сове́тская Социалисти́ческая Респу́блика, **North Ossetia** [ˈnɔːθɔˈsiːʃıə] Се́верная Осе́тия (*РСФСР, СССР*)

North Platte [ˈnɔːθˈplæt] *р.* Норт-Платт (*США*)

North Pole [ˈnɔːθˈpəul] Се́верный по́люс (*в центр. части Северного Ледовитого ок.*)

North Saskatchewan [ˈnɔːθsəsˈkætʃəwən] *р.* Норт-Саска́чеван (*Канада*)

North Sea [ˈnɔːθˈsiː] Се́верное мо́ре (*Атлантический ок., у берегов Европы*)

North Siberian Plain [ˈnɔːθsaıˈbıərıənˈpleın] Се́веро-Сиби́рская ни́зменность (*Восточная Сибирь, СССР*)

North Uist [ˈnɔːθˈjuːıst] *о.* Норт-У́ист (*арх. Гебридские о-ва, Атлантический ок., Великобритания*)

Northumberland [nɔːˈθʌmbələnd] *граф.* Норта́мберленд (*Англия, Великобритания*)

Northumbria [nɔːˈθʌmbrıə] *ист. англосакс. кор-во* Норту́мбрия (*Великобритания*)

Northwest Passage [ˈnɔːθˈwest-ˈpæsıdʒ] Се́веро-За́падный прохо́д (*северный морской путь между Атлантическим и Тихим океанами через моря и проливы Канадского Арктического арх.*)

Northwest (*или* **North-West) Territories** [ˈnɔːθˈwestˈterıt(ə)rız] Се́веро-За́падные террито́рии (*Канада*)

North Yorkshire [ˈnɔːθˈjɔːkʃıə] *граф.* Норт-Йо́ркшир (*Англия, Великобритания*)

Norton Sound [ˈnɔːtnˈsaund] *зал.* Но́ртон (*Берингово м., побережье Аляски, США*)

Norwalk [ˈnɔːwɔːk] *г.* Но́руолк (*шт. Коннектикут, США*)

Norway [ˈnɔːweı] *гос-во* Норве́гия, Kingdom of Norway Короле́вство Норве́гия (*Северная Европа*)

Norwegian Sea [nɔːˈwiːdʒ(ə)nˈsiː] Норве́жское мо́ре (*Северный Ледовитый ок., у берегов Норвегии*)

Norwich [ˈnɔrıdʒ] *г.* Но́ридж (*адм. центр граф. Норфолк, Англия, Великобритания*)

Nottingham [ˈnɔtıŋəm] *г.* Но́ттингем (*адм. центр граф. Ноттингемшир, Англия, Великобритания*)

Nottinghamshire [ˈnɔtıŋəmʃıə] *граф.* Но́ттингемшир (*Англия, Великобритания*)

Notts [nɔts] *сокр. от* Nottinghamshire

Nouadhibou [ˌnwɑːdıˈbuː] *г.* Нуади́бу (*Мавритания*)

Nouakchott [nwɑːkˈʃɔːt] *г.* Нуакшо́т (*столица Мавритании*)

Nouméa [nuːˈmeıə] *г.* Нуме́а (*адм. центр Новой Каледонии, Океания*)

Nova Iguaçu [ˈnɔːvəiːgwəˈsuː] *г.* Но́ва-Игуасу́ (*Бразилия*)

Nova Lisboa [ˌnɔːvəlıʒˈvəuə] *г.* Но́ва-Лижбо́а; *см.* Huambo

Novara [nəuˈvɑːrɑː] *г.* Нова́ра (*Италия*)

Nova Scotia [ˌnəuvəˈskəuʃə] **1.** *пров.* Но́вая Шотла́ндия (*Канада*); **2.** *п-ов* Но́вая Шотла́ндия (*Канада*)

Novaya Sibir [ˈnɔːvəjəsjıˈbjiːrj] *о.* Но́вая Сиби́рь (*арх. Новосибирские о-ва, Восточно-Сибирское м., СССР*)

Novaya Zemlya [ˈnɔːvəjəzjımˈljɑː] *арх.* Но́вая Земля́ (*Северный Ледовитый ок., СССР*)

Novgorod [ˈnɔːfgərət] *г.* Но́вгород (*центр Новгородской обл., РСФСР, СССР*)

Novi Sad [ˌnəuvıˈsɑːd] *г.* Но́ви-Сад (*Социалистическая Республика Сербия, Югославия*)

Novocherkassk [ˌnɔːvətʃerˈkɑːsk] *г.* Новочерка́сск (*Ростовская обл., РСФСР, СССР*)

Novokuibyshevsk [ˌnɔːvəˈkuːıbıʃəfsk] *г.* Новоку́йбышевск (*Самарская обл., РСФСР, СССР*)

Novokuznetsk [ˌnɔːvəkuzˈnjetsk] *г.* Новокузне́цк (*Кемеровская обл., РСФСР, СССР*)

Novomoskovsk [ˌnɔːvəmʌˈskɔːfsk] *г.* Новомоско́вск (*Тульская обл., РСФСР, СССР*)

Novopolotsk [ˌnɔːvəˈpɔːlətsk] *г.*

Новопо́лоцк (*Витебская обл., Белорусская ССР, СССР*)

Novorossisk [ˌnɔːvərʌˈsjiːsk] *г.* Новоросси́йск (*Краснодарский край, РСФСР, СССР*)

Novoshakhtinsk [ˌnɔːvəˈʃɑːhtɪnsk] *г.* Новоша́хтинск (*Ростовская обл., РСФСР, СССР*)

Novosibirsk [ˌnɔːvəsjɪˈbjiːrsk] *г.* Новосиби́рск (*центр Новосибирской обл., РСФСР, СССР*)

Novotroitsk [ˌnɔːvəˈtrɔ(j)ɪtsk] *г.* Новотро́ицк (*Оренбургская обл., РСФСР, СССР*)

Nowshahr [nəuˈʃɑːhə] *г.* Ноуше́хр (*Иран*)

Nubia [ˈnjuːbɪə] *ист. обл.* Ну́бия (*Египет и Судан*)

Nubian Desert [ˈnjuːbɪənˈdezət] Нуби́йская пусты́ня (*Судан*)

Nuevitas [nwe(ɪ)ˈviːtɑːs] *г.* Нуэви́тас (*Куба*)

Nuevo Laredo [ˈnweɪvə(u)lɑːˈreɪðə(u)] *г.* Нуэ́во-Ларе́до (*Мексика*)

Nukualofa, Nuku'alofa [ˌnuːkuəˈlɔfə] *г.* Нукуало́фа (*столица Тонга, о. Тонгатапу*)

Nukus [nuːˈkuːs] *г.* Нуку́с (*столица Каракалпакской АССР, Узбекская ССР, СССР*)

Nullarbor Plain [ˈnʌləbɔːˈpleɪn] *равнина* На́лларбор (*Австралия*)

Numantia [njuˈmænʃɪə] *ист. г.* Нума́нция (*Испания*)

Numazu [numɑːzu] *г.* Нума́дзу (*о. Хонсю, Япония*)

Numidia [njuˈmɪdɪə] *ист. обл.* Нуми́дия (*в Северной Африке, на терр. сов. Алжира*)

Nunivak [ˈnuːnɪvæk] *о.* Ну́нивак (*Берингово м., влад. США*)

Nurek [nuːˈrjek] *г.* Нуре́к (*Таджикская ССР, СССР*)

Nuremberg [ˈnjuːərəmbəːg], **Nürnberg** [ˈnjuːrnberh] *г.* Ню́рнберг (*ФРГ*)

Nyasaland [nɪˈæsəˌlænd] Нья́саленд; *см.* Malawi

Nyas(s)a, Lake [ˈleɪknɪˈæsə] *оз.* Нья́са (*Малави, Мозамбик и Танзания*)

Nyíregyháza [ˈnjiːredjˌhɑːzɔ] *г.* Нь́иредьхаза (*Венгрия*)

O

Oahu [ə(u) ˈɑːhuː] *о.* Оа́ху (*Гавайские о-ва, Тихий ок., США*)

Oakham [ˈəukəm] *г.* О́кем (*граф. Лестершир, Англия, Великобритания*)

Oakland [ˈəuklənd] *г.* О́кленд (*шт. Калифорния, США*)

Oak Park [ˈəukˈpɑːk] *г.* Ок-Парк (*шт. Иллинойс, США*)

Oak Ridge [ˈəukˈrɪdʒ] *г.* Ок-Ридж (*шт. Теннесси, США*)

Oakville [ˈəukvɪl] *г.* О́квилл (*пров. Онтарио, Канада*)

Oates Coast [ˈəutsˈkəust] Бе́рег О́тса (*Антарктида*)

Oaxaca [wɑːˈhɑːkɑː] *г.* Оаха́ка (*Мексика*)

Ob [ɔːpj] *р.* Обь (*СССР*)

Oberhausen [ˈəubəˈhauzən] *г.* О́берхаузен (*ФРГ*)

Ob, Gulf of [ˈgʌlfəvˈɔːpj] О́бская губа́ (*Карское м., СССР*)

Obihiro [ˌəubɪˈhɪərəu] *г.* Оби́хиро (*о. Хоккайдо, Япония*)

Obi Islands [ˈəubɪˈaɪləndz] *о-ва* О́би (*Молукккские о-ва, Индонезия*)

Obninsk [ˈɔbnɪnsk] *г.* О́бнинск (*Калужская обл., РСФСР, СССР*)

Oceania [ˌəuʃɪˈænɪə] Океа́ния (*совокупность о-вов в Тихом ок.*)

Ocean Island [ˈəuʃənˈaɪlənd] *о.* О́ушен (*Тихий ок., Кирибати*)

Ochakov [ʌˈtʃɑːkəf] *г.* Оча́ков (*Николаевская обл., Украинская ССР, СССР*)

October Revolution Island [ɔkˈtəubəˌrevəˈluːʃ(ə)nˈaɪlənd] о́стров Октя́брьской Револю́ции (*арх. Северная Земля, Северный Ледовитый ок., СССР*)

Odawara [ˌəudəˈwɑːrə] *г.* Одава́ра (*о. Хонсю, Япония*)

Odense [ˈəuðənsə] *г.* О́денсе (*о. Фюн, Дания*)

Oder [ˈəudə] *р.* О́дер; *см.* Odra

Odessa [ə(u)ˈdesə] *г.* Оде́сса (*центр Одесской обл., Украинская ССР, СССР*)

Odintsovo [ˌʌdjɪnˈtsɔːvə] *г.* Одинцо́во (*Московская обл., РСФСР, СССР*)

Odra [ˈɔ:drɑ:] *р.* О́дра (*Чехословакия, Польша и ФРГ*)

Offaly [ˈɔfəlɪ] *граф.* О́ффали (*Ирландия*)

Ogaki [əugɑ:kɪ] *г.* О́гаки (*о. Хонсю, Япония*)

Ogasawara Islands [əugɑ:sɑ:wɑ:rɑ:ˈaɪləndz] *о-ва* Огасава́ра (*Тихий ок., Япония*)

Ogbomosho [ˌɔgbəˈməuʃəu] *г.* Огбомо́шо (*Нигерия*)

Ogden [ˈɔgdən] *г.* О́гден (*шт. Юта, США*)

Ogooué, Ogowe [ˌəugəˈweɪ] *р.* Огове́ (*Конго и Габон*)

Ohio [ə(u)ˈhaɪə(u)] **1.** *шт.* Ога́йо (*США*); **2.** *р.* Ога́йо (*США*)

Ohrid, Lake [ˈleɪkˈəukri:d] Охри́дское о́зеро (*Югославия и Албания*)

Oimyakon [ˈɔɪmjəkən] *с.* Оймяко́н (*Якутская АССР, РСФСР, СССР*)

Oise [wɑ:z] *р.* Уа́за (*Бельгия и Франция*)

Oita [əuɪtɑ:] *г.* О́ита (*о. Кюсю, Япония*)

Ojos del Salado [ˈɔ:hə(u)zðelsɑ:ˈlɑ:ðə(u)] *влк.* О́хос-дель-Сала́до (*горн. сист. Анды, на границе Чили и Аргентины*)

Oka [ʌˈkɑ:] **1.** *р.* Ока́ (*приток Волги, СССР*); **2.** *р.* Ока́ (*приток Ангары, СССР*)

Okara [əuˈkɑ:rə] *г.* Ока́ра (*Пакистан*)

Okavango [ˌəukəˈvæŋgəu] *р.* Окава́нго (*Ангола, Намибия и Ботсвана*)

Okayama [əukɑ:jɑ:mɑ:] *г.* Окая́ма (*о. Хонсю, Япония*)

Okazaki [əukɑ:zɑ:kɪ] *г.* Окадза́ки (*о. Хонсю, Япония*)

Okeechobee, Lake [ˈleɪkˌəukɪˈtʃəubɪ] *оз.* Окичо́би (*США*)

Okhotsk Current [ʌˈhɔ:tskˈkʌr(ə)nt] Кури́льское тече́ние (*Тихий ок.*)

Okhotsk, Sea of [ˈsi:əvʌˈhɔ:tsk] Охо́тское мо́ре (*Тихий ок., у берегов СССР и Японии*)

Okinawa [ˌəukɪˈnɑ:wə] **1.** *о-ва* Окина́ва (*арх. Рюкю, Тихий ок., Япония*); **2.** *о.* Окина́ва (*о-ва Окинава, Тихий ок., Япония*)

Oklahoma [ˌəukləˈhəumə] *шт.* Оклахо́ма (*США*)

Oklahoma City [ˌəukləˈhəuməˈsɪtɪ] *г.* Оклахо́ма-Си́ти (*адм. центр шт. Оклахома, США*)

Oktyabrski [ʌkˈtjɑ:bərskɪ] *г.* Октя́брьский (*Башкирская АССР, РСФСР, СССР*)

Öland [ˈə:lɑ:nd] *о.* Э́ланд (*Балтийское м., Швеция*)

Oldbury [ˈəuldbərɪ] *г.* О́лдбери (*метроп. граф. Уэст-Мидлендс, Англия, Великобритания*)

Oldenburg [ˈəuldənˌbə:g] *г.* О́льденбург (*ФРГ*)

Oldham [ˈəuldəm] *г.* О́лдем (*метроп. граф. Большой Манчестер, Англия, Великобритания*)

Olekma [ʌˈljekmə] *р.* Олёкма (*СССР*)

Olenek [ʌljɪˈnjɔ:k] *р.* Оленёк (*СССР*)

Olifants [ˈɔlɪfənts] **1.** *р.* О́лифантс (*приток р. Лимпопо, ЮАР и Мозамбик*); **2.** *р.* О́лифантс (*Капская пров., ЮАР*)

Olinda [əuˈlɪndə] *г.* Оли́нда (*Бразилия*)

Olomouc [ˈɔ:lɔ:məuts] *г.* О́ломоуц (*Чехословакия*)

Olonets [ʌˈlɔ:njets] *г.* Оло́нец (*Карельская АССР, РСФСР, СССР*)

Olsztyn [ˈɔ:lʃtɪn] *г.* О́льштын (*Польша*)

Olt [ɔ:lt] *р.* Олт (*Румыния*)

Olympia [ə(u)ˈlɪmpɪə] **1.** *г.* Оли́мпия (*адм. центр шт. Вашингтон, США*); **2.** *ист. г.* Оли́мпия (*п-ов Пелопоннес, Греция*)

Olympic Mountains [ə(u)ˈlɪmpɪkˈmauntɪnz] *горы* Оли́мпик (*США*)

Olympus [ə(u)ˈlɪmpəs] *гора* Оли́мп (*Греция*)

Omagh [ˈəumə] **1.** *окр.* О́ма (*Северная Ирландия, Великобритания*); **2.** *г.* О́ма (*адм. центр окр. Ома, Северная Ирландия, Великобритания*)

Omaha [ˈəuməhɑ:] *г.* О́маха (*шт. Небраска, США*)

Oman [o(u)ˈmæn, əuˈmɑ:n] *гос-во* Ома́н, S u l t a n a t e o f O m a n [ˈsʌltənɪt...] Султана́т Ома́н (*Аравийский п-ов, Юго-Западная Азия*)

Oman, Gulf of [ˈgʌlfəvo(u)ˈmæn] Ома́нский зали́в (*Аравийское м., между побережьем Аравийского п-ова и Ирана*)

Omdurman [ˌɔmdəˈmæn] *г.* Омдурма́н (*Судан*)

Omiya [əuˈmi:ə, ˈəumɪˌɑ:] *г.* О́мия (*о. Хонсю, Япония*)

Omolon [ʌmʌˈlɔ:n] *р.* Омоло́н (*СССР*)

Omsk [ɔ:msk] *г.* Омск (*центр Омской обл., РСФСР, СССР*)

Onega I [ʌˈnjegə] **1.** *г.* Оне́га (*Архангельская обл., РСФСР, СССР*); **2.** *р.* Оне́га (*СССР*)

Onega II [ʌˈnjegə] Оне́жское о́зеро (*СССР*)

Onega Bay [ʌˈnjegəˈbeɪ] Оне́жская губа́ (*Белое м., СССР*)

Onitsha [əuˈnɪtʃə] *г.* Они́ча (*Нигерия*)

Onon [ˈəuˌnɔn] *р.* Оно́н (*СССР и Монголия*)

Ontario [ɔnˈtɛərɪəu] *пров.* Онта́рио (*Канада*)

Ontario, Lake [ˈleɪkɔnˈtɛərɪəu] *оз.* Онта́рио (*Канада и США*)

Opava [ˈɔ:pəvə] *г.* О́пава (*Чехословакия*)

Opole [ɔ:ˈpɔ:lə] *г.* Опо́ле (*Польша*)

Oporto [ə(u)ˈpɔ:təu] *г.* Опо́рто; *см.* Pôrto

Oradea [ɔ:ˈrɑ:djɑ:] *г.* Ора́дя (*Румыния*)

Oran [ə(u)ˈræn] *г.* Ора́н (*Алжир*)

Orange I [ˈɔrɪn(d)ʒ] *г.* О́риндж (*шт. Новый Южный Уэльс, Австралия*)

Orange II [ˈɔrɪn(d)ʒ] *р.* Ора́нжевая (*Лесото, ЮАР и Намибия*)

Orange Free State [ˈɔrɪndʒ-ˈfri:ˈsteɪt] Ора́нжевая прови́нция (*ЮАР*)

Ordzhonikidze [ʌrdʒənjɪˈki:dzə] **1.** *г.* Орджоники́дзе; *см.* Vladikavkaz; **2.** *г.* Орджоники́дзе (*Днепропетровская обл., Украинская ССР, СССР*)

Örebro [ə:rəˈbru:] *г.* Э́ребру (*Швеция*)

Oregon [ˈɔrɪgən] *шт.* О́регон (*США*)

Orekhovo-Zuyevo [ʌˈrjehəvəˈzu:jəvə] *г.* Оре́хово-Зу́ево (*Московская обл., РСФСР, СССР*)

Orel [ʌˈrjɔ:l] *г.* Орёл (*центр Орловской обл., РСФСР, СССР*)

Ore Mountains [ˈəuˈmauntɪnz] = Erzgebirge

Orenburg [ʌrjenˈbu:ɪk] *г.* Оренбу́рг (*центр Оренбургской обл., РСФСР, СССР*)

Öresund [ˈə:rəˌsʌn] *прол.* Э́ресунн (*между Скандинавским п-овом и о. Зеландия*)

Orinoco [ˌəurɪˈnəukəu] *р.* Орино́ко (*Венесуэла и Колумбия*)

Orissa [ə(u)ˈrɪsə] *шт.* Ори́сса (*Индия*)

Orizaba [ˌəurɪˈzɑ:bə] **1.** *г.*Ориса́ба (*Мексика*); **2.** *влк.* Ориса́ба (*Мексика*)

Or(k)hon [ˈɔ:kɔn] *р.* Орхо́н (*Монголия*)

Orkney [ˈɔ:knɪ] *обл.* О́ркни (*Шотландия, Великобритания, Оркнейские о-ва*)

Orkney Islands [ˈɔ:knɪˈaɪləndz] Оркне́йские острова́ (*Атлантический ок., Великобритания*)

Orlando [ɔ:ˈlændəu] *г.* Орла́ндо (*шт. Флорида, США*)

Orléans [ˌɔ:ˌleɪˈɑ:ŋ] *г.* Орлеа́н (*Франция*)

Ormuz, Strait of [ˈstreɪtəvˈɔ:mʌz] Орму́зский проли́в (*соединяет Персидский и Оманский заливы*)

Orpington [ˈɔ:pɪŋtən] *г.* О́рпингтон (*метроп. граф. Большой Лондон, Англия, Великобритания*)

Orsha [ˈɔ:rʃə] *г.* О́рша (*Витебская обл., Белорусская ССР, СССР*)

Orsk [ɔ:rsk] *г.* Орск (*Оренбургская обл., РСФСР, СССР*)

Oruro [ɔ:ˈruərəu] *г.* Ору́ро (*Боливия*)

Osaka [ˈəusɑ:kɑ:] *г.* О́сака (*о. Хонсю, Япония*)

Osh [ɔ:ʃ] *г.* Ош (*Джалал-Абадская обл., Киргизская ССР, СССР*)

Oshawa [ˈɔʃəwə] *г.* О́шава (*пров. Онтарио, Канада*)

Oshkosh [ˈɔʃkɔʃ] *г.* О́шкош (*шт. Висконсин, США*)

Oshogbo [əuˈʃɔgbəu] *г.* Ошо́гбо (*Нигерия*)

Osijek [ˈəusi(j)ek] *г.* О́сиек (*Республика Хорватия, Югославия*)

Oslo [ˈɔsləu] *г.* О́сло (*столица Норвегии*)

Oslo Fjord [ˈɔsləuˈfjɔ:d] Óсло-фьорд (*прол. Скагеррак, побережье Норвегии*)

Osnabrück [ˈɔznəˌbruk] *г.* Оснабрю́к (*ФРГ*)

Osorno [əuˈsɔ:nəu] *г.* Осóрно (*Чили*)

Ostende [ɔsˈtend, ˈɔstend] *г.* Остéнде (*Бельгия*)

Ostrava [ˈɔ:strəvə] *г.* Óстрава (*Чехословакия*)

Oświęcim [ɔ:ʃˈvjeŋtsi:m] *г.* Освéнцим (*Польша*)

Otago [ə(u)ˈtɑ:gəu] *стат. р-н* Отáго (*Новая Зеландия, о. Южный*)

Otaru [əuˈtɑ:ru:] *г.* Отáру (*о. Хоккайдо, Япония*)

Otranto, Strait of [ˈstreɪtəvə(u)ˈtræntəu] *прол.* Отрáнто (*между Апеннинским и Балканским п-овами, Средиземное м.*)

Otsu [ˈəutˌsu:] *г.* Óцу (*о. Хонсю, Япония*)

Ottawa [ˈɔtəwə] **1.** *г.* Оттáва (*столица Канады*); **2.** *р.* Оттáва (*Канада*)

Ottoman Empire [ˈɔtə(u)mənˈempaɪə] *ист.* Осмáнская (*или* Оттомáнская) импéрия (*назв. султанской Турции*)

Ottumwa [ɔˈtʌmwə] *г.* Оттáмуа (*шт. Айова, США*)

Otwock [ˈɔ:tˌvɔ:tsk] *г.* Óтвоцк (*Польша*)

Ouagadougou [ˌwɑ:gəˈdu:gu:] *г.* Уагаду́гу (*столица Буркина-Фасо*)

Oujda [u:dʒˈdɑ:] *г.* У́джда (*Марокко*)

Oulu [ˈaulu] *г.* Óулу (*Финляндия*)

Ouro Prêto [ˌəuruˈpreɪtu:] *г.* Óру-Прéту (*Бразилия*)

Ouse [u:z] **1.** *р.* Уз (*впадает в зал. Уош, Великобритания*); **2.** *р.* Уз (*впадает в зал. Хамбер, Великобритания*)

Outer Hebrides [ˈautəˈhebrɪdi:z] Внéшние Гебри́дские островá (*Атлантический ок., Великобритания*)

Oviedo [ˌəuˈvjeɪðəu] *г.* Овьéдо (*Испания*)

Owen Falls [ˈəuənˈfɔ:lz] *вдп.* Óуэн (*р. Виктория-Нил, Уганда*)

Owensboro [ˈəuənzˌbə:rə(u)] *г.* Óуэнсборо (*шт. Кентукки, США*)

Oxford [ˈɔksfəd] *г.* Óксфорд (*адм. центр граф. Оксфордшир, Англия, Великобритания*)

Oxfordshire [ˈɔksfədʃɪə] *граф.* Óксфордшир (*Англия, Великобритания*)

Oxon [ˈɔks(ɔ)n] *сокр. от* Oxfordshire

Oyashio Current [ˈɔɪəˈʃi:əuˈkʌr(ə)nt] *теч.* Оя́си́о; *см.* Okhotsk Current

Oyo [ˈəujəu] *г.* Óйо (*Нигерия*)

Ozark Plateau [ˈəuzɑ:kˈplætəu] *плато* Óзарк (*США*)

Ozd [əuzd] *г.* Озд (*Венгрия*)

P

Pabianice, Pabjanice [ˌpɑ:bjɑ:ˈni:tsə] *г.* Пабьяни́це (*Польша*)

Pachuca [pɑ:ˈtʃu:kə] *г.* Пачу́ка (*Мексика*)

Pacific Ocean [pəˈsɪfɪkˈəuʃ(ə)n] Ти́хий океáн (*между Австралией, Азией, Северной и Южной Америкой и Антарктидой*)

Padang [ˈpɑ:dɑ:ŋ] *г.* Пáданг (*о. Суматра, Индонезия*)

Padua [ˈpædju:ə] *г.* Пáдуя (*Италия*)

Paducah [pəˈdju:kə] *г.* Падью́ка (*шт. Кентукки, США*)

Pagan [pəˈgɑ:n] *г.* Пагáн (*Мьянма*)

Pago Pago [ˈpɑ:gəuˈpɑ:gəu] *г.* Пáго-Пáго (*адм. центр Восточного Самоа, о. Тутуила*)

Päijänne [ˈpæɪˈjænne] *оз.* Пя́йянне (*Финляндия*)

Paisley [ˈpeɪzlɪ] *г.* Пéйсли (*обл. Стратклайд, Шотландия, Великобритания*)

Pakanbaru [ˌpɑ:kənˈbɑ:ru:] *г.* Паканбáру (*о. Суматра, Индонезия*)

Pakistan [ˌpɑ:kɪsˈtɑ:n, ˌpækɪsˈtæn] *гос-во* Пакистáн, Islamic Republic of Pakistan [ɪzˈlæmɪk...] Ислáмская Респу́блика Пакистáн (*Южная Азия*)

Paksé [ˌpɑ:kˈseɪ] *г.* Паксé (*Лаос*)

Palana [pəˈlɑ:nə] *пгт* Палáна (*центр Корякского авт. окр., Камчатская обл., РСФСР, СССР*)

Palau [pɑ:ˈlau] *о-ва* Пала́у (*арх. Каролинские о-ва, Тихий ок.*)

Palawan [pɑ:ˈlɑ:wɑ:n] *о.* Пала́ван (*Филиппины*)

Palembang [ˌpɑ:lemˈbɑ:ŋ] *г.* Палемба́нг (*о. Суматра, Индонезия*)

Palermo [pəˈlə:məu] *г.* Пале́рмо (*о. Сицилия, Италия*)

Palestine [ˈpæləstaɪn] *ист. обл.* Палести́на (*в Западной Азии*)

Palk Strait [ˈpɔ:kˈstreɪt] По́лкский проли́в (*между п-овом Индостан и о. Шри-Ланка*)

Palma [ˈpɑ:lmɑ:] *г.* Па́льма (*о. Мальорка, Испания*)

Palmerston North [ˈpɑ:(l)məstənˈnɔ:θ] *г.* Па́лмерстон-Норт (*о. Северный, Новая Зеландия*)

Palmira [pɑ:lˈmi:rɑ:] *г.* Пальми́ра (*Колумбия*)

Palmyra [ˈpælˈmaɪrə] *ист. г.* Пальми́ра (*на терр. совр. Сирии*)

Palmyra Island [pælˈmaɪrəˈaɪlənd] *атолл* Пальми́ра (*о-ва Лайн, Тихий ок., влад. США*)

Pamir [pəˈmɪə], **Pamirs, the** [pəˈmɪəz] *нагорье* Пами́р (*СССР, Китай и Афганистан*)

Pamlico Sound [ˈpæmlɪkəuˈsaund] *зал.* Па́млико (*Атлантический ок., побережье США*)

Pampas [ˈpæmpəz] *геогр. обл.* Па́мпа, Пампа́сы (*Аргентина*)

Pamphylia [pæmˈfɪlɪə] *ист. обл.* Памфи́лия (*в Малой Азии, на терр. совр. Турции*)

Pamplona [pæmˈpləunɑ:] *г.* Пампло́на (*Испания*)

Panaji [ˈpɑ:nɑ:dʒɪ] *г.* Панаджи́ (*адм. центр шт. Гоа, Индия*)

Panama [ˈpænəmɑ:, ˌpænəˈmɑ:] **1.** *гос-во* Пана́ма́, Republic of Panama Респу́блика Пана́ма́ (*Центральная Америка*); **2.** *г.* Пана́ма́ (*столица Панамы*)

Panama Canal [ˈpænəmɑ:kəˈnæl] Пана́мский кана́л (*соединяет Атлантический и Тихий океаны, Панама*)

Panama, Gulf of [ˈgʌlfəvˈpænəmɑ:] Пана́мский зали́в (*Тихий ок., Панама*)

Panama, Isthmus of [ˈɪsməsəvˈpænəmɑ:] Пана́мский переше́ек (*соединяет Северную Америку с Южной, Панама*)

Panay [pɑ:ˈnaɪ] *о.* Пана́й (*Филиппины*)

Pančevo [ˈpɑ:ntʃevəu] *г.* Па́нчево (*Социалистическая Республика Сербия, Югославия*)

Panevežys [ˌpænəveɪˈʒi:s] *г.* Паневежи́с (*Литва*)

Panjim [ˈpɑ:nˌʒɪm] *г.* Панджи́м; *см.* Panaji

Pantelleria [ˌpɑ:ntelleˈri:ɑ:] *о.* Пантеллери́я (*Средиземное м., Италия*)

Panticapaeum [ˌpæntɪkəˈpi:əm] *ист. г.* Пантикапе́й (*в Крыму, совр. г. Керчь, СССР*)

Paoting [ˈbauˈdɪŋ] = Baoding

Paotou [ˈbauˈtəu] = Baotou

Papal States [ˈpeɪp(ə)lˈsteɪts] = States of the Church

Papeete [ˌpɑ:pe(ɪ)ˈeɪte(ɪ)] *г.* Папе́эте (*адм. центр Французской Полинезии, о. Таити*)

Paphlagonia [ˌpæfləˈgəunɪə] *ист. гос-во* Пафлаго́ния (*в Малой Азии, на терр. совр. Турции*)

Papua, Gulf of [ˈgʌlfəvˈpæpjuə] *зал.* Па́пуа (*Коралловое м., побережье о. Новая Гвинея*)

Papua New Guinea [ˈpæpjuəˈnju:ˈgɪnɪ] *гос-во* Па́пуа-Но́вая Гвине́я (*вост. часть о. Новая Гвинея с близлежащими о-вами, Тихий ок.*)

Pará [pəˈra] *г.* Пара́; *см.* Belém

Paracel Islands [pɑ:rɑ:ˈselˈaɪləndz] Парасе́льские острова́ (*Южно-Китайское м.*)

Paraguay [ˈpærəgwaɪ, ˈpærəgweɪ] **1.** *гос-во* Парагва́й, Republic of Paraguay Респу́блика Парагва́й (*Южная Америка*); **2.** *р.* Парагва́й (*Бразилия, Парагвай и Аргентина*)

Paraíba [pɑ:rɑ:ˈi:və] *р.* Параи́ба (*Бразилия*)

Paramaribo [ˌpærəˈmærɪbəu] *г.* Парама́рибо (*столица Суринама*)

Paraná [ˌpɑ:rɑ:ˈnɑ:] **1.** *г.* Парана́ (*Аргентина*); **2.** *р.* Парана́ (*Бразилия и Аргентина*)

Pardubice [ˈpɑ:duˌbɪtse] *г.* Па́рдубице (*Чехословакия*)

Paria, Gulf of [ˈgʌlfəvˈpɑ:rjɑ:] *зал.* Па́рия (*Атлантический ок., Венесуэла*)

Pariñas, Point [ˈpɔɪntpɑ:ˈri:njɑ:s]

мыс Пари́ньяс (*крайняя зап. точка Южной Америки, Перу*)

Paris [ˈpærɪs] *г.* Пари́ж (*столица Франции*)

Parkersburg [ˈpɑːkəzbəːg] *г.* Па́ркерсберг (*шт. Западная Виргиния, США*)

Parma [ˈpɑːmə] *г.* Па́рма (*Италия*)

Parnaíba [ˌpɑːnəˈiːvə] **1.** *г.* Парнаи́ба (*Бразилия*); **2.** *р.* Парнаи́ба (*Бразилия*)

Parnassus [pɑːˈnæsəs] *гора* Парна́с (*Греция*)

Paropamisus [ˌpærə(u)pəˈmaɪsəs] *горн. сист.* Паропами́з (*Афганистан*)

Paros [ˈpɛərɔs] *о.* Па́рос (*арх. Киклады, Эгейское м., Греция*)

Parry Islands [ˈpærɪˈaɪləndz] архипела́г Па́рри (*Канадский Арктический арх., Канада*)

Parthia [ˈpɑːθɪə] *ист. гос-во* Парфя́нское ца́рство (*к юго-вост. от Каспийского м.*)

Pasadena [ˌpæsəˈdiːnə] *г.* Пасаде́на (*шт. Калифорния, США*)

Pasargadae [pəˈsɑːgədiː] *ист. г.* Пасарга́ды (*Иран*)

Pasay [ˈpɑːsaɪ] *г.* Па́сай (*о. Лусон, Филиппины*)

Pas de Calais [ˌpɑːdˌkɑːˈle] *прол.* Па-де-Кале́ (*между о. Великобритания и Францией*)

Passaik [pəˈseɪɪk] *г.* Пассе́йик (*шт. Нью-Джерси, США*)

Pasto [ˈpɑːstəu] *г.* Па́сто (*Колумбия*)

Patagonia [ˌpætəˈgəunjə] *геогр. обл.* Патаго́ния (*Аргентина*)

Patan [ˈpɑːtən] *г.* Па́тан (*Непал*)

Paterson [ˈpætəsn] *г.* Па́терсон (*шт. Нью-Джерси, США*)

Patiala [ˌpʌtɪˈɑːlə] *г.* Патиа́ла (*шт. Пенджаб, Индия*)

Patna [ˈpʌtnə] *г.* Па́тна (*адм. центр шт. Бихар, Индия*)

Patras [pəˈtræs, ˈpætrəs] *г.* Па́тры (*Греция*)

Pau [pəu] *г.* По (*Франция*)

Pavia [pɑːˈviːɑː] *г.* Пави́я (*Италия*)

Pavlodar [ˈpævlə(u)dɑː] *г.* Павлода́р (*центр Павлодарской обл., Казахская ССР, СССР*)

Pavlograd [ˈpævlə(u)græd] *г.* Павлогра́д (*Днепропетровская обл., Украинская ССР, СССР*)

Pawtucket [pɔːˈtʌket] *г.* Пота́кет (*шт. Род-Айленд, США*)

Payne Lake [ˈpeɪnˈleɪk] *оз.* Пейн (*Канада*)

Paysandú [ˌpaɪsɑːnˈduː] *г.* Пайсанду́ (*Уругвай*)

Pazardzhik [ˌpʌzəˈdʒiːk] *г.* Па́зарджик (*Болгария*)

Peace River [ˈpiːsˈrɪvə] *р.* Пис-Ри́вер (*Канада*)

Pearl [pəːl] *р.* Перл (*США*)

Pearl Harbour [ˈpəːlˈhɑːbə] *бухта* Перл-Ха́рбор (*Тихий ок., о. Оаху, Гавайские о-ва*)

Peary Land [ˈpɪərɪˈlænd] *п-ов* Земля́ Пи́ри (*о. Гренландия*)

Peć, Pech [petʃ] *г.* Печ (*Социалистическая республика Сербия, Югославия*)

Pechora [pjɪˈtʃɔːrə] *р.* Печо́ра (*СССР*)

Pechora Bay [pjɪˈtʃɔːrəˈbeɪ] Печо́рская губа́ (*Баренцево м., СССР*)

Pecos [ˈpeɪkəs] *р.* Пе́кос (*США*)

Pécs [peɪtʃ] *г.* Печ (*Венгрия*)

Peebles [piːblz] *г.* Пиблс (*обл. Бордерс, Шотландия, Великобритания*)

Pegu [peˈguː] *г.* Пе́гу (*Мьянма*)

Peiping [ˈbeɪˈpɪŋ] *г.* Бэйпи́н; *см.* Peking

Peipus [ˈpaɪpus] *оз.* Пе́йпси; *см.* Chudskoye Ozero

Pekalongan [pəˌkɑːˈlɔːŋˈɑːn] *г.* Пекало́нган (*о. Ява, Индонезия*)

Peking [ˈpiːˈkɪŋ] *г.* Пеки́н (*столица Китая*)

Peloponnesus [ˌpelə(u)pəˈniːsəs] *п-ов* Пелопонне́с (*Греция*)

Pelotas [pəˈləutəs] *г.* Пело́тас (*Бразилия*)

Pematangsiantar [pəˈmɑːtɑːŋˈsjɑːntɑː] *г.* Пема́тангсиа́нтар (*о. Суматра, Индонезия*)

Pemba [ˈpembə] *о.* Пе́мба (*Индийский ок., Танзания*)

Penang [pɪˈnæŋ] *г.* Пина́нг (*Малайзия*)

Penchi [ˈbʌnˈtʃiː] = Benxi

Penghu [ˈpʌŋˈhuː] *о-ва* Пэнху́ (*Тайваньский прол., Китай*)

Pengpu [ˈpʌŋˈpuː] = Bengbu

Pennine Chain [ˈpenaɪnˈtʃeɪn] Пенни́нские го́ры (*Великобритания*)

Pennsylvania [ˌpensɪlˈveɪnjə] *шт.* Пенсильва́ния (*США*)

Pensacola [ˌpensəˈkəulə] *г.* Пенсако́ла (*шт. Флорида, США*)

Pentland Firth [ˈpentləndˈfə:θ] *прол.* Пе́нтленд-Ферт (*между Оркнейскими о-вами и о. Великобритания*)

Penza [ˈpenzə] *г.* Пе́нза (*центр Пензенской обл., РСФСР, СССР*)

Peoria [pɪˈəurɪə] *г.* Лео́рия (*шт. Иллинойс, США*)

Pereira [pəˈreɪrə] *г.* Пере́йра (*Колумбия*)

Perekop [ˌperəˈkɔp] Перeко́пский перешéек (*соединяет Крымский п-ов с материком, СССР*)

Pereslavl [ˌperəˈslæv(ə)l] Пересла́вское о́зеро; *см.* Pleshche(y)evo

Pereslavl-Zaleski [ˌperəˈslæv(ə)lzəˈleskɪ] *г.* Пересла́вль-Зале́сский (*Ярославская обл., РСФСР, СССР*)

Pereyaslav-Khmelnitski [ˌperəjəˈslævhmɪlˈnji:tskɪ] *г.* Пере́яслав-Хмельни́цкий (*Киевская обл., Украинская ССР, СССР*)

Pergamum [ˈpə:gəməm] *ист. гос-во и г.* Перга́м (*Малая Азия*)

Perm [pjerm] *г.* Пермь (*центр Пермской обл., РСФСР, СССР*)

Pernambuco [ˌpə:nəmˈb(j)u:kəu] *г.* Пернамбу́ку; *см.* Recife

Pernik [ˈpernɪk] *г.* Пе́рник (*Болгария*)

Persepolis [pə:ˈsepəlɪs] *ист. г.* Персе́поль (*Иран*)

Persia [ˈpɔ:ʃə] Пе́рсия; *см.* Iran

Persian Gulf [ˈpə:ʃ(ə)nˈgʌlf] Перси́дский зали́в (*Индийский ок., у берегов Юго-Западной Азии*)

Perth [pə:θ] **1.** *г.* Перт (*адм. центр шт. Западная Австралия, Австралия*); **2.** *г.* Перт (*обл. Тейсайд, Шотландия, Великобритания*)

Peru [pəˈru:] *гос-во* Перу́, Republic of Peru Респу́блика Перу́ (*Южная Америка*)

Perugia [pəˈru:dʒjə] *г.* Перу́джа (*Италия*)

Peruvian Current [pəˈru:vɪənˈkʌr(ə)nt] Перуа́нское тече́ние (*Тихий ок.*)

Pervouralsk [ˌpjervəu:ˈrɑ:lsk] *г.* Первоура́льск (*Екатеринбургская обл., РСФСР, СССР*)

Pescadores [ˌpeskəˈdəurɪz] Пескадо́рские острова́; *см.* Penghu

Pescara [pəˈskɑ:rə] *г.* Песка́ра (*Италия*)

Peshawar [pəˈʃɑ:wə, pəˈʃauə] *г.* Пешава́р (*Пакистан*)

Petach Tikva [ˌpetə(k)ˈtɪkvə] *г.* Пе́тах-Ти́ква (*Израиль*)

Peterborough [ˈpi:təbərə] **1.** *г.* Пи́терборо (*граф. Кембриджшир, Англия, Великобритания*); **2.** *г.* Пи́терборо (*пров. Онтарио, Канада*)

Peterhof [ˈpi:təˌhɔ:f] *г.* Петерго́ф; *см.* Petrodvorets

Peter I Island [ˈpi:təðəˈfə:stˈaɪlənd] о́стров Петра́ I (*м. Беллинсгаузена, Антарктика*)

Peter the Great Bay [ˈpi:təðəˈgreɪtˈbeɪ] зали́в Петра́ Вели́кого (*Японское м., побережье СССР*)

Petra [ˈpi:trə, ˈpetrə] *ист. г.* Пе́тра (*Иордания*)

Petrodvorets [ˌpetrədvəˈrets] *г.* Петродворе́ц (*Ленинградская обл., РСФСР, СССР*)

Petrograd [ˈpetrəˌgrɑ:d, ˈpetrə(u)græd] *г.* Петрогра́д; *см.* Saint Petersburg II

Petrokrepost [ˌpetrəˈkrjepəstj] *г.* Петрокре́пость (*Ленинградская обл., РСФСР, СССР*)

Petropavlovsk [ˌpjɪtrʌˈpɑ:vləfsk] *г.* Петропа́вловск (*центр Северо-Казахстанской обл., Казахская ССР, СССР*)

Petropavlovsk-Kamchatski [ˌpjɪtrʌˈpɑ:vləfskkʌmˈtʃɑ:tskɪ] *г.* Петропа́вловск-Камча́тский (*центр Камчатской обл., РСФСР, СССР*)

Petrópolis [ˌpəˈtrɔpəlɪs] *г.* Петро́полис (*Бразилия*)

Petroşeni [ˌpetrɔ:ˈʃɑ:nɪ] *г.* Петроше́ни (*Румыния*)

Petrozavodsk [ˌpjɪtrəzʌˈvɔ:tsk] *г.* Петрозаво́дск (*столица Карельской АССР, РСФСР, СССР*)

Pforzheim [ˈpfɔ:tshaɪm] *г.* Пфо́рцхайм (*ФРГ*)

Pharsalus [fɑ:ˈseɪləs] *г.* Фа́рсал (*Греция*)

Philadelphia [ˌfɪləˈdelfɪə] *г.* Филаде́льфия (*шт. Пенсильвания, США*)

Philippeville [ˈfɪlɪpvɪl] *г.* Филиппви́ль; *см.* Skikda

Philippine Islands [ˈfɪlɪpi:nˈaɪləndz] Филиппи́нские острова́ (*Тихий ок., Филиппины*)

Philippines [ˈfɪlɪpi:nz] **1.** *гос-во* Филиппи́ны, Republic of the Philippines Респу́блика Филиппи́ны (*на Филиппинских островах, Юго-Восточная Азия*); **2.** *о-ва* Филиппи́ны; *см.* Philippine Islands

Philippine Sea [ˈfɪlɪpi:nˈsi:] Филиппи́нское мо́ре (*Тихий ок., к вост. от Филиппинских о-вов*)

Philippine Trench [ˈfɪlɪpi:nˈtrentʃ] Филиппи́нский жёлоб (*Тихий ок.*)

Phnom Penh [ˈpnɔ:mˈpen] = Pnompenh

Phoenicia [fɪˈnɪʃɪə] *ист. страна* Финики́я (*на вост. побережье Средиземного м.*)

Phoenix [ˈfi:nɪks] *г.* Фи́никс (*адм. центр шт. Аризона, США*)

Phoenix Islands [ˈfi:nɪksˈaɪləndz] *арх.* Фе́никс (*Тихий ок., Полинезия, Кирибати*)

Phrygia [ˈfrɪdʒɪə] *ист. страна* Фри́гия (*Малая Азия*)

Phuket [ˈphu:ket] *г.* Пхуке́т (*Таиланд*)

Piacenza [pjɑ:ˈtʃentsɑ:] *г.* Пьяче́нца (*Италия*)

Piai, Cape [ˈkeɪppɪˈaɪ] *мыс* Пиа́й (*крайняя юж. точка Азии, п-ов Малакка, Малайзия*)

Picardy [ˈpɪkədɪ] *ист. пров.* Пикарди́я (*Франция*)

Piedmont [ˈpi:dmɔnt] *обл.* Пьемо́нт (*Италия*)

Piedmont Plateau [ˈpi:dmɔntˈplætəu] *плато* Пи́дмонт (*США*)

Pierre [pɪə] *г.* Пирр (*адм. центр шт. Южная Дакота, США*)

Pietermaritzburg [ˌpi:təˈmærɪtsbə:g] *г.* Питерма́рицбург (*адм. центр пров. Натал, ЮАР*)

Pietersburg [ˈpi:təzbə:g] *г.* Пи́терсбург (*пров. Трансвааль, ЮАР*)

Piła [ˈpi:lɑ] *г.* Пи́ла (*Польша*)

Pilcomayo [ˌpi:lkəˈmaɪəu] *р.* Пилькома́йо (*Боливия, Парагвай и Аргентина*)

Pilica, Pilitsa [pɪˈli:tsɑ:] *р.* Пили́ца (*Польша*)

Pillars of Hercules [ˈpɪləzəvˈhə:kju:li:z] Геркуле́совы Столбы́ (*древнее назв. Гибралтарского прол.*)

Pinar del Río [pɪˌnɑ:delˈri:əu] *г.* Пина́р-дель-Ри́о (*Куба*)

Pindus [ˈpɪndəs] *горы* Пинд (*Греция*)

Pine Bluff [ˈpaɪnˌblʌf] *г.* Пайн-Блафф (*шт. Арканзас, США*)

Pine Point [ˈpaɪnˈpɔɪnt] *г.* Пайн-Пойнт (*Северо-Западные территории, Канада*)

Pines, Isle of [ˈaɪləvˈpaɪnz] *о.* Хуренту́д, Пи́нос (*Карибское м., Куба*)

Ping [pɪŋ] *р.* Пинг (*Таиланд*)

Pinsk [pɪnsk] *г.* Пинск (*Брестская обл., Белорусская ССР, СССР*)

Piracicaba [ˌpɪrəsəˈkæbə] *г.* Пирасика́ба (*Бразилия*)

Piraeus [paɪəˈri:əs] *г.* Пире́й (*Греция*)

Pisa [ˈpi:zə] *г.* Пи́за (*Италия*)

Pitcairn Island [ˈpɪtkɛənˈaɪlənd] *о.* Пи́ткэрн (*Тихий ок., Полинезия, влад. Великобритании*)

Piteşti [pɪˈteʃt(ɪ)] *г.* Пите́шти (*Румыния*)

Pittsburg [ˈpɪtsbə:g] *г.* Пи́тсбург (*шт. Пенсильвания, США*)

Pittsfield [ˈpɪtsfi:ld] *г.* Пи́тсфилд (*шт. Массачусетс, США*)

Platte [plæt] *р.* Платт (*США*)

Plauen [ˈplauən] *г.* Пла́уэн (*ФРГ*)

Pleshche(y)evo [pleʃˈtʃeɪəvəu] Плеще́ево о́зеро (*СССР*)

Pleven [ˈplevən], **Plevna** [ˈplevnɑ:] *г.* Пле́вен, Пле́вна (*Болгария*)

Płock [ˈplɔ:tsk] *г.* Плоцк (*Польша*)

Ploeşti [plɔ:ˈjeʃt(ɪ)] *г.* Плое́шти (*Румыния*)

Plovdiv [ˈplɔ:vdɪf] *г.* Пло́вдив (*Болгария*)

Plymouth [ˈplɪməθ] **1.** *г.* Пли́мут (*граф. Девоншир, Англия, Великобритания*); **2.** *г.* Пли́мут (*о. Монтсеррат, Малые Антильские о-ва*)

Plzeň [ˈpʌlzenj] *г.* Пльзень (*Чехословакия*)

Pnompenh, Pnom-Penh [ˈpnɔ:mˈpen] *г.* Пномпе́нь (*столица Камбоджи*)

Po [pəu] *р.* По (*Италия*)

Pobeda Peak [pə΄b(j)edə΄pi:k, pʌ-΄bjedə΄pi:k] пик Побе́ды (*горн. сист. Тянь-Шань, СССР*)

Podolia [pə΄dəulɪə] *ист. обл.* Подо́лье, Подо́льская земля́ (*Украинская ССР, СССР*)

Podolsk [pə(u)΄dɔlsk] *г.* Подо́льск (*Московская обл., РСФСР, СССР*)

Pohai (*или* **Po Hai), Gulf of** [΄gʌlf-əv΄bəu΄haɪ, ...΄pəu΄haɪ] = Bohai II

Pohai (*или* **Po Hai), Strait of** [΄streɪtəv΄bəu΄haɪ, ...΄pəu΄haɪ] = Bohai I

Pohang [΄pəu΄hɑ:ŋ] *г.* Пхоха́н (*Республика Корея*)

Pointe-à-Pitre [ˏpwæŋtɑ:΄pi:tr] *г.* Пуэ́нт-а-Питр (*о. Гваделупа, Малые Антильские о-ва*)

Pointe-Noire [ˏpwæŋt΄nwɑ:] *г.* Пуэ́нт-Нуа́р (*Конго*)

Poitiers [pwɑ:΄tjeɪ] *г.* Пуатье́ (*Франция*)

Poitou [pwɑ:΄tu:] *ист. пров.* Пуату́ (*Франция*)

Poland [΄pəulənd] *гос-во* По́льша, Republic of Poland Респу́блика По́льша (*Центральная Европа*)

Polesye [pʌ΄ljeɪsjə] Поле́сская ни́зменность, Поле́сье (*Белорусская ССР, Украинская ССР и РСФСР, СССР*)

Polotsk [΄pə(u)lətsk] *г.* По́лоцк (*Витебская обл., Белорусская ССР, СССР*)

Poltava [pʌl΄tɑ:və] *г.* Полта́ва (*центр Полтавской обл., Украинская ССР, СССР*)

Polynesia [ˏpɔlɪ΄ni:ʒə] Полине́зия (*общее назв. о-вов в центр. части Тихого ок.*)

Pomerania [ˏpɔmə΄reɪnjə] *ист. обл.* Помера́ния; *см.* Pomorze

Pomona [pə(u)΄məunə] *о.* Помо́на; *см.* Mainland 1

Pomorze [pɔ:΄mɔ:ʒə] *ист. обл.* Помо́рье (*Польша*)

Pompeii [pɔm΄peɪɪ] *ист. г.* Помпе́и (*Италия*)

Ponape [΄pəunəpeɪ] *о.* По́напе (*арх. Каролинские о-ва, Тихий ок.*)

Ponce [΄pɔ:nseɪ] *г.* По́нсе (*о. Пуэрто-Рико, Большие Антильские о-ва*)

Pondicherry [ˏpɔndɪ΄tʃerɪ] **1.** *союзная терр.* Пондише́ри, Путтучче́ри (*Индия*); **2.** *г.* Пондише́ри, Путтучче́ри (*адм. центр союзной терр. Пондишери, Индия*)

Ponta Grossa [΄pəuŋtə΄grɔ:sə] *г.* По́нта-Гро́са (*Бразилия*)

Pontiac [΄pɔ:ntɪæk] *г.* По́нтиак (*шт. Мичиган, США*)

Pontianak [ˏpɔ:ntɪ΄ɑ:nɑ:k] *г.* Понтиа́нак (*о. Калимантан, Индонезия*)

Pontus [΄pɔntəs] *ист. гос-во* Понти́йское ца́рство, Понт (*Малая Азия*)

Poole [pu:l] *г.* Пул (*граф. Дорсетшир, Англия, Великобритания*)

Poona [΄pu:nə] *г.* Пу́на (*шт. Махараштра, Индия*)

Poopo, Lake [΄leɪk΄pəuə(u)΄pəu] *оз.* Поопо́ (*Боливия*)

Popayán [ˏpəupɑ:΄jɑ:n] *г.* Попая́н (*Колумбия*)

Popocatepetl [ˏpəupə(u)ˏkætə-΄petl] *влк.* Попокате́петль (*Мексика*)

Porcupine [΄pɔ:kju:paɪn] *р.* По́ркьюпайн (*Канада и США*)

Pori [΄pɔ:rɪ] *г.* По́ри (*Финляндия*)

Portadown [ˏpɔ:tə΄daun] *г.* Портада́ун (*адм. центр окр. Крейгавон, Северная Ирландия, Великобритания*)

Port Arthur [΄pɔ:t΄ɑ:θə] *г.* Порт-Арту́р; *см.* Lüshun

Port-au-Prince [ˏpɔ:təu΄prɪns] *г.* Порт-о-Пренс (*столица Гаити*)

Port Blair [pɔ:t΄blɛə] *г.* Порт-Блэр (*адм. центр союзной терр. Андаманские и Никобарские о-ва, Индия*)

Port Elizabeth [pɔ:tɪ΄lɪzəbəθ] *г.* Порт-Эли́забет (*Капская пров., ЮАР*)

Port-Étienne [΄pɔ:teɪ΄tjen] *г.* Порт-Этье́нн; *см.* Nouadhibou

Port Harcourt [pɔ:t΄hɑ:kət] *г.* Порт-Ха́ркорт (*Нигерия*)

Port Huron [pɔ:t΄hju:ərən] *г.* Порт-Гуро́н (*шт. Мичиган, США*)

Port Kembla [pɔ:t΄kemblə] *г.* Порт-Ке́мбла (*шт. Новый Южный Уэльс, Австралия*)

Portland [΄pɔ:tlənd] **1.** *г.* По́ртленд (*шт. Орегон, США*); **2.** *г.* По́ртленд (*шт. Мэн, США*); **3.** *г.* По́ртленд (*граф. Дорсетшир, Англия, Великобритания*)

Port Laoighise [ˈpɔ:tˈli:ʃə:, ˈpɔ:tˈleɪʃə] *г.* Порт-Ли́ше, Порт-Ле́йише (*адм. центр граф. Лишь, Ирландия*)

Port Louis [ˈpɔ:tˈlu:ɪ(s)] *г.* Порт-Луи́ (*столица Маврикия, о. Маврикий*)

Port Moresby [ˈpɔ:tˈməuəzbɪ] *г.* Порт-Мо́рсби (*столица Папуа-Новой Гвинеи*)

Pôrto [ˈpəutu:] *г.* По́рту (*Португалия*)

Pôrto Alegre [ˈpəutu:əˈlɛəgrə] *г.* По́рту-Але́гри (*Бразилия*)

Port of Spain [ˈpɔ:təvˈspeɪn] *г.* Порт-оф-Спейн (*столица гос-ва Тринидад и Тобаго, о. Тринидад*)

Porto Novo [ˈpɔ:tə(u)ˈnəuvəu] *г.* По́рто-Но́во (*столица Бенина*)

Porto Rico [ˈpɔ:təˈri:kəu] = Puerto Rico

Portoviejo [ˈpɔ:tə(u)ˈvjehə(u)] *г.* Портовье́хо (*Эквадор*)

Port Phillip Bay [ˈpɔ:tˈfɪlɪpˈbeɪ] *зал.* Порт-Фи́ллип (*прол. Басса, побережье Австралии*)

Port Pirie [ˈpɔ:tˈpɪrɪ] *г.* Порт-Пи́ри (*шт. Южная Австралия, Австралия*)

Port Said [ˈpɔ:tˈsaɪd] *г.* Порт-Саи́д (*Египет*)

Portsmouth [ˈpɔ:tsməθ] **1.** *г.* По́ртсмут (*граф. Гэмпшир, Англия, Великобритания*); **2.** *г.* По́ртсмут (*шт. Виргиния, США*)

Port Stanley [ˈpɔ:tˈstænlɪ] *г.* Порт-Стэ́нли (*адм. центр Фолклендских (Мальвинских) о-вов*)

Port Sudan [pɔ:tsu:ˈdæn] *г.* Порт-Суда́н (*Судан*)

Portugal [ˈpɔ:tug(ə)l] *гос-во* Португа́лия, Portuguese Republic [ˌpɔ:tjuˈgi:z...] Португа́льская Респу́блика (*Юго-Западная Европа*)

Port Vila [ˈpɔ:tˈvi:lə] *г.* Порт-Ви́ла (*столица Вануату, о. Эфате*)

Posadas [pəˈsɑ:dəs] *г.* Поса́дас (*Аргентина*)

Potchefstroom [ˈpɔtʃəfˌstru:m] *г.* По́чефструм (*пров. Трансвааль, ЮАР*)

Potomac [pə(u)ˈtəumək] *р.* Пото́мак (*США*)

Potosí [ˌpəutəˈsi:] *г.* Потоси́ (*Боливия*)

Potsdam [ˈpɔtsdæm] *г.* По́тсдам (*ФРГ*)

Powys [ˈpauɪs] *граф.* По́уис (*Уэльс, Великобритания*)

Poyang Hu [ˈpəuˈjɑ:ŋˈhu:] *оз.* Поянху́ (*Китай*)

Poza Rica [ˌpəuzəˈri:kə] *г.* По́са-Ри́ка (*Мексика*)

Poznań [ˈpɔ:znɑ:nj] *г.* По́знань (*Польша*)

Prague [prɑ:g, preɪg] *г.* Пра́га (*столица Чехословакии и Чешской Республики*)

Praia [ˈpraɪə] *г.* Пра́я (*столица Кабо-Верде, о. Сантьягу*)

Prato [ˈprɑ:təu] *г.* Пра́то (*Италия*)

Pravda Coast [ˈprɑ:vdəˈkəust] Бе́рег Пра́вды (*Антарктида*)

Prešov [ˈpreʃɔ:f] *г.* Пре́шов (*Чехословакия*)

Prespa, Lake [ˈleɪkˈprespə] *оз.* Пре́спа (*Югославия, Албания и Греция*)

Preston [ˈprestn] *г.* Пре́стон (*адм. центр граф. Ланкашир, Англия, Великобритания*)

Pretoria [prɪˈtɔurɪə] *г.* Прето́рия (*столица ЮАР*)

Pribilof Islands [ˈprɪbɪlɔfˈaɪləndz] острова́ Прибыло́ва (*Берингово м., США*)

Priene [praɪˈi:nɪ] *ист. г.* Прие́на (*Малая Азия*)

Primorski Krai [prjɪˈmɔ:rskɪˈkraɪ] Примо́рский край (*РСФСР, СССР*)

Prince Charles Island [ˈprɪnsˈtʃɑ:lzˈaɪlənd] *о.* Принс-Чарльз (*басс. Фокса, Северный Ледовитый ок., Канада*)

Prince Charles Mountains [ˈprɪnsˈtʃɑ:lzˈmauntɪnz] *горы* Принс-Чарлз (*Антарктида*)

Prince Edward Island I [ˈprɪnsˈedwədˈaɪlənd] *пров.* О́стров При́нца Эдуа́рда (*Канада*)

Prince Edward Island II [ˈprɪnsˈedwədˈaɪlənd] *о.* Принс-Эдуард (*зал. Святого Лаврентия, Канада*)

Prince of Wales, Cape [ˈkeɪpˈprɪnsəvˈweɪlz] мыс При́нца Уэ́льского (*крайняя зап. точка Северной Америки, п-ов Аляска, США*)

Prince of Wales Island [ˈprɪnsəvˈweɪlzˈaɪlənd] **1.** о́стров При́нца

Уэ́льского (*арх. Александра, Тихий ок., США*); **2.** о́стров При́нца Уэ́льского (*Канадский Арктический арх., Канада*)

Prince Patrick Island [ˈprɪnsˈpætrɪkˈaɪlənd] *о.* Принс-Па́трик (*арх. Парри, Канадский Арктический арх., Канада*)

Princes Islands [ˈprɪnsɪzˈaɪləndz] При́нцевы острова́ (*Мраморное м., Турция*)

Princess Elizabeth Land [prɪnˈsesɪˈlɪzəbəθˈlænd] Земля́ Принце́ссы Елизаве́ты (*часть терр. Антарктиды*)

Princess Martha Coast [prɪnˈsesˈmɑːθəˈkəust] Бе́рег Принце́ссы Ма́рты (*Антарктида*)

Princess Ragnhild Coast [prɪnˈsesˈrɑːŋənhɪlˈkəust] Бе́рег Принце́ссы Ра́гнхилль (*Антарктида*)

Principe Island [ˈpriːnsɪpɪˈaɪlənd] *о.* При́нсипи (*Гвинейский зал., Атлантический ок., гос-во Сан-Томе и Принсипи*)

Pripyat [ˈprjiːpjətj] *р.* При́пять (*СССР*)

Priština [ˈprɪʃtɪnɑː] *г.* При́штина (*Социалистическая Республика Сербия, Югославия*)

Prizren [ˈpriːzren] *г.* При́зрен (*Социалистическая Республика Сербия, Югославия*)

Prokop(y)evsk [prʌˈkɔːpjəfsk] *г.* Проко́пьевск (*Кемеровская обл., РСФСР, СССР*)

Provence [ˌprɔːˈvɑːŋs] *ист. пров.* Прова́нс (*Франция*)

Providence [ˈprɔvɪdəns] *г.* Про́виденс (*адм. центр шт. Род-Айленд, США*)

Providence Bay [ˈprɔvɪdənsˈbeɪ] бу́хта Провиде́ния (*Анадырский зал., побережье СССР*)

Provo [ˈprəuvəu] *г.* Про́во (*шт. Юта, США*)

Prussia [ˈprʌʃə] *ист. гос-во* Пру́ссия (*Европа*)

Prut [pruːt] *р.* Прут (*СССР и Румыния*)

Przemyśl [ˈpʃemɪʃ(əl)] *г.* Пше́мысль (*Польша*)

Przhevalsk [pərʒəˈvɑːljsk] *г.* Пржева́льск (*центр Иссык-Кульской обл., Киргизская ССР, СССР*)

Pskov [pskɔːf] *г.* Псков (*центр Псковской обл., РСФСР, СССР*)

Pskov, Lake [ˈleɪkˈpskɔːf] Пско́вское о́зеро (*СССР*)

Puebla [pju(ː)ˈeblə] *г.* Пуэ́бла (*Мексика*)

Pueblo [pju(ː)ˈebləu] *г.* Пуэ́бло (*шт. Колорадо, США*)

Puerto Cabello [ˌpwəːtəukəˈbeɪ(j)əu] *г.* Пуэ́рто-Кабе́льо (*Венесуэла*)

Puerto la Cruz [ˌpwəːtəulɑːˈkruːs] *г.* Пуэ́рто-ла-Крус (*Венесуэла*)

Puertollano [ˌpwəːtəuˈljɑːnəu] *г.* Пуэртолья́но (*Испания*)

Puerto Montt [ˌpwəːtəuˈmɔːnt] *г.* Пуэ́рто-Монт (*Чили*)

Puerto Rico [ˈpwəːtəˈriːkəu] **1.** Пуэ́рто-Ри́ко, Commonwealth of Puerto Rico [ˈkɔmənwelθ...] Содру́жество Пуэ́рто-Ри́ко (*страна на о. Пуэрто-Рико и близлежащих о-вах, влад. США*); **2.** *о.* Пуэ́рто-Ри́ко (*Большие Антильские о-ва, Атлантический ок., влад. США*)

Puerto Rico Trench [ˈpwəːtəˈriːkəuˈtrentʃ] *жёлоб* Пуэ́рто-Ри́ко (*Атлантический ок.*)

Puget Sound [ˈpjuːdʒetˈsaund, ˈpjuːdʒɪt...] *зал.* Пью́джет-Са́унд (*Тихий ок., побережье Северной Америки*)

Pula [ˈpuːlə] *г.* Пу́ла (*Республика Хорватия, Югославия*)

Punjab [pʌnˈdʒɑːb] **1.** *шт.* Пенджа́б (*Индия*); **2.** *ист.-геогр. обл.* Пенджа́б (*Южная Азия*)

Puno [ˈpuːnəu] *г.* Пу́но (*Перу*)

Punta Arenas [ˌpuːntəəˈreɪnəs] *г.* Пу́нта-Аре́нас (*Чили*)

Purús [puːˈruːs] *р.* Пуру́с (*Перу и Бразилия*)

Pusan [puˈsɑːn] *г.* Пуса́н (*Республика Корея*)

Pushkin [ˈpuʃkɪn] *г.* Пу́шкин (*Ленинградская обл., РСФСР, СССР*)

Putumayo [ˌpuːtuːˈmɑːjə(u)] *р.* Путума́йо (*Южная Америка*)

Pyasina [ˈpjɑːsɪnə] *р.* Пя́сина (*СССР*)

Pyatigorsk [ˌpjɑːtɪˈgɔːrsk] *г.* Пятиго́рск (*Ставропольский край, РСФСР, СССР*)

Pyongyang [pjəːŋjɑːŋ] *г.* Пхенья́н (*столица КНДР*)

Pyrenees [ˈpɪərɪni:z] *горн. сист.* Пиренéи (*на границе Испании и Франции*)

Q

Qalyub [kɑ:lˈju:b] *г.* Кальюб (*Египет*)

Qatar [kæˈtɑ:, ˈkɔtɔ:] **1.** *гос-во* Кáтар, State of Qatar Госудáрство Кáтар (*Аравийский п-ов, Юго-Западная Азия*); **2.** *п-ов* Кáтар (*сев.-вост. часть Аравийского п-ова, Катар*)

Qattara Depression [kɔtˈtɑ:rɔdɪˈpreʃ(ə)n] *впадина* Каттáра (*Египет*)

Qazvin [kɑ:zˈvi:n] *г.* Казвúн (*Иран*)

Qena [ˈki:nə, ˈkeɪnə] *г.* Кéна (*Египет*)

Qingdao [ˈtʃɪŋˈdau] *г.* Циндáо (*пров. Шаньдун, Китай*)

Qing Hai [ˈtʃɪŋˈhaɪ] *оз.* Цинхáй; *см.* Koko Nor

Qinghai [ˈtʃɪŋˈhaɪ] *пров.* Цинхáй (*Китай*)

Qinhuangdao [ˈtʃɪnˈhwɑ:ŋˈdau] *г.* Циньхуандáо (*пров. Хэбэй, Китай*)

Qiqihar [ˈtʃi:ˈtʃi:ˈhɑ:r] *г.* Цицикáр (*пров. Хэйлунцзян, Китай*)

Quebec [kwɪˈbek] **1.** *пров.* Квебéк (*Канада*); **2.** *г.* Квебéк (*пров. Квебек, Канада*)

Queen Charlotte Islands [ˈkwi:nˈʃɑ:lətˈaɪləndz] *арх.* островá Королéвы Шарлóтты (*Тихий ок., Канада*)

Queen Charlotte Sound [ˈkwi:nˈʃɑ:lətˈsaund] залúв Королéвы Шарлóтты (*Тихий ок., побережье Канады*)

Queen Mary Land [ˈkwi:nˈmɛərɪˈlænd] Землú Королéвы Мэ́ри (*часть терр. Антарктиды*)

Queen Maud Land [ˈkwi:nˈmɔ:dˈlænd] Землú Королéвы Мод (*часть терр. Антарктиды*)

Queens [kwi:nz] Куúнс (*р-н г. Нью-Йорк, США*)

Queensland [ˈkwi:nzlənd] *шт.* Квúнсленд (*Австралия*)

Quelimane [ˌkelɪˈmɑ:nə] *г.* Келимáне (*Мозамбик*)

Que Que [ˈkweɪˈkweɪ] *г.* Квéкве (*Зимбабве*)

Querétaro [kəˈretərəu] *г.* Керéтаро (*Мексика*)

Quetta [ˈkwetə] *г.* Квéтта (*Пакистан*)

Quezaltenango [ke(ɪ)ˌsɑ:lte(ɪ)ˈnɑ:ŋgə(u)] *г.* Кесальтенáнго (*Гватемала*)

Quezon City [ˈkeɪsɔ:nˈsɪtɪ] *г.* Кéсон-Сúти (*о. Лусон, Филиппины*)

Quibdó [kɪbˈdəu] *г.* Кибдó (*Колумбия*)

Quincy [ˈkwɪnsɪ] *г.* Куúнси (*шт. Массачусетс, США*)

Qui Nhon [ˈkwi:ˈnjɔ:n] *г.* Куинён (*Вьетнам*)

Quito [ˈki:tə(u)] *г.* Кúто (*столица Эквадора*)

R

Rabat [rəˈbɑ:t] *г.* Рабáт (*столица Марокко*)

Rabaul [rəˈbaul] *г.* Рабáул (*о. Новая Британия, Папуа-Новая Гвинея*)

Rabbah Ammon [ˈræbəˈæmən], **Rabbath Ammon** [ˈræbəθˈæmən] *библ.* = Amman

Rach Gia [ˈrɑ:tˈʒɑ:] *г.* Ратьжá (*Вьетнам*)

Racibórz [rɑ:ˈtsi:bu:ʃ] *г.* Рацúбуж (*Польша*)

Racine [rəˈsi:n] *г.* Расúн (*шт. Висконсин, США*)

Radom [ˈrɑ:dɔ:m] *г.* Рáдом (*Польша*)

Radomsko [rəˈdɔ:mskəu] *г.* Радóмско (*Польша*)

Ragusa [rɑ:ˈgu:zɑ:] *г.* Рагýза (*о. Сицилия, Италия*)

Rainier, Mount [ˈmauntrəˈnɪə, ˈmauntˈreɪnjə] *влк.* Рейнúр (*Каскадные горы, США*)

Raipur [ˈraɪpuə] *г.* Райпýр (*шт. Мадхья-Прадеш, Индия*)

Rajahmundry [ˈrɑ:dʒəˈmʌndrɪ] *г.* Раджамáндри (*шт. Андхра-Прадеш, Индия*)

Rajasthan [ˈrɑ:dʒəstɑ:n] **1.** *шт.* Раджастхáн (*Индия*); **2.** *ист. обл.* Раджастхáн (*Индия*)

Rajkot [ˈrɑ:dʒkəut] *г.* Раджкóт (*шт. Гуджарат, Индия*)

Rajputana [ˌrɑ:dʒpuˈtɑ:nə] *ист.*

обл. Раджпута́на; *см.* Rajasthan 2

Raleigh [ˈrɔ:lɪ] *г.* Ро́ли (*адм. центр шт. Северная Каролина, США*)

Ralik [ˈrɑ:lɪk] *о-ва* Ра́лик (*Маршалловы о-ва, Тихий ок.*)

Ramat Gan [rɑ:ˈmɑ:tˌgɑ:n] *г.* Рама́т-Ган (*Израиль*)

Rambouillet [ˌrɑ:ŋbu:ˈje] *г.* Рамбуйе́ (*Франция*)

Rampur [ˈrɑ:mpuə] *г.* Рампу́р (*шт. Уттар-Прадеш, Индия*)

Ramsgate [ˈræmzgɪt] *г.* Ра́мсгит (*граф. Кент, Англия, Великобритания*)

Rancagua [rɑ:ŋˈkɑ:gwɑ:] *г.* Ранка́гуа (*Чили*)

Ranchi [ˈrɑ:ntʃɪ] *г.* Ра́нчи (*шт. Бихар, Индия*)

Randfontein [ˈrɑ:ntfɔ:nˈteɪn] *г.* Ра́ндфонтейн (*пров. Трансвааль, ЮАР*)

Rand, the [rænd] = Witwatersrand

Rangoon [ræŋˈgu:n] *г.* Рангу́н; *см.* Yangown

Rapallo [rɑ:ˈpɑ:llə(u)] *г.* Рапа́лло (*Италия*)

Rapid City [ˈræpɪdˈsɪtɪ] *г.* Ра́пид-Си́ти (*шт. Южная Дакота, США*)

Rarotonga [ˌrærə(u)ˈtɔŋgə] *о.* Раро́тонга (*о-ва Кука, Тихий ок., влад. Новой Зеландии*)

Ras Dashan [ˈrɑ:sdɑ:ˈʃɑ:n] *гора* Рас-Даше́н (*Эфиопское нагорье, Эфиопия*)

Ras Engela [ˈrɑ:sˈeŋgeɪlɑ:] = Engela

Ras Hafun [ˌrɑ:shæˈfu:n] *мыс* Рас-Хафу́н; *см.* Hafun, Cape

Rasht [ræʃt] *г.* Решт (*Иран*)

Ras Tanura [rɑ:stəˈnuə] *г.* Рас-Танну́ра (*Саудовская Аравия*)

Ratak [ˈrɑ:tɑ:k] *о-ва* Ра́так (*Маршалловы о-ва, Тихий ок.*)

Rathenow [ˈrɑ:tənəu] *г.* Ра́тенов (*ФРГ*)

Rat Islands [ˈrætˈaɪləndz] *о-ва* Кры́сьи (*арх. Алеутские о-ва, Тихий ок., США*)

Ratnapura [ˈrʌtnəˌpurə] *г.* Ратнапу́ра (*Шри-Ланка*)

Raurkela [ˈrɔ:ˈkeɪlə] *г.* Роурке́ла (*шт. Орисса, Индия*)

Ravenna [rəˈvenə] *г.* Раве́нна (*Италия*)

Rawalpindi [ˌrɑ:vəlˈpɪndi:,rɔ:lˈpɪndɪ] *г.* Равалпи́нди (*Пакистан*)

Razgrad [ˈrɑ:zˌgrɑ:t] *г.* Ра́зград (*Болгария*)

Reading [ˈredɪŋ] **1.** *г.* Ре́динг (*адм. центр граф. Беркшир, Англия, Великобритания*); **2.** *г.* Ре́динг (*шт. Пенсильвания, США*)

Recife [rəˈsi:fə] *г.* Реси́фи (*Бразилия*)

Recklinghausen [ˈreklɪŋˌhauzən] *г.* Ре́клингхаузен (*ФРГ*)

Red River I [ˈredˈrɪvə] **1.** *р.* Ред-Ри́вер (*приток р. Миссисипи, США*); **2.** *р.* Ред-Ри́вер (*впадает в оз. Виннипег, США и Канада*)

Red River II [ˈredˈrɪvə] Кра́сная река́; *см.* Songka

Red Sea [ˈredˈsi:] Кра́сное мо́ре (*Индийский ок., между Африкой и Аравийским п-овом*)

Ree, Lough [lɔhˈri:] *оз.* Лох-Ри (*Ирландия*)

Regensburg [ˈreɪgənzbə:g] *г.* Ре́генсбург (*ФРГ*)

Reggio di Calabria [ˈre(ɪ)ddʒə(u)dɪkɑ:ˈlɑ:brɪɑ:] *г.* Ре́джо-ди-Кала́брия (*Италия*)

Reggio nell'Emilia [ˈre(ɪ)ddʒə(u)ˌne(ɪ)lle(ɪ)ˈmi:ljɑ:] *г.* Ре́джо-нель-Эми́лия (*Италия*)

Regina [rɪˈdʒaɪnə] *г.* Реджа́йна (*адм. центр пров. Саскачеван, Канада*)

Registan [ˌreɪgɪˈstɑ:n] *пуст.* Регистан (*Афганистан*)

Reims [ri:mz] *г.* Реймс (*Франция*)

Reindeer Lake [ˈreɪndɪəˈleɪk] Оле́нье о́зеро (*Канада*)

Remscheid [ˈremʃaɪt] *г.* Ре́мшайд (*ФРГ*)

Rennes [ren] *г.* Рен(н) (*Франция*)

Reno [ˈri:nəu] *г.* Ри́но (*шт. Невада, США*)

Republican [rɪˈpʌblɪkən] *р.* Репа́бликан (*США*)

Republic of South Africa [rɪˈpʌblɪkəvˈsauθˈæfrɪkə] *гос-во* Ю́жно-Африка́нская Респу́блика (*Южная Африка*)

Resht [reʃt] = Rasht

Resistencia [ˌresɪsˈteɪnsjɑ:] *г.* Ресисте́нсия (*Аргентина*)

Reşiţa [ˈreʃɪtsɑ:] *г.* Ре́шица (*Румыния*)

Réunion [ˌreɪˌju:ˈnjɔ:ŋ, rɪˈju:njən] *о.* Реюньóн (*Маскаренские о-ва, Индийский ок., влад. Франции*)

Revel [ˈreɪvəl] *г.* Ре́вель; *см.* Tallinn

Reykjavík [ˈreɪkjɑ:ˌvi:k] *г.* Ре́йкьявик (*столица Исландии*)

Reynosa [reɪˈnəusə] *г.* Рейнóса (*Мексика*)

Rezaieh [rəˈzaɪ(j)ə] *г.* Резайе́; *см.* Urmia

Rheims [ri:mz] = Reims

Rheydt [raɪt] *г.* Райдт (*ФРГ*)

Rhine [raɪn] *р.* Рейн (*Западная Европа*)

Rhode Island [ˌrəudˈaɪlənd] *шт.* Род-А́йленд (*США*)

Rhodes [rəudz] **1.** *г.* Рóдос (*о. Родос, Греция*); **2.** *о.* Рóдос (*о-ва Южные Спорады, Эгейское м., Греция*)

Rhodope [ˈrɔdə(u)pɪ] *горы* Родóпы (*Болгария и Греция*)

Rhondda [ˈrɔndə] *г.* Рóнта (*граф. Мид-Гламорган, Уэльс, Великобритания*)

Rhone [rəun] *р.* Рóна (*Швейцария и Франция*)

Riberão Prêto [rɪveɪˈrauŋˈpreɪtu:] *г.* Рибейрáн-Пре́ту (*Бразилия*)

Richardson Mountains [ˈrɪtʃədsnˈmauntɪnz] *горы* Ри́чардсон (*Канада*)

Richmond [ˈrɪtʃmənd] **1.** *г.* Ри́чмонд (*адм. центр шт. Виргиния, США*); **2.** *г.* Ри́чмонд (*шт. Индиана, США*); **3.** *г.* Ри́чмонд (*граф. Норт-Йоркшир, Англия, Великобритания*); **4.** *г.* Ри́чмонд (*шт. Квинсленд, Австралия*); **5.** *г.* Ри́чмонд (*Капская пров., ЮАР*); **6.** Ри́чмонд (*р-н г. Нью-Йорк, США*)

Riesa [ˈri:zɑ:] *г.* Ри́за (*ФРГ*)

Rift Valley [ˈrɪftˈvælɪ] = Great Rift Valley

Riga [ˈri:gə] *г.* Ри́га (*столица Латвии*)

Riga, Gulf of [ˈgʌlfəvˈri:gə] Ри́жский зали́в (*Балтийское м., побережье Латвии и Эстонии*)

Rijeka [rɪˈjekə] *г.* Рие́ка (*Республика Хорватия, Югославия*)

Rila Planina [ˈri:lɑ:ˌplɑ:nɪˈnɑ:] *горн. массив* Ри́ла (*Болгария*)

Rimini [ˈrɪmɪnɪ] *г.* Ри́мини (*Италия*)

Riobamba[ˈri:ə(u)ˈbɑ:mbə]*г.* Риобáмба (*Эквадор*)

Río Bermejo [ˈri:ə(u)beˈmehə(u)] = Bermejo

Rio Branco [ˌri:u:ˈvræŋku:] *р.* Ри́у-Брáнку (*Бразилия*)

Río Bravo (del Norte) [ˈri:ə(u)ˈvrɑ:və(u)(ðelˈnɔ:te(ɪ)] *р.* Ри́о-Брáво-дель-Нóрте; *см.* Rio Grande II

Río Colorado [ˈri:ə(u)ˌkɔləˈrɑ:dəu] = Colorado II

Rio de Janeiro[ˈri:əudədʒəˈneɪrəu] *г.* Ри́о-де-Жане́йро (*Бразилия*)

Río de la Plata [ˈri:ə(u)ðeɪlɑ:ˈplɑ:tɑ:] Ла-Плáта (*эстуарий рек Парана и Уругвай; Аргентина и Уругвай*)

Río de las Balsas [ˈri:ə(u)ðeɪlɑ:zˈvɑ:lsɑ:s] *р.* Бáльсас (*Мексика*)

Rio Grande I [ˈri:u:ˈgræŋdə] **1.** *г.* Ри́у-Грáнди (*Бразилия*); **2.** *р.* Ри́у-Грáнди (*Бразилия*)

Rio Grande II [ˈri:ə(u)ˈgrænd(ɪ)] *р.* Ри́о-Грáнде (*США и Мексика*)

Río Grande de Santiago [ˈri:ə(u)ˈgrɑ:nde(ɪ)ðe(ɪ)sɑ:nˈtjɑ:gə(u)] *р.* Ри́о-Грáнде-де-Сантья́го (*Мексика*)

Rio Negro [ˈri:u:ˈneɪgru:] *р.* Ри́у-Не́гру (*Бразилия*)

Río Negro [ˈri:ə(u)ˈneɪgrə(u)] **1.** *р.* Ри́о-Не́гро (*Аргентина*); **2.** *р.* Ри́о-Не́гро (*Уругвай*)

Rio Pecos [ˈri:əuˈpeɪkəs] = Pecos

Río Salado [ˈri:ə(u)sɑ:ˈlɑ:ðə(u)] *р.* Ри́о-Салáдо (*Аргентина*)

Rivera [rɪˈveɪrɑ:] *г.* Риве́ра (*Уругвай*)

Riverina [ˌrɪvəˈraɪnə] *геогр. обл.* Ривера́йна (*Австралия*)

Riverside [ˈrɪvəsaɪd] *г.* Ри́версайд (*шт. Калифорния, США*)

Riviera [rɪvɪˈɛərə] Ривье́ра (*побережье Средиземного м., Франция, Италия и Монако*)

Riyadh [rɪˈjɑ:d] *г.* Эр-Рия́д (*столица Саудовской Аравии*)

Rizaiyeh [rɪˈzaɪ(j)ə] = Urmia

Rize [rɪˈze] *г.* Ризе́ (*Турция*)

Road Town [ˈrəudˈtaun] *г.* Род-Тáун (*адм. центр влад. Великобритании на Виргинских о-вах, о. Тортола*)

Roanoke [ˈrəuənəuk] **1.** *г.* Рóанок (*шт. Виргиния, США*); **2.** *р.* Рóанок (*США*)

Robson, Mount [ˈmaunt'rɔbsn] *гора* Ро́бсон (*Скалистые горы, Канада*)

Roca, Cape [ˈkeɪpˈrɔ:kə] *мыс* Рока (*крайняя зап. точка Европы, Пиренейский п-ов, Португалия*)

Rochdale [ˈrɔtʃdeɪl] *г.* Ро́чдейл (*метроп. граф. Большой Манчестер, Англия, Великобритания*)

Rochester [ˈrɔtʃɪstə] *г.* Ро́честер (*шт. Нью-Йорк, США*)

Rockford [ˈrɔkfəd] *г.* Ро́кфорд (*шт. Иллинойс, США*)

Rockhampton [rɔkˈhæm(p)tən] *г.* Рокхе́мптон (*шт. Квинсленд, Австралия*)

Rockies [ˈrɔkɪz] = Rocky Mountains

Rock Island [rɔkˈaɪlənd] *г.* Рок-А́йленд (*шт. Иллинойс, США*)

Rocky Mount [ˈrɔkɪˈmaunt] *г.* Ро́ки-Ма́унт (*шт. Северная Каролина, США*)

Rocky Mountains [ˈrɔkɪˈmauntɪnz] Скали́стые го́ры (*Канада и США*)

Rodopi [rɔ:ˈðɔ:pɪ] = Rhodope

Rodriguez [rəuˈdri:gəs] *о.* Родри́гес (*Маскаренские о-ва, Индийский ок., гос-во Маврикий*)

Romagna [rə(u)ˈmɑ:njɑ:] *ист. обл.* Рома́нья (*Италия*)

Roman [ˈrɔ:mɑ:n] *г.* Ро́ман (*Румыния*)

Roman Empire [ˈrəumənˈempaɪə] *ист. гос-во* Ри́мская импе́рия (*Европа*)

Romania [rə(u)ˈmeɪnjə] = R(o)umania

Roman Kosh [rʌˈmɑ:nˈkɔ:ʃ] *гора* Рома́н-Кош (*Крымские горы, СССР*)

Rome [rəum] *г.* Рим (*столица Италии*)

Romford [ˈrʌmfəd] *г.* Ро́мфорд (*метроп. граф. Большой Лондон, Англия, Великобритания*)

Rosario [rrɔ:ˈsɑ:rjə(u)] *г.* Роса́рио (*Аргентина*)

Roscommon [rɔsˈkɔmən] **1.** *граф.* Роско́ммон (*Ирландия*); **2.** *г.* Роско́ммон (*адм. центр граф. Роскоммон, Ирландия*)

Roseau [rɔˈzou] *г.* Розо́ (*столица Доминики*)

Roskilde [ˈrʌskɪlə] *г.* Ро́скилле (*Дания*)

Ross Ice Shelf [ˈrɔsˈaɪsˈʃelf] ше́льфовый ледни́к Ро́сса (*Антарктида*)

Ross Island [ˈrɔsˈaɪlənd] *о.* Росса; *см.* James Ross Island

Ross Sea [ˈrɔsˈsi:] мо́ре Ро́сса (*Тихий ок., Антарктика*)

Rostock [ˈrɔstɔk] *г.* Ро́сток (*ФРГ*)

Rostov [rʌˈstɔ:f] *г.* Росто́в (*Ярославская обл., РСФСР, СССР*)

Rostov-on-Don [rʌˈstɔ:fɔnˈdɔn] *г.* Росто́в-на-Дону́ (*центр Ростовской обл., РСФСР, СССР*)

Roswell [ˈrɔzwel] *г.* Ро́зуэлл (*шт. Нью-Мексико, США*)

Rotherham [ˈrɔðərəm] *г.* Ро́терем (*метроп. граф. Саут-Йоркшир, Англия, Великобритания*)

Rothesay [ˈrɔθsɪ] *г.* Ро́тсей (*обл. Стратклайд, Шотландия, Великобритания*)

Rotorua [ˌrəutəˈru:ə] *г.* Ротору́а (*о. Северный, Новая Зеландия*)

Rotterdam [ˈrɔtədæm] *г.* Ро́ттердам (*Нидерланды*)

Roubaix [ru:ˈbe] *г.* Рубе́ (*Франция*)

Rouen [ru:ˈɑ:ŋ, ru:ˈɑ:n] *г.* Руа́н (*Франция*)

R(o)umania [rə(u)ˈmeɪnɪə, rə(u)ˈmeɪnjə] *гос-во* Румы́ния (*Юго-Восточная Европа*)

Rourkela [ˈrɔ:ˈkeɪlə] = Raurkela

Roussillon [ˌru:ˌsi:ˈjɔ:ŋ] *ист. пров.* Руссильо́н (*Франция*)

Rovno [ˈrɔ:vnə] *г.* Ро́вно (*центр Ровенской обл., Украинская ССР, СССР*)

Roxas [ˈrəuˌhɑ:s] *г.* Ро́хас (*о. Панай, Филиппины*)

Ruanda [ru:ˈɑ:ndə] = Rwanda

Ruapehu [ˌru:əˈpeɪhu:] *влк.* Руапе́ху (*о. Северный, Новая Зеландия*)

Rub' al Khali [ˈrubælˈhɑ:li:] *пуст.* Руб-эль-Ха́ли (*на юго-вост. Аравийского п-ова, Азия*)

Rubicon [ˈru:bɪkɔn] *ист. р.* Рубико́н (*Италия*)

Rubtsovsk [ˈru:ptˌsɔ:fsk] *г.* Рубцо́вск (*Алтайский край, РСФСР, СССР*)

Ruda Słąska [ˌru:dəˈʃlɔ:ŋskə] *г.* Ру́да-Слёнска (*Польша*)

Rudny [ˈru:dnɪ] *г.* Ру́дный (*Кустанайская обл., Казахская ССР, СССР*)

Rudolf, Lake [ˈleɪkˈru:dɔlf] *оз.* Рудо́льф (*Кения*)

Rudolstadt [ˈru:dɔ:lˌʃtɑ:t] *г.* Ру́дольштадт (*ФРГ*)

Rufiji [ru:ˈfi:dʒɪ] *р.* Руфи́джи (*Танзания*)

Rugby [ˈrʌgbɪ] *г.* Ра́гби (*граф. Уорикшир, Англия, Великобритания*)

Rügen [ˈrju:gən] *о.* Рю́ген (*Балтийское м., ФРГ*)

Ruhr [rur] **1.** Рур (*индустриальный р-н, ФРГ*); **2.** *р.* Рур (*ФРГ*)

Rum, Isle of [ˈaɪləvˈrʌm] *о.* Рам (*арх. Гебридские о-ва, Атлантический ок., Великобритания*)

Ruse [ˈruse(ɪ)] *г.* Ру́се (*Болгария*)

Russia [ˈrʌʃə] **1.** Росси́я; *см.* Russian Soviet Federative Socialist Republic; **2.** *ист. страна и гос-во* Росси́я (*на терр. совр. СССР*)

Russian Empire [ˈrʌʃənˈempaɪə] *ист. гос-во* Росси́йская импе́рия (*Европа и Азия*)

Russian Soviet Federative Socialist Republic [ˈrʌʃənˈsəuvietˈfedərətɪvˈsəuʃəlɪstrɪˈpʌblɪk] Росси́йская Сове́тская Федерати́вная Социалисти́ческая Респу́блика (*вост. часть Европы и сев. часть Азии, СССР*)

Rustavi [ruˈstɑ:vɪ] *г.* Руста́ви (*Грузинская ССР, СССР*)

Rustenburg [ˈrʌstənbə:g] *г.* Рю́стенбург (*пров. Трансвааль, ЮАР*)

Ruthin [ˈrɪθɪn] *г.* Ри́тин (*граф. Клуид, Уэльс, Великобритания*)

Rutland [ˈrʌtlənd] *г.* Ра́тленд (*шт. Вермонт, США*)

Ruvuma [ru:ˈvu:mə] *р.* Руву́ма (*Мозамбик и Танзания*)

Ruwenzori [ˌru:wənˈzəurɪ] *горн. массив* Рувензо́ри (*на границе Заира и Уганды*)

Rwanda [ruˈændə, ru:ˈɑ:ndə] *гос-во* Руа́нда, Rwandese Republic [ruænˈdi:z...] Руанди́йская Респу́блика (*Восточная Африка*)

Ryazan [rjeˈzɑ:nj] *г.* Ряза́нь (*центр Рязанской обл., РСФСР, СССР*)

Rybachi Peninsula [rɪˈbɑ:tʃɪpɪˈnɪnsjulə] *п-ов* Рыба́чий (*Кольский п-ов, СССР*)

Rybinsk [ˈrɪbjɪnsk] *г.* Ры́бинск (*Ярославская обл., РСФСР, СССР*)

Rybnik [ˈrɪbni:k] *г.* Ры́бник (*Польша*)

Ryukyu Islands [rɪˈu:kju:ˈaɪləndz] *арх.* Рюкю́ (*Тихий ок., Япония*)

Rzeszów [ˈʒeʃu:f] *г.* Же́шув (*Польша*)

Rzhev [rʒef] *г.* Ржев (*Тверская обл., РСФСР, СССР*)

S

Saale [ˈzɑ:lə] *р.* За́(а)ле (*ФРГ*)

Saar [zɑ:] **1.** = Saarland; **2.** *р.* Саа́р (*Франция и ФРГ*)

Saarbrücken [zɑ:ˈbrju:kən] *г.* Саарбрю́ккен (*ФРГ*)

Saaremaa [ˈsɑ:remɑ:] *о.* Са́аремаа (*Балтийское м., Эстония*)

Saarland [ˈzɑ:ˌlænd] *земля* Саа́р (*ФРГ*)

Saba [ˈseɪbə] *ист. гос-во* Са́ба, Сабе́йское ца́рство (*Аравийский п-ов*)

Sabadell [ˌsɑ:bəˈdel(j)] *г.* Сабаде́ль (*Испания*)

Sabine [səˈbi:n] *р.* Саби́н (*США*)

Sacramento [ˌsækrəˈmentəu] **1.** *г.* Сакраме́нто (*адм. центр шт. Калифорния, США*); **2.** *р.* Сакраме́нто (*США*)

Sacramento Mountains [ˌsækrəˈmentəuˈmauntɪnz] *горы* Сакраме́нто (*США*)

Saf(f)i [ˈsæfɪ] *г.* Сафи́ (*Марокко*)

Sagamihara [sɑ:gɑ:mɪˈhɑ:rə] *г.* Сагамиха́ра (*о. Хонсю, Япония*)

Sagami Sea [sɑ:gɑ:mɪˈsi:] *зал.* Сага́ми (*Тихий ок., о. Хонсю, Япония*)

Saginaw [ˈsægɪnɔ:] *г.* Са́гино (*шт. Мичиган, США*)

Saguenay [ˌsægɪˈneɪ] *р.* Сагене́й (*Канада*)

Sahama [sɑ:ˈɑ:mɑ:] = Sajama

Sahara [səˈhɑ:rə] *пуст.* Саха́ра (*Северная Африка*)

Saharanpur [səˈhɑ:rənpuə] *г.* Сахаранпу́р (*шт. Уттар-Прадеш, Индия*)

Sahiwal [ˈsɑ:(h)ɪˌwɑ:l] *г.* Сахи́вал (*Пакистан*)

Saïda [ˈsaɪdə] *г.* Са́йда (*Ливан*)

Saigon [saɪˈgɔn] *г.* Сайго́н; *см.* Ho Chi Minh (City)

Saimaa, Lake [ˈleɪkˈsaɪmɑ:] *оз.* Са́йма (*Финляндия*)

Saint Albans [seɪnt'ɔ:lbənz] *г.* Сент-О́лбанс (*граф. Хартфордшир, Англия, Великобритания*)

Saint Bernard [seɪntbə:'nɑ:d] *пер.* Сен-Берна́р; *см.* Great Saint Bernard *и* Little Saint Bernard

Saint Boniface [seɪnt'bɔnɪfeɪs] *г.* Сент-Бо́нифейс (*пров. Манитоба, Канада*)

Saint Catharines [seɪnt'kæθərɪnz] *г.* Сент-Ка́таринс (*пров. Онтарио, Канада*)

Saint Charles, Cape ['keɪpseɪnt-'tʃɑ:lz] *мыс* Сент-Чарльз (*крайняя вост. точка Северной Америки, п-ов Лабрадор, Канада*)

Saint Christopher [seɪnt'krɪstə(u)fə] *о.* Сент-Кри́стофер (*Малые Антильские о-ва, Атлантический ок., гос-во Сент-Кристофер и Невис*)

Saint Christopher and Nevis [seɪnt'krɪstə(u)fərən(d)'ni:vɪs] *гос-во* Сент-Кри́стофер и Не́вис, Federation of Saint Christopher and Nevis Федера́ция Сент-Кри́стофер и Не́вис (*на одноимённых о-вах, Вест-Индия*)

Saint Clair [seɪnt'klɛə] *р.* Сент-Клэр (*Канада и США*)

Saint Clair, Lake ['leɪkseɪnt'klɛə] *оз.* Сент-Клэр (*Канада и США*)

Saint Croix [seɪnt'krɔɪ] *о.* Са́нта-Крус (*Виргинские о-ва, Атлантический ок., влад. США*)

Saint-Denis [seɪnt'denɪs] *г.* Сен-Дени́ (*адм. центр о. Реюньон*)

Saint Elias, Mount ['mauntseɪntɪ-'laɪəs] гора́ Свято́го Ильи́ (*горы Святого Ильи, на границе Канады и США*)

Saint Elias Range [seɪntɪ'laɪəs-'reɪndʒ] го́ры Свято́го Ильи́ (*Канада и США*)

Saint-Étienne [ˌsæŋˌteɪ'tjen] *г.* Сент-Этье́н (*Франция*)

Saint George's [seɪnt'dʒɔ:dʒɪz] *г.* Сент-Джо́рджес (*столица Гренады*)

Saint George('s) Channel [seɪnt-'dʒɔ:dʒ(ɪz)'tʃænl] проли́в Свято́го Ге́орга (*между о-вами Великобритания и Ирландия*)

Saint Got(t)hard [ˌseɪnt'gɔtəd] *пер.* Сен-Гота́рд (*горн. сист. Альпы, Швейцария*)

Saint Helena [ˌseɪnthə'li:nə] о́стров Свято́й Еле́ны (*Атлантический ок., влад. Великобритании*)

Saint Helens [ˌseɪnt'helənz] *г.* Сент-Хе́ленс (*метроп. граф. Мерсисайд, Англия, Великобритания*)

Saint John [seɪnt'dʒɔn] **1.** *г.* Сент-Джон (*пров. Нью-Брансуик, Канада*); **2.** *р.* Сент-Джон (*США и Канада*)

Saint John's [seɪnt'dʒɔnz] **1.** *г.* Сент-Джонс (*столица гос-ва Антигуа и Барбуда, о. Антигуа*); **2.** *г.* Сент-Джонс (*адм. центр пров. Ньюфаундленд, Канада*)

Saint Johns [seɪnt'dʒɔnz] *г.* Сент-Джонс (*шт. Мичиган, США*)

Saint Kitts [seɪnt'kɪts] *о.* Сент-Кит(т)с; *см.* Saint Christopher

Saint Lawrence [seɪnt'lɔ:rəns] река́ Свято́го Лавре́нтия (*Канада*)

Saint Lawrence, Gulf of ['gʌlf-əvseɪnt'lɔ:rəns] зали́в Свято́го Лавре́нтия (*Атлантический ок., побережье Канады*)

Saint Lawrence Island [seɪnt-'lɔ:rəns'aɪlənd] о́стров Свято́го Лавре́нтия (*Берингово м., США*)

Saint Louis I [seɪnt'lu:ɪs] *г.* Сент-Луис (*шт. Миссури, США*)

Saint-Louis II [sæŋ'lwi:] *г.* Сен-Луи́ (*Сенегал*)

Saint Lucia [seɪnt'lju:ʃə] **1.** *гос-во* Сент-Люси́я (*на о. Сент-Люсия, Малые Антильские о-ва, Вест-Индия*); **2.** *о.* Сент-Люси́я (*Малые Антильские о-ва, Атлантический ок., гос-во Сент-Люсия*)

Saint Lucia Channel [seɪnt'lju:-ʃə'tʃænl] *прол.* Сент-Люси́я (*между о-вами Мартиника и Сент-Люсия, Малые Антильские о-ва*)

Saint-Malo [sæŋˌmɑ:'ləu] *г.* Сен-Мало́ (*Франция*)

Saint-Malo, Gulf of ['gʌlf-əvˌsæŋˌmɑ:'ləu] *зал.* Сен-Мало́ (*прол. Ла-Манш, побережье Франции*)

Saint Martin [seɪnt'mɑ:tɪn] *о.* Сен-Марте́н (*Малые Антильские о-ва, Атлантический ок., сев. часть — влад. Франции, юж. часть — Нидерландов*)

Saint-Moritz [seɪntmə(u)'rɪts] *г.* Санкт-Мо́риц (*Швейцария*)

Saint-Nazaire [ˏsæŋˏnɑ:ˊzɛə] *г.* Сен-Назе́р (*Франция*)

Saint Paul [seɪntˊpɔ:l] *г.* Сент-Пол (*адм. центр шт. Миннесота, США*)

Saint Petersburg I [seɪntˊpi:təzbə:g] *г.* Сент-Пи́терсберг (*шт. Флорида, США*)

Saint Petersburg II [seɪntˊpi:təzbə:g] *г.* Санкт-Петербу́рг (*центр Ленинградской обл., РСФСР, СССР*)

Saint Pierre and Miquelon [seɪntˊpɪərəndˊmɪkəlɔn] *о-ва* Сен-Пьер и Микело́н (*Атлантический ок., у вост. берегов Канады, влад. Франции*)

Saint Thomas [seɪntˊtɔməs] *о.* Сент-То́мас (*Виргинские о-ва, Атлантический ок., влад. США*)

Saint Vincent [seɪntˊvɪnsnt] *о.* Сент-Ви́нсент (*Малые Антильские о-ва, Атлантический ок., гос-во Сент-Винсент и Гренадины*)

Saint Vincent and the Grenadines [seɪntˊvɪnsntəndðəˏgrenəˊdi:nz] *гос-во* Сент-Ви́нсент и Гренади́ны (*на одноимённых о-вах, Малые Антильские о-ва, Вест-Индия*)

Saint Vincent, Gulf of [ˊgʌlfəvseɪntˊvɪnsnt] *зал.* Сент-Ви́нсент (*Индийский ок., побережье Австралии*)

Saint Vincent Passage [seɪntˊvɪnsntˊpæsɪdʒ] *прол.* Сент-Ви́нсент (*между о-вами Сент-Люсия и Сент-Винсент, Малые Антильские о-ва*)

Saipan [saɪˊpɑ:n, sɑɪˊpæn] *о.* Сайпа́н (*Марианские о-ва, Тихий ок.*)

Sais [ˊseɪɪs] *ист. г.* Саи́с (*Египет*)

Sajama [sɑ:ˊhɑ:mɑ:, sɑ:ˊɑ:mɑ:] *гора* Саха́ма (*горн. сист. Анды, Боливия*)

Sakai [sɑ:kaɪ] *г.* Сака́и (*о. Хонсю, Япония*)

Sakhalin [səhʌˊlji:n] *о.* Сахали́н (*Охотское м., СССР*)

Sakhalin, Gulf of [ˊgʌlfəvsəhʌˊlji:n] Сахали́нский зали́в (*Охотское м., СССР*)

Salamanca [ˏsæləˊmæŋkə] **1.** *г.* Салама́нка (*Испания*); **2.** *г.* Салама́нка (*Мексика*)

Salavat [səˊlɑ:vɑ:t] *г.* Салава́т (*Башкирская АССР, РСФСР, СССР*)

Salé [sæˊleɪ] *г.* Сале́ (*Марокко*)

Salekhard [sʌljeˊhɑ:t] *г.* Салеха́рд (*центр Ямало-Ненецкого авт. окр., Тюменская обл., РСФСР, СССР*)

Salem I [ˊseɪləm] *г.* Сале́м, Села́м (*шт. Тамилнад, Индия*)

Salem II [ˊseɪləm] *г.* Се́йлем (*адм. центр шт. Орегон, США*)

Salentine Peninsula [ˊsæləntaɪnpɪˊnɪnsjulə] *п-ов* Саленти́на (*Италия*)

Salerno [sɑ:ˊlernə(u)] *г.* Сале́рно (*Италия*)

Salerno, Gulf of [ˊgʌlfəvsɑ:ˊlernə(u)] Сале́рнский зали́в (*Тирренское м., побережье Италии*)

Salford [ˊsɔ:lfəd] *г.* Со́лфорд (*метроп. граф. Большой Манчестер, Англия, Великобритания*)

Salgótarján [ˊʃɔlgəutɔrjɑ:n] *г.* Ша́льготарьян (*Венгрия*)

Salisbury [ˊsɔ:lzb(ə)rɪ] **1.** *г.* Со́лсбери (*граф. Уилтшир, Англия, Великобритания*); **2.** *г.* Со́лсбери; *см.* Harare

Salonika [ˏsælə(u)ˊni:kə] *г.* Сало́ники (*Греция*)

Salonika, Gulf of [ˊgʌlfəvˏsælə(u)ˊni:kə] *зал.* Термаико́с, Сало́никский зали́в (*Эгейское м., побережье Греции*)

Saloniki [ˏsælə(u)ˊni:kɪ] = Salonika

Salop [ˊsæləp] *сокр. от* Shropshire

Salta [ˊsɑ:ltɑ:] *г.* Са́льта (*Аргентина*)

Saltillo [sɑ:lˊti:jə(u)] *г.* Сальти́льо (*Мексика*)

Salt Lake City [ˊsɔ:ltleɪkˊsɪtɪ] *г.* Солт-Лейк-Си́ти (*адм. центр шт. Юта, США*)

Salto [ˊsɑ:ltəu] *г.* Са́льто (*Уругвай*)

Salton Sea [ˊsɔ:ltnˊsi:] *оз.* Со́лтон-Си (*США*)

Salvador [ˊsælvədɔ:] *г.* Салвадо́р (*Бразилия*)

Salween [ˊsælwi:n] *р.* Салуи́н (*Китай, Мьянма и Таиланд*)

Salzburg [ˊsɔ:lzbə:g] *г.* За́льцбург (*Австрия*)

Salzgitter [ˊzɑ:ltsˏgɪtə] *г.* За́льцгиттер (*ФРГ*)

Samar [ˈsɑːmɑː] *о.* Са́мар (*Филиппины*)

Samara [səˈmɑːrə] *г.* Сама́ра (*центр Самарской обл., РСФСР, СССР*)

Samarang [səˈmɑːrɑːŋ] = Semarang

Samaria [səˈmɛərɪə] *ист. г.* Сама́рия (*в Палестине*)

Samarinda [ˌsæməˈrɪndə] *г.* Сама-ри́нда (*о. Калимантан, Индонезия*)

Samarkand [ˈsæməkænd] *г.* Самарка́нд (*центр Самаркандской обл., Узбекская ССР, СССР*)

Samoa Islands [səˈməuəˈaɪləndz] *о-ва* Само́а (*Тихий ок., зап. часть — гос-во Западное Самоа, вост. часть — влад. США*)

Samos [ˈseɪmɔs] *о.* Са́мос (*о-ва Южные Спорады, Эгейское м., Греция*)

Samothrace [ˈsæmə(u)θreɪs] *о.* Самотра́ки (*Эгейское м., Греция*)

Samsun [sɑːmˈsuːn] *г.* Самсу́н (*Турция*)

San'a, Sanaa [sɔnˈæ] *г.* Сана́ (*столица Йемена*)

San Angelo [sænˈændʒələu] *г.* Сан-А́нджело (*шт. Техас, США*)

San Antonio [sænənˈtəunɪəu] *г.* Сан-Анто́нио (*шт. Техас, США*)

San Bernardino [sænˌbəːnəˈdiːnəu] *г.* Сан-Бернарди́но (*шт. Калифорния, США*)

San Carlos [sænˈkɑːləs] *г.* Сан-Ка́рлос (*о. Негрос, Филиппины*)

San Cristobal [ˌsænkrɪsˈtəubl] *о.* Сан-Кристо́баль (*Тихий ок., гос-во Соломоновы Острова*)

San Cristóbal [ˌsænkrɪsˈtəubl] *г.* Сан-Кристо́баль (*Венесуэла*)

San Diego [ˌsændɪˈeɪgəu] *г.* Сан-Дие́го (*шт. Калифорния, США*)

Sandomierz [sɑːnˈdɔːmjeʃ] *г.* Сандо́меж (*Польша*)

Sanford, Mount [ˈmauntˈsænfəd] *влк.* Са́нфорд (*горы Врангеля, США*)

San Francisco [ˌsænfrənˈsɪskəu] *г.* Сан-Франци́ско (*шт. Калифорния, США*)

San Francisco Bay [ˌsænfrənˈsɪskəuˈbeɪ] *зал.* Сан-Франци́ско (*Тихий ок., побережье США*)

Sanga [ˈsæŋgə] *р.* Санга́ (*Центральноафриканская Республика, Камерун и Конго*)

San Joaquin [ˌsænwɔˈkiːn] *р.* Сан-Хоаки́н (*США*)

San Jose [ˌsæn(h)ə(u)ˈzeɪ] *г.* Сан-Хосе́ (*шт. Калифорния, США*)

San José [ˌsæn(h)ə(u)ˈzeɪ] **1.** *г.* Сан-Хосе́ (*столица Коста-Рики*); **2.** *г.* Сан-Хосе́ (*Гватемала*)

San Juan [sɑːŋˈhwɑːn] **1.** *г.* Сан-Хуа́н (*адм. центр о. Пуэрто-Рико, Большие Антильские о-ва*); **2.** *г.* Сан-Хуа́н (*Аргентина*)

San Luis Potosí [sɑːnˈlwiːsˌpəutə(u)ˈsiː] *г.* Сан-Луи́с-Потоси́ (*Мексика*)

San Marcos [sænˈmɑːkəs] *г.* Сан-Ма́ркос (*Гватемала*)

San Marino [ˌsɑːnmɑːˈriːnə(u)] **1.** *гос-во* Сан-Мари́но, Republic of San Marino Респу́блика Сан-Мари́но (*Южная Европа*); **2.** *г.* Сан-Мари́но (*столица Сан-Марино*)

San Miguel [ˌsɑːnmɪˈgel] *г.* Сан-Мигéль (*Сальвадор*)

San Nicolás [sɑːnˌniːkə(u)ˈlɑːs] **1.** *г.* Сан-Никола́с (*Аргентина*); **2.** *г.* Сан-Никола́с (*Перу*)

Sannikov Strait [ˈsɑːnjɪkəfˈstreɪt] проли́в Са́нникова (*между о-вами Котельный и Малый Ляховский, соединяет м. Лаптевых с Восточно-Сибирским м.*)

San Pablo [sɑːnˈpɑːvlə(u)] *г.* Сан-Па́бло (*о. Лусон, Филиппины*)

San Pedro Sula [sænˈpeɪdrəuˈsuːlə] *г.* Сан-Пе́дро-Су́ла (*Гондурас*)

San Remo [sænˈriːməu] *г.* Сан-Ре́мо (*Италия*)

San Salvador [sænˈsælvədɔː] **1.** *г.* Сан-Сальвадо́р (*столица Сальвадора*); **2.** *о.* Сан-Сальвадо́р (*Атлантический ок., гос-во Багамские Острова*)

San Sebastián [ˌsænsɪˈbæstʃən, ˌsænsɪbæsˈtjɑːn] *г.* Сан-Себастья́н (*Испания*)

Santa Ana [ˈsæntəˈænə] **1.** *г.* Са́нта-А́на (*шт. Калифорния, США*); **2.** *г.* Са́нта-А́на (*Сальвадор*)

Santa Barbara [ˈsæntəˈbɑːbərə] *г.* Са́нта-Ба́рбара (*шт. Калифорния, США*)

Santa Clara [ˈsæntəˈklɛərə] *г.* Са́нта-Кла́ра (*Куба*)

Santa Cruz I [ˈsæntəˈkru:z] *г.* Са́нта-Круз (*шт. Калифорния, США*)

Santa Cruz II [ˈsæntəˈkru:z] **1.** *г.* Са́нта-Крус (*Боливия*); **2.** = Saint Croix

Santa Cruz de Tenerife [ˈsæntəˈkru:zdəˌtenəˈri:fı] *г.* Са́нта-Крус-де-Тенери́фе (*о. Тенерифе, Испания*)

Santa Cruz Islands [ˈsæntəˈkru:zˈaılændz] *о-ва* Са́нта-Крус (*Тихий ок., гос-во Соломоновы Острова*)

Santa Fe I [ˈsæntəˈfeı] *г.* Са́нта-Фе (*адм. центр шт. Нью-Мексико, США*)

Santa Fe II [ˈsɑ:ntɑ:ˈfeı] *г.* Са́нта-Фе (*Аргентина*)

Santa Isabel [ˈsæntəˈızəbel] **1.** *г.* Са́нта-Исабе́ль; *см.* Malabo; **2.** *о.* Са́нта-Исабе́ль (*Тихий ок., гос-во Соломоновы Острова*)

Santa Marta [ˈsæntəˈmɑ:tə] *г.* Са́нта-Ма́рта (*Колумбия*)

Santa Monica [ˈsæntəˈmɔnıkə] *г.* Са́нта-Мо́ника (*шт. Калифорния, США*)

Santander [ˌsɑ:ntɑ:nˈdɛə] *г.* Сантаде́р (*Испания*)

Santiago I [ˌsæntıˈɑ:gəu] **1.** *г.* Сантья́го (*столица Чили*); **2.** *г.* Сантья́го (*Доминиканская Республика*)

Santiago II [ˌsæntıˈɑ:gəu] = São Tiago

Santiago de Compostela [ˌsæntıˈɑ:gəudəˌkɔmpəˈstelə] *г.* Сантья́го-де-Компосте́ла (*Испания*)

Santiago de Cuba [ˌsæntıˈɑ:gəudəˈkju:bə] *г.* Сантья́го-де-Ку́ба (*Куба*)

Santo André [ˈsæntu:ænˈdrɛə] *г.* Са́нту-Андре́ (*Бразилия*)

Santo-Domingo [ˈsæntə(u)də(u)ˈmıŋgəu] *г.* Са́нто-Доми́нго (*столица Доминиканской Республики*)

Santos [ˈsæntəs] *г.* Са́нтус (*Бразилия*)

São Francisco [ˌsauŋfræŋˈsi:ʃku:] *р.* Сан-Франси́ску (*Бразилия*)

São Gonçalo [ˌsauŋgəunˈsɑ:lu:] *г.* Сан-Генса́лу (*Бразилия*)

São João de Meriti [ˌsauŋˈʒwauŋdımərıˈti:] *г.* Сан-Жуа́н-ди-Мериті́ (*Бразилия*)

São Luís [sauŋˈlwi:s] *г.* Сан-Луи́с (*Бразилия*)

Saône [səun] *р.* Со́на (*Франция*)

São Paulo [sauŋmˈpaulu:] *г.* Сан-Па́улу (*Бразилия*)

São Tiago [sauŋˈtjɑ:gu:] *о.* Сантья́гу (*о-ва Зелёного Мыса, Атлантический ок., Кабо-Верде*)

São Tomé [ˌsauŋtu:ˈmɛə] **1.** *г.* Сан-Томе́ (*столица гос-ва Сан-Томе и Принсипи, о. Сан-Томе*); **2.** *о.* Сан-Томе́ (*Гвинейский зал., Атлантический ок., гос-во Сан-Томе и Принсипи*)

São Tomé e Príncipe [ˌsauŋtu:ˈmɛəıˈpri:ŋsıpı] *гос-во* Сан-Томе́ и При́нсипи, Democratic Republic of São Tomé e Príncipe Демократи́ческая Респу́блика Сан-Томе́ и При́нсипи (*на одноимённых о-вах, Гвинейский зал., Атлантический ок.*)

Sapporo [sɑ:ppə(u)rə(u)] *г.* Са́ппоро (*о. Хоккайдо, Япония*)

Saragossa [ˌsærəˈgɔsə] *г.* Араго́са (*Испания*)

Sarajevo [ˈsɑ:rɑ:jevə(u)] *г.* Сара́ево (*столица Социалистической Республики Босния и Герцеговина, Югославия*)

Saransk [sʌˈrɑ:nsk] *г.* Сара́нск (*столица Мордовской АССР, РСФСР, СССР*)

Sarapul [sʌˈrɑ:pul] *г.* Сара́пул (*Удмуртская АССР, РСФСР, СССР*)

Sarasota [ˌsærəˈsəutə] *г.* Сарасо́та (*шт. Флорида, США*)

Saratov [sʌˈrɑ:təf] *г.* Сара́тов (*центр Саратовской обл., РСФСР, СССР*)

Sardinia [sɑ:ˈdınıə] *о.* Сарди́ния (*Средиземное м., Италия*)

Sarema [ˈsɑ:rjımə] = Saaremaa

Sargasso Sea [sɑ:ˈgæsəuˈsi:] Сарга́ссово мо́ре (*Атлантический ок.*)

Sargodha [səˈgəudə] *г.* Сарго́дха (*Пакистан*)

Sarh [sɑ:] *г.* Сарх (*Чад*)

Sariwŏn [ˈsɑ:ˈri:ˈwʌn] *г.* Сариво́н (*КНДР*)

Sarnia [ˈsɑ:nıə] *г.* Са́рния (*пров. Онтарио, Канада*)

Saronic Gulf [səˈrɔnıkˈgʌlf] *зал.* Сарони́ко́с (*Эгейское м., побережье Греции*)

Saros Gulf [ˈseırɔsˈgʌlf] Саро́сский зали́в (*Эгейское м., побережье Турции*)

Sasebo [sɑ:səbə(u)] *г.* Сасе́бо (*о. Кюсю, Япония*)

Saskatchewan [səs'kætʃəwən] **1.** *пров.* Саска́чеван (*Канада*); **2.** *р.* Саска́чеван (*Канада*)

Saskatoon [ˌsæskə'tu:n] *г.* Саскату́н (*пров. Саскачеван, Канада*)

Sassari ['sɑ:sɑ:rɪ] *г.* Са́ссари (*о. Сардиния, Италия*)

Satu-Mare ['sɑ:tu:'mɑ:re] *г.* Са́ту-Ма́ре (*Румыния*)

Saudi Arabia [sɑ:'u:dɪə'reɪbɪə] *гос-во* Сау́довская Ара́вия, Kingdom of Saudi Arabia Короле́вство Сау́довская Ара́вия (*Аравийский п-ов, Юго-Западная Азия*)

Sault Sainte Marie ['su:seɪntmə'ri:] *г.* Су-Сент-Мари́ (*пров. Онтарио, Канада*)

Sava ['sɑ:vɑ:] *р.* Са́ва (*Югославия*)

Savage Island ['sævɪdʒ'aɪlənd] *о.* Са́видж; *см.* Niue

Savaii [sɑ:'vaɪɪ] *о.* Сава́йи (*Тихий ок., Западное Самоа*)

Savannah [sə'vænə] **1.** *г.* Сава́нна (*шт. Джорджия, США*); **2.** *р.* Сава́нна (*США*)

Savoy [sə'vɔɪ] *ист. обл.* Саво́йя (*Франция*)

Savu (*или* **Sawu**) **Sea** ['sɑ:vu:'si:] *м.* Са́ву (*Тихий ок., Индонезия*)

Saxony ['sæksnɪ] *ист. обл.* Сакс́ония (*ФРГ*)

Sayan Mountains [sɑ:'jɑ:n'mauntɪnz] *горн. сист.* Сая́ны (*на юге Восточной Сибири, СССР*)

Scafell Pike ['skɔ:ˌfel'paɪk] *гора* Ско́фелл (*Камберлендские горы, Великобритания*)

Scandinavia [ˌskændɪ'neɪvjə], **Scandinavian Peninsula** Сканди-на́вский полуо́стров (*Европа*)

Scapa Flow ['skæpə'fləu] *зал.* Ска́па-Фло́у (*Атлантический ок., Оркнейские о-ва, Великобритания*)

Scarborough ['skɑ:brə] *г.* Ска́рборо (*граф. Норт-Йоркшир, Англия, Великобритания*)

Schelde ['skeldə] *р.* Ше́льда (*Франция, Бельгия и Нидерланды*)

Schenectady [skə'nektədɪ] *г.* Скене́ктади (*шт. Нью-Йорк, США*)

Schleswig-Holstein ['ʃleswɪg'həulstaɪn] *земля* Шле́звиг-Го́льштейн (*ФРГ*)

Schwarzwald ['ʃwɑ:rtsˌvɑ:lt] = Black Forest

Schwedt [ʃfeɪt] *г.* Шведт (*ФРГ*)

Schwerin [ʃve(ɪ)'ri:n] *г.* Швери́н (*ФРГ*)

Scilly Isles ['sɪlɪ'aɪlz], **Scilly, Isles of** ['aɪlzəv'sɪlɪ] *о-ва* Си́лли (*Атлантический ок., Великобритания*)

Scoresby Sound ['skəuəzbɪ'saund] *зал.* Ско́рсби (*о. Гренландия*)

Scotia Sea ['skəuʃə'si:] мо́ре Ско́ша (*Атлантический ок., Антарктика*)

Scotland ['skɔtlənd] Шотла́ндия (*адм.-полит. часть Великобритании*)

Scott [skɔt] Скотт (*науч. ст. Новой Зеландии, Антарктида*)

Scott Island ['skɔt'aɪlənd] о́стров Ско́тта (*Тихий ок., Антарктика*)

Scranton ['skræntn] *г.* Скра́нтон (*шт. Пенсильвания, США*)

Scutari, Lake ['leɪk'sku:tərɪ] Ска-да́рское о́зеро, *оз.* Шко́дер (*Югославия и Албания*)

Scyros ['saɪrəs] = Skyros

Scythia ['sɪθɪə] *ист. гос-во* Ски́фское госуда́рство (*на терр. Северного Причерноморья*)

Seaham ['si:əm] *г.* Си́эм (*граф. Дарем, Англия, Великобритания*)

Seattle [sɪ'ætl] *г.* Сиэ́тл (*шт. Вашингтон, США*)

Sedan [sɪ'dæn] *г.* Седа́н (*Франция*)

Ségou [ˌseɪ'gu:] *г.* Сегу́ (*Мали*)

Segovia [sɪ'gəuvɪə] *г.* Сего́вия (*Испания*)

Seine [seɪn] *р.* Се́на (*Франция*)

Sekondi-Takoradi [ˌsekən'di:ˌtɑ:kə'rɑ:di:] *г.* Се́конди-Такора́ди (*Гана*)

Selenga [ˌseleŋ'gɑ:] *р.* Селенга́ (*Монголия и СССР*)

Selkirk ['selkə:k] *г.* Се́лкерк (*обл. Бордерс, Шотландия, Великобритания*)

Semarang [sə'mɑ:rɑ:ŋ] *г.* Сема́ранг (*о. Ява, Индонезия*)

Semipalatinsk [ˌsemɪpə'lɑ:tɪnsk] *г.* Семипала́тинск (*центр Семипалатинской обл., Казахская ССР, СССР*)

Sendai [sendaɪ] *г.* Сенда́й (*о. Хонсю, Япония*)

Senegal [ˌsenɪˈgɔ:l] **1.** *гос-во* Сенега́л, Republic of Senegal Респу́блика Сенега́л (*Западная Африка*); **2.** *р.* Сенега́л (*Мали, Сенегал и Мавритания*)

Senja [ˈsenjɑ:] *о.* Се́нья (*Норвежское м., Норвегия*)

Seoul [ˈsəul, seɪˈu:l] *г.* Сеу́л (*столица Республики Корея*)

Sept-Îles [seˈti:l] *г.* Сет-Иль (*пров. Квебек, Канада*)

Sequoia National Park [sɪˈkwɔɪəˈnæʃənlˈpɑ:k] *нац. парк* Секво́йя (*США*)

Seram [ˈseɪrɑ:m] = Ceram

Serbia [ˈsə:bɪə] Се́рбия, Socialist Republic of Serbia Социалисти́ческая Респу́блика Се́рбия (*Югославия*)

Serengeti National Park [ˌserənˈgetɪˈnæʃənlˈpɑ:k] *нац. парк* Серенге́ти (*Танзания*)

Sergiev Posad [ˈsergi:(j)əfpəˈsæt] *г.* Се́ргиев Поса́д (*Московская обл., РСФСР, СССР*)

Serpukhov [serˈpu:kəf] *г.* Се́рпухов (*Московская обл., РСФСР, СССР*)

Sétif [seɪˈti:f] *г.* Сети́ф (*Алжир*)

Seto Naikai [setə(u)naɪkaɪ] *м.* Се́то-Найка́й; *см.* Inland Sea

Setúbal [səˈtu:b(ə)l] *г.* Сету́бал (*Португалия*)

Sevan(g) [seˈvɑ:n, seˈvɑ:ŋ] *оз.* Сева́н (*СССР*)

Sevastopol [sjɪvʌsˈtɔ:pəlj] *г.* Севасто́поль (*Крымская обл., Украинская ССР, СССР*)

Seven Islands [ˈsevnˈaɪləndz] *г.* Се́вен-А́йлендс; *см.* Sept-Îles

Severn [ˈsevən] **1.** *р.* Се́верн (*Великобритания*); **2.** *р.* Се́верн (*Канада*)

Severnaya Zemlya [ˈsjeɪvjɪrnəjəzjɪmˈljɑ:] *арх.* Се́верная Земля́ (*Северный Ледовитый ок., СССР*)

Severodonetsk [ˌsevərədʌˈnjetsk] *г.* Северодоне́цк (*Донецкая обл., Украинская ССР, СССР*)

Severodvinsk [ˌsevərədˈvɪnsk] *г.* Северодви́нск (*Архангельская обл., РСФСР, СССР*)

Severski Donets [ˈsevjɪrskɪdʌˈnjets] *р.* Се́верский Доне́ц (*СССР*)

Seville [səˈvɪl] *г.* Севи́лья (*Испания*)

Seward Peninsula [ˈsju:ədpɪˈnɪnsjulə] *п-ов* Сью́ард (*между заливами Коцебу и Нортон, США*)

Seychelles I [seɪˈʃelz] *гос-во* Сейше́льские Острова́, Republic of Seychelles Респу́блика Сейше́льские Острова́ (*на Сейшельских и Амирантских о-вах, Индийский ок.*)

Seychelles II [seɪˈʃelz] Сейше́льские острова́ (*Индийский ок., гос-во Сейшельские Острова*)

Seyhan [seɪˈhɑ:n] *г.* Сейха́н; *см.* Adana

Sfax [sfæks] *г.* Сфакс (*Тунис*)

Shaanxi [ˈʃɑ:nˈʃi:] *пров.* Шэньси́ (*Китай*)

Shackleton Ice Shelf [ˈʃæklt(ə)nˈaɪsˈʃelf] ше́льфовый ледни́к Ше́клтона (*Антарктида*)

Shahjahanpur [ˌʃɑ:dʒəˈhɑ:npuə] *г.* Шахджаханпу́р (*шт. Уттар-Прадеш, Индия*)

Shakhty [ˈʃɑ:htɪ] *г.* Ша́хты (*Ростовская обл., РСФСР, СССР*)

Shandong I [ˈʃɑ:nˈdɔ:ŋ] *пров.* Шаньду́н (*Китай*)

Shandong II [ˈʃɑ:nˈdɔ:ŋ] Шаньду́нский полуо́стров (*Китай*)

Shanghai [ˈʃæŋˈhaɪ] *г.* Шанха́й (*Китай*)

Shannon [ˈʃænən] *р.* Ша́ннон (*Ирландия*)

Shansi [ˈʃɑ:nˈsi:] = Shanxi

Shantarskie Islands [ʃʌnˈtɑ:rskɪjɪˈaɪləndz] *арх.* Шанта́рские острова́ (*Охотское м., СССР*)

Shantou [ˈʃɑ:nˈtəu] *г.* Шаньто́у (*пров. Гуандун, Китай*)

Shantung [ˈʃænˈtuŋ] = Shandong I

Shantung Peninsula [ˈʃænˈtʌŋpɪˈnɪnsjulə] = Shandong II

Shanxi [ˈʃɑ:nˈʃi:] *пров.* Шаньси́ (*Китай*)

Shari [ˈʃɑ:rɪ] = Chari

Shark(s) Bay [ˈʃɑ:k(s)ˈbeɪ] *зал.* Шарк (*Индийский ок., побережье Австралии*)

Shasta, Mount [ˈmauntˈʃæstə] *гора* Ша́ста (*Каскадные горы, США*)

Shatt al Arab [ˈʃætælˈærəb] *р.* Шатт-эль-Ара́б (*Иран и Ирак*)

Shatura [ʃʌˈtu:rə] *г.* Шату́ра

(*Московская обл., РСФСР, СССР*)

Shaulyai [ʃau'leı] *г.* Шяуля́й (*Литва*)

Shchelkovo ['ʃtʃelkɔ:,vɔ:] *г.* Щёлково (*Московская обл., РСФСР, СССР*)

Sheba ['ʃi:bə] = Saba

Sheboygan [ʃı'bɔıgən] *г.* Шебо́йган (*шт. Висконсин, США*)

Sheffield ['ʃefi:ld] *г.* Ше́ффилд (*метроп. граф. Саут-Йоркшир, Англия, Великобритания*)

Shelby ['ʃelbı] *г.* Ше́лби (*шт. Монтана, США*)

Shelikof Strait ['ʃelıkɔf'streıt] проли́в Ше́лихова (*между п-овом Аляска и о. Кадьяк*)

Shemakha [,ʃemɑ:'kɑ:] *г.* Шемаха́ (*Азербайджанская ССР, СССР*)

Shenandoah [,ʃenən'dəuə] *р.* Шенандо́а (*США*)

Shensi ['ʃen'si:] = Shaanxi

Shenyang ['ʃʌn'jɑ:ŋ] *г.* Шэнья́н (*адм. центр пров. Ляонин, Китай*)

Sherbro Island ['ʃə:brəu'aılənd] *о.* Ше́рбро (*Атлантический ок., Сьерра-Леоне*)

Sherbrooke ['ʃə:bruk] *г.* Ше́рбрук (*пров. Квебек, Канада*)

Sherwood Forest ['ʃə:wud'fɔrıst] *ист.* Ше́рвудский лес (*Великобритания*)

Shetland I ['ʃetlənd] *обл.* Ше́тланд (*Шотландия, Великобритания, Шетландские о-ва*)

Shetland II ['ʃetlənd] = Shetland Islands

Shetland Islands ['ʃetlənd'aıləndz] Шетла́ндские острова́ (*Атлантический ок., Великобритания*)

Shevchenko [ʃəv'tʃeŋkəu] *г.* Шевче́нко (*центр Мангистауской обл., Казахская ССР, СССР*)

Shibîn el Kôm [ʃı'bi:næl'kəum] *г.* Шиби́н-эль-Ком (*Египет*)

Shihchiachuang [,ʃi:tʃɑ:'tʃwæŋ] = Shijiazhuang

Shijiazhuang ['ʃi:dʒɑ:'dʒwæŋ] *г.* Шицзячжуа́н (*адм. центр пров. Хэбэй, Китай*)

Shikoku [ʃı'kəuku:] *о.* Сико́ку (*Тихий ок., Япония*)

Shilka ['ʃılkə] *р.* Ши́лка (*СССР*)

Shillong [ʃı'lɔ:ŋ] **1.** *г.* Шилло́нг (*адм. центр шт. Мегхалая, Индия*); **2.** *нагорье* Шилло́нг (*Индия*)

Shimabara Bay [ʃımɑ:bɑ:rɑ:'beı] *зал.* Симаба́ра (*Восточно-Китайское м., о. Кюсю, Япония*)

Shimonoseki [,ʃımə(u)nə(u)'sekı] *г.* Симоносе́ки (*о. Хонсю, Япония*)

Shimonoseki Strait [,ʃımə(u)nə(u)'sekı'streıt] *прол.* Симоносе́ки (*между о-вами Хонсю и Кюсю, Япония*)

Shipka Pass ['ʃıpkɑ:'pɑ:s] *пер.* Ши́пка (*горы Стара-Планина, Болгария*)

Shiraz [ʃı'rɑ:z] *г.* Шира́з (*Иран*)

Shire ['ʃi:reı] *р.* Ши́ре (*Малави и Мозамбик*)

Shirvan [ʃıə'vɑ:n] *ист. обл. и гос-во* Ширва́н (*Азербайджанская ССР, СССР*)

Shishaldin [ʃıʃ'ældən] вулка́н Шиша́лдина (*о. Унимак, США*)

Shizuoka [ʃızuwə(u)kɑ:] *г.* Сидзуо́ка (*о. Хонсю, Япония*)

Shkodër ['ʃkəudə] *г.* Шко́дер (*Албания*)

Shoa ['ʃəuə] *пров.* Шоа́ (*Эфиопия*)

Sholapur ['ʃəulɑ:puə] *г.* Шолапу́р (*шт. Махараштра, Индия*)

Shoshone Falls [ʃə(u)'ʃəunı'fɔ:lz] *вдп.* Шошо́ни (*р. Снейк, США*)

Shreveport ['ʃri:vpɔ:t] *г.* Шри́впорт (*шт. Луизиана, США*)

Shrewsbury ['ʃrəuzb(ə)rı] *г.* Шру́сбери (*адм. центр граф. Шропшир, Англия, Великобритания*)

Shropshire ['ʃrɔpʃıə] *граф.* Шро́пшир (*Англия, Великобритания*)

Shumagin Islands ['ʃu:məgi:n-'aıləndz] острова́ Шума́гина (*Тихий ок., США*)

Shumen ['ʃumen] *г.* Шу́мен (*Болгария*)

Shuya ['ʃu:jə] *г.* Шу́я (*Ивановская обл., РСФСР, СССР*)

Sialkot [sı'ɑ:lkəut] *г.* Сиалко́т (*Пакистан*)

Siam [saı'æm, 'saıæm] Сиа́м; *см.* Thailand

Siam, Gulf of ['gʌlfəvsaı'æm] Сиа́мский зали́в (*Южно-Китайское м., между п-овами Индокитай и Малакка*)

Sian ['ʃi:'ɑ:n] = Xian

Siang [sjɑ:ŋ, ʃɪ'ɑ:ŋ] = Xiang (Jiang)

Siangan ['sjɑ:ŋ'gɑ:n] = Xianggang

Šiauliai ['ʃau'leɪ] = Shaulyai

Šibenik [ʃɪ'benɪk] *г.* Ши́беник (*Республика Хорватия, Югославия*)

Siberia [saɪ'bɪərɪə] Сиби́рь (*часть азиатской терр. СССР от Урала на зап. до Тихого ок. на вост.*); *см. тж.* Eastern Siberia *и* Western Siberia

Sibiu [sɪ'bju:] *г.* Сиби́у (*Румыния*)

Sibuyan Sea [ˌsi:vu:'jɑ:n'si:] *м.* Сибуя́н (*Филиппины*)

Sichuan ['sɪtʃ'wɑ:n] *пров.* Сычуа́нь (*Китай*)

Sicilian Channel [sɪ'sɪljən'tʃænl] Туни́сский (*или* Сицили́йский) проли́в (*между Африкой и о. Сицилия, Средиземное м.*)

Sicilies, the Two ['tu:'sɪsɪlɪz] *ист. гос-во* Короле́вство обе́их Сици́лий (*о. Сицилия и юж. часть Апеннинского п-ова*)

Sicily ['sɪsɪlɪ] *о.* Сици́лия (*Средиземное м., Италия*)

Sidi-bel-Abbès ['si:dɪbelə'bes] *г.* Си́ди-бель-Аббе́с (*Алжир*)

Sidon ['saɪdn] *ист. город-гос-во* Сидо́н (*в Финикии, совр. г. Сайда, Ливан*)

Sidra, Gulf of ['gʌlfəv'sɪdrə] *зал.* Си́дра (*Средиземное м., побережье Ливии*)

Siena [sɪ'enə] *г.* Сие́на (*Италия*)

Sierra Leone [sɪ'erəlɪ'əun] *гос-во* Сье́рра-Лео́не, Republic of Sierra Leone Респу́блика Сье́рра-Лео́не (*Западная Африка*)

Sierra Leone Peninsula [sɪ'erəlɪ'əunpɪ'nɪnsjulə] *п-ов* Сье́рра-Лео́не (*Западная Африка, гос-во Сьерра-Леоне*)

Sierra Madre Occidental [sɪ'erə'mædrɪˌɔ:ksɪðeɪn'tɑ:l] *горы* За́падная Сье́рра-Ма́дре (*Мексика*)

Sierra Madre Oriental [sɪ'erə'mædrɪˌəurjeɪn'tɑ:l] *горы* Восто́чная Сье́рра-Ма́дре (*Мексика*)

Sierra Morena ['sjerɑ:mə(u)'reɪnɑ:] *горы* Сье́рра-Море́на (*Испания*)

Sierra Nevada [sɪ'erənɪ'vædə] **1.** *хр.* Сье́рра-Нева́да (*США*); **2.** *горн. массив* Сье́рра-Нева́да (*Испания*)

Sikhote Alin ['si:hə(u)teɪɑ:'li:n] *горн. страна* Сихотэ́-Али́нь (*юго-вост. СССР*)

Si (Kiang) ['si:(kɪ'æŋ)] = Xi (Jiang)

Sikkim ['sɪkɪm] *шт.* Сикки́м (*Индия*)

Silesia [saɪ'li:zjə] *ист. обл.* Силе́зия (*Польша и Чехословакия*)

Silistra [sɪ'lɪstrə] *г.* Сили́стра (*Болгария*)

Silvassa [sɪl'vɑ:sɑ:] *г.* Силва́са (*адм. центр союзной терр. Дадра и Нагархавели, Индия*)

Simbirsk [sɪm'bɪrsk] *г.* Симби́рск; *см.* Ulyanovsk

Simferopol [sjɪmfje'rɔ:pəlj] *г.* Симферо́поль (*центр Крымской обл., Украинская ССР, СССР*)

Simla ['sɪmlə] *г.* Си́мла, Ши́мла (*адм. центр шт. Химачал-Прадеш, Индия*)

Simplon ['sɪmplən] *пер.* Симпло́н (*горн. сист. Альпы, Швейцария*)

Simpson Desert ['sɪm(p)sn'dezət] *пуст.* Си́мпсон (*Австралия*)

Sinai ['saɪnaɪ] Сина́йский полуо́стров (*между заливами Акаба и Суэцким, Египет*)

Sinai, Mount ['maunt'saɪnaɪ] *библ. гора* Сина́й (*Египет*)

Singapore [ˌsɪŋgə'pɔ:] **1.** *гос-во* Сингапу́р, Republic of Singapore Респу́блика Сингапу́р (*Юго-Восточная Азия*); **2.** *г.* Сингапу́р (*столица Сингапура*); **3.** *о.* Сингапу́р (*у юж. побережья п-ова Малакка, Южно-Китайское м., гос-во Сингапур*)

Singapore, Strait of ['streɪtəvˌsɪŋgə'pɔ:] Сингапу́рский проли́в (*между о. Сингапур и п-ом Малакка*)

Sining ['ʃi:'nɪŋ] = Xining

Sinkiang Uighur Autonomous Region ['ʃɪn'dʒjɑ:ŋ'wi:gərɔ:'tɔnəməs'ri:dʒən] = Xinjiang Uygur Autonomous Region

Sinop [sɪ'nɔ:p] *г.* Сино́п (*Турция*)

Sinsiang ['ʃɪn'ʃjɑ:ŋ] = Xinxiang

Sinŭiju [sɪˌnu:ɪ'dʒu:] *г.* Синыйджу́ (*КНДР*)

Sioux City ['su:'sɪtɪ] *г.* Су-Си́ти (*шт. Айова, США*)

Sioux Falls ['su:'fɔ:lz] *г.* Су-Фолс (*шт. Южная Дакота, США*)

Siret [sɪ'ret] *р.* Сирéт (*СССР и Румыния*)

Sisak ['si:sɑ:k] *г.* Сíсак (*Республика Хорватия, Югославия*)

Sitka ['sɪtkə] *г.* Сíтка (*шт. Аляска, США*)

Sittwe ['sɪt͵wi:] *г.* Ситуэ́ (*Мьянма*)

Sivas [sɪ'vɑ:s] *г.* Сивáс (*Турция*)

Sivash [sɪ'væʃ] *зал.* Сивáш (*Азовское м., СССР*)

Siwalik Range [sɪ'wɑ:lɪk'reɪndʒ] *горы* Сивáлик (*горн. сист. Гималаи, Индия и Непал*)

Sjælland ['ʃelɑ:n] *о.* Зелáндия (*Балтийское м., Дания*)

Skadar, Lake ['leɪk'skɑ:dɑ:] = Scutari, Lake

Skager(r)ak ['skægəræk] *прол.* Скагеррáк (*между п-овами Скандинавским и Ютландия*)

Skagway ['skægweɪ] *г.* Скáгуэй (*шт. Аляска, США*)

Skåne ['skəunə] *п-ов* Скóне (*Швеция*)

Skellefteå [ʃe'leftəu͵əu] *г.* Шеллéфтео (*Швеция*)

Skikda ['skɪkdɑ:] *г.* Скíкда (*Алжир*)

Skopje ['skəupje], **Skoplje** ['skəuplje] *г.* Скóпье, Скóпле (*столица Социалистической Республики Македонии, Югославия*)

Skye [skaɪ] *о.* Скай (*арх. Гебридские о-ва, Атлантический ок., Великобритания*)

Skyros ['skaɪrəs] *о.* Скíрос (*о-ва Северные Спорады, Эгейское м., Греция*)

Slave Coast ['sleɪv'kəust] *уст.* Невóльничий бéрег (*назв. побережья Гвинейского зал., Африка*)

Slave River ['sleɪv'rɪvə] *р.* Невóльничья (*Канада*)

Slavkov ['slɑ:fkɔ:f] *г.* Слáвков (*Чехословакия*)

Slavonia [slə'vəunjə] *ист. обл.* Славóния (*Югославия*)

Slavyansk [slʌ'vjɑ:nsk] *г.* Славя́нск (*Донецкая обл., Украинская ССР, СССР*)

Sleaford ['sli:fəd] *г.* Слíфорд (*граф. Линкольншир, Англия, Великобритания*)

Sligo ['slaɪgəu] **1.** *граф.* Слáйго (*Ирландия*); **2.** *г.* Слáйго (*адм. центр граф. Слайго, Ирландия*)

Sligo Bay ['slaɪgəu'beɪ] *зал.* Слáйго (*Атлантический ок., побережье Ирландии*)

Sliven ['slɪvən] *г.* Слíвен (*Болгария*)

Slough [slau] *г.* Слáу (*граф. Бакингемшир, Англия, Великобритания*)

Slovakia [slə(u)'vɑ:kɪə] Словáкия, Slovak Republic [slə(u)'vɑ:k...] Словáцкая Респýблика (*Чехословакия*)

Slovenia [slə(u)'vi:njə] Словéния, Republic of Slovenia Респýблика Словéния (*Югославия*)

Smethwick ['smeðɪk] *г.* Смéтик (*метроп. граф. Уэст-Мидлендс, Англия, Великобритания*)

Smith Sound ['smɪθ'saund] *прол.* Смит (*между о-вами Гренландия и Элсмир*)

Smoky Hill ['sməukɪ'hɪl] *р.* Смóки-Хилл (*США*)

Smolensk [smʌ'ljensk] *г.* Смолéнск (*центр Смоленской обл., РСФСР, СССР*)

Smolian [sməul'jɑ:n] *г.* Смóлян (*Болгария*)

Smyrna ['smɛənə] *г.* Смíрна; *см.* Izmir

Snake [sneɪk] *р.* Снейк (*США*)

Sněžka ['snjeʃkə] *гора* Снéжка (*горы Судеты, на границе Польши и Чехословакии*)

Snowdon ['snəudn] *гора* Снóудон (*Кембрийские горы, Великобритания*)

Snowy River ['snəuɪ'rɪvə] *р.* Снóуи-Рíвер (*Австралия*)

Sobat ['səubæt] *р.* Сóбат (*Эфиопия и Судан*)

Sochi ['sɔ:tʃɪ] *г.* Сóчи (*Краснодарский край, РСФСР, СССР*)

Society Islands [sə'saɪətɪ'aɪləndz] *арх.* островá Óбщества, островá Товáрищества (*Тихий ок., влад. Франции*)

Socotra [sə(u)'kəutrə] *о.* Сокóтра (*Индийский ок., Йемен*)

Sodom and Gomorrah ['sɔdəməndgə'mɔrə] *библ.* Содóм и Гомóрра (*два города у устья р. Иордан, в Палестине*)

Soela Islands ['su:lə'aɪləndz] = Sula Islands

Soemba [ˈsu:mbə] = Sumba

Soembawa [sumˈbɑ:wə] = Sumbawa

Soenda Isles [ˈsu:ndɑ:ˈaɪlz] = Sunda Isles

Soenda Strait [ˈsu:ndəˈstreɪt] = Sunda Strait

Sofia [ˈsəufɪə] *г.* Софи́я (*столица Болгарии*)

Sogdiana [ˌsɔgdɪˈænə, ˌsɔgdɪˈeɪnə] *ист. обл.* Согд, Согдиа́на (*Средняя Азия*)

Sogne Fjord [ˈsɔ:ŋnɪˈfjɔ:d] Со́гнефьорд (*Норвежское м., Норвегия*)

Sohâg [sɔ:ˈhɑ:dʒ] *г.* Соха́г (*Египет*)

Sokoto [ˈsəukə(u)təu] *г.* Соко́то (*Нигерия*)

Sokotra [sə(u)ˈkəutrə] = Socotra

Solent, the [ˈsəulənt] *прол.* Те-Со́лент (*между о-вами Великобритания и Уайт*)

Solikamsk [səlɪˈkɑ:msk] *г.* Солика́мск (*Пермская обл., РСФСР, СССР*)

Sol-Iletsk [ˌsɔ:lɪˈl(j)etsk] *г.* Соль-Иле́цк (*Оренбургская обл., РСФСР, СССР*)

Solingen [ˈzəulɪŋən] *г.* Зо́линген (*ФРГ*)

Solo [ˈsəuləu] **1.** *г.* Со́ло; *см.* Surakarta; **2.** *р.* Со́ло (*о. Ява, Индонезия*)

Solomon Islands I [ˈsɔlə(u)mənˈaɪləndz] *гос-во* Соломо́новы Острова́ (*на Соломоновых о-вах, кроме о-вов Бугенвиль и Бука, Тихий ок.*)

Solomon Islands II [ˈsɔlə(u)mənˈaɪləndz] *арх.* Соломо́новы острова́ (*Тихий ок., Меланезия, гос-ва Папуа-Новая Гвинея и Соломоновы Острова*)

Solway Firth [ˈsɔlweɪˈfə:θ] *зал.* Со́луэй-Ферт (*Ирландское м., о. Великобритания*)

Somalia [sə(u)ˈma:lɪə] *гос-во* Сомали́, Somali Democratic Republic [sə(u)ˈmɑ:lɪ...] Сомали́йская Демократи́ческая Респу́блика (*Северо-Восточная Африка*)

Somali Peninsula [sə(u)ˈmɑ:lɪpɪˈnɪnsjulə] *п-ов* Сомали́ (*на вост. Африки*)

Somerset Island [ˈsʌməsetˈaɪlənd] *о.* Со́мерсет (*Канадский арктический арх., Канада*)

Somerset(shire) [ˈsʌməset(ʃɪə)] *граф.* Со́мерсет(шир) (*Англия, Великобритания*)

Somerville [ˈsʌməvɪl] *г.* Со́мервилл (*шт. Массачусетс, США*)

Somme [sɔ:m] *р.* Со́мма (*Франция*)

Songka [ˈsɔŋˈkɑ:] *р.* Хонгха́ (*Вьетнам и Китай*)

Songk(h)la [sʌŋkhlɑ:] *г.* Сонгкла́ (*Таиланд*)

Soochow [ˈsu:ˈtʃau] = Suzhou

Sopot [ˈsɔ:pɔ:t] *г.* Со́пот (*Польша*)

Sopron [ˈʃə(u)prə(u)n] *г.* Шо́прон (*Венгрия*)

Sorocaba [ˌsəuruˈkæbə] *г.* Сорока́ба (*Бразилия*)

Sorrento [sə(u)ˈrentə(u)] *г.* Сорре́нто (*Италия*)

Sosnowiec [sɔ:sˈnɔ:vjets] *г.* Сосно́вец (*Польша*)

Soudan [ˌsu:ˈdɑ:ŋ] = Sudan 1

Sound, the [saund] *прол.* Зунд; *см.* Öresund

Sousse [su:s] *г.* Сус (*Тунис*)

South America [ˈsauθəˈmerɪkə] *материк* Ю́жная Аме́рика (*Западное полушарие*)

Southampton [sauθˈæm(p)tən] *г.* Саутге́мптон (*граф. Гэмпшир, Англия, Великобритания*)

Southampton Island [sauθˈæm(p)tənˈaɪlənd] *о.* Саутге́мптон (*Гудзонов зал., Канада*)

South Auckland-Bay of Plenty [ˈsauθˈɔ:kləndˈbeɪəvˈplentɪ] *стат. р-н* Са́ут-О́кленд-Бей-оф-Пле́нти (*Новая Зеландия, о. Северный*)

South Australia [ˈsauθɔ:ˈstreɪljə] *шт.* Ю́жная Австра́лия (*Австралия*)

South Bend [ˈsauθˈbend] *г.* Са́ут-Бенд (*шт. Индиана, США*)

South Carolina [ˈsauθˌkærəˈlaɪnə] *шт.* Ю́жная Кароли́на (*США*)

South China Sea [ˈsauθˈtʃaɪnəˈsi:] Ю́жно-Кита́йское мо́ре (*Тихий ок., у берегов Азии*)

South Dakota [ˈsauθdəˈkəutə] *шт.* Ю́жная Дако́та (*США*)

South Downs [ˈsauθˈdaunz] *возв.* Са́ут-Да́унс (*Великобритания*)

South East Point ['sauθ'i:st'pɔınt] *мыс* Са́ут-Ист-Пойнт, Ю́го-Восто́чный мыс (*крайняя юж. точка Австралии*)

Southend on Sea ['sauθ'endən'si:] *г.* Са́утенд-он-Си (*граф. Эссекс, Англия, Великобритания*)

Southern Alps ['sʌðən'ælps] *горы* Ю́жные А́льпы (*о. Южный, Новая Зеландия*)

Southern Rhodesia ['sʌðənrə(u)'di:ʒə] Ю́жная Родéзия; *см.* Zimbabwe

Southern Sporades ['sʌðən'spɔrədi:z] *о-ва* Ю́жные Спора́ды (*Эгейское м., Греция*)

Southern Uplands ['sʌðən'ʌpləndz] Ю́жно-Шотла́ндская возвы́шенность (*Великобритания*)

South Gate ['sauθ'geıt] *г.* Са́ут-Гейт (*шт. Калифорния, США*)

Southgate ['sauθgıt] *г.* Са́утгит (*метроп. граф. Большой Лондон, Англия, Великобритания*)

South Georgia ['sauθ'dʒɔ:dʒjə] *о.* Ю́жная Гео́ргия (*Атлантический ок., Антарктика, влад. Великобритании*)

South Glamorgan ['sauθglə'mɔ:gən] *граф.* Са́ут-Гламо́рган (*Уэльс, Великобритания*)

South Island ['sauθ'aılənd] о́с-тров Ю́жный (*Тихий ок., Новая Зеландия*)

South Korea ['sauθkə(u)'ri:ə] Ю́жная Корéя; *см.* Korea 2

Southland ['sauθlənd] *стат. р-н* Са́утленд (*Новая Зеландия, о. Северный*)

South Orkney Islands ['sauθ'ɔ:knı'aıləndz], **South Orkneys** ['sauθ'ɔ:knız] Ю́жные Оркнéйские острова́ (*Атлантический ок., Антарктика, влад. Великобритании*)

South Ossetian Autonomous Region ['sauθɔ'si:ʃənɔ:'tɔnəməs'ri:dʒən] Юго-Осети́нская автоно́мная о́бласть, **South Ossetia** ['sauθɔ'si:ʃıə] Ю́жная Осéтия (*Грузинская ССР, СССР*)

South Platte ['sauθ'plæt] *р.* Са́ут-Платт (*США*)

South Polar Plateau ['sauθ'pəulə'plætəu] Поля́рное плато́ (*Антарктида*)

South Pole ['sauθ'pəul] Ю́жный по́люс (*в пределах Полярного плато, Антарктида*)

Southport ['sauθpɔ:t] **1.** *г.* Са́утпорт (*метроп. граф. Мерсисайд, Англия, Великобритания*); **2.** *г.* Са́утпорт (*шт. Квинсленд, Австралия*)

South Sandwich Islands ['sauθ'sæn(d)wıdʒ'aıləndz] Ю́жные Са́ндвичевы острова́ (*Атлантический ок., Антарктика, влад. Великобритании*)

South Saskatchewan ['sauθsəs'kætʃəwən] *р.* Са́ут-Саска́чеван (*Канада*)

South Shetland Islands ['sauθ'ʃetlənd'aıləndz], **South Shetlands** ['sauθ'ʃetləndz] Ю́жные Шетла́ндские острова́ (*Атлантический ок., Антарктика, влад. Великобритании*)

South Shields ['sauθ'ʃi:ldz] *г.* Са́ут-Шилдс (*метроп. граф. Тайн-энд-Уир, Англия, Великобритания*)

South Uist ['sauθ'ju:ıst] *о.* Са́ут-У́ист (*арх. Гебридские о-ва, Атлантический ок., Великобритания*)

South West Africa ['sauθ'west'æfrıkə] Ю́го-За́падная А́фрика; *см.* Namibia

South Yorkshire ['sauθ'jɔ:kʃıə] *метроп. граф.* Са́ут-Йо́ркшир (*Англия, Великобритания*)

Sovetsk [sʌ'vjetsk] *г.* Совéтск (*Калининградская обл., РСФСР, СССР*)

Sovetskaya [sʌ'vjetskəjə] Совéтская (*науч. ст. СССР, Антарктида*)

Sovetskaya Gavan [sʌ'vjetskəjə'gɑ:vənj] *г.* Совéтская Га́вань (*Хабаровский край, РСФСР, СССР*)

Sovietskoye, Plateau ['plætəusʌ'vjetskəjə] плато́ Совéтское (*Антарктида*)

Soviet Union ['səuvıet'ju:njən] Совéтский Сою́з; *см.* Union of Soviet Socialist Republics

Soya Strait ['səujɑ:'streıt] = La Pérouse Strait

Spa [spɑ:] *г.* Спа (*Бельгия*)

Spain [speın] *гос-во* Испа́ния (*Юго-Западная Европа*)

Sparta ['spɑ:tə] **1.** *г.* Спа́рта

(*Греция*); **2.** *ист. город-гос-во* Спа́рта (*п-ов Пелопоннес, Греция*)

Spartanburg [ˈspɑ:tnbə:g] *г.* Спа́ртанберг (*шт. Южная Каролина, США*)

Spencer('s) Gulf [ˈspensə(z)ˈgʌlf] *зал.* Спе́нсер (*Индийский ок., побережье Австралии*)

Spitsbergen [ˈspɪtsˌbə:gən] *арх.* Шпицбе́рген (*Северный Ледовитый ок., Норвегия*)

Split [splɪt] *г.* Сплит (*Республика Хорватия, Югославия*)

Spokane [spə(u)ˈkæn] *г.* Спока́н (*шт. Вашингтон, США*)

Sporades [ˈspɔrədi:z] *о-ва* Спора́ды; *см.* Northern Sporades *и* Southern Sporades

Spree [ʃpreɪ] *р.* Шпре́(е) (*ФРГ*)

Springfield [ˈsprɪŋfi:ld] **1.** *г.* Спри́нгфилд (*адм. центр шт. Иллинойс, США*); **2.** *г.* Спри́нгфилд (*шт. Массачусетс, США*); **3.** *г.* Спри́нгфилд (*шт. Миссури, США*)

Springs [sprɪŋz] *г.* Спрингс (*пров. Трансвааль, ЮАР*)

Squaw Valley [ˈskwɔ:ˈvælɪ] *г.* Скво-Вэ́лли (*шт. Калифорния, США*)

Sredinny Range [srəˈdi:nɪˈreɪndʒ] Среди́нный хребе́т (*п-ов Камчатка, СССР*)

Sri Lanka [ˈsrɪˈlæŋkə] **1.** *гос-во* Шри-Ла́нка, Democratic Socialist Republic of Sri Lanka Демократи́ческая Социалисти́ческая Респу́блика Шри-Ла́нка (*на о. Шри-Ланка, Индийский ок., Южная Азия*); **2.** *о.* Шри-Ла́нка (*у юж. оконечности п-ова Индостан, Индийский ок., гос-во Шри-Ланка*)

Srinagar [srɪˈnʌgə] *г.* Срина́гар (*адм. центр шт. Джамму и Кашмир, Индия*)

Stafford [ˈstæfəd] *г.* Ста́ффорд (*адм. центр граф. Стаффордшир, Англия, Великобритания*)

Staffordshire [ˈstæfədʃɪə] *граф.* Ста́ффордшир (*Англия, Великобритания*)

Staffs [stæfs] *сокр. от* Staffordshire

Staked Plain [ˈsteɪktˈpleɪn] = Llano Estacado

Stalingrad [ˈstɑ:lɪngræd] *г.* Сталингра́д; *см.* Volgograd

Stamb(o)ul [stæmˈbu:l] = Istanbul

Stamford [ˈstæmfəd] *г.* Ста́мфорд (*шт. Коннектикут, США*)

Stanley Falls [ˈstænlɪˈfɔ:lz] водопа́ды Стэ́нли; *см.* Boyoma Falls

Stanleyville [ˈstænlɪvɪl] *г.* Стэнливи́ль; *см.* Kisangani

Stanovoi Range [stənʌˈvɔɪˈreɪndʒ] Станово́й хребе́т (*Восточная Сибирь, СССР*)

Stara Planina [ˈstɑ:rɑ:ˌplɑ:nɪˈnɑ:] *горы* Ста́ра-Планина́ (*Болгария*)

Staraya Russa [ˈstɑ:rəjəˈru:sə] *г.* Ста́рая Ру́сса (*Новгородская обл., РСФСР, СССР*)

Stara Zagora [ˈstɑ:rɑzɑ:ˈgɔ:rɑ:] *г.* Ста́ра-Заго́ра (*Болгария*)

Stary Oskol [ˈstɑ:rɪʌsˈkɔ:l] *г.* Ста́рый Оско́л (*Белгородская обл., РСФСР, СССР*)

States of the Church [ˈsteɪtsəvðəˈtʃə:tʃ] *ист. гос-во* Па́пская (*или* Церко́вная) о́бласть (*Италия*)

Stavanger [stɑ:ˈvɑ:ŋə] *г.* Става́нгер (*Норвегия*)

Stavropol [ˈstɑ:vrəpəlj] *г.* Ста́врополь (*центр Ставропольского края, РСФСР, СССР*)

Stavropol Territory [ˈstɑ:vrəpəljˈterɪt(ə)rɪ] Ставропо́льский край (*РСФСР, СССР*)

Steep Point [ˈsti:pˈpɔɪnt] *мыс* Стип-Пойнт (*крайняя зап. точка Австралии*)

Stepanakert [stepɑ:nɑ:ˈkert] *г.* Степанаке́рт (*центр Нагорно-Карабахской АО, Азербайджанская ССР, СССР*)

Sterlitamak [stjɪrljɪtʌˈmɑ:k] *г.* Стерлитама́к (*Башкирская АССР, РСФСР, СССР*)

Stettin [ʃteˈti:n] *г.* Ште́ттин; *см.* Szczecin

Steubenville [ˈstju:bənvɪl] *г.* Стью́бенвилл (*шт. Огайо, США*)

Stewart Island [ˈstju:ətˈaɪlənd] *о.* Стью́арт (*Тихий ок., Новая Зеландия*)

Stirling [ˈstə:lɪŋ] **1.** *г.* Сте́рлинг (*адм. центр обл. Сентрал, Шотландия, Великобритания*); **2.** *г.* Сте́рлинг (*шт. Колорадо, США*)

Stockholm [ˈstɔkhəum] *г.* Стокгольм (*столица Швеции*)

Stockport [ˈstɔkpɔ:t] *г.* Сто́кпорт (*метроп. граф. Большой Манчестер, Англия, Великобритания*)

Stockton [ˈstɔktən] *г.* Сто́ктон (*шт. Калифорния, США*)

Stoke on Trent [ˈstəukɔnˈtrent] *г.* Сток-он-Трент (*граф. Стаффордшир, Англия, Великобритания*)

Stonehaven [stəunˈheɪvn] *г.* Сто́нхейвен (*обл. Грампиан, Шотландия, Великобритания*)

Stony Tunguska [ˈstəunɪtunˈgu:skə] *р.* Подка́менная Тунгу́ска (*СССР*)

Stour [stauə] *р.* Ста́ур (*Великобритания*)

Strabane [strəˈbæn] **1.** *окр.* Страба́н (*Северная Ирландия, Великобритания*); **2.** *г.* Страба́н (*адм. центр окр. Страбан, Северная Ирландия, Великобритания*)

Straits of Dover [ˈstreɪtsəvˈdəuvə] = Dover, Strait of

Stralsund [ˈʃtrɑ:lzunt] *г.* Штра́льзунд (*ФРГ*)

Strasbourg [ˈstræsbə:g] *г.* Страсбу́рг (*Франция*)

Stratford on Avon [ˈstrætfədɔnˈeɪvən] *г.* Стра́тфорд-он-Э́йвон (*граф. Уорикшир, Англия, Великобритания*)

Strathclyde [stræθˈklaɪd] *обл.* Стратклайд (*Шотландия, Великобритания*)

Stretford [ˈstretfəd] *г.* Стре́тфорд (*граф. Ланкашир, Англия, Великобритания*)

Stromboli [ˈstrɔmbəlɪ] **1.** *о.* Стро́мболи (*Липарские о-ва, Тирренское м., Италия*); **2.** *влк.* Стро́мболи (*о. Стромболи, Италия*)

Stuttgart [ˈʃtutgɑ:t, ˈstʌtgɑ:t] *г.* Шту́тгарт (*ФРГ*)

Subotica [ˈsu:bə(u)ti:tsɑ:] *г.* Су́ботица (*Социалистическая Республика Сербия, Югославия*)

Suceava [su:ˈtʃɑ:vɑ:] *г.* Суча́ва (*Румыния*)

Süchow [ˈsu:ˈdʒəu] = Xuzhou

Sucre [ˈsu:kre(ɪ)] *г.* Су́кре (*офиц. столица Боливии*)

Sudan [su:ˈdæn, su:ˈdɑ:n] **1.** *гос-во* Суда́н, Republic of the Sudan Респу́блика Суда́н (*Северо-Восточная Африка*); **2.** *геогр. обл.* Суда́н (*Африка*)

Sudbury [ˈsʌdˌberɪ] *г.* Са́дбери (*пров. Онтарио, Канада*)

Sudeten [su:ˈdeɪtn], **Sudetes** [su:ˈdi:ti:z], **Sudetic Mountains** [su:ˈdetɪkˈmauntɪnz] *горы* Суде́ты (*на границе Польши, Чехословакии и ФРГ*)

Suez [su:ˈez, ˈsu:ɪz] *г.* Суэ́ц (*Египет*)

Suez Canal [ˈsu:ɪzkəˈnæl] Суэ́цкий кана́л (*соединяет Красное и Средиземное моря, Египет*)

Suez, Gulf of [ˈgʌlfəvˈsu:ɪz] Суэ́цкий зали́в (*Красное м., между Синайским п-овом и берегом Африки*)

Suez, Isthmus of [ˈɪsməsəvˈsu:ɪz] Суэ́цкий переше́ек (*соединяет Африку с Азией, Египет*)

Suffolk [ˈsʌfək] *граф.* Су́ффолк (*Англия, Великобритания*)

Suita [su:ˈi:tə] *г.* Су́ита (*о. Хонсю, Япония*)

Sukhona [suˈhɔ:nə] *р.* Сухо́на (*СССР*)

Sukhumi [suˈhumɪ] *г.* Суху́ми (*столица Абхазской АССР, Грузинская ССР, СССР*)

Sukkur [ˈsuku] *г.* Су́ккур (*Пакистан*)

Sulaiman Range [sulaɪˈmɑ:nˈreɪndʒ] Сулейма́новы го́ры (*Пакистан и Афганистан*)

Sula Islands [ˈsu:ləˈaɪləndz] *о-ва* Су́ла (*Молуккский арх., Индонезия*)

Sulawesi [ˌsu:lɑ:ˈweɪsɪ] *о.* Сулаве́си (*Большие Зондские о-ва, Индонезия*)

Sulawesi Sea [ˌsu:lɑ:ˈweɪsɪˈsi:] *м.* Сулаве́си (*Тихий ок., между о-вами Калимантан, Сулавеси и Филиппинскими*)

Sulu Archipelago [ˈsu:lu:ˌɑ:kɪˈpelɪgəu] *арх.* Су́лу (*Филиппины*)

Sulu Sea [ˈsu:lu:ˈsi:] *м.* Су́лу (*Тихий ок., между Филиппинскими о-вами и о. Калимантан*)

Sumatra [suˈmɑ:trə] *о.* Сума́тра (*Большие Зондские о-ва, Индонезия*)

Sumba [ˈsu:mbə] *о.* Су́мба (*Малые Зондские о-ва, Индонезия*)

Sumbawa [su:mˈbɑ:wə] *о.* Сумба́-

ва (*Малые Зондские о-ва, Индонезия*)

Sumer [ˈsu:mə] *ист. страна* Шумéр (*в Двуречье, на юге совр. Ирака*)

Sumgait [ˌsumgɑ:ˈi:t] *г.* Сумгаúт (*Азербайджанская ССР, СССР*)

Sumy [ˈsu:mɪ] *г.* Сýмы (*центр Сумской обл., Украинская ССР, СССР*)

Sunda Deep [ˈsʌndəˈdi:p] Зóндский жёлоб (*Индийский ок.*)

Sunda Isles [ˈsʌndəˈaɪlz] Зóндские островá; *см.* Greater Sunda Isles *и* Lesser Sunda Isles

Sunda Strait [ˈsu:ndəˈstreɪt] Зóндский прошúв (*между о-вами Ява и Суматра, Индонезия*)

Sunderland [ˈsʌndələnd] *г.* Сáндерленд (*метроп. граф. Тайн-энд-Уир, Англия, Великобритания*)

Sundsvall [ˈsʌntsvɑ:l] *г.* Сýндсвалль (*Швеция*)

Sungari [ˈsunˈgɑ:ˈrɪ] *р.* Сýнгари (*Китай*)

Sunnyvale [ˈsʌnɪˌveɪl] *г.* Сáннивейл (*шт. Калифорния, США*)

Superior, Lake [ˈleɪksju(:)ˈpɪərɪə] *оз.* Вéрхнее (*Канада и США*)

Sura [suˈrɑ:] *р.* Сурá (*СССР*)

Surabaja [ˌsuərəˈbɑ:jə] *г.* Сурабáя (*о. Ява, Индонезия*)

Surakarta [ˌsuərəˈkɑ:tə] *г.* Суракáрта (*о. Ява, Индонезия*)

Surat [suˈræt] *г.* Сурáт (*шт. Гуджарат, Индия*)

Surgut [surˈgu:t] *г.* Сургýт (*Ханты-Мансийский авт. окр., Тюменская обл., РСФСР, СССР*)

Surinam [ˈsuərɪnæm] *гос-во* Суринáм, Republic of Surinam Респýблика Суринáм (*Южная Америка*)

Surrey [ˈsʌrɪ] *граф.* Сýррей (*Англия, Великобритания*)

Susa [ˈsju:sə, ˈsju:zə] *ист. г.* Сýзы (*на терр. совр. Ирана*)

Susquehanna [ˌsʌskwɪˈhænə] *р.* Саскуэхáнна (*США*)

Sussex [ˈsʌsɪks] *ист. англосакс. кор-во* Сýссекс (*Великобритания*)

Susuman [susu:ˈmɑ:n] *г.* Сусумáн (*Магаданская обл., РСФСР, СССР*)

Sutherland Falls [ˈsʌðələndˈfɔ:lz] *вдп.* Сáтерленд (*о. Южный, Новая Зеландия*)

Sutlej [ˈsʌtledʒ] *р.* Сáтледж (*Китай, Индия и Пакистан*)

Suva [ˈsu:və] *г.* Сýва (*столица Фиджи, о. Вити-Леву*)

Suwŏn [ˈsu:ˈwʌn] *г.* Сувóн (*Республика Корея*)

Suzdal [ˈsu:zdəlj] *г.* Сýздаль (*Владимирская обл., РСФСР, СССР*)

Suzhou [ˈsu:ˈdʒəu] *г.* Сучжóу (*пров. Цзянсу, Китай*)

Sverdlovsk [sverdˈlɔ:fsk] *г.* Свердлóвск; *см.* Ekaterinburg

Sverdrup Islands [ˈsværdrupˈaɪləndz] *о-ва* Свéрдруп (*Канадский Арктический арх., Канада*)

Svishtov [sfɪˈʃtɔ:f] = Svištov

Svištov [sfɪˈʃtɔ:f] *г.* Свиштóв (*Болгария*)

Swabia [ˈsweɪbɪə] *ист. обл.* Швáбия (*ФРГ*)

Swansea [ˈswɔnzɪ] *г.* Суóнси (*адм. центр граф. Уэст-Гламорган, Уэльс, Великобритания*)

Swatow [ˈswɑ:ˈtau] *г.* Сватóу; *см.* Shantou

Swaziland [ˈswɑ:zɪˌlænd] *гос-во* Свáзиленд, Kingdom of Swaziland Королéвство Свáзиленд (*Южная Африка*)

Sweden [ˈswi:dn] *гос-во* Швéция, Kingdom of Sweden Королéвство Швéция (*Северная Европа*)

Swindon [ˈswɪndən] *г.* Суúндон (*граф. Уилтшир, Англия, Великобритания*)

Switzerland [ˈswɪtsələnd] *гос-во* Швейцáрия, Swiss Confederation [ˈswɪskənˌfedəˈreɪʃn] Швейцáрская Конфедерáция (*Центральная Европа*)

Sybaris [ˈsɪbərɪs] *др.-греч. колония* Сúбарис (*на терр. совр. Италии*)

Sydney I [ˈsɪdnɪ] *г.* Сúдней (*адм. центр шт. Новый Южный Уэльс, Австралия*)

Sydney II [ˈsɪdnɪ] *г.* Сúдни (*о. Кейп-Бретон, пров. Новая Шотландия, Канада*)

Syktyvkar [sɪktɪfˈkɑ:] *г.* Сыктывкáр (*столица Коми АССР, РСФСР, СССР*)

Syracuse I [ˈsɪrəkju:s, ˈsaɪərəkju:z] *г.* Сираку́за (*о. Сицилия, Италия*)

Syracuse II [ˈsɪərəkju:s, ˈsaɪərəkju:z] *ист. город-гос-во* Сираку́зы (*о. Сицилия*)

Syracuse III [ˈsɪrəkju:s] *г.* Си́ракьюс (*шт. Нью-Йорк, США*)

Syr-Darya [ˈsɪrdɑ:rˈjɑ:] *р.* Сырдарья́ (*СССР*)

Syria [ˈsɪrɪə] *гос-во* Си́рия, Syrian Arab Republic [ˈsɪrɪən...] Сири́йская Ара́бская Респу́блика (*Западная Азия*)

Syrian Desert [ˈsɪrɪənˈdezət] Сири́йская пусты́ня (*Сирия, Иордания, Ирак и Саудовская Аравия*)

Syzran [ˈsɪzrən] *г.* Сы́зрань (*Самарская обл., РСФСР, СССР*)

Szczecin [ˈʃtʃetsi:n] *г.* Ще́цин (*Польша*)

Szechuan [ˈsetʃˈwɑ:n] = Sichuan

Szechwan [ˈsetʃˈwɑ:n] = Sichuan

Szeged [ˈseged] *г.* Се́гед (*Венгрия*)

Szolnok [ˈsə(u)lnə(u)k] *г.* Со́льнок (*Венгрия*)

Szombathely [ˈsə(u)mbɔtˌheɪ] *г.* Со́мбатхей (*Венгрия*)

T

Tabora [təˈbəurə] *г.* Табо́ра (*Танзания*)

Tabriz [təˈbri:z] *г.* Тебри́з (*Иран*)

Tacoma [təˈkəumə] *г.* Тако́ма (*шт. Вашингтон, США*)

Tadzhik Soviet Socialist Republic [tɑ:ˈdʒɪkˈsəuvɪetˈsəuʃəlɪstrɪˈpʌblɪk] Таджи́кская Сове́тская Социалисти́ческая Респу́блика, **Tadzhikistan, Tajikistan** [tɑ:ˌdʒɪkɪˈstɑ:n] Таджикиста́н (*на юго-вост. Средней Азии, СССР*)

Taegu [ˈtægu:] *г.* Тэгу́ (*Республика Корея*)

Taejon [ˈtædʒˈɔ:n] *г.* Тэджо́н, Тэчжо́н (*Республика Корея*)

Tafilalet [ˌtæfɪˈlɑ:let] = Tafilelt

Tafilelt [ˌtæfɪˈlelt] *оазисы* Тафила́льт (*Марокко*)

Taganrog [təgʌnˈrɔ:k] *г.* Таганро́г (*Ростовская обл., РСФСР, СССР*)

Taganrog, Gulf of [ˈgʌlfəvtəgʌnˈrɔ:k] Таганро́гский зали́в (*Азовское м., СССР*)

Tagus [ˈteɪgəs] *р.* Та́хо, Те́жу (*Испания и Португалия*)

Tahiti [təˈhi:tɪ] *о.* Таи́ти (*о-ва Общества, Тихий ок., влад. Франции*)

Taichung [ˈtaɪˈdʒu:ŋ] *г.* Тайчжу́н (*пров. Тайвань, Китай*)

Tai Hu [ˈtaɪˈhu:] *оз.* Тайху́ (*Китай*)

Taimyr Autonomous Area [ˈtaɪmɪrɔ:ˈtɔnəməsˈɛərɪə] Таймы́рский (Долга́но-Не́нецкий) автоно́мный о́круг (*Красноярский край, РСФСР, СССР*)

Taimyr Lake [taɪˈmɪrˈleɪk] *оз.* Таймы́р (*СССР*)

Taimyr Peninsula [taɪˈmɪrpɪˈnɪnsjulə] *п-ов* Таймы́р (*на сев. СССР*)

Tainan [ˈtaɪˈnɑ:n] *г.* Тайна́нь (*пров. Тайвань, Китай*)

Taipeh [ˈtaɪˈbeɪ] = Taipei

Taipei [ˈtaɪˈbeɪ] *г.* Тайбэ́й (*адм. центр пров. Тайвань, Китай*)

Taiping [ˈtaɪˈpɪŋ] *г.* Тайпи́нг (*Малайзия*)

Tai Shan [ˈtaɪˈʃɑ:n] **1.** *хр.* Тайша́нь (*Китай*); **2.** *гора* Тайша́нь (*хр. Тайшань, Китай*)

Taishet [taɪˈʃet] *г.* Тайше́т (*Иркутская обл., РСФСР, СССР*)

Taiwan [taɪˈwɑ:n] **1.** *пров.* Тайва́нь (*Китай*), **2.** *о.* Тайва́нь (*Тихий ок., Китай*)

Taiwan Strait [taɪˈwɑ:nˈstreɪt] Тайва́ньский проли́в (*между о. Тайвань и побережьем континентального Китая*)

Taiyuan [ˈtaɪju:ˈɑ:n] *г.* Тайюа́нь (*адм. центр пров. Шаньси, Китай*)

Taiz, Ta'izz [tæˈɪz] *г.* Таи́з (*Йемен*)

Tajik Soviet Socialist Republic [tɑ:ˈdʒɪkˈsəuvɪetˈsəuʃəlɪstrɪˈpʌblɪk] = Tadzhik Soviet Socialist Republic

Tajumulco [tɑ:hu:ˈmu:lkə(u)] *влк.* Тахуму́лько (*Гватемала*)

Takamatsu [tɑ:kɑ:mɑ:tsu] *г.* Тafкама́цу (*о. Сикоку, Япония*)

Takla Makan [ˌtɑ:klɑ:mɑ:ˈkɑ:n] *пуст.* Та́кла-Мака́н (*Китай*)

Takoradi [ˌtɑ:kəˈrɑ:dɪ] *г.* Такора́ди; *см.* Sekondi-Takoradi

Talara [tɑ:ˈlɑ:rə] *г.* Тала́ра (*Перу*)

Talas [tʌˈlɑ:s] *г.* Тала́с (*центр*

Таласской обл., Киргизская ССР, СССР)

Talca [ˈtɑ:lkɑ:] *г.* Тáлька (*Чили*)

Talcahuano [ˌtɑ:lkɑ:ˈwɑ:nə(u)] *г.* Талькауáно (*Чили*)

Taldy-Kurgan [tʌlˌdɪku:rˈgɑ:n] *г.* Талды́-Кургáн (*центр Талды-Курганской обл., Казахская ССР, СССР*)

Talien [ˈdɑ:lɪˈen] = Dalian

Tallahassee [ˌtæləˈhæsɪ] *г.* Таллахáсси (*адм. центр шт. Флорида, США*)

Tallinn [ˈtɑ:lɪn] *г.* Тáллинн (*столица Эстонии*)

Tamale [təˈmɑ:lɪ] *г.* Тамáле (*Гана*)

Taman [tʌˈmɑ:n] Тамáнский полуóстров (*между Чёрным и Азовским морями, СССР*)

Tamatave [ˌtɑ:mɑ:ˈtɑ:v] *г.* Таматáве; *см.* Toamasina

Tambov [tʌmˈbɔ:f] *г.* Тамбóв (*центр Тамбовской обл., РСФСР, СССР*)

Tamil Nadu [ˈtæmɪlˈnɑ:du] *шт.* Тамилнáд (*Индия*)

Tammerfors [ˌtɑ:məˈfɔ:s] *г.* Тáммерфорс; *см.* Tampere

Tampa [ˈtæmpə] *г.* Тáмпа (*шт. Флорида, США*)

Tampere [ˈtɑ:mpere] *г.* Тáмпере (*Финляндия*)

Tampico [tæmˈpi:kəu] *г.* Тампи́ко (*Мексика*)

Tana [ˈtɑ:nə, ˈtɑ:nɑ:] *р.* Тáна (*Кения*)

Tana, Lake [ˈleɪkˈtɑ:nɑ:] *оз.* Тáна (*Эфиопия*)

Tanana [ˈtænənɔ:] *р.* Тáнана (*США*)

Tananarive [ˌtɑ:ˌnɑ:ˌnɑ:ˈri:v] *г.* Тананари́ве; *см.* Antananarivo

Tandjungpriok [ˈtɑ:ndʒuŋˈpri:ə(u)k] *г.* Танджунгпри́ок (*о. Ява, Индонезия*)

Tanimbar Islands [təˈnɪmbɑ:rˈaɪləndz] *о-ва* Тани́мбар (*м. Банда, Индонезия*)

Tanga [ˈtæŋgə] *г.* Тáнга (*Танзания*)

Tanganyika [ˌtæŋgənˈji:kə] Танганьи́ка (*назв. материковой части Танзании*)

Tanganyika, Lake [ˈleɪkˌtæŋgənˈji:kə] *оз.* Танганьи́ка (*Танзания, Заир, Замбия и Бурунди*)

Tangier [tænˈdʒɪə] *г.* Танжéр (*Марокко*)

Tanglha [ˈdɑ:ŋˈlɑ:] *хр.* Тáнгла (*Китай*)

Tangshan [ˈtɑ:ŋˈʃɑ:n] *г.* Таншáнь (*пров. Хэбэй, Китай*)

Tanta [ˈtɑ:ntə] *г.* Тáнта (*Египет*)

Tanzania [ˌtænˈzɑ:njə, ˌtænzəˈnɪə] *гос-во* Танзáния, United Republic of Tanzania, Объединённая Респýблика Танзáния (*Восточная Африка*)

Tapajós [ˌtɑ:pəˈʒɔ:s] *р.* Тапажóс (*Бразилия*)

Taranaki [ˌtɑ:rəˈnɑ:kɪ] *стат. р-н* Таранáки (*Новая Зеландия, о. Северный*)

Taranto [ˈtærəntəu] *г.* Тáранто (*Италия*)

Taranto, Gulf of [ˈgʌlfəvˈtærəntəu] *зал.* Тáранто (*Ионическое м., Италия*)

Tarawa [təˈrɑ:wə, ˈtærəwə] **1.** *г.* Тарáва (*столица Кирибати, на атолле Тарава*); **2.** *атолл* Тарáва (*о-ва Гилберта, Тихий ок., Кирибати*)

Tarim [ˈdɑ:ˈri:m] *р.* Тари́м (*Китай*)

Tarlac [ˈtɑ:lɑ:k] *г.* Тáрлак (*о. Лусон, Филиппины*)

Tarnów [ˈtɑ:nu:f] *г.* Тáрнув (*Польша*)

Tarquinii [tɑ:ˈkwɪnɪaɪ] *ист. г.* Тарkви́нии (*на терр. совр. Италии*)

Tarragona [ˌtærəˈgəunə] *г.* Таррагóна (*Испания*)

Tarrasa [tɑ:ˈrɑ:sɑ:] *г.* Таррáса (*Испания*)

Tarsus [ˈtɑ:səs] *г.* Тáрсус (*Турция*)

Tartu [ˈtɑ:tu:] *г.* Тáрту (*Эстония*)

Tashauz [tɑ:ˈʃauz] *г.* Ташаýз (*центр Ташаузской обл., Туркменская ССР, СССР*)

Tashkent [tɑ:ʃˈkent] *г.* Ташкéнт (*столица Узбекской ССР, СССР*)

Tasmania [tæzˈmeɪnɪə] **1.** *шт.* Тасмáния (*Австралия, о. Тасмания*); **2.** *о.* Тасмáния (*у юго-вост. побережья Австралии, Австралия*)

Tasman Peninsula [ˈtæzmənpɪ-

ˈnɪnsjulə] Землй Тáсмана (*сев.-зап. побережье Австралии*)

Tasman Sea [ˈtæzmənˈsi:] Тасмáново мóре (*Тихий ок., между Австралией, Новой Зеландией и о. Тасмания*)

Tatabánya [ˈtɔ:tɔ:ˌbɑ:njɔ:] *г.* Тáтабанья (*Венгрия*)

Tatar Autonomous Soviet Socialist Republic [ˈtɑ:tərɔ:ˈtɔnəməsˈsəuvɪetˈsəuʃəlɪstrɪˈpʌblɪk] Татáрская Автонóмная Совéтская Социалистúческая Респýблика (*РСФСР, СССР*)

Tatar Strait [ˈtɑ:təˈstreɪt] = Tatary, Gulf of

Tatary, Gulf of [ˈgʌlfəvˈtɑ:tərɪ] Татáрский пролúв (*между материком Азия и о. Сахалин*)

Tatra Mountains [ˈtɑ:trəˈmauntɪnz] *горы* Тáтры (*Польша и Чехословакия*)

Tatung [ˈdɑ:ˈtuŋ] = Datong

Taubaté [ˌtaubəˈteɪ] *г.* Таубатé (*Бразилия*)

Taunton [ˈtɔ:ntən] *г.* Тóнтон (*адм. центр граф. Сомерсетшир, Англия, Великобритания*)

Taupo, Lake [ˈleɪkˈtaupəu] *оз.* Тáупо (*о. Северный, Новая Зеландия*)

Taurida [ˈtɔ:rɪdə] *ист.* Тáврида (*назв. Крымского п-ова*)

Taurus Mountains [ˈtɔ:rəsˈmauntɪnz] *горн. сист.* Тавр (*Турция*)

Tay [teɪ] *р.* Тей (*Великобритания*)

Tayside [ˈteɪsaɪd] *обл.* Тéйсайд (*Шотландия, Великобритания*)

Taz [tɑ:z] *р.* Таз (*СССР*)

Taza [ˈtɑ:zɑ:] *г.* Тáза (*Марокко*)

Taz Bay [ˈtɑ:zˈbeɪ] Тáзовская губá (*зал. Óбской губы Карского м., СССР*)

Tbilisi [tbɪˈlɪsɪ] *г.* Тбилúси (*столица Грузинской ССР, СССР*)

Tchad [tʃɑ:d] = Chad

Te Anau Lake [teɪˈɑ:nauˈleɪk] *оз.* Те-Áнау (*о. Южный, Новая Зеландия*)

Tedzhen [teˈdʒen] **1.** *г.* Теджéн (*Ашхабадская обл., Туркменская ССР, СССР*); **2.** *р.* Теджéн (*СССР*)

Tees [ti:z] *р.* Тис (*Великобритания*)

Tegucigalpa [təˌgu:sɪˈgælpə] *г.* Тегусигáльпа (*столица Гондураса*)

Tehama [tɪˈhæmə] = Tihama

Teheran [ˌtehəˈrɑ:n], **Tehran** [teˈhrɑ:n] *г.* Тегерáн (*столица Ирана*)

Tehuantepec, Gulf of [ˈgʌlfəvtɪˈwɑ:ntɪpek] *зал.* Теуантепéк (*Тихий ок., побережье Мексики*)

Tehuantepec, Isthmus of [ˈɪsməsəvtɪˈwɑ:ntɪpek] *перешеек* Теуантепéк (*между Атлантическим и Тихим океанами, Мексика*)

Telanaipura [ˌtelənaɪˈpuərə] *г.* Теленайпýра (*о. Суматра, Индонезия*)

Tel Aviv [ˈteləˈvi:v], **Tel-Aviv-Jaffa** [ˈteləˈvi:vˈdʒæfə] *г.* Тель-Авúв (*гл. город Израиля*)

Teletskoye [tjɪˈljetskəjə] Телéцкое óзеро (*СССР*)

Tema [ˈteɪmə] *г.* Тéма (*Гана*)

Temirtau [ˈteɪmɪrˈtau] *г.* Темиртáу (*Карагандинская обл., Казахская ССР, СССР*)

Temuco [te(ɪ)ˈmu:kə(u)] *г.* Темýко (*Чили*)

Tenerife [ˈtenərɪf] *о.* Тенерúфе (*Канарские о-ва, Атлантический ок., Испания*)

Tengri Khan [ˈteŋrɪˈhɑ:n] *пик* Хан-Тенгри (*горн. сист. Тянь-Шань, СССР*)

Tengri Nor [ˈteŋgrɪˈnəuə] *оз.* Тэнгрú-Нур; *см.* Nam Co

Tennessee [ˌtenəˈsi:] **1.** *шт.* Теннессú (*США*); **2.** *р.* Теннессú (*США*)

Terek [ˈtjeɪrjɪk] *р.* Тéрек (*СССР*)

Teresina [ˌterəˈzi:nə] *г.* Терезúна (*Бразилия*)

Termez [terˈmez] *г.* Термéз (*центр Сурхандарьинской обл., Узбекская ССР, СССР*)

Ternopol [terˈnəupəl] *г.* Тернóполь (*центр Тернопольской обл., Украинская ССР, СССР*)

Tétuan [teɪˈtwɑ:n] *г.* Тетуáн (*Марокко*)

Teutoburger Wald [ˈtɔɪtə(u)ˌbuəgəˌvɑ:lt] *горы* Тевтобýргский Лес (*ФРГ*)

Texarkana [ˌteksɑ:ˈkænə] *г.* Тексаркáна (*шт. Техас, США*)

Texas [ˈteksəs] *шт.* Техáс (*США*)

Thabana-Ntlenyana [tɑ:ˌbɑ:nəˌentlenˈjɑ:nə] *гора* Тхабáна-

Нтленьяна, Табана-Нтленьяна (*Драконовы горы, Лесото*)

Thailand [ˈtaɪlænd] *гос-во* Таиланд, Kingdom of Thailand Королевство Таиланд (*Юго-Восточная Азия*)

Thailand, Gulf of [ˈgʌlfəvˈtaɪlænd] = Siam, Gulf of

Thames [temz] *р.* Темза (*Великобритания*)

Thana [ˈtɑːnɑː] *г.* Тхана (*шт. Махараштра, Индия*)

Thanh Hoa [ˈthɑːnjˈhwɑː] *г.* Тханьхоа (*Вьетнам*)

Thar Desert [ˈtɑːˈdezət] *пуст.* Тар (*Индия и Пакистан*)

Thasos [ˈθeɪsɔs] *о.* Тасос (*Эгейское м., Греция*)

Thebes [θiːbz] *ист. г.* Фивы (*Египет*)

Thermopylae, Pass of [ˈpɑːsəvθəˈmɔpɪliː] *горн. проход* Фермопилы (*Греция*)

Thessaloníki [ˌθesɑːlɔˈnɪkɪ] *г.* Фессалоники; *см.* Salonika

Thessaly [ˈθesəlɪ] *ист. обл.* Фессалия (*Греция*)

Thimbu [ˈθɪmˈbuː], **Thimphu** [ˈθɪmˈfuː] *г.* Тхимпху (*столица Бутана*)

Thonburi [ˌtɔnbuˈriː] *г.* Тхонбури (*Таиланд*)

Thonon-les-Bains [ˌtəuˈnɔːŋleɪˈbæŋ] *г.* Тонон-ле-Бен (*Франция*)

Thorshavn [təuəsˈhaun] *г.* Торсхавн (*адм. центр Фарерских о-вов*)

Thrace [θreɪs] *ист. обл.* Фракия (*Болгария, Греция и Турция*)

Three Rivers [ˈθriːˈrɪvəz] *г.* Труа-Ривьер (*пров. Квебек, Канада*)

Thunder Bay [ˈθʌndəˈbeɪ] *г.* Тандер-Бей (*пров. Онтарио, Канада*)

Thuringia [θjuːˈrɪndʒɪə] *ист. обл.* Тюрингия (*ФРГ*)

Thuringian Forest [θjuːˈrɪndʒɪənˈfɔrɪst] *горы* Тюрингенский Лес (*ФРГ*)

Thurrock [ˈθʌrək] *г.* Таррок (*граф. Эссекс, Англия, Великобритания*)

Tianjin [ˈtjɑːnˈdʒɪn] *г.* Тяньцзинь (*Китай*)

Tiber [ˈtaɪbə] *р.* Тибр (*Италия*)

Tiberias Lake [taɪˈbɪərɪəsˈleɪk] = Tiberias, Sea of

Tiberias, Sea of [ˈsiːəvtaɪˈbɪərɪəs] Тивериадское озеро (*Израиль и Сирия*)

Tibesti Mountains [tɪˈbestɪˈmauntɪnz] *нагорье* Тибести (*Чад*)

Tibet [tɪˈbet] **1.** Тибетский автономный район, Тибет (*Китай*); **2.** *нагорье* Тибет; *см.* Tibet, Plateau of

Tibet, Plateau of [ˈplætəuəvtɪˈbet] Тибетское нагорье (*Китай*)

Ticino [tɪˈtʃiːnəu] *р.* Тичино (*Швейцария и Италия*)

Tien Shan [tɪˈenˈʃɑːn] *горн. сист.* Тянь-Шань (*СССР и Китай*)

Tientsin [ˈtɪnˈtsɪn] = Tianjin

Tierra del Fuego [tɪˈerəˌdelfuːˈeɪgəu] *арх.* Огненная Земля (*между Тихим и Атлантическим океанами, Аргентина и Чили*)

Tietê [tjəˈteɪ] *р.* Тьете, Тиете (*Бразилия*)

Tigris [ˈtaɪgrɪs] *р.* Тигр (*Турция, Сирия и Ирак*)

Tihama [tɪˈhæmə] *равнина* Тихама (*Аравийский п-ов, Азия*)

Tijuana [tɪˈhwɑːnɑː] *г.* Тихуана (*Мексика*)

Tikal [tɪˈkɑːl] *ист. г.* Тикаль (*Гватемала*)

Tikhvin [ˈtɪkvɪn] *г.* Тихвин (*Ленинградская обл., РСФСР, СССР*)

Tiksi [tjɪkˈsiː] *пгт* Тикси (*Якутская АССР, РСФСР, СССР*)

Tilburg [ˈtɪlbəːg] *г.* Тилбург (*Нидерланды*)

Tilsit [ˈtɪlsɪt] *г.* Тильзит; *см.* Sovetsk

Timbuktu [ˌtɪmbəkˈtuː] *г.* Тимбукту; *см.* Tombouctou

Timişoara [ˌtiːmɪˈʃwɑːrɑː] *г.* Тимишоара (*Румыния*)

Timor [tɪˈmɔː] *о.* Тимор (*Малые Зондские о-ва, Индонезия и Восточный Тимор*)

Timor Sea [tɪˈmɔːˈsiː] Тиморское море (*Индийский ок., между Австралией и о. Тимор*)

Tipperary [ˌtɪpəˈrɛərɪ] **1.** *граф.* Типперэри (*Ирландия*); **2.** *г.* Типперэри (*граф. Типперэри, Ирландия*)

Tirana [tɪˈrɑːnɑː], **Tiranë** [tɪˈrɑːne] *г.* Тирана (*столица Албании*)

Tiraspol [tɪˈræspəl] *г.* Тирасполь (*ССР Молдова, СССР*)

Tîrgu Mureş [ˈtɪrguˈmureʃ] *г.* Ты́ргу-Му́реш (*Румыния*)

Tirich Mir [ˈti:rɪtʃˈmi:r] *гора* Тиричми́р (*горн. сист. Гиндукуш, Пакистан*)

Tirol [tɪˈrəul, ˈtɪr(ə)l] *земля* Тиро́ль (*Австрия*)

Tiruchchirappalli [ˌtɪrətʃəˈrɔpəlɪ] *г.* Ти́руччираппа́лли (*шт. Тамилнад, Индия*)

Tisza [ˈtɪsɔ] *р.* Ти́са (*СССР, Венгрия, Югославия, Румыния и Чехословакия*)

Titicaca, Lake [ˈleɪkˌtɪtɪˈkɑ:kə] *оз.* Титика́ка (*Боливия и Перу*)

Titograd [ˈti:tə(u)grɑ:d] *г.* Титогра́д (*столица Социалистической Республики Черногории, Югославия*)

Tizi-Ouzou [ˌti:ˌzi:ˌu:ˈzu:] *г.* Тизи́-Узу́ (*Алжир*)

Tkibuli [tki:ˈbu:ljɪ] *г.* Ткибу́ли (*Грузинская ССР, СССР*)

Tkvarcheli [tkvʌrˈtʃeljɪ] *г.* Тквarче́ли (*Абхазская АССР, Грузинская ССР, СССР*)

Tlemcen, Tlemsen [tlemˈsen] *г.* Тлемсе́н (*Алжир*)

Toamasina [təuˈmɑ:sɪnə] *г.* Туама́сина (*Мадагаскар*)

Tobago [tə(u)ˈbeɪgəu] *о.* Тоба́го (*Атлантический ок., гос-во Тринидад и Тобаго*)

Tobol [təˈbɔ:l] *р.* Тобо́л (*СССР*)

Tobolsk [təˈbɔ:lsk] *г.* Тобо́льск (*Тюменская обл., РСФСР, СССР*)

Tobruk [ˈtəubruk] *г.* Тобру́к (*Ливия*)

Tocantins [ˌtəukɑ:ŋˈti:ŋs] *р.* Токанти́нс (*Бразилия*)

Tocopilla [ˌtəukə(u)ˈpi:jɑ:] *г.* Токопи́лья (*Чили*)

Togo [ˈtəugəu] *гос-во* То́го, T o g o l e s e R e p u b l i c [ˌtəugəuˈli:z...] Тоголе́зская Респу́блика (*Западная Африка*)

Tokelau [ˌtəukəˈlau] *о-ва* Токела́у (*Тихий ок., Полинезия, влад. Новой Зеландии*)

Tokushima [tə(u)kuʃɪmɑ:] *г.* Токуси́ма (*о. Сикоку, Япония*)

Tokyo [ˈtəukɪəu] *г.* То́кио (*столица Японии, о. Хонсю*)

Tokyo Bay [ˈtəukjəuˈbeɪ] Токи́йский зали́в (*Тихий ок., побережье о. Хонсю, Япония*)

Tolbukhin [tɔ:lˈbu:kɪn] *г.* Толбу́хин (*Болгария*)

Toledo I [tə(u)ˈli:dəu] *г.* Толи́до (*шт. Огайо, США*)

Toledo II [tə(u)ˈli:dəu] *г.* Толе́до (*Испания*)

Toluca [təˈlu:kə] *г.* Толу́ка (*Мексика*)

Tolyatti [tɔ:lˈjɑ:tɪ] *г.* Толья́тти (*Самарская обл., РСФСР, СССР*)

Tom [tɔm] *р.* Томь (*СССР*)

Tombouctou [ˌtɔ:ŋˌbu:kˈtu:] *г.* Томбукту́ (*Мали*)

Tomsk [tɔ:msk] *г.* Томск (*центр Томской обл., РСФСР, СССР*)

Tonga [ˈtɔŋgə] *гос-во* То́нга, K i n g d o m o f T o n g a Короле́вство То́нга (*на о-вах Тонга, Тихий ок.*)

Tonga Islands [ˈtɔŋgəˈaɪləndz] *о-ва* То́нга (*Тихий ок., гос-во Тонга*)

Tongatapu [ˌtɔŋ(g)əˈtɑ:pu:] *о.* Тонгата́пу (*Тихий ок., гос-во Тонга*)

Tonga Trench [ˈtɔŋgəˈtrentʃ] жёлоб То́нга (*Тихий ок.*)

Tongking, Gulf of [ˈgʌlfəvˈtɔŋˈkɪŋ] = Tonkin, Gulf of

Tonkin, Gulf of [ˈgʌlfəvˈtɔnˈkɪn] *зал.* Бакбо́, Тонки́нский зали́в (*Южно-Китайское м., побережье Вьетнама и Китая*)

Tonle Sap [ˈtɔnleɪˈsæp] *оз.* Тонлеса́п (*Камбоджа*)

Toowoomba [tu:ˈwu:mbə] *г.* Туву́мба (*шт. Квинсленд, Австралия*)

Topeka [tə(u)ˈpi:kə] *г.* Топи́ка (*адм. центр шт. Канзас, США*)

Topozero [tɔ:pˈɔ:zjɪrə] *оз.* Топо́зеро (*СССР*)

Torbay [ˈtɔ:ˈbeɪ] *г.* То́рбей (*граф. Девоншир, Англия, Великобритания*)

Torne [ˈtəunə] *р.* Ту́рне-Эльв (*Швеция и Финляндия*)

Toronto [təˈrɔntə(u)] *г.* Торо́нто (*адм. центр пров. Онтарио, Канада*)

Torquay [tɔ:ˈki:] *г.* То́рки (*граф. Девоншир, Англия, Великобритания*)

Torrance [ˈtɔrəns] *г.* То́рранс (*шт. Калифорния, США*)

Torrens [ˈtɔrənz] *оз.* То́рренс (*Австралия*)

Torreón [ˌtɔ:reˈɔ:n] *г.* Торрео́н (*Мексика*)

Torres Strait [ˈtɔ:rəsˈstreɪt] *пролив* То́рреса (*между Австралией и о. Новая Гвинея*)

Tortoise Islands [ˈtɔ:təsˈaɪləndz] Черепа́шьи острова́; *см.* Galápagos Islands

Tortola [tɔ:ˈtəulə] *о.* Торто́ла (*Виргинские о-ва, Атлантический ок., влад. Великобритании*)

Torún [ˈtɔ:ru:n(j)] *г.* То́рунь (*Польша*)

Tottenham [ˈtɔtnəm] *г.* То́ттенем (*метроп. граф. Большой Лондон, Англия, Великобритания*)

Tottori [təˈtɔ:rɪ] *г.* Тотто́ри (*о. Хонсю, Япония*)

Toubkal [ˈtu:bkæl] *гора* Тубка́ль (*горн. сист. Атлас, Марокко*)

Toulon [tu:ˈlɔn] *г.* Туло́н (*Франция*)

Toulouse [ˌtu:ˈlu:z] *г.* Тулу́за (*Франция*)

Touraine [tu:ˈreɪn] *ист. пров.* Туре́н (*Франция*)

Tours [tuə] *г.* Тур (*Франция*)

Townsville [ˈtaunzvɪl] *г.* Та́унсвилл (*шт. Квинсленд, Австралия*)

Toyama [tə(u)jɑ:mɑ:] *г.* Тоя́ма (*о. Хонсю, Япония*)

Toyonaka [ˈtəujəuˈnɑ:kə] *г.* Тоёна́ка (*о. Хонсю, Япония*)

Trabzon [trɑ:bˈzɔ:n] *г.* Трабзо́н (*Турция*)

Trafalgar, Cape [ˈkeɪptrəˈfælgə] *мыс* Трафальга́р (*Испания*)

Trail [treɪl] *г.* Трейл (*пров. Британская Колумбия, Канада*)

Tralee [trəˈli:] *г.* Трали́ (*адм. центр граф. Керри, Ирландия*)

Trans Alai [ˌtrænsɑ:ˈlaɪ] Заала́йский хребе́т (*сев. часть Памира, СССР*)

Transantarctic Mountains [ˈtrænzæntˈɑ:ktɪkˈmauntɪnz] Трансантаркти́ческие го́ры (*Антарктида*)

Transbaikalia [ˌtrænsbaɪˈkɑ:lɪə] Забайка́лье (*терр. к вост. от оз. Байкал, СССР*)

Transcaucasia [ˌtrænskɔ:ˈkeɪʒə] Закавка́зье (*терр. к югу от Главного хр. Большого Кавказа, СССР*)

Transjordan [ˌtrænsˈdʒɔ:d(ə)n] Трансиорда́ния; *см.* Jordan

Transvaal [trænsˈvɑ:l] *пров.* Трансва́аль (*ЮАР*)

Transylvania [ˌtrænsɪlˈveɪnjə] *ист. обл.* Трансильва́ния (*Румыния*)

Trapani [ˈtrɑ:pənɪ] *г.* Тра́пани (*о. Сицилия, Италия*)

Trasimene Lake [ˈtræzɪˌmi:nˈleɪk], **Trasimeno** [ˈtræsəmi:n] Тразиме́нское о́зеро (*Италия*)

Trebbia [ˈtrebjɑ:] *р.* Тре́ббия (*Италия*)

Trebizond [ˈtrebɪzɔnd] *г.* Трапезу́нд; *см.* Trabzon

Trent [trent] *р.* Трент (*Великобритания*)

Trenton [ˈtrentn] *г.* Тре́нтон (*адм. центр шт. Нью-Джерси, США*)

Trèves [tri:vz] = Trier

Trier [trɪə] *г.* Трир (*ФРГ*)

Trieste [trɪˈest] *г.* Трие́ст (*Италия*)

Trieste, Gulf of [ˈgʌlfəvtrɪˈest] Трие́стский зали́в (*часть Венецианского зал., Адриатическое м.*)

Trim [trɪm] *г.* Трим (*граф. Мит, Ирландия*)

Trincomalee [ˌtrɪŋkəuməˈli:] *г.* Тринкомали́ (*Шри-Ланка*)

Trinidad [ˈtrɪnɪdæd] *о.* Тринида́д (*Атлантический ок., гос-во Тринидад и Тобаго*)

Trinidad and Tobago [ˈtrɪnɪdædəndtə(u)ˈbeɪgəu] *гос-во* Тринида́д и Тоба́го, Republic of Trinidad and Tobago Респу́блика Тринида́д и Тоба́го (*на одноимённых о-вах, Вест-Индия*)

Trinkomali [ˌtrɪŋkəuməˈli:] = Trincomalee

Tripoli [ˈtrɪpəlɪ] **1.** *г.* Три́поли (*столица Ливии*); **2.** *г.* Три́поли (*Ливан*)

Tripolitania [ˌtrɪpə(u)lɪˈteɪnjə] *ист. обл.* Триполита́ния (*Ливия*)

Tripura [trɪˈpuərə] *шт.* Трипу́ра (*Индия*)

Tristan da Cunha Islands [ˈtrɪstəndəˈku:nəˈaɪləndz] *о-ва* Триста́н-да-Ку́нья (*Атлантический ок., влад. Великобритании*)

Trivandrum [trɪˈvændrəm] *г.* Ти́-

руванантапу́рам, Трива́ндрам (*адм. центр шт. Керала, Индия*)

Troitsk [ˈtrɔːɪtsk] **1.** *г.* Тро́ицк (*Московская обл., РСФСР, СССР*); **2.** *г.* Тро́ицк (*Челябинская обл., РСФСР, СССР*)

Trollhättan [ˈtrɔːlˌhetən] *г.* Тро́льхеттан (*Швеция*)

Tromsö [ˈtrɔmˌsəu, ˈtrɔmˌsəː] *г.* Тро́мсё (*Норвегия*)

Trondheim [ˈtrɔːnheɪm] *г.* Тро́нхейм (*Норвегия*)

Trouville-sur-Mer [ˌtruːˈviːl-səːˈmɛə] *г.* Труви́ль-сюр-Мер (*Франция*)

Trowbridge [ˈtrəubrɪdʒ] *г.* Тро́убридж (*адм. центр граф. Уилтшир, Англия, Великобритания*)

Troy I [trɔɪ] *г.* Трой (*шт. Нью-Йорк, США*)

Troy II [trɔɪ] *ист. г.* Тро́я (*Малая Азия*)

Troyes [trwɑː] *г.* Труа́ (*Франция*)

Trujillo [truːˈhiːjəu] **1.** *г.* Трухи́льо (*Перу*); **2.** *г.* Трухи́льо (*Венесуэла*)

Truro [ˈtruərəu] **1.** *г.* Тру́ро (*адм. центр граф. Корнуолл, Англия, Великобритания*); **2.** *г.* Тру́ро (*пров. Новая Шотландия, Канада*)

Truskavets [truːskʌˈvjets] *г.* Трускаве́ц (*Львовская обл., Украинская ССР, СССР*)

Tsaritsyn [tsʌˈrjiːtsɪn] *г.* Цари́цын; *см.* Volgograd

Tsarsko(y)e Selo [ˌtsɑːrskəjə-sjeˈlɔː] *г.* Ца́рское Село́; *см.* Pushkin

Tselinograd [tseˈlɪnəˌgrɑːd] *г.* Целингра́д (*центр Целиноградской обл., Казахская ССР, СССР*)

Tsinan [ˈdʒiːˈnɑːn] = Jinan

Tsing Hai [ˈtʃɪŋˈhaɪ] *оз.* Цинха́й; *см.* Koko Nor

Tsinghai [ˈtʃɪŋˈhaɪ] = Qinghai

Tsingtao [ˈtʃɪŋˈdau] = Qingdao

Tsitsihar [ˈtsiːˈtsiːˈhɑː] = Qiqihar

Tskhinvali [ˈtshɪnvɑːlɪ] *г.* Цхинва́ли (*центр Юго-Осетинской АО, Грузинская ССР, СССР*)

Tsugaru Strait [tsugɑːruˈstreɪt] *прол.* Цуга́ру, Санга́рский проли́в (*между о-вами Хонсю и Хоккайдо, Япония*)

Tsushima [ˈtsuːʃiːˌmɑː] *о-ва* Цуси́ма (*Корейский прол., Япония*)

Tuamotu Archipelago [ˌtuːɑːˈməu-tuːˌɑːkɪˈpelɪgəu] *арх.* Туамо́ту (*Тихий ок., влад. Франции*)

Tuapse [tuɑːpˈsje] *г.* Туапсе́ (*Краснодарский край, РСФСР, СССР*)

Tubuai Islands [ˌtuːbuˈaɪˈaɪləndz] *о-ва* Тубуа́и (*Тихий ок., влад. Франции*)

Tucson [tuːˈsɔn] *г.* Тусо́н (*шт. Аризона, США*)

Tucumán [ˌtuːkəˈmɑːn] *г.* Тукума́н, Сан-Мигéль-де-Тукума́н (*Аргентина*)

Tugela [tuːˈgeɪlə] *р.* Туге́ла (*ЮАР*)

Tugela Falls [tuːˈgeɪləˈfɔːlz] *вдп.* Туге́ла (*р. Тугела, ЮАР*)

Tuimazy [tuːiːˈmɑːzɪ] *г.* Туймазы́ (*Башкирская АССР, РСФСР, СССР*)

Tula [ˈtuːlə] *г.* Ту́ла (*центр Тульской обл., РСФСР, СССР*)

Tulcea [ˈtuːltʃɑː] *г.* Ту́лча (*Румыния*)

Tulchin [tulˈtʃiːn] *г.* Тульчи́н (*Винницкая обл., Украинская ССР, СССР*)

Tullamore [ˌtʌləˈməur] *г.* Таллам́ор (*адм. центр граф. Оффали, Ирландия*)

Tulsa [ˈtʌlsə] *г.* Та́лса (*шт. Оклахома, США*)

Tuluá [tuːˈlwɑː] *г.* Тулуа́ (*Колумбия*)

Tumaco [tuːˈmɑːkəu] *г.* Тума́ко (*Колумбия*)

Tungting (Hu) [ˈduŋtɪŋ(ˈhuː)] = Dongting Hu

Tunis [ˈtjuːnɪs] *г.* Туни́с (*столица Туниса*)

Tunis, Gulf of [ˈgʌlfəvˈtjuːnɪs] Туни́сский зали́в (*Средиземное м., побережье Африки*)

Tunisia [tjuːˈnɪʒɪə, tjuːˈnɪzɪə] *гос-во* Туни́с, Republic of Tunisia Туни́сская Респу́блика (*Северная Африка*)

Tupungato [ˌtuːpuːŋˈgɑːtə(u)] *влк.* Тупунга́то (*горн. сист. Анды, на границе Чили и Аргентины*)

Tura [tuˈrɑː] **1.** *пгт* Тура́ (*центр Эвенкийского авт. окр., Красноярский край, РСФСР, СССР*); **2.** *р.* Тура́ (*СССР*)

Turfan Depression [ˈturˈfɑːndɪ-

ˈpreʃ(ə)n] Турфа́нская котлови́на, Турфа́нская впа́дина (*Китай*)

Turin [ˈtjuːrɪn] *г.* Тури́н (*Италия*)

Turinsk [tuːˈriːnsk] *г.* Тури́нск (*Екатеринбургская обл., РСФСР, СССР*)

Turkestan [ˌtəːkɪˈstɑːn] *ист.* Туркеста́н (*назв. терр. в Средней и Центральной Азии*)

Turkey [ˈtəːkɪ] *гос-во* Ту́рция, Republic of Turkey Туре́цкая Респу́блика (*Юго-Восточная Европа и Западная Азия*)

Turkistan [ˌtəːkɪˈstɑːn] = Turkestan

Turkmen Soviet Socialist Republic [ˈtəːkmenˈsəuvietˈsəuʃəlɪstrɪˈpʌblɪk] Туркме́нская Сове́тская Социалисти́ческая Респу́блика, **Turkmenistan** [ˌtəːkmenɪˈstɑːn] Туркмениста́н (*на юго-зап. Средней Азии, СССР*)

Turks and Caicos Islands [ˈtəːksəndˈkeɪkəsˈaɪləndz] *о-ва* Теркс и Ка́йкос (*Багамские о-ва, Атлантический ок., влад. Великобритании*)

Turku [ˈtuəku] *г.* Ту́рку (*Финляндия*)

Tuscaloosa [ˌtʌskəˈluːsə] *г.* Таскалу́са (*шт. Алабама, США*)

Tuscany [ˈtʌskənɪ] *обл.* Тоска́на (*Италия*)

Tutuila [ˌtuːtuˈiːlɑː] *о.* Тутуи́ла (*о-ва Самоа, Тихий ок., Восточное Самоа, влад. США*)

Tuva Autonomous Soviet Socialist Republic [ˈtuːvəɔːˈtɔnəməsˈsəuvietˈsəuʃəlɪstrɪˈpʌblɪk] Туви́нская Автоно́мная Сове́тская Социалисти́ческая Респу́блика, **Tuva** [ˈtuːvə] Тува́ (*РСФСР, СССР*)

Tuvalu [tuˈvɑːluː] **1.** *гос-во* Тува́лу (*на о-вах Тувалу, Тихий ок.*); **2.** *о-ва* Тува́лу (*Тихий ок., Полинезия, гос-во Тувалу*)

Tuymazy [tuːiːˈmɑːzɪ] = Tuimazy

Tuzla [ˈtuːzlɑː] *г.* Ту́зла (*Социалистическая Республика Босния и Герцеговина, Югославия*)

Tuz Lake [ˈtuːzˈleɪk] *оз.* Туз (*Турция*)

Twer [təˈver] *г.* Тверь (*центр Тверской обл., РСФСР, СССР*)

Tweed [twiːd] *р.* Туи́д (*Великобритания*)

Twickenham [ˈtwɪk(ə)nəm] *г.* Туи́кенем (*метроп. граф. Большой Лондон, Англия, Великобритания*)

Tychy [ˈtɪkɪ] *г.* Ты́хы (*Польша*)

Tynda [ˈtɪndə] *г.* Ты́нда (*Амурская обл., РСФСР, СССР*)

Tyne [taɪn] *р.* Тайн (*Великобритания*)

Tyne and Wear [ˌtaɪnənˈwɪə] *метроп. граф.* Тайн-энд-Уи́р (*Англия, Великобритания*)

Tynemouth [ˈtaɪnməθ] *г.* Та́йнмут (*метроп. граф. Тайн-энд-Уир, Англия, Великобритания*)

Tyneside [ˈtaɪnsaɪd] Та́йнсайд (*конурбация с центром в г. Ньюкасл, метроп. граф. Тайн-энд-Уир, Англия, Великобритания*)

Tyre [taɪə] *ист. город-гос-во* Тир (*в Финикии, совр. г. Сур в Ливане*)

Tyrol [tɪˈrəul, ˈtɪr(ə)l] = Tirol

Tyrrhenian Sea [tɪˈriːnɪənˈsiː] Тирре́нское мо́ре (*часть Средиземного м., между Апеннинским п-овом и о-вами Сицилия, Сардиния и Корсика*)

Tyumen [tjuˈmen] *г.* Тюме́нь (*центр Тюменской обл., РСФСР, СССР*)

U

Ubangi [juˈbæŋ(g)ɪ] *р.* Уба́нги (*Центральноафриканская Республика, Конго и Заир*)

Ubangi-Shari [juˈbæŋ(g)ɪˈʃɑːrɪ] Уба́нги-Ша́ри; *см.* Central African Republic

Ube [ˈuːbɪ] *г.* Убе́ (*о. Хонсю, Япония*)

Uberaba [ˌuːbəˈræbə] *г.* Убера́ба (*Бразилия*)

Uberlândia [ˌuːbəˈlændɪə] *г.* Уберла́ндия (*Бразилия*)

Ubsu Nur [ˈubsuːˈnuːr] *оз.* У́бсу-Нур (*Монголия и СССР*)

Ucayali [ˌuːkɑːˈjɑːlɪ] *р.* Укая́ли (*Перу*)

Udaipur [uːˈdaɪpuə] *г.* Удайпу́р (*шт. Раджастхан, Индия*)

Udmurt Autonomous Soviet Socialist Republic [utˈmuːrtɔːˈtɔnəməsˈsəuvietˈsəuʃəlɪstrɪˈpʌblɪk] Удму́ртская Автоно́мная Сове́тская

Социалисти́ческая Респу́блика (*РСФСР, СССР*)

Udon Thani [udɔ:nthɑ:ni:] *г.* Удо́нтхани (*Таиланд*)

Ufa [u'fɑ:] *г.* Уфа́ (*столица Башкирской АССР, РСФСР, СССР*)

Uganda [ju:'gændə] *гос-во* Уга́нда, Republic of Uganda Респу́блика Уга́нда (*Восточная Африка*)

Uglegorsk [ˌu:glə'gɔ:rsk] **1.** *г.* Углего́рск (*Сахалинская обл., РСФСР, СССР*); **2.** *г.* Углего́рск (*Донецкая обл., Украинская ССР, СССР*)

Uinta Mountains [ju:'ɪntə'mauntɪnz] *горы* Юи́нта (*США*)

Ujung Pandang [u:ˌdʒu:ŋpɑ:n'dɑ:ŋ] *г.* Уджунгпанда́нг (*о. Сулавеси, Индонезия*)

Ukhta [uk'tɑ:] *г.* Ухта́ (*Коми АССР, РСФСР, СССР*)

Ukrainian Soviet Socialist Republic [ju(:)'kreɪnjən'səuvɪet'səuʃəlɪstrɪ'pʌblɪk] Украи́нская Сове́тская Социалисти́ческая Респу́блика, **Ukraine** [ju(:)'kreɪn] Украи́на (*на юго-зап. европейской части СССР*)

Ulaangom ['u:lɑ:ŋgəum] = Ulan Gom

Ulan Bator ['u:lɑ:n'bɑ:tɔ:] *г.* Ула́н-Ба́тор (*столица Монголии*)

Ulan Gom ['u:lɑ:ŋgəum] *г.* Уланго́м (*Монголия*)

Ulan-Ude ['u:lɑ:nu:'de] *г.* Ула́н-Удэ́ (*столица Бурятской АССР, РСФСР, СССР*)

Uliassutai [ˌu:ljɑ:su'taɪ] *г.* Улясу́тай (*Монголия*)

Ulm [ulm] *г.* Ульм (*ФРГ*)

Ulsan ['u:l'sɑ:n] *г.* Ульса́н (*Республика Корея*)

Ulster ['ʌlstə] *ист. обл.* О́льстер (*Северная Ирландия (Великобритания) и Ирландия*)

Ulugh Muztagh [ˌu:lu:muz'tɑ:] *гора* Улугмузта́г (*горн. сист. Куньлунь, Китай*)

Ulyanovsk [ul'jɑ:nəfsk] *г.* Улья́новск (*центр Ульяновской обл., РСФСР, СССР*)

Uman [u:'mæn] *г.* У́мань (*Черкасская обл., Украинская ССР, СССР*)

Ume ['u:mə] *р.* У́ме-Эльв (*Швеция*)

Umeå ['u:məˌəu] *г.* У́мео (*Швеция*)

Umnak ['u:mnæk] *о.* У́мнак (*арх. Алеутские о-ва, Тихий ок., США*)

Unalaska [ˌʌnə'læskə] *о.* Унала́шка (*арх. Алеутские о-ва, Тихий ок., США*)

Ungava Bay [ʌŋ'geɪvə'beɪ] *зал.* Унга́ва (*Атлантический ок., Канада*)

Ungava Peninsula [ʌŋ'geɪvəpɪ'nɪnsjulə] *п-ов* Унга́ва (*п-ов Лабрадор, Канада*)

Ungi ['u:ŋgɪ] *г.* Унги́ (*КНДР*)

Unimak ['ju:nɪmæk] *о.* У́нимак (*арх. Алеутские о-ва, Тихий ок., США*)

Union City ['ju:njən'sɪtɪ] *г.* Ю́нион-Си́ти (*шт. Нью-Джерси, США*)

Union Islands ['ju:njən'aɪləndz] *о-ва* Ю́нион; *см.* Tokelau Islands

Union of Soviet Socialist Republics (USSR) ['ju:njənəv'səuvɪet'səuʃəlɪstrɪ'pʌblɪk] *гос-во* Сою́з Сове́тских Социалисти́ческих Респу́блик (СССР) (*Восточная Европа, Северная и Средняя Азия*)

United Arab Emirates [ju:'naɪtɪd'ærəbe'mɪərɪts] *гос-во* Объединённые Ара́бские Эмира́ты (*Аравийский п-ов, Юго-Западная Азия*)

United Kingdom [ju:'naɪtɪd'kɪŋdəm] Соединённое Короле́вство; *см.* Great Britain 1

United States of America (USA) [ju:'naɪtɪd'steɪtsəvə'merɪkə] *гос-во* Соединённые Шта́ты Аме́рики (США) (*Северная Америка*)

Unst [ʌnst] *о.* Анст (*Шетландские о-ва, Атлантический ок., Великобритания*)

Upolu [u:'pəulu] *о.* Упо́лу (*о-ва Самоа, Тихий ок., Западное Самоа*)

Upper Guinea ['ʌpə'gɪnɪ] *геогр. обл.* Ве́рхняя Гвине́я (*Западная Африка*)

Upper Tunguska ['ʌpətun'gu:skə] *р.* Ве́рхняя Тунгу́ска; *см.* Angara

Upper Volta ['ʌpə'vɔltə] Ве́рхняя Во́льта; *см.* Burkina Faso

Uppsala ['ʌpˌsɑ:lə] *г.* У́псала (*Швеция*)

Ur [ə:] *ист. г.* Ур (*в Шумере, на терр. совр. Ирака*)

Ural ['juər(ə)l] **1.** Ура́л (*терр.*

между Восточно-Европейской и Западно-Сибирской равнинами, СССР); **2.** *р.* Ура́л (*СССР*)

Ural Mountains [ˈjuər(ə)lˈmauntɪnz], **Urals** [ˈjuər(ə)lz] Ура́льские го́ры, Ура́л (*на границе Европы и Азии, СССР*)

Uralsk [juˈrælsk] *г.* Ура́льск (*центр Уральской обл., Казахская ССР, СССР*)

Urartu [u:ˈrɑ:tu:] *ист. гос-во* Ура́рту (*на терр. Армянского нагорья*)

Urawa [u:ˈrɑ:wə] *р.* Ура́ва (*о. Хонсю, Япония*)

Urfa [urˈfɑ:] *г.* У́рфа (*Турция*)

Urgench [urˈgentʃ] *г.* Урге́нч (*центр Хорезмской обл., Узбекская ССР, СССР*)

Urmia [ˈurmɪə] *г.* У́рмия (*Иран*)

Urmia, Lake [ˈleɪkˈurmɪə] *оз.* У́рмия (*Иран*)

Uruguay [ˈju:ərəgwaɪ] **1.** *гос-во* Уругва́й, Eastern Republic of Uruguay Восто́чная Респу́блика Уругва́й (*Южная Америка*); **2.** *р.* Уругва́й (*Бразилия, Уругвай и Аргентина*)

Uruk [ˈu:ru:k] *ист. город-гос-во* Уру́к (*в Шумере, на терр. совр. Ирака*)

Urumchi [uˈru(:)mtʃɪ] = Ürümqi

Ürümqi [ˈu:ˈru:mˈtʃi:] *г.* Урумчи́ (*адм. центр Синьцзян-Уйгурского авт. р-на, Китай*)

Usolye Sibircko(y)e [uˈsɔ:ljəsɪˈbi:rskəjə] *г.* Усо́лье-Сиби́рское (*Иркутская обл., РСФСР, СССР*)

Ussuri [u:ˈsu(ə)rɪ] *р.* Уссу́ри (*СССР и Китай*)

Ussuri(i)sk [ˌu:suˈri:sk] *г.* Уссури́йск (*Приморский край, РСФСР, СССР*)

Ust Kamenogorsk [ˈu:stjkəmjɪnʌˈgɔ:rsk] *г.* Усть-Каменого́рск (*центр Восточно-Казахстанской обл., Казахская ССР, СССР*)

Ust Kut [ˈu:stˈku:t] *г.* Усть-Кут (*Иркутская обл., РСФСР, СССР*)

Ust-Orda Buryat Autonomous Area [ˈu:stɔ:rˈdɑ:buərˈjɑ:tɔ:ˈtɔnəməsˈɛərɪə] Усть-Орды́нский Буря́тский автоно́мный о́круг (*Иркутская обл., РСФСР, СССР*)

Ust-Ordynski [ˈu:stɔ:rˈdi:nskɪ] *пгт* Усть-Орды́нский (*центр Усть-Ордынского Бурятского авт. окр., Иркутская обл., РСФСР, СССР*)

Ustyurt [u:ˈstju(ə)rt] *плато* Устю́рт (*между Аральским и Каспийским морями, СССР*)

Usumbura [ˌu:sumˈbuərə] *г.* Усумбу́ра; *см.* Bujumbura

Utah [ˈju:tɔ:] *шт.* Ю́та (*США*)

Utica I [ˈju:tɪkə] *г.* Ю́тика (*шт. Нью-Йорк, США*)

Utica II [ˈjutɪkə] *ист. г.* У́тика (*Тунис*)

Utrecht [ˈju:trekt] *г.* У́трехт (*Нидерланды*)

Utsunomiya [utsunə(u)mɪjɑ:] *г.* Уцуно́мия (*о. Хонсю, Япония*)

Uttar Pradesh [ˈutəprəˈdeɪʃ] *шт.* У́ттар-Пра́деш (*Индия*)

Uxbridge [ˈʌksbrɪdʒ] *г.* А́ксбридж (*метроп. граф. Большой Лондон, Англия, Великобритания*)

Uxmal [u:zˈmɑ:l] *ист. г.* Ушма́ль (*Мексика*)

Uzbek Soviet Socialist Republic [ˈuzbekˈsəuvɪetˈsəuʃəlɪstrɪˈpʌblɪk] Узбе́кская Сове́тская Социалисти́ческая Респу́блика, **Uzbekistan** [ˌuzbekɪˈstɑ:n] Узбекиста́н (*центр. часть Средней Азии, СССР*)

Uzhgorod [ˈu:ʒgərɔd] *г.* У́жгород (*центр Закарпатской обл., Украинская ССР, СССР*)

V

Vaal [vɑ:l] *р.* Ваа́ль (*ЮАР*)

Vaasa [ˈvɑ:sɑ:] *г.* Ва́са (*Финляндия*)

Vaduz [fɑ:ˈdu:ts] *г.* Вадуц́ (*столица Лихтенштейна*)

Vagarshapat [ˌvɑ:gɑ:ʃɑ:ˈpɑ:t] *г.* Вагаршапа́т; *см.* Echmiadzin

Vaigach [ˈvaɪgətʃ] *о.* Вайга́ч (*между Баренцевым и Карским морями, СССР*)

Vakh [vɑ:k] *р.* Вах (*СССР*)

Vakhsh [vɑ:kʃ] *р.* Вахш (*СССР*)

Valdai Hills [vʌlˈdaɪˈhɪlz] Валда́йская возвы́шенность (*сев.-зап. Восточно-Европейской равнины, СССР*)

Valdivia [vælˈdɪvɪə] *г.* Вальди́вия (*Чили*)

Valencia [vəˈlenʃɪə] **1.** *г.* Вале́нсия (*Испания*) ; **2.** *ист. обл.* Валéнсия (*Испания*); **3.** *г.* Валéнсия (*Венесуэла*)

Valencia, Gulf of [ˈgʌlfəvvəˈlenʃɪə] Валенсúйский залúв (*Средиземное м., Испания*)

Valladolid [ˌvælədəˈlɪd] *г.* Вальядолúд (*Испания*)

Vallejo [vəˈleɪəu] *г.* Вальéхо (*шт. Калифорния, США*)

Valletta [vəˈletə] *г.*Валлéтта (*столица Мальты*)

Valparaíso [ˌvælpəˈreɪzəu] *г.* Вальпараúсо (*Чили*)

Van [væn] **1.** *г.* Ван (*Турция*); **2.** *оз.* Ван (*Турция*)

Vancouver [vænˈku:və] **1.** *г.* Ванкýвер (*пров. Британская Колумбия, Канада*); **2.** *г.* Ванкýвер (*шт. Вашингтон, США*)

Vancouver Island [vænˈku:vəˈaɪlənd] *о.* Ванкýвер (*Тихий ок., Канада*)

Vänern [ˈvɛənərn] *оз.* Вéнерн (*Швеция*)

Vanua Levu [vəˈnu:əˈlevu:] *о.* Ванýа-Лéву (*Тихий ок., гос-во Фиджи*)

Vanuatu [vɑ:nu:ˈɑ:tu:] *гос-во* Вануáту, Republic of Vanuatu Респýблика Вануáту (*на о-вах Новые Гебриды, Тихий ок.*)

Varanasi [vɑ:ˈrɑ:nəsɪ] *г.* Варанáси (*шт. Уттар-Прадеш, Индия*)

Varanger Fjord [vɑ:ˈrɑ:ŋəˈfjɔ:d] Варáнгер-фьорд (*Баренцево м., Норвегия*)

Varna [ˈvɑ:nɑ:] *г.* Вáрна (*Болгария*)

Västerås [ˌvestəˈrəus] *г.* Вестерóс (*Швеция*)

Vatican (City) [ˈvætɪkən(ˈsɪtɪ)] Ватикáн, State of Vatican City Госудáрство-гóрод Ватикáн (*в зап. части Рима*)

Vatnajökull [ˈvɑ:tnɑ:ˌjə:kju:tl] *ледник* Вáтнайёкюдль (*Исландия*)

Vättern [ˈvetərn] *оз.* Вéттерн (*Швеция*)

Vavau [vɑ:ˈvɑ:u] *о-ва* Вавáу (*Тихий ок., гос-во Тонга*)

Veliki(y)e Luki [vəˌli:kɪˈlu:kɪ] *г.* Велúкие Лýки (*Псковская обл., РСФСР, СССР*)

Veliki(y) Ustyug [vəˌli:kɪuˈstju:k] *г.* Велúкий Устю́г (*Вологодская обл., РСФСР, СССР*)

Veliko Tŭrnovo [ˌvelɪkəuˈtə:nəvəu] *г.* Велúко-Ты́рново (*Болгария*)

Vellore [vəˈləuə] *г.* Веллýру (*шт. Тамилнад, Индия*)

Vendée [ˌvɑ:ŋˈdeɪ] *ист. обл.* Вандéя (*Франция*)

Venetia [vɪˈni:ʃɪə] **1.** = Venice; **2.** *ист. гос-во* Венéция (*на терр. совр. Италии*)

Venezuela [ˌvenəˈzwi:lə, ˌvenɪˈzweɪlə] *гос-во* Венесуэ́ла, Republic of Venezuela Респýблика Венесуэ́ла (*Южная Америка*)

Venezuela, Gulf of [ˈgʌlfəvˌvenəˈzwi:lə] Венесуэ́льский залúв (*Карибское м., побережье Венесуэлы*)

Venice [ˈvenɪs] *г.* Венéция (*Италия*)

Venice, Gulf of [ˈgʌlfəvˈvenɪs] Венециáнский залúв (*Адриатическое м., у берегов Италии и Югославии*)

Veracruz [ˈverəˈkru:z] *г.* Веракрýс (*Мексика*)

Verde, Cape [ˈkeɪpˈvə:d] — Vert, Cape

Verdun [ˈvɛədʌn] *г.* Верде́н (*Франция*)

Vereeniging [fəˈri:nɪkɪŋ] *г.* Ферéнигинг (*пров. Трансвааль, ЮАР*)

Verkhoyansk [vjɪrhʌˈjɑ:nsk] *г.* Верхоя́нск (*Якутская АССР, РСФСР, СССР*)

Verkhoyansk Range [vjɪrhʌˈjɑ:nskˈreɪndʒ] Верхоя́нский хребéт (*Якутская АССР, СССР*)

Vermont [və:ˈmɔnt] *шт.* Вермóнт (*США*)

Verona [vəˈrəunə] *г.* Верóна (*Италия*)

Versailles [vɛəˈsaɪ] *г.* Версáль (*Франция*)

Vert, Cape [ˈkeɪpˈvə:t] Зелёный мыс (*Западная Африка, Сенегал*)

Vesterålen [ˈvestərˌɔ:lən] *о-ва* Вéстеролен (*Норвежское м., Норвегия*)

Vest Fjord [ˈvestˈfjɔ:d] Вестфьорд (*Норвежское м., между Скандинавским п-овом и о-вами Лофотенскими и Вестеролен*)

Vesuvius [vɪˈsju:vɪəs] *влк.* Везýвий (*Италия*)

Veszprém [ˈvespreɪm] *г.* Вéспрем (*Венгрия*)

Vetluga [vet'lu:gə] *р.* Ветлу́га (*СССР*)

Viatka ['vjɑ:tkə] = Vyatka

Vicenza [vɪ'tʃentsɑ:] *г.* Виче́нца (*Италия*)

Vichegda ('vɪtʃəgdə] = Vychegda

Vichy ['vɪʃɪ] *г.* Виши́ (*Франция*)

Victoria [vɪk'tɔ:rɪə] **1.** *шт.* Викто́рия (*Австралия*); **2.** *г.* Викто́рия (*столица гос-ва Сейшельские Острова, о. Маэ*); **3.** *г.* Викто́рия (*адм. центр пров. Британская Колумбия, о. Ванкувер, Канада*); **4.** *г.* Викто́рия (*Камерун*); **5.** *г.* Викто́рия; *см.* Xianggang 2

Victoria Falls [vɪk'tɔ:rɪə'fɔ:lz] *вдп.* Викто́рия (*р. Замбези, на границе Замбии и Зимбабве*)

Victoria Island [vɪk'tɔ:rɪə'aɪlənd] *о.* Викто́рия (*Канадский Арктический арх., Канада*)

Victoria, Lake ['leɪkvɪk'tɔ:rɪə] *оз.* Викто́рия (*Уганда, Кения и Танзания*)

Victoria Land [vɪk'tɔ:rɪə'lænd] Земля́ Викто́рии (*часть терр. Антарктиды*)

Victoria Nile [vɪk'tɔ:rɪə'naɪl] *р.* Викто́рия-Нил (*Уганда*); *см.* Nile

Victoria (River) [vɪk'tɔ:rɪə('rɪvə)] *р.* Викто́рия (*Австралия*)

Vidin ['vɪdɪn] *г.* Ви́дин (*Болгария*)

Vienna [vɪ'enə] *г.* Ве́на (*столица Австрии*)

Vientiane [ˏvjæŋ'tjɑ:n] *г.* Вьентья́н (*столица Лаоса*)

Vietnam, Viet Nam ['vjet'næm, 'vjet'nɑ:m] *гос-во* Вьетна́м, Socialist Republic of Vietnam Социалисти́ческая Респу́блика Вьетна́м (*Юго-Восточная Азия*)

Vigo ['vi:gəu, 'vaɪgəu] *г.* Ви́го (*Испания*)

Vijayawada [ˏvi:dʒaɪə'wɑ:də] *г.* Виджаява́да (*шт. Андхра-Прадеш, Индия*)

Vilkitski Strait [vɪl'kɪtskɪ'streɪt] проли́в Вильки́цкого (*между о. Большевик и п-овом Таймыр, соединяет Карское м. с м. Лаптевых*)

Vilnius, Vilnyus ['vɪlnɪəs] *г.* Ви́льнюс (*столица Литвы*)

Vilyui [vjɪ'lju:ɪ] *р.* Вилю́й (*СССР*)

Viña del Mar [ˏvi:njədel'mɑ:] *г.* Ви́нья-дель-Мар (*Чили*)

Vindhya Mountains ['vɪndhjə'mauntɪnz] *горы* Ви́ндхья (*Индия*)

Vinh ['vɪnj] *г.* Винь (*Вьетнам*)

Vinnitsa ['vɪnɪtsə] *г.* Ви́нница (*центр Винницкой обл., Украинская ССР, СССР*)

Vinson Massif [ˏvɪnsən'mæsɪf] *горн. массив* Ви́нсон (*Земля Элсуэрта, Антарктида*)

Virginia [və'dʒɪnjə] *шт.* Вирги́ния (*США*)

Virgin Islands ['və:dʒɪn'aɪləndz] Вирги́нские острова́ (*Малые Антильские о-ва, Атлантический ок., влад. Великобритании и США*)

Virunga Mountains [vɪ'ruŋgə'mauntɪnz] *горы* Виру́нга (*на границе Заира, Руанды и Уганды*)

Viscount Melville Sound ['vaɪkaunt'melvɪl'saund] *прол.* Ва́йкаунт-Ме́лвилл (*Канадский Арктический арх.*)

Vishakhapatnam [vɪˏʃɑ:kə'pʌtnəm] *г.* Вишакхапа́тнам (*шт. Андхра Прадеш, Индия*)

Vistula ['vɪstjulə] *р.* Ви́сла (*Польша*)

Vitebsk ['vi:tepsk] *г.* Ви́тебск (*центр Витебской обл., Белорусская ССР, СССР*)

Viti Levu ['vi:tɪ'levu:] *о.* Ви́ти-Ле́ву (*Тихий ок., гос-во Фиджи*)

Vitim [vɪ'ti:m] *р.* Вити́м (*СССР*)

Vitoria [vɪ'təurɪə] *г.* Вито́рия (*Испания*)

Vitória [vɪ'təurɪə] *г.* Вито́рия (*Бразилия*)

Vladikavkaz [ˏvlædəˏkæf'kæz] *г.* Владикавка́з (*столица Северо-Осетинской АССР, РСФСР, СССР*)

Vladimir ['vlædɪmɪr] *г.* Влади́мир (*центр Владимирской обл., РСФСР, СССР*)

Vladivostok [vlədjɪvʌ'stɔ:k] *г.* Владивосто́к (*центр Приморского края, РСФСР, СССР*)

Vlissingen ['vlɪsɪŋə(n)] *г.* Фли́ссинген (*Нидерланды*)

Vlorë ['vləurə] *г.* Влёра (*Албания*)

Vltava ['vʌltɑ:vɑ:] *р.* Влта́ва (*Чехословакия*)

Voivodina [ˈvɔɪvə(u)ˌdi:nɑ:] = Vojvodina

Vojvodina [ˈvɔɪvə(u)ˌdi:nɑ:] *социалистический авт. край* Воево́дина (*Югославия*)

Volga [ˈvɔ:lgə] *р.* Во́лга (*СССР*)

Volga-Baltic Route [ˈvɔ:lgəˈbɔ:ltɪkˈru:t] Во́лго-Балти́йский во́дный путь (*соединяет р. Волга с Балтийским м. и через Беломорско-Балтийский канал — с Белым м., СССР*)

Volga-Don Ship Canal [ˈvɔ:lgəˈdɔ:nˈʃɪpkəˈnæl] Во́лго-Донско́й судохо́дный кана́л (*соединяет реки Волга и Дон, СССР*)

Volgodonsk [vɔ:lgʌˈdɔ:nsk] *г.* Волгодо́нск (*Ростовская обл., РСФСР, СССР*)

Volgograd [vɔ:lgʌˈgrɑ:d] *г.* Волгогра́д (*центр Волгоградской обл., РСФСР, СССР*)

Volhynia [vɔlˈhɪnɪə] *ист. обл.* Волы́нь (*СССР и Польша*)

Volkhov [ˈvɔ:lkhəf] **1.** *г.* Во́лхов (*Ленинградская обл., РСФСР, СССР*); **2.** *р.* Во́лхов (*СССР*)

Vologda [ˈvɔ:ləgdə] *г.* Во́логда (*центр Вологодской обл., РСФСР, СССР*)

Volokolamsk [vəlʌˈkɔ:ləmsk] *г.* Волоколамск (*Московская обл., РСФСР, СССР*)

Volta [ˈvɔltə] *р.* Во́льта (*Гана*)

Volzhsk [vɔ:lʃsk] *г.* Волжск (*Марийская АССР, РСФСР, СССР*)

Volzhski [ˈvɔ:lʃskɪ] *г.* Во́лжский (*Волгоградская обл., РСФСР, СССР*)

Vorkuta [vɔ:ˈku:tə] *г.* Воркута́ (*Коми АССР, РСФСР, СССР*)

Voronezh [vʌˈrɔ:neʃ] *г.* Воро́неж (*центр Воронежской обл., РСФСР, СССР*)

Voroshilovgrad [vərʌˌʃɪləfˈgrɑ:d] *г.* Ворошиловгра́д; *см.* Lugansk

Vosges [vəuʒ] *горы* Воге́зы (*Франция*)

Vostok [vəˈstɔk] Восто́к (*науч. ст. СССР, Антарктида*)

Vratsa [ˈvrɑ:tsɑ:] *г.* Вра́ца (*Болгария*)

Vulcano [vu:lˈkɑ:nə(u)] *о.* Вулька́но (*Липарские о-ва, Тирренское м., Италия*)

Vyatka [ˈvjɑ:tkə] **1.** *р.* Вя́тка (*СССР*); **2.** *г.* Вя́тка (*центр Вятской обл., РСФСР, СССР*)

Vyazma [vjˈɑ:zmə] *г.* Вя́зьма (*Смоленская обл., РСФСР, СССР*)

Vyborg [ˈvi:bɔ:g] *г.* Вы́борг (*Ленинградская обл., РСФСР, СССР*)

Vychegda [ˈvɪtʃəgdə] *р.* Вы́чегда (*СССР*)

W

Wabash [ˈwɔ:bæʃ] *р.* Уо́баш (*США*)

Waco [ˈweɪkəu] *г.* Уэ́йко (*шт. Техас, США*)

Waddington, Mount [ˈmauntˈwɔdɪŋtən] *гора* Уо́ддингтон (*Береговой хр., Канада*)

Wadi al Natrun [ˈwædɪælˈnɑ:trun] *впадина* Ва́ди-Натру́н (*Египет*)

Wad Medani [wædˈmedænɪ] *г.* Вад-Меда́ни, Уэ́д-Меда́ни (*Судан*)

Wakayama [wɑ:kɑ:jɑ:mɑ:] *г.* Вакая́ма (*о. Хонсю, Япония*)

Wakefield [ˈweɪkfi:ld] *г.* Уэ́йкфилд (*адм. центр метроп. граф. Уэст-Йоркшир, Англия, Великобритания*)

Wake Island [ˈweɪkˈaɪlənd] *атолл* Уэ́йк (*Тихий ок., влад. США*)

Walachia [wɔˈleɪkɪə] *ист. обл.* Вала́хия (*Румыния*)

Wałbrzych [ˈvɑ:lbʒɪk] *г.* Ва́лбжих (*Польша*)

Wales [weɪlz] **1.** Уэ́льс (*адм.-полит. часть Великобритании*); **2.** *п-ов* Уэ́льс (*о. Великобритания*)

Wallasey [ˈwɔləsɪ] *г.* Уо́лласи (*метроп. граф. Мерсисайд, Англия, Великобритания*)

Wallis and Futuna Islands [ˈwɔlɪsəndfu:ˈtu:nəˈaɪləndz] *о-ва* Уо́ллис и Футу́на (*Тихий ок., влад. Франции*)

Walsall [ˈwɔ:lsɔ:l] *г.* Уо́лсолл (*метроп. граф. Уэст-Мидлендс, Англия, Великобритания*)

Walthamstow [ˈwɔ:lθəmstəu] *г.* Уо́лтемстоу (*метроп. граф. Большой Лондон, Англия, Великобритания*)

Walvis Bay [ˈwɔ:lvɪsˈbeɪ] **1.** *г.*

Уо́лфиш-Бей (*Намибия*); **2.** *зал.* Уо́лфиш-Бей (*Атлантический ок., побережье Намибии*)

Wanganui [ˈwɔŋgəˌnu:ɪ] *г.* Унгану́и (*о. Северный, Новая Зеландия*)

Warangal [ˈwʌrəŋgəl] *г.* Вара́нгал (*шт. Андхра-Прадеш, Индия*)

Warren [ˈwɔrən] *г.* Уо́ррен (*шт. Огайо, США*)

Warrington [ˈwɔrɪŋtən] *г.* Уо́ррингтон (*граф. Чешир, Англия, Великобритания*)

Warsaw [ˈwɔ:sɔ:] *г.* Варша́ва (*столица Польши*)

Warwick [ˈwɔ:rɪk] *г.* Уо́рик (*адм. центр граф. Уорикшир, Англия, Великобритания*)

Warwickshire [ˈwɔrɪkʃɪə] *граф.* Уо́рикшир (*Англия, Великобритания*)

Wasatch Range [ˈwɔ:sætʃˈreɪndʒ] *хр.* Уо́са(т)ч (*Скалистые горы, США*)

Washington [ˈwɔʃɪŋtən] **1.** *шт.* Вашингто́н (*США*); **2.** *г.* Вашингто́н (*столица США*)

Washington Island [ˈwɔʃɪŋtənˈaɪlənd] *о.* Вашингто́н (*о-ва Лайн, Тихий ок., Кирибати*)

Washington, Mount [ˈmauntˈwɔʃɪŋtən] *гора* Вашингто́н (*горы Аппалачи, США*)

Washita [ˈwɔʃɪtɔ:] *р.* Уо́шито (*США*)

Wash, the [wɔʃ] *зал.* Уо́ш (*Северное м., о. Великобритания*)

Waterbury [ˈwɔ:təˌberɪ] *г.* Уо́тербери (*шт. Коннектикут, США*)

Waterford [ˈwɔ:təfəd] **1.** *граф.* Уо́терфорд (*Ирландия*); **2.** *г.* Уо́терфорд (*адм. центр граф. Уотерфорд, Ирландия*)

Waterloo I [ˌwɔ:təˈlu:] *г.* Уо́терлу (*шт. Айова, США*)

Waterloo II [ˌwɔ:təˈlu:] *нп* Ватерло́о (*Бельгия*)

Watertown [ˈwɔ:tətaun] *г.* Уо́тертаун (*шт. Нью-Йорк, США*)

Watford [ˈwɔtfəd] *г.* Уо́тфорд (*граф. Хартфордшир, Англия, Великобритания*)

Waukegan [wɔ:ˈki:gən] *г.* Уоки́ган (*шт. Иллинойс, США*)

Webi Shebeli [ˈweɪbɪʃɪˈbeɪlɪ] *р.* Уэ́би-Шабе́лле (*Эфиопия и Сомали*)

Weddell Sea [ˈwedlˈsi:] мо́ре Уэ́дделла (*Атлантический ок., Антарктика*)

Weifang [ˈweɪˈfɑ:ŋ] *г.* Вэйфа́н (*пров. Шаньдун, Китай*)

Weimar [ˈvaɪmɑ:] *г.* Ве́ймар (*ФРГ*)

Welkom [ˈvelkəm] *г.* Ве́лком (*Оранжевая пров., ЮАР*)

Welland [ˈwelənd] *г.* Уэ́лленд (*пров. Онтарио, Канада*)

Wellington [ˈwelɪŋtən] **1.** *стат. р-н* Уэ́ллингтон, Ве́ллингтон (*Новая Зеландия, о. Северный*); **2.** *г.* Уэ́ллингтон, Ве́ллингтон (*столица Новой Зеландии, о. Северный*); **3.** *о.* Уэ́ллингтон, Ве́ллингтон (*Тихий ок., Чили*)

Welshpool [ˈwelʃpu:l] *г.* Уэ́лшпул (*граф. Поуис, Уэльс, Великобритания*)

Wembley [ˈwemblɪ] *г.* Уэ́мбли (*метроп. граф. Большой Лондон, Англия, Великобритания*)

Wenchou, Wenchow [ˈwenˈtʃau] = Wenzhou

Wenzhou [ˈwʌnˈdʒəu] *г.* Вэньчжо́у (*пров. Чжэцзян, Китай*)

Weser [ˈveɪzə] *р.* Ве́зер (*ФРГ*)

Wessex [ˈwesɪks] *ист. англосакс. кор-во* Уэ́ссекс (*Великобритания*)

West Bengal [ˈwestbeŋˈgɔ:l] *шт.* За́падная Бенга́лия (*Индия*)

West Bromwich [ˈwestˈbrʌmɪdʒ] *г.* Уэ́ст-Бро́мидж (*метроп. граф. Уэст-Мидлендс, Англия, Великобритания*)

West End [ˈwestˈend] Уэ́ст-Энд (*зап. часть г. Лондон, Великобритания*)

Western Australia [ˈwestənɔ:ˈstreɪljə] *шт.* За́падная Австра́лия (*Австралия*)

Western Ghats [ˈwestənˈgɔ:ts] *горы* За́падные Га́ты (*Индия*)

Western Isles [ˈwestənˈaɪlz] *обл.* Уэ́стерн-Айлс (*Шотландия, Ве-*

ликобритания, Внешние Гебридские о-ва)

Western Sahara [ˈwestənsəˈhɑ:rə] За́падная Саха́ра (*терр. на сев.-зап. Африки*)

Western Samoa [ˈwestənsəˈməuə] *гос-во* За́падное Само́а (*зап. часть о-вов Самоа, Тихий ок.*)

Western Siberia [ˈwestənsaɪˈbɪərɪə] За́падная Сиби́рь (*часть терр. Сибири от Урала на зап. до р. Енисей на вост., СССР*)

West Glamorgan [ˈwestgləˈmɔ:gən] *граф.* Уэ́ст-Гламо́рган (*Уэльс, Великобритания*)

West Ham [ˈwestˈhæm] *г.* Уэ́ст-Хэм (*метроп. граф. Большой Лондон, Англия, Великобритания*)

West Hartlepool [ˈwestˈhɑ:tl(ɪ-)pu:l] *г.* Уэ́ст-Ха́ртлпул; *см.* Hartlepool

West Ice Shelf [ˈwestˈaɪsˈʃelf] За́падный ше́льфовый ледни́к (*Антарктида*)

West Indies [ˈwestˈɪndjəz] Вест-И́ндия (*общее назв. о-вов Атлантического ок., между материками Северная и Южная Америка*)

Westland [ˈwestlənd] *стат. р-н* Уэ́стленд (*Новая Зеландия, о. Южный*)

Westmeath [ˈwestmi:θ] *граф.* Уэ́стмит (*Ирландия*)

West Midlands [ˈwestˈmɪdləndz] *метроп. граф.* Уэ́ст-Ми́длендс (*Англия, Великобритания*)

Westminster [ˈwes(t)ˌmɪnstə] *г.* Ве́стминстер (*метроп. граф. Большой Лондон, Англия, Великобритания*)

Weston super Mare [ˈwestənˌsju:pəˈmɛə] *г.* Уэ́стон-сьюпер-Мэр (*граф. Эйвон, Англия, Великобритания*)

West Palm Beach [ˈwestˈpɑ:mˈbi:tʃ] *г.* Уэ́ст-Палм-Бич (*шт. Флорида, США*)

Westphalia [westˈfeɪljə] *ист. обл.* Вестфа́лия (*ФРГ*)

West Siberian Plain [ˈwestsaɪˈbɪərɪənˈpleɪn] За́падно-Сиби́рская равни́на (*между Уралом на зап. и р. Енисей на вост., СССР*)

West Spitsbergen [ˈwestˈspɪtsˌbə:gən] *о.* За́падный Шпицбе́рген (*арх. Шпицберген, Северный Ледовитый ок., Норвегия*)

West Sussex [ˈwestˈsʌsɪks] *граф.* За́падный Су́ссекс (*Англия, Великобритания*)

West Virginia [ˈwestvəˈdʒɪnjə] *шт.* За́падная Вирги́ния (*США*)

West Yorkshire [ˈwestˈjɔ:kʃɪə] *метроп. граф.* Уэ́ст-Йо́ркшир (*Англия, Великобритания*)

Wetar [ˈwetɑ:] *о.* Ве́тар (*м. Банда, Индонезия*)

Wexford [ˈweksfəd] **1.** *граф.* Уэ́ксфорд (*Ирландия*); **2.** *г.* Уэ́ксфорд (*адм. центр граф. Уэксфорд, Ирландия*)

Weymouth [ˈweɪməθ] *г.* Уэ́ймут (*граф. Дорсетшир, Англия, Великобритания*)

Wheeling [ˈhwi:lɪŋ] *г.* Уи́линг (*шт. Западная Виргиния, США*)

Whitehorse, White Horse [ˈhwaɪtˌhɔ:s] *г.* Уа́йтхорс (*адм. центр терр. Юкон, Канада*)

White Mountains [ˈwaɪtˈmauntɪnz] *горы* Уа́йт-Ма́унтинс (*США*)

White Nile [ˈwaɪtˈnaɪl] *р.* Бе́лый Нил (*Судан*); *см.* Nile

White River [ˈwaɪtˈrɪvə] **1.** *р.* Уа́йт-Ри́вер (*приток р. Миссисипи, США*); **2.** *р.* Уа́йт-Ри́вер (*приток р. Миссури, США*)

White Sea [ˈwaɪtˈsi:] Бе́лое мо́ре (*Северный Ледовитый ок., у берегов СССР*)

White Volta [ˈwaɪtˈvɔltə] *р.* Бе́лая Во́льта (*Буркина-Фасо и Гана*)

Whitney, Mount [ˈmauntˈhwɪtnɪ] *гора* Уи́тни (*хр. Сьерра-Невада, США*)

Whittier [ˈhwɪtɪə] *г.* Уи́ттиер (*шт. Аляска, США*)

Wichita [ˈwɪtʃɪtɔ:] *г.* Уи́чито (*шт. Канзас, США*)

Wichita Falls [ˈwɪtʃɪtɔ:ˈfɔ:lz] *г.* Уи́чито-Фолс (*шт. Техас, США*)

Wick [wɪk] *г.* Уи́к (*обл. Хайленд, Шотландия, Великобритания*)

Wicklow [ˈwɪkləu] **1.** *граф.* Уи́клоу (*Ирландия*); **2.** *г.* Уи́клоу (*адм. центр граф. Уиклоу, Ирландия*)

Wiesbaden [ˈvi:sˌbɑ:dən] *г.* Ви́сбаден (*ФРГ*)

Wigan [ˈwɪgən] *г.* Уи́ган (*ме-*

троп. граф. Большой Манчестер, Англия, Великобритания)

Wight, Isle of I [ˌaɪləv'waɪt] *граф.* Айл-оф-Уа́йт (*Англия, Великобритания, о. Уайт*)

Wight, Isle of II [ˌaɪləv'waɪt] *о.* Уа́йт (*прол. Ла-Манш, Великобритания*)

Wigtown ['wɪgtən] *г.* Уи́гтаун (*обл. Дамфрис-энд-Галловей, Шотландия, Великобритания*)

Wilczek Land ['vɪltʃek'lænd] *о.* Земля́ Ви́льчека (*арх. Земля Франца-Иосифа, Северный Ледовитый ок., СССР*)

Wilhelmshaven [ˌvɪlhelms'hɑ:fən] *г.* Ви́льгельмсха́фен (*ФРГ*)

Wilhelm II Land ['vɪlhelmðə'sekənd'lænd] Земля́ Вильге́льма II (*часть терр. Антарктиды*)

Wilkes-Barre ['wɪlks'bærə] *г.* Уи́лкс-Ба́рре (*шт. Пенсильвания, США*)

Wilkes Land ['wɪlks'lænd] Земля́ Уи́лкса (*часть терр. Антарктиды*)

Willemstad ['vɪləmstɑ:t] *г.* Ви́лемстад (*адм. центр о. Кюрасао, Малые Антильские о-ва*)

Williamsport ['wɪljəmzpɔ:t] *г.* Уи́льямспорт (*шт. Пенсильвания, США*)

Wilmington ['wɪlmɪŋtən] **1.** *г.* Уи́лмингтон (*шт. Делавэр, США*); **2.** *г.* Уи́лмингтон (*шт. Северная Каролина, США*)

Wilson's Promontory ['wɪlsnz'prɔmənt(ə)rɪ] *п-ов* Ви́льсонс-Про́монтори (*Австралия*)

Wilts [wɪlts] *сокр. от* Wiltshire

Wiltshire ['wɪltʃɪə] *граф.* Уи́лтшир (*Англия, Великобритания*)

Wimbledon ['wɪmbldən] *г.* Уи́мблдон (*метроп. граф. Большой Лондон, Англия, Великобритания*)

Winchester ['wɪntʃestə] *г.* Уи́нчестер (*адм. центр граф. Гэмпшир, Англия, Великобритания*)

Windhoek ['vɪnthuk] *г.* Ви́ндхук (*столица Намибии*)

Windsor I ['wɪnzə] *г.* Ви́ндзор (*граф. Беркшир, Англия, Великобритания*)

Windsor II ['wɪnzə] *г.* Уи́нсор (*пров. Онтарио, Канада*)

Windward Islands ['wɪndwəd'aɪləndz] Наве́тренные острова́ (*вост. группа Малых Антильских о-вов, Карибское м.*)

Windward Passage ['wɪndwəd'pæsɪdʒ] Наве́тренный проли́в (*между о-вами Куба и Гаити*)

Winnipeg ['wɪnɪpeg] *г.* Ви́ннипег (*адм. центр пров. Манитоба, Канада*)

Winnipeg, Lake ['leɪk'wɪnɪpeg] *оз.* Ви́ннипег (*Канада*)

Winnipegosis, Lake ['leɪkˌwɪnɪpeg'əusɪs] *оз.* Виннипего́сис (*Канада*)

Winston-Salem ['wɪnstən'seɪləm] *г.* Уи́нстон-Се́йлем (*шт. Северная Каролина, США*)

Winterthur ['vɪntəˌtuə] *г.* Ви́нтертур (*Швейцария*)

Wisconsin [wɪs'kɔnsɪn] **1.** *шт.* Виско́нсин (*США*); **2.** *р.* Виско́нсин (*США*)

Wishaw ['wɪʃɔ:] *г.* Уи́шо (*обл. Стратклайд, Шотландия, Великобритания*)

Wismar ['vɪzmɑ:] *г.* Ви́смар (*ФРГ*)

Witten ['vɪtn] *г.* Ви́ттен (*ФРГ*)

Wittenberg ['wɪtnbə:g] *г.* Ви́ттенберг (*ФРГ*)

Witwatersrand [wɪt'wɔ:təzrænd] *возв.* Витва́терсранд (*ЮАР*)

Włocławek [vlɔ:'tslɑ:vek] *г.* Влоцла́век (*Польша*)

Wodzisław Śląski [vɔ:ˌdʒi:slɑ:f'ʃlɔ:ŋskɪ] *г.* Водзи́слав-Слёнски (*Польша*)

Wolfsburg ['wulfsbə:g] *г.* Во́льфсбург (*ФРГ*)

Wollongong ['wuləngɔŋ] *г.* Ву́ллонгонг (*шт. Новый Южный Уэльс, Австралия*)

Wolverhampton ['wulvəˌhæm(p)tən] *г.* Ву́лвергéмптон (*метроп. граф. Уэст-Мидлендс, Англия, Великобритания*)

Wŏnju ['wʌn'dʒu:] *г.* Вонджу́ (*Республика Корея*)

Wŏnsan [wə:nsɑ:n] *г.* Вонса́н (*КНДР*)

Wood Buffalo National Park ['wud'bʌfələu'næʃənl'pɑ:k] *нац. парк* Вуд-Ба́ффало (*Канада*)

Wood Green ['wud'gri:n] *г.* Вуд-Грин (*метроп. граф. Большой*

Лондон, Англия, Великобритания)

Woolwich [ˈwulɪdʒ] *г.* Ву́лидж (*метроп. граф. Большой Лондон, Англия, Великобритания*)

Woonsocket [ˌwu:nˈsɔkət] *г.* Вунсо́кет (*шт. Род-Айленд, США*)

Worcester [ˈwustə] **1.** *г.* Ву́стер (*адм. центр граф. Херефорд-энд-Вустер, Англия, Великобритания*); **2.** *г.* Ву́стер (*шт. Массачусетс, США*)

Worthing [ˈwə:ðɪŋ] *г.* Уэ́ртинг (*граф. Западный Суссекс, Англия, Великобритания*)

Wrangel Island [ˈræŋgəlˈaɪlənd] о́стров Вра́нгеля (*Северный Ледовитый ок., СССР*)

Wrangell Mountains [ˈræŋgəl-ˈmauntɪnz] го́ры Вра́нгеля (*п-ов Аляска, США*)

Wrath, Cape [ˈkeɪpˈrɑ:θ] *мыс* Рат (*о. Великобритания*)

Wrocław [ˈvrɔ:tslɑ:f] *г.* Вро́цлав (*Польша*)

Wuchang [ˈwu:tʃɑ:ŋ] *г.* Уча́н; *см.* Wuhan

Wuhan [ˈwu:ˈhɑ:n] Уха́нь (*общее назв. городов Учан, Ханькоу и Ханьян, адм. центр пров. Хубэй, Китай*)

Wuhsi [ˈwu:ˈʃi:] = Wuxi

Wuhu [ˈwu:ˈhu:] *г.* Уху́ (*пров. Аньхой, Китай*)

Wuppertal [ˈvupətɑ:l] *г.* Ву́пперталь (*ФРГ*)

Wurzburg [ˈwə:tsbə:g] *г.* Вюрцбург (*ФРГ*)

Wusih [ˈwu:ˈʃi:] = Wuxi

Wuxi [ˈwu:ˈʃi:] *г.* Уси́ (*пров. Цзянсу, Китай*)

Wye [waɪ] *р.* Уа́й (*Великобритания*)

Wyoming [waɪˈəumɪŋ] *шт.* Вайо́минг (*США*)

X

Xiamen [ˈʃjɑ:ˈmʌn] *г.* Сямы́нь (*пров. Фуцзянь, Китай*)

Xian [ˈʃi:ˈɑ:n] *г.* Сиа́нь (*адм. центр пров. Шэньси, Китай*)

Xianggang [ˈʃjɑ:ŋˈgɑ:ŋ] **1.** Сянга́н (*влад. Великобритании, юго-вост. побережье Китая*); **2.** *г.* Сянга́н (*адм. центр влад. Сянган*)

Xiang (Jiang) [ˈʃjɑ:ŋ(ˈdʒjɑ:ŋ)] *р.* Сянцзя́н (*Китай*)

Xi (Jiang) [ˈʃi:ˈdʒjɑ:ŋ] *р.* Сицзя́н (*Китай*)

Xingú [ʃɪŋˈgu:] *р.* Шингу́ (*Бразилия*)

Xining [ˈʃi:ˈnɪŋ] *г.* Сини́н (*адм. центр пров. Цинхай, Китай*)

Xinjiang Uygur Autonomous Region [ˈʃɪnˈdʒɑ:ŋˈwi:gərɔ:ˈtɔnəməs-ˈri:dʒən] Синьцзя́н-Уйгу́рский автоно́мный райо́н (*Китай*)

Xinxiang [ˈʃɪnˈʃjɑ:ŋ] *г.* Синься́н (*пров. Хэнань, Китай*)

Xuzhou [ˈʃu:dʒəu] *г.* Сюйчжо́у (*пров. Цзянсу, Китай*)

Y

Yablonovy Range [ˌjɑ:bləna-ˈvi:ˈreɪndʒ] Я́блоновый хребе́т (*Забайкалье, СССР*)

Yakima [ˈjækɪmɔ:] *г.* Я́кима (*шт. Вашингтон, США*)

Yakutsk [jeˈku:tsk] *г.* Яку́тск (*столица Якутской АССР, РСФСР, СССР*)

Yakutsk Autonomous Soviet Socialist Republic [jeˈku:tskɔ:ˈtɔnəməsˈsəuvietˈsəuʃəlistrɪˈpʌblɪk] Яку́тская Автоно́мная Сове́тская Социалисти́ческая Респу́блика, **Yakutia** [jeˈku:ʃɪə] Яку́тия (*РСФСР, СССР*)

Yalta [ˈjɑ:ltə] *г.* Я́лта (*Крымская обл., Украинская ССР, СССР*)

Yalu, [ˈjɑ:ˈlu:], **Yalu Jiang** [ˈjɑ:ˈlu:-ˈdʒjɑ:ŋ] *р.* Ялуцзя́н (*КНДР и Китай*)

Yalutorovsk [jeˈlu:tərəfsk] *г.* Ялу́торовск (*Тюменская обл., РСФСР, СССР*)

Yamagata [jɑ:mɑ:gɑ:tɑ:] *г.* Ямага́та (*о.* Хонсю, Япония)

Yamal [jeˈmɑ:l] *п-ов* Яма́л (*на сев. СССР*)

Yamalo-Nenets Autonomous Area [jəˈmɑ:lənjɪˈnjetsɔ:ˈtɔnəməsˈɛərɪə] Яма́ло-Не́нецкий автоно́мный о́круг (*Тюменская обл., РСФСР, СССР*)

Yambol [ˈjɑ:mbəul] *г.* Я́мбол (*Болгария*)

Yamoussoukro [ˈjɑːmuːˈsuːkrə] *г.* Ямусу́кро (*столица Кот-д'Ивуара*)

Yamuna [ˈjɑːmənə] *р.* Я́муна; *см.* Jumna

Yana [ˈjɑːnə] *р.* Я́на (*СССР*)

Yanan [ˈjɑːˈnɑːn] *г.* Янья́нь (*пров. Шэньси, Китай*)

Yangchou, Yangchow [ˈjɑːŋˈdʒəu] = Yangzhou

Yangchuan [ˈjɑːŋˈtʃwɑːn] = Yangquan

Yangon [jæŋˈgoun] = Yangown

Yangown [jæŋˈgoun] *г.* Янго́н (*столица Мьянмы*)

Yangquan [ˈjɑːŋˈtʃwɑːn] *г.* Янцюа́нь (*пров. Шаньси, Китай*)

Yangtze [ˈjæŋˈ(t)siː] *р.* Янцзы́ (*Китай*)

Yangzhou [ˈjɑːŋˈdʒəu] *г.* Янчжо́у (*пров. Цзянсу, Китай*)

Yaoundé [ˌjɑːˌuːnˈdeɪ] *г.* Я́унде (*столица Камеруна*)

Yarkand [ˈjɑːˈkænd, ˈjɑːˈkɑːnd] **1.** *г.* Ярке́нд (*Синьцзян-Уйгурский авт. р-н, Китай*); **2.** *р.* Ярке́нд (*Китай*)

Yarmouth [ˈjɑːməθ] *г.* Я́рмут (*пров. Новая Шотландия, Канада*)

Yaroslavl [jɪrʌˈslɑːvlj] *г.* Яросла́вль (*центр Ярославской обл., РСФСР, СССР*)

Yazd [jæzd] *г.* Йезд (*Иран*)

Yelets [jɪˈljets] *г.* Еле́ц (*Липецкая обл., РСФСР, СССР*)

Yelgava [ˈjelgəvə] *г.* Е́лгава (*Латвия*)

Yell [jel] *о.* Йелл (*Шетландские о-ва, Атлантический ок., Великобритания*)

Yellowknife [ˈjeləˌnaɪf] *г.* Йе́ллоунайф (*адм. центр Северо-Западных территорий, Канада*)

Yellow River [ˈjeləuˈrɪvə] Жёлтая река́; *см.* Huang He

Yellow Sea [ˈjeləuˈsiː] Жёлтое мо́ре (*Тихий ок., у берегов Азии*)

Yellowstone [ˈjeləuˌstəun] *р.* Йе́ллоустон (*США*)

Yellowstone National Park [ˈjelə(u)ˌstəunˈnæʃənlˈpɑːk] Йеллоусто́нский национа́льный парк (*США*)

Yelnya [ˈjelnjə] *г.* Е́льня (*Смоленская обл., РСФСР, СССР*)

Yemen [ˈjemən] *гос-во* Йе́мен, Republic of Yemen Йе́менская Респу́блика (*Аравийский п-ов, Юго-Западная Азия*)

Yenangyaung [ˈjeɪnɑːnˈdʒauŋ] *г.* Енанджа́ун (*Мьянма*)

Yenisei [ˌjenɪˈseɪ] *р.* Енисе́й (*СССР*)

Yenisei Bay [ˌjenɪˈseɪˈbeɪ] Енисе́йский зали́в (*Карское м., побережье СССР*)

Yeniseisk [jenɪˈseɪsk] *г.* Енисе́йск (*Красноярский край, РСФСР, СССР*)

Yeovil [ˈjəuvɪl] *г.* Йо́вил (*граф. Сомерсетшир, Англия, Великобритания*)

Yerevan [jereˈvɑːn] *г.* Ерева́н (*столица Армянской ССР, СССР*)

Yevpatoriya [jɪfpʌˈtɔːrɪə] *г.* Евпато́рия (*Крымская обл., Украинская ССР, СССР*)

Yezd [jezd] = Yazd

Yibin [ˈjiːˈbɪn] *г.* Иби́нь (*пров. Сычуань, Китай*)

Yichang [ˈjiːˈtʃɑːŋ] *г.* Ича́н (*пров. Хубэй, Китай*)

Yichun [ˈjiːˈtʃun] *г.* Ичу́нь (*пров. Хэйлунцзян, Китай*)

Yinchuan [ˈjɪnˈtʃwɑːn] *г.* Иньчуа́нь (*адм. центр Нинся-Хуэйского авт. р-на, Китай*)

Yingkou, Yingkow [ˈjɪŋˈkau, ˈjɪŋkəu] *г.* Инко́у (*пров. Ляонин, Китай*)

Yokkaichi [jəukaɪtʃɪ] *г.* Йоккайти (*о. Хонсю, Япония*)

Yokohama [ˌjəukə(u)ˈhɑːmə] *г.* Йокоха́ма (*о. Хонсю, Япония*)

Yokosuka [ˌjəukə(u)ˈsuːkə] *г.* Йоко́сука (*о. Хонсю, Япония*)

Yonkers [ˈjɔŋkəz] *г.* Йо́нкерс (*шт. Нью-Йорк, США*)

York [jɔːk] **1.** *г.* Йорк (*граф. Норт-Йоркшир, Англия, Великобритания*); **2.** *г.* Йорк (*шт. Пенсильвания, США*)

York, Cape [ˈkeɪpˈjɔːk] *мыс* Йорк (*крайняя сев. точка Австралии, п-ов Кейп-Йорк*)

Yorkton [ˈjɔːktən] *г.* Йо́ркто́н (*пров. Саскачеван, Канада*)

Yosemite Falls [jə(u)ˈsemɪtɪˈfɔːlz] Йосе́митский водопа́д (*р. Йосемити-Крик, США*)

Yosemite National Park [jə(u)ˈsemɪtɪ'næʃənl'pɑ:k] Йосе́митский национа́льный парк (*США*)

Yosemite Valley [jə(u)'semɪtɪ'vælɪ] Йосе́митская доли́на (*США*)

Youngstown ['jʌŋztaun] *г.* Я́нгстаун (*шт. Огайо, США*)

Yucatán [ˌju:kə'tæn] *п-ов* Юката́н (*между Мексиканским зал. и Карибским м., Центральная Америка*)

Yucatán Channel [ˌju:kə'tæn-'tʃænl] Юката́нский проли́в (*между п-овом Юкатан и о. Куба*)

Yugor(ski) Peninsula [ju'gɔ:r(skɪ-)pɪ'nɪnsjulə] Юго́рский полуо́стров (*между Карским и Баренцевым морями, СССР*)

Yugorski Shar [ju'gɔ:rskɪ'ʃɑ:r] *прол.* Юго́рский Шар (*между материком Евразия и о. Вайгач, соединяет Баренцево и Карское моря*)

Yugoslavia [ˌju:gə(u)'slɑ:vjə] *гос-во* Югосла́вия, Socialist Federal Republic of Yugoslavia Социалисти́ческая Федерати́вная Респу́блика Югосла́вия (*Юго-Восточная Европа*)

Yukon ['ju:kɔn] **1.** *терр.* Ю́кон (*Канада*); **2.** *р.* Ю́кон (*Канада и США*); **3.** *плато* Ю́кон (*Канада и США*)

Yumen ['ju:'mʌn] *г.* Юймы́нь (*пров. Ганьсу, Китай*)

Yunnan [ju:'nɑ:n] *пров.* Юньна́нь (*Китай*)

Yuzhno-Sakhalinsk ['ju:ʒnə-səhʌ'lji:nsk] *г.* Ю́жно-Сахали́нск (*центр Сахалинской обл., РСФСР, СССР*)

Z

Zabrze ['zɑ:bʒe] *г.* За́бже (*Польша*)

Zacatecoluca [ˌsɑ:kɑ:ˌteɪkə(u)-'lu:kɑ:] *г.* Сакатеколу́ка (*Сальвадор*)

Zadar ['zɑ:dɑ:] *г.* За́дар (*Республика Хорватия, Югославия*)

Zagazig ['zægəzɪg] *г.* Эз-Зака́зик (*Египет*)

Zagorsk [zʌ'gɔ:rsk] *г.* Заго́рск; *см.* Sergiev Posad

Zagreb ['zɑ:greb] *г.* За́греб (*столица Республики Хорватия, Югославия*)

Zagros Mountains ['zægrəs-'mauntɪnz] *горн. сист.* Загро́с (*Иран*)

Zahle ['zæh(ə)le] *г.* За́хла (*Ливан*)

Zaire [zə'i:rə] **1.** *гос-во* Заи́р, Republic of Zaire Респу́блика Заи́р (*Центральная Африка*); **2.** *р.* Заи́р; *см. тж.* Congo 2

Zaisan ['zaɪsɑ:n] *оз.* Зайса́н (*СССР*)

Zakopane [ˌzɑ:kɔ:'pɑ:ne] *г.* Закопа́не (*Польша*)

Zakynthos [zə'kɪnθəs] = Zante

Zalaegerszeg ['zɔlɔˌegeˌseg] *г.* За́лаэ́герсег (*Венгрия*)

Zama ['zeɪmə] *ист. г.* За́ма (*в Северной Африке, на терр. совр. Туниса*)

Zambezi [zæm'bi:zɪ] *р.* Замбе́зи (*Ангола, Замбия и Мозамбик*)

Zambia ['zæmbɪə] *гос-во* За́мбия, Republic of Zambia Респу́блика За́мбия (*Центральная Африка*)

Zamboanga [ˌzæmbə'wɑ:ŋgə] *г.* Замбоа́нга (*о. Минданао, Филиппины*)

Zamosc ['zɑ:mɔ:ʃtʃ] *г.* За́мосць (*Польша*)

Zanesville ['zeɪnzvɪl] *г.* Зе́йнсвилл (*шт. Огайо, США*)

Zante ['zæntɪ] *о.* Заки́нф (*Ионические о-ва, Ионическое м., Греция*)

Zanzibar ['zænzɪbɑ:] **1.** *г.* Занзиба́р (*Танзания*); **2.** *о.* Занзиба́р (*Индийский ок., Танзания*)

Zapadnaya Dvina ['zɑ:pədnəjə-dvɪ'nɑ:] *р.* За́падная Двина́ (*СССР, Латвия*)

Zaporozhye [ˌzɑ:pə'rɔ:ʒə] *г.* Запоро́жье (*центр Запорожской обл., Украинская ССР, СССР*)

Zaria ['zɑ:rɪə] *г.* За́рия (*Нигерия*)

Zealand ['zi:lənd] = Sjælland

Zeitz [tsaɪts] *г.* Цайц (*ФРГ*)

Zenica ['zenətsə] *г.* Зе́ница (*Социалистическая Республика Босния и Герцеговина, Югославия*)

Zenjan [zen'dʒɑ:n] *г.* Зенджа́н (*Иран*)

Zeya ['zjeɪ͡jə] *р.* Зе́я (*СССР*)

Zhangjiakou [ˈdʒɑːŋˈdʒjɑːˈkəu] *г.* Чжанцзякóу (*пров. Хэбэй, Китай*)

Zhdanov [ˈʒdɑːnəf] *г.* Ждáнов; *см.* Mariupol

Zhejiang [ˈdʒʌˈdʒjɑːŋ] *пров.* Чжэцзя́н (*Китай*)

Zhengzhou [ˈdʒʌŋˈdʒəu] *г.* Чжэнчжóу (*адм. центр пров. Хэнань, Китай*)

Zhigulevsk [ʒɪgulˈjɔːfsk] *г.* Жигулёвск (*Самарская обл., РСФСР, СССР*)

Zhitomir [ʒɪˈtɔːmɪr] *г.* Житóмир (*центр Житомирской обл., Украинская ССР, СССР*)

Zhukovski [ʒuːˈkɔːfskɪ] *г.* Жукóвский (*Московская обл., РСФСР, СССР*)

Zhuzhou [ˈdʒuːˈdʒəu] *г.* Чжучжóу (*пров. Хунань, Китай*)

Zielona Góra [ʒeˈlɔːnəˈguːrɑː] *г.* Зелёна-Гýра (*Польша*)

Žilina [ˈʒɪlɪnɑː] *г.* Жи́лина (*Чехословакия*)

Zimbabwe [zɪmˈbɑːbwɪ] *гос во* Зимбáбве, Republic of Zimbabwe Респýблика Зимбáбве (*Южная Африка*)

Zinder [ˈzɪndə] *г.* Зи́ндер (*Нигер*)

Zion [ˈzaɪən] *библ. холм* Сиóн (*в Палестине*)

Zlatoust [zlətʌˈuːst] *г.* Златоýст (*Челябинская обл., РСФСР, СССР*)

Zlín [zəˈliːn] *г.* Злин (*Чехословакия*)

Zomba [ˈzɔmbə] *г.* Зóмба (*Малави*)

Zonguldak [ˌzɔːŋgulˈdɑːk] *г.* Зонгулдáк (*Турция*)

Zrenjanin [ˈzrenjənɪn] *г.* Зрéнянин (*Социалистическая Республика Сербия, Югославия*)

Zuider Zee [ˈzaɪdəˈzeɪ] *зал.* Зёйдер-Зе (*Северное м., Нидерланды*)

Zurich [ˈzuərɪk] *г.* Цю́рих (*Швейцария*)

Zurich, Lake of [ˈleɪkəvˈzuərɪk] Цю́рихское óзеро (*Швейцария*)

Zwickau [ˈtsvɪkau] *г.* Цви́ккау (*ФРГ*)

Zwolle [ˈzwɔlɪ] *г.* Звóлле (*Нидерланды*)

РУССКО-АНГЛИЙСКИЙ СЛОВАРЬ ГЕОГРАФИЧЕСКИХ НАЗВАНИЙ

около 6 000 единиц

RUSSIAN-ENGLISH GEOGRAPHICAL DICTIONARY

about 6 000 entries

РУССКИЙ АЛФАВИТ

Аа	Ёё	Лл	Сс	Чч	Ээ
Бб	Жж	Мм	Тт	Шш	Юю
Вв	Зз	Нн	Уу	Щщ	Яя
Гг	Ии	Оо	Фф	Ъъ	
Дд	Йй	Пп	Хх	Ыы	
Ее	Кк	Рр	Цц	Ьь	

А

А́(а)ре *р.* (*Швейцария*) Aare

Аба́ *г.* (*Нигерия*) Aba

Абада́н *г.* (*Иран*) Abadan

Абака́н *г.* (*центр Хакасской АО, Красноярский край, РСФСР, СССР*) Abakan

Абео́кута *г.* (*Нигерия*) Abeokuta

Аберди́н *г.* (*адм. центр обл. Грампиан, Шотландия, Великобритания*) Aberdeen

Абери́стуит *г.* (*граф. Дивед, Уэльс, Великобритания*) Aberystwyth

Абиджа́н *г.* (*Кот-д'Ивуар*) Abidjan

А́бидос *ист. г.* (*Египет*) Abydos

А́билин *г.* (*шт. Техас, США*) Abilene

Абисси́ния Abyssinia; *см.* Эфио́пия

Абисси́нское наго́рье Abyssinian Highlands; *см.* Эфио́пское наго́рье

А́бо *г.* Åbo; *см.* Ту́рку

Абу́-Да́би *г.* (*столица Объединённых Арабских Эмиратов*) Abu Dhabi

Абуки́р 1. *зал.* (*Средиземное м., побережье Африки*) Abukir, Aboukir; **2.** *мыс* (*Египет*) Abukir, Aboukir

Абха́зская Автоно́мная Сове́тская Социалисти́ческая Респу́блика, Абха́зия (*Грузинская ССР, СССР*) Abkhazian Autonomous Soviet Socialist Republic, Abkhazia

А́ва *ист. гос-во* (*Мьянма*) Ava

А́валон *п-ов* (*о. Ньюфаундленд, Канада*) Avalon

Авару́а *г.* (*адм. центр о-вов Кука, о. Раротонга*) Avarua

Авельяне́да *г.* (*Аргентина*) Avellaneda

Авиле́с *г.* (*Испания*) Avilés

Авиньо́н *г.* (*Франция*) Avignon

Австрали́йские А́льпы *горы* (*Австралия*) Australian Alps

Австра́лия 1. *материк, часть света* (*Южное полушарие*) Australia; **2.** Австралийский Союз *гос-во* (*на материке Австралия и прилегающих островах*) Australia, Commonwealth of Australia

А́встрия, Австрийская Республика *гос-во* (*Центральная Европа*) Austria, Republic of Austria

А́встро-Ве́нгрия *ист. гос-во* (*Европа*) Austria-Hungary

Агади́р *г.* (*Марокко*) Agadir

Ага́нья *г.* (*адм. центр о. Гуам*) Agana

Ага́ртала *г.* (*шт. Трипура, Индия*) Agartala

Аги́нский Буря́тский автоно́мный о́круг (*Читинская обл., РСФСР, СССР*) Agin-Buryat Autonomous Area

Аги́нское *пгт* (*центр Агинского Бурятского авт. окр., Читинская обл., РСФСР, СССР*) Aginsko(y)e

А́гра *г.* (*шт. Уттар-Прадеш, Индия*) Agra

Агридже́нто *г.* (*о. Сицилия, Италия*) Agrigento

А́ггтелек *пещера* (*Венгрия и Чехословакия*) Aggtelek

Агуаскалье́нтес *г.* (*Мексика*) Aguascalientes

Ада́мов Мост (*цепь отмелей и о-вов между п-овом Индостан и о. Шри-Ланка*) Adam's Bridge

А́дамстаун *г.* (*адм. центр о. Питкэрн, влад. Великобритании*) Adamstown

А́дана *г.* (*Турция*) Adana

Адапазары́ *г.* (*Турция*) Adapazari

Адди́с-Абе́ба *г.* (*столица Эфиопии*) Addis Ababa

Аделаи́да 1. *г.* (*адм. центр шт. Южная Австралия, Австралия*) Adelaide; **2.** = А́делейд

А́делейд *п-ов* (*на сев. Канады*) Adelaide Peninsula

Адели́, Земля́ (*часть терр. Антарктиды*) Adélie Coast, Adélie Land

А́ден *г.* (*Йемен*) Aden

А́денский зали́в (*Аравийское м., между п-овами Аравийским и Сомали*) Gulf of Aden

Аджа́рская Автоно́мная Сове́тская Социалисти́ческая Респу́блика, Аджа́рия (*Грузинская ССР, СССР*) Adzhar Autonomous Soviet Socialist Republic, Adzharia

А́дидже *р.* (*Италия*) Adige

Адиро́ндак *горы* (*США*) Adirondack Mountains

Адмиралте́йства острова́ (*арх. Бисмарка, Тихий ок., Папуа-Новая Гвинея*) Admiralty Islands, Admiralties

Адриано́поль *г.* Adrianople; *см.* Эди́рне

Адриати́ческое мо́ре (*часть Средиземного м., между п-овами Апеннинским и Балканским*) Adriatic Sea

Адыге́йская автоно́мная о́бласть (*Краснодарский край, РСФСР, СССР*) Adygei Autonomous Region

Азербайджа́нская Сове́тская Социалисти́ческая Респу́блика, Азербайджа́н (*вост. часть Закавказья, СССР*) Azerbaijan Soviet Socialist Republic, Azerbaijan

А́зия *часть света* (*вост. часть материка Евразия*) Asia

Азо́в *г.* (*Ростовская обл., РСФСР, СССР*) Azov

Азо́вское мо́ре (*на юге европейской части СССР*) Sea of Azov

Азо́рские острова́ *арх.* (*Атлантический ок., Португалия*) Azores

Айджа́л *г.* (*адм. центр шт. Мизорам, Индия*) Aijal

А́йдахо *шт.* (*США*) Idaho

А́йдахо-Фолс *г.* (*шт. Айдахо, США*) Idaho Falls

А́йзенах *г.* (*ФРГ*) Eisenach

А́йлей *о.* (*Внутренние Гебридские о-ва, Атлантический ок., Великобритания*) Islay

Айл-оф-Уа́йт *граф.* (*Англия, Великобритания, о. Уайт*) Isle of Wight

А́йова *шт.* (*США*) Iowa

Ака́ба 1. *г.* (*Иордания*) Aqaba, Akaba; **2.** *зал.* (*Красное м., между п-овами Аравийским и Синайским*) Gulf of Aqaba, Gulf of Akaba

Аквита́ния *ист. обл.* (*Франция*) Aquitania

А́кита *г.* (*о. Хонсю, Япония*) Akita

Акка́д *ист. г.* (*в Месопотамии*) Akkad, Accad

А́ккра *г.* (*столица Ганы*) Accra, Akkra

А́клинс *о.* (*Атлантический ок., гос-во Багамские Острова*) Acklins Island

Аконка́гуа *гора* (*горн. сист. Анды, Аргентина*) Aconcagua

А́крон *г.* (*шт. Огайо, США*) Akron

А́ксбридж *г.* (*метроп. граф. Большой Лондон, Англия, Великобритания*) Uxbridge

А́ксель-Хе́йберг *о.* (*Канадский Арктический арх., Канада*) Axel Heiberg

А́ктон *г.* (*метроп. граф. Большой Лондон, Англия, Великобритания*) Acton

Актю́бинск *г.* (*центр Актюбинской обл., Казахская ССР, СССР*) Aktyubinsk

А́кций *ист. мыс* (*Греция*) Actium

Акья́б *г.* Akyab; *см.* Ситуэ́

Алаба́ма 1. *шт.* (*США*) Alabama; **2.** *р.* (*США*) Alabama

Алако́ль *оз.* (*СССР*) Alakol

Ала́мида *г.* (*шт. Калифорния, США*) Alameda

А́ламо *ист. форт* (*шт. Техас, США*) the Alamo

Аламого́рдо *г.* (*шт. Нью-Мексико, США*) Alamogordo

Ала́ндские острова́ (*Балтийское м., Финляндия*) Åland Islands

Алата́у (*назв. горн. хребтов Средней Азии*) Ala Tau

Алаша́нь *пуст.* (*Китай*) Alashan

Алба́ния, Республика Албания *гос-во* (*Юго-Восточная Европа*) Albania Republic of Albania

А́лба-Ю́лия *г.* (*Румыния*) Alba Iulia

А́лбемарл *о.* Albemarle Island; *см.* Исабе́ла

Алда́н 1. *г.* (*Якутская АССР, РСФСР, СССР*) Aldan; **2.** *р.* (*СССР*) Aldan

Алда́нское наго́рье (*Якутская АССР, СССР*) Aldan Mountains

Але́зия *ист. г.* (*на терр. совр. Франции*) Alesia

Алекса́ндра архипела́г (*у побережья Северной Америки, Тихий ок., США*) Alexander Archipelago

Александре́тта *г.* Alexandretta; *см.* Искендеру́н 1

Алекса́ндрия *г.* (*шт. Виргиния, США*) Alexandria

Александри́я 1. *г.* (*Египет*) Alexandria; **2.** *г.* (*Румыния*) Alexandria

Але́ппо *г.* Alep(po); *см.* Ха́леб

Алесса́ндрия *г.* (*Италия*) Alessandria

Алеу́тские острова́ *арх.* (*Тихий ок., США*) Aleutian Islands, Aleutians

Алеу́тский жёлоб (*Тихий ок.*) Aleutian Trench

Алжи́р I Алжирская Народная Демократическая Республика *гос-во* (*Северная Африка*) Algeria, People's Democratic Republic of Algeria

Алжи́р II *г.* (*столица Алжира*) Algiers

Алика́нте *г.* (*Испания*) Alicante

Аллахаба́д *г.* (*шт. Уттар-Прадеш, Индия*) Allahabad

Аллега́ны *горы* (*США*) Allegheny Mountains

А́ллентаун *г.* (*шт. Пенсильвания, США*) Allentown

Алма́-Ата́ *г.* (*столица Казахской ССР, СССР*) Alma-Ata

Алмалы́к *г.* (*Ташкентская обл., Узбекская ССР, СССР*) Almalyk

А́лор *о.* (*Малые Зондские о-ва, Индонезия*) Alor

А́лор-Сета́р, А́лор-Стар *г.* (*Малайзия*) Alor Setar, Alor Star

Ало́фи *г.* (*адм. центр о. Ниуэ, влад. Новой Зеландии*) Alofi

Алта́й *горн. сист.* (*на юге Западной Сибири, СССР*) Altai

Алта́йский край (*РСФСР, СССР*) Altai Territory

Алту́на *г.* (*шт. Пенсильвания, США*) Altoona

Алты́нтаг *хр.* (*Китай*) Altyn (*или* Altin) Tagh

А́льба-Ло́нга *ист. г.* (*на терр. совр. Италии*) Alba Longa

Альбасе́те *г.* (*Испания*) Albacete

Альбе́рт *оз.* Lake Albert; *см.* Мобу́ту-Се́се-Се́ко

Альбе́рта *пров.* (*Канада*) Alberta

Альбио́н *ист.* (*древнее назв. Британских о-вов*) Albion

Альбуке́рке *г.* (*шт. Нью-Мексико, США*) Albuquerque

Альда́бра *о-ва* (*Индийский ок., гос-во Сейшельские Острова*) Aldabra

Альмаде́н *г.* (*Испания*) Almadén

Альмади́ *мыс* (*крайняя зап. точка Африки, Сенегал*) Cape Almadies

Альмери́я *г.* (*Испания*) Almería

Альме́тьевск *г.* (*Татарская АССР, РСФСР, СССР*) Almetyevsk

А́льпы *горн. сист.* (*Западная Европа*) Alps

Альс *о.* (*Балтийское м., Дания*) Als

А́льфёльд (*часть Среднедунайской равнины, Венгрия*) Alföld

Альхеси́рас *г.* (*Испания*) Algeciras

Аля́ска 1. *шт.* (*США*) Alaska; **2.** *зал.* (*Тихий ок., между п-овом*

Аляска и о. Ванкувер) Gulf of Alaska; **3.** *п-ов* (*на сев.-зап. США*) Alaska Peninsula

Аля́скинский хребе́т (*п-ов Аляска, США*) Alaska Range

Амага́саки *г.* (*о. Хонсю, Япония*) Amagasaki

Амади́ес *оз.* (*Австралия*) Lake Amadeus

Амазо́ния *геогр. обл.* (*Бразилия, Колумбия, Эквадор и Перу*) Amazonia

Амазо́нка *р.* (*Бразилия и Перу*) Amazon

Амара́вати *г.* (*шт. Махараштра, Индия*) Amaravati

Амари́лло *г.* (*шт. Техас, США*) Amarillo

Амбо́н 1. *г.* (*о. Амбон, Индонезия*) Ambon; **2.** *о.* (*Молуккские о-ва, м. Банда, Индонезия*) Ambon

Аме́рика *часть света* (*состоит из двух материков — Северной и Южной Америки*) America

Амира́нтские острова́ (*Индийский ок., гос-во Сейшельские Острова*) Amirante Islands, Amirantes

Амма́н *г.* (*столица Иордании*) Amman

Амо́й *г.* Amoy; *см.* Сямы́нь

Амри́тсар *г.* (*шт. Пенджаб, Индия*) Amritsar

Амстерда́м *г.* (*столица Нидерландов*) Amsterdam

Амударья́ *р.* (*СССР и Афганистан*) Amu Darya

А́мундсена зали́в (*м. Бофорта, Канада*) Amundsen Gulf

А́мундсена мо́ре (*Тихий ок., Антарктика*) Amundsen Sea

Амундсен-Скотт (*науч. ст. США, Южный полюс, Антарктида*) Amundsen-Scott

Аму́р *р.* (*СССР и Китай*) Amur

Аму́рский зали́в (*Японское м., побережье СССР*) Amur Bay

Амье́н *г.* (*Франция*) Amiens

Ана́дырский зали́в (*Берингово м., побережье СССР*) Gulf of Anadyr, Gulf of Anadir

Ана́дырь 1. *г.* (*центр Чукотского авт. окр., Магаданская обл., РСФСР, СССР*) Anadyr, Anadir; **2.** *р.* (*СССР*) Anadyr, Anadir

Ана́па *г.* (*Краснодарский край, РСФСР, СССР*) Anapa

Анато́лия *ист. обл.* (*азиатская часть Турции*) Anatolia

А́нахайм *г.* (*шт. Калифорния, США*) Anaheim

Ангара́ *р.* (*СССР*) Angara

Анга́рск *г.* (*Иркутская обл., РСФСР, СССР*) Angarsk

Анги́лья *о.* (*Малые Антильские о-ва, Атлантический ок., влад. Великобритании*) Anguilla

Англи́йский кана́л *прол.* English Channel; *см.* Ла-Манш

А́нглия (*адм.-полит. часть Великобритании*) England

А́нглси *о.* (*Ирландское м., Великобритания*) Anglesey, Anglesea

Анго́ла, Народная Республика Ангола *гос-во* (*Центральная Африка*) Angola, People's Republic of Angola

Ангре́н *г.* (*Ташкентская обл., Узбекская ССР, СССР*) Angren

Ангуле́м *г.* (*Франция*) Angoulême

Андалу́сия *ист. обл.* (*Испания*) Andalusia

Андама́нские и Никоба́рские острова́ *союзная терр.* (*Индия*) Andaman and Nicobar Islands

Андама́нские острова́ (*между Бенгальским зал. и Андаманским м., Индийский ок., Индия*) Andaman Islands, Andamans

Андама́нское мо́ре (*Индийский ок., между п-овами Индокитай и Малакка*) Andaman Sea

А́ндерсон 1. *г.* (*шт. Индиана, США*) Anderson; **2.** *г.* (*шт. Южная Каролина, США*) Anderson

Андижа́н *г.* (*центр Андижанской обл., Узбекская ССР, СССР*) Andizhan

Андо́рра, Княжество Андорра *гос-во* (*Юго-Западная Европа*) Andorra, Principality of Andorra

Андо́рра-ла-Ве́лья *г.* (*столица Андорры*) Andorra la Vella

Андрея́новские острова́ (*арх. Алеутские о-ва, Тихий ок., США*) Andreanof Islands

Андро́пов *г.* Andropov; *см.* Рыбинск

А́ндрос 1. *о.* (*Атлантический ок., гос-во Багамские Острова*)

Andros; **2.** *о.* (*арх. Киклады, Эгейское м., Греция*) Andros

А́ндхра-Пра́деш *шт.* (*Индия*) Andhra Pradesh

А́нды *горн. сист.* (*Южная Америка*) Andes

Анега́да *прол.* (*между Виргинскими и Наветренными о-вами*) Anegada Passage

Ане́то *пик* (*горн. сист. Пиренеи, Испания*) Pico de Aneto

Ане́хо *г.* (*Того*) Anécho

Анже́ *г.* (*Франция*) Angers

Анже́ро-Су́дженск *г.* (*Кемеровская обл., РСФСР, СССР*) Anzhero Sudzhensk

Анжу́ *ист. пров.* (*Франция*) Anjou

Анзе́н *г.* (*Франция*) Anzin

Анкара́ *г.* (*столица Турции*) Ankara

Анко́на *г.* (*Италия*) Ancona

А́нкоридж *г.* (*шт. Аляска, США*) Anchorage

Анна́ба *г.* (*Алжир*) Annaba

Анна́полис *г.* (*адм. центр шт. Мэриленд, США*) Annapolis

Анн-А́рбор *г.* (*шт. Мичиган, США*) Ann Arbor

Аннеси́ *г.* (*Франция*) Annecy

А́ннистон *г.* (*шт. Алабама, США*) Anniston

Анст *о.* (*Шетландские о-ва, Атлантический ок., Великобритания*) Unst

Анта́кья *г.* (*Турция*) Antakya

Анта́лья *г.* (*Турция*) Antalya

Антананари́ву *г.* (*столица Мадагаскара*) Antananarivo

Антаркти́да *материк* (*Антарктика*) Antarctica, Antarctic Continent

Анта́рктика (*юж. полярная обл. земного шара*) Antarctic Regions

Антаркти́ческий полуо́стров (*Антарктида*) Antarctic Peninsula

Антве́рпен *г.* (*Бельгия*) Antwerp

Антиатла́с *хр.* (*Марокко*) Anti-Atlas

Анти́гуа 1. *г.* (*Гватемала*) Antigua; **2.** *о.* (*Малые Антильские о-ва, Карибское м., гос-во Антигуа и Барбуда*) Antigua

Анти́гуа и Барбу́да *гос-во* (*на о-вах Антигуа, Барбуда и Редонда, Вест-Индия*) Antigua and Barbuda

Антико́сти *о.* (*зал. Святого Лаврентия, Атлантический ок., Канада*) Anticosti Island

Антилива́н *горы* (*Сирия и Ливан*) Anti-Lebanon

Анти́льские острова́ *арх.* Antilles; *см.* Больши́е Анти́льские острова́ *и* Ма́лые Анти́льские острова́

Антипо́дов острова́ (*Тихий ок., Новая Зеландия*) Antipodes

Антита́вр *горы* (*Турция*) Anti-Taurus

Антофага́ста *г.* (*Чили*) Antofagasta

А́нтрим 1. *окр.* (*Северная Ирландия, Великобритания*) Antrim; **2.** *г.* (*адм. центр окр. Антрим, Северная Ирландия, Великобритания*) Antrim; **3.** *плато* (*Северная Ирландия, Великобритания*) Antrim

Анурадхапу́ра *г.* (*Шри-Ланка*) Anuradhapura

А́нхелес *г.* (*о. Лусон, Филиппины*) Angeles

А́нхель *вдп.* (*р. Чурун, Венесуэла*) Angel Falls

Аньда́ *г.* (*пров. Хэйлунцзян, Китай*) Anda

Аньхо́й *пров.* (*Китай*) Anhui, Anhwei

Аньци́н *г.* (*пров. Аньхой, Китай*) Anqing, Anching

Аньша́нь *г.* (*пров. Ляонин, Китай*) Anshan

Анья́н *г.* (*пров. Хэнань, Китай*) Anyang

Ао́мори *г.* (*о. Хонсю, Япония*) Aomori

Аомы́нь 1. (*влад. Португалии на терр. Китая*) Aomin; **2.** *г.* (*адм. центр терр. Аомынь*) Aomin

Апала́чи *зал.* (*Мексиканский зал., побережье США*) Apalachee Bay

Апалачико́ла *р.* (*США*) Apalachicola

Апати́ты *г.* (*Мурманская обл., РСФСР, СССР*) Apatity

А́пелдорн *г.* (*Нидерланды*) Apeldoorn

Апенни́ны *горы* (*Италия*) Apennines

А́пиа *г.* (*столица Западного Самоа, о. Уполу*) Apia

А́плтон *г.* (*шт. Висконсин, США*) Appleton

Аппала́чи *горы* (*США*) Appalachian Mountains, Appalachians

Аппала́чское плато́ (*США*) Appalachian Plateau

Апу́лия 1. *обл.* (*Италия*) Apulia; **2.** *п-ов* Apulia; *см.* Салентина

Апу́ре *р.* (*Венесуэла*) Apure

Апури́мак *р.* (*Перу*) Apurímac

Апшеро́нский полуо́стров (*зап. побережье Каспийского м., СССР*) Apsheron

Арави́йская пусты́ня (*Египет*) Arabian Desert

Арави́йский полуо́стров (*Юго-Западная Азия*) Arabia, Arabian Peninsula

Арави́йское мо́ре (*Индийский ок., между п-овами Аравийским и Индостан*) Arabian Sea

Арага́ц *гора* (*Армянское нагорье, СССР*) Aragats

Араго́н *ист. обл.* (*Испания*) Aragon

Арагуа́я *р.* (*Бразилия*) Araguaya

Ара́д *г.* (*Румыния*) Arad

Аракажу́ *г.* (*Бразилия*) Aracajú

Ара́кс *р.* (*СССР, Турция и Иран*) Araks

Ара́льское мо́ре (*на юго-зап. азиатской части СССР*) Lake Aral, Aral Sea

А́рам *ист. гос-во* (*на терр. Сирии и Палестины*) Aram

А́ран *о-ва* (*Атлантический ок., Ирландия*) Aran Islands

Арара́т *гора* (*Армянское нагорье, Турция*) Ararat

Арафу́рске мо́ре (*Индийский ок., между Австралией, о. Новая Гвинея и Малыми Зондскими о-вами*) Arafura Sea

Аргенти́на, Аргентинская Республика *гос-во* (*Южная Америка*) Argentina, the Argentine, Argentine Republic

Арго́нн *возв.* (*Франция*) Argonne

А́ргос *ист. г.* (*Греция*) Argos

Аргу́нь *р.* (*СССР и Китай*) Argun

Арде́нны *плато* (*Бельгия и Франция*) Ardennes

Ардс *окр.* (*Северная Ирландия, Великобритания*) Ards

Ареки́па *г.* (*Перу*) Arequipa

Аре́ццо *г.* (*Италия*) Arezzo

Арзама́с *г.* (*Нижегородская обл., РСФСР, СССР*) Arzamas

Арзе́в *г.* (*Алжир*) Arzeu, Arzew

Аризо́на *шт.* (*США*) Arizona

Ари́ка *г.* (*Чили*) Arica

Арка́дия *ист. обл.* (*Греция*) Arcadia

Аркалы́к *г.* (*центр Тургайской обл., Казахская ССР, СССР*) Arkalyk

Арка́нзас 1. *шт.* (*США*) Arkansas; **2.** *р.* (*США*) Arkansas

А́рктика (*сев. полярная обл. земного шара*) Arctic Regions

Арма́ 1. *окр.* (*Северная Ирландия, Великобритания*) Armagh; **2.** *г.* (*адм. центр окр. Арма, Северная Ирландия, Великобритания*) Armagh

Армави́р *г.* (*Краснодарский край, РСФСР, СССР*) Armavir

Арме́ния *г.* (*Колумбия*) Armenia

А́рмидейл *г.* (*шт. Новый Южный Уэльс, Австралия*) Armidale

Армо́рика *ист.* (*кельтское назв. терр. Бретани*) Armorica

Армя́нская Сове́тская Социалисти́ческая Респу́блика, Арме́ния (*на юге Закавказья, СССР*) Armenian Soviet Socialist Republic, Armenia

А́рнем *г.* (*Нидерланды*) Arnhem

А́рнемленд *п-ов* (*на сев. Австралии*) Arnhemland

А́рно *р.* (*Италия*) Arno

А́рран *о.* (*Атлантический ок., Великобритания*) Arran

Арра́с *г.* (*Франция*) Arras

Артём *г.* (*Приморский край, РСФСР, СССР*) Artem

Артёмовск 1. *г.* (*Луганская обл., Украинская ССР, СССР*) Artemovsk; **2.** *г.* (*Донецкая обл., Украинская ССР, СССР*) Artemovsk; **3.** *г.* (*Красноярский край, РСФСР, СССР*) Artemovsk

Артуа́ *ист. пров.* (*Франция*) Artois

А́ру *о-ва* (*Арафурское м., Индонезия*) Aroe (*или* Aru) Islands

Ару́ба *о.* (*Малые Антильские о-*

ва, Карибское м., влад. Нидерландов) Aruba

Аруви́ми *р.* (*Заир*) Aruwimi

Аруна́ча́л-Пра́деш *шт.* (*Индия*) Arunachal Pradesh

Ару́ша *г.* (*Танзания*) Arusha

Арха́нгельск *г.* (*центр Архангельской обл., РСФСР, СССР*) Arkhangelsk, Archangel

Асансо́л *г.* (*шт. Западная Бенгалия, Индия*) Asansol

Асахига́ва *г.* Asahigawa; *см.* Асахика́ва

Асахика́ва *г.* (*о. Хоккайдо, Япония*) Asahikawa

Асбе́стос *г.* (*пров. Квебек, Канада*) Asbestos

Асеновгра́д *г.* (*Болгария*) Asenovgrad

Асика́га *г.* (*о. Хонсю, Япония*) Ashikaga

Аска́ния-Но́ва *заповедник* (*Украинская ССР, СССР*) Askaniya Nova

Асма́ра *г.* (*Эфиопия*) Asmara

Асса́б *г.* Assab; *см.* А́сэб

Асса́м *шт.* (*Индия*) Assam

Асси́рия *ист. гос-во* (*в Двуречье, на терр. совр. Ирака*) Assyria

Ассу́р *ист. г.* Assur; *см.* Ашшу́р

А́страхань *г.* (*центр Астраханской обл., РСФСР, СССР*) Astrakhan

Асту́рия *ист. обл.* (*Испания*) Asturias

Асуа́н *г.* (*Египет*) Aswan, Ass(o)uan

Асунсьо́н *г.* (*столица Парагвая*) Asunción

Асью́т *г.* (*Египет*) Asyut

А́сэб *г.* (*Эфиопия*) Aseb

Атаба́ска 1. *г.* (*пров. Альберта, Канада*) Athabasca, Athabaska; **2.** *р.* (*Канада*) Athabasca, Athabaska; **3.** *оз.* (*Канада*) Lake Athabasca

Атака́ма *пуст.* (*Чили*) Atacama Desert

А́тбара 1. *г.* (*Судан*) Atbara; **2.** *р.* (*Судан и Эфиопия*) Atbara

Атла́нта *г.* (*адм. центр шт. Джорджия, США*) Atlanta

Атла́нтик-Си́ти *г.* (*шт. Нью-Джерси, США*) Atlantic City

Атланти́ческий океа́н (*между Африкой, Европой, Северной и Южной Америкой и Антарктидой*) Atlantic Ocean

А́тла́с *горн. сист.* (*Алжир, Марокко и Тунис*) Atlas Mountains

Атра́то *р.* (*Колумбия*) Atrato

А́ттика *ист. обл.* (*Греция*) Attica

Аугра́бис *вдп.* (*р. Оранжевая, ЮАР*) Aughrabies Falls

А́угсбург *г.* (*ФРГ*) Augsburg

Афганиста́н, Республика Афганистан *гос-во* (*Юго-Западная Азия*) Afghanistan, Republic of Afghanistan

Афи́ны *г.* (*столица Греции*) Athens

Афо́н *гора* (*Греция*) Athos

А́фрика *материк, часть света* Africa

Африка́нский рог (*назв. терр. Северо-Восточной Африки, выступающей в виде рога в Индийский ок.*) Horn of Africa

Аха́ггар *нагорье* (*Алжир*) Ahaggar Mountains

Ахва́з *г.* (*Иран*) Ahvas, Ahwas

А́хвенанма *о-ва* Ahvenanmaa; *см.* Ала́ндские острова́

А́хен *г.* (*ФРГ*) Aachen

Ахмадаба́д *г.* (*шт. Гуджарат, Индия*) Ahmadabad, Ahmedabad

Ахмади́ *г.* (*Кувейт*) Al Ahmadi

Ахмадна́гар *г.* (*шт. Махараштра, Индия*) Ahmadnagar, Ahmednagar

А́чинск *г.* (*Красноярский край, РСФСР, СССР*) Achinsk

А́швилл *г.* (*шт. Северная Каролина, США*) Asheville

А́шленд 1. *г.* (*шт. Висконсин, США*) Ashland; **2.** *г.* (*шт. Кентукки, США*) Ashland

Ашхаба́д *г.* (*столица Туркменской ССР, СССР*) Ashkhabad

Ашшу́р *ист. г.* (*на терр. совр. Ирака*) Ashur

Аю́тия = Аюттха́я

Аюттха́я *г.* (*Таиланд*) Ayutthaya

Ая́ччо *г.* (*о. Корсика, Франция*) Ajaccio

Б

Баальбе́к *г.* (*Ливан*) Baalbek

Баба́ *мыс* (*крайняя зап. точка Азии, Турция*) Cape Baba

Бабуя́н *о-ва* (*Филиппины*) Babuyan Islands, Babuyanes

Баб-эль-Манде́бский проли́в (*между Аравийским п-овом и Африкой, соединяет Красное м. с Аравийским*) Bab el Mandeb

Бава́рия *земля* (*ФРГ*) Bavaria

Бага́мские Острова́, Содружество Багамских Островов *гос-во* (*на Багамских о-вах, Вест-Индия*) the Bahamas, Commonwealth of the Bahamas

Бага́мские острова́ (*Атлантический ок., Вест-Индия, гос-во Багамские Острова*) Bahama Islands, Bahamas

Багда́д *г.* (*столица Ирака*) Bag(h)dad

Ба́глан *г.* (*Афганистан*) Baghlan

Бадало́на *г.* (*Испания*) Badalona

Бадахо́с *г.* (*Испания*) Badajoz

Ба́ден 1. *г.* (*Австрия*) Baden; **2.** *г.* (*Швейцария*) Baden

Ба́ден-Ба́ден *г.* (*ФРГ*) Baden-Baden

Ба́зель *г.* (*Швейцария*) Basel

Ба́зилдон *г.* (*в составе Большого Лондона, Англия, Великобритания*) Basildon

Ба́йя-Бла́нка *г.* (*Аргентина*) Bahía Blanca

Байка́л *оз.* (*СССР*) Lake Baikal

Байка́льский хребе́т (*сев.-зап. побережье оз. Байкал, СССР*) Baikal Mountains

Байкону́р *космодром* (*Джезказганская обл., Казахская ССР, СССР*) Baikonur

Байле́н *г.* (*Испания*) Bailén

Ба́йлот *о.* (*Канадский Арктический арх., Канада*) Bylot Island

Ба́йрон *мыс* (*крайняя вост. точка Австралии*) Cape Byron

Бакбо́ *зал.* (*Южно-Китайское м., побережье Вьетнама и Китая*) Gulf of Tonkin, Gulf of Tongking

Баква́нга *г.* Bakwanga; *см.* Мбу́жи-Ма́йи

Ба́кингемшир *граф.* (*Англия, Великобритания*) Buckinghamshire

Бако́лод *г.* (*о. Негрос, Филиппины*) Bacolod

Ба́кстон *г.* (*граф. Дербишир, Англия, Великобритания*) Buxton

Ба́ктра *ист. г.* (*столица Бактрии, на терр. совр. Афганистана*) Bactra

Ба́ктрия *ист. обл.* (*в Средней Азии, Афганистан и СССР*) Bactria

Баку́ *г.* (*столица Азербайджанской ССР, СССР*) Baku

Бакэ́у *г.* (*Румыния*) Bačau

Балако́во *г.* (*Саратовская обл., РСФСР, СССР*) Balakovo

Ба́латон *оз.* (*Венгрия*) Balaton

Балаши́ха *г.* (*Московская обл., РСФСР, СССР*) Balashikha

Балеа́рские острова́ (*Средиземное м., Испания*) Balearic Islands

Ба́ли 1. *м.* (*Тихий ок., Индонезия*) Bali Sea; **2.** *о.* (*Малые Зондские ова, Индонезия*) Bali

Баликпа́пан *г.* (*о. Калимантан, Индонезия*) Balikpapan

Балка́нские го́ры Balkan Mountains; *см.* Ста́ра-Планина́

Балка́нский полуо́стров (*на юге Европы*) Balkan Peninsula

Балка́ны *горы* Balkan Mountains; *см.* Ста́ра-Планина́

Ба́ллarат *г.* (*шт. Виктория, Австралия*) Ballarat

Ба́ллени острова́ (*Тихий ок., Антарктика*) Balleny Islands

Баллика́сл *г.* (*адм. центр окр. Мойл, Северная Ирландия, Великобритания*) Ballycastle

Баллими́на 1. *окр.* (*Северная Ирландия, Великобритания*) Ballymena; **2.** *г.* (*адм. центр окр. Баллимина, Северная Ирландия, Великобритания*) Ballymena

Баллимо́ни 1. *окр.* (*Северная Ирландия, Великобритания*) Ballymoney; **2.** *г.* (*адм. центр окр. Баллимони, Северная Ирландия, Великобритания*) Ballymoney

Балти́йское мо́ре (*Атлантический ок., у берегов Европы*) Baltic Sea

Ба́лтимор *г.* (*шт. Мэриленд, США*) Baltimore

Балха́ш 1. *г.* (*Джезказганская обл., Казахская ССР, СССР*) Balkhash; **2.** *оз.* (*СССР*) Lake Balkhash

Балыкеси́р *г.* (*Турция*) Balikesir

Бальбо́а *г.* (*Панама*) Balboa

Бальбо́а-Хайтс *г.* (*Панама*) Balboa Heights

Ба́льсас *р.* (*Мексика*) Río de las Balsas

Бамако́ *г.* (*столица Мали*) Bamako

Бамиа́н *г.* (*Афганистан*) Bamian

Бана́ба *о.* Banaba; *см.* О́шен

Бана́т *ист. обл.* (*Румыния и Югославия*) Banat

Банбри́дж **1.** *окр.* (*Северная Ирландия, Великобритания*) Banbridge; **2.** *г.* (*адм. центр окр. Банбридж, Северная Ирландия, Великобритания*) Banbridge

Бангало́р *г.* (*адм. центр шт. Карнатака, Индия*) Bangalore

Бангвеу́лу *оз.* (*Замбия*) Lake Bangweulu

Банги́ *г.* (*столица Центральноафриканской Республики*) Bangui

Бангко́к *г.* (*столица Таиланда*) Bangkok

Бангладе́ш, Народная Республика Бангладеш *гос-во* (*Южная Азия*) Bangladesh, People's Republic of Bangladesh

Ба́нгор **1.** *г.* (*адм. центр окр. Норт-Даун, Северная Ирландия, Великобритания*) Bangor; **2.** *г.* (*граф. Гуинет, Уэльс, Великобритания*) Bangor; **3.** *г.* (*шт. Мэн, США*) Bangor

Ба́нда *м.* (*Тихий ок., Индонезия*) Banda Sea

Ба́ндар-Се́ри-Бегава́н *г.* (*столица Брунея*) Bandar Seri Begawan

Банде́йра *гора* (*Бразильское плскг., Бразилия*) Pico da Bandeira

Банджарма́син *г.* (*о. Калимантан, Индонезия*) Bandjarmasin, Banjarmasin

Банду́нг *г.* (*о. Ява, Индонезия*) Bandoeng, Bandung

Банжу́л *г.* (*столица Гамбии*) Banjul

Ба́нка *о.* (*Большие Зондские о-ва, Индонезия*) Bangka

Банкс *о.* (*Канадский Арктический арх., Канада*) Banks Island

Банн *р.* (*Северная Ирландия, Великобритания*) Bann

Ба́нска-Би́стрица *г.* (*Чехословакия*) Banská Bystrica

Банф **1.** *г.* (*обл. Грампиан, Шотландия, Великобритания*) Banff; **2.** *нац. парк* (*Канада*) Banff National Park

Ба́ня-Лу́ка *г.* (*Социалистическая Республика Босния и Герцеговина, Югославия*) Banja Luka

Баоди́н *г.* (*пров. Хэбэй, Китай*) Baoding, Paoting

Баото́у *г.* (*авт. р-н Внутренняя Монголия, Китай*) Baotou, Paotou

Барака́льдо *г.* (*Испания*) Baracaldo

Бара́новичи *г.* (*Брестская обл., Белорусская ССР, СССР*) Baranovichi

Барба́дос **1.** *гос-во* (*на о. Барбадос, Вест-Индия*) Barbados; **2.** *о.* (*Малые Антильские о-ва, Атлантический ок., гос-во Барбадос*) Barbados

Барбу́да *о.* (*Малые Антильские о-ва, Атлантический ок., гос-во Антигуа и Барбуда*) Barbuda

Баре́ли *г.* (*шт. Уттар-Прадеш, Индия*) Bareilly

Ба́ренца о́стров (*арх. Шпицберген, Северный Ледовитый ок., Норвегия*) Barents Island

Ба́ренцево мо́ре (*Северный Ледовитый ок., у берегов СССР и Норвегии*) Barents Sea

Ба́ри *г.* (*Италия*) Bari

Бари́то *р.* (*о. Калимантан, Индонезия*) Barito

Ба́ркинг *г.* (*метроп. граф. Большой Лондон, Англия, Великобритания*) Barking (Town)

Баркисиме́то *г.* (*Венесуэла*) Barquisimeto

Ба́ркли *плато* (*Австралия*) Barkly Tableland

Барку́ *р.* Barcoo; *см.* Ку́перс-Крик

Барнау́л *г.* (*центр Алтайского края, РСФСР, СССР*) Barnaul

Ба́рнсли *г.* (*адм. центр метроп. граф. Саут-Йоркшир, Англия, Великобритания*) Barnsley

Баро́да *г.* (*шт. Гуджарат, Индия*) Baroda

Ба́рра *о.* (*арх. Гебридские о-ва,*

Атлантический ок., Великобритания) Barra

Барранкаберме́ха *г.* (*Колумбия*) Barrancabermeja

Барранки́лья *г.* (*Колумбия*) Barranquilla

Ба́рри *г.* (*граф. Саут-Гламорган, Уэльс, Великобритания*) Barry

Ба́рроу I 1. *прол.* (*Канадский Арктический арх.*) Barrow Strait; **2.** *мыс* (*п-ов Аляска, США*) Point Barrow

Ба́рроу II *г.* (*граф. Ланкашир, Англия, Великобритания*) Barrow (in Furness)

Барсело́на 1. *г.* (*Испания*) Barcelona; **2.** *г.* (*Венесуэла*) Barcelona

Баси́лан 1. *г.* (*о. Басилан, Филиппины*) Basilan; **2.** *о.* (*арх. Сулу, Филиппины*) Basilan

Ба́сков Страна́ *ист. обл.* (*Испания*) Basque Provinces

Баскунча́к *оз.* (*СССР*) Baskunchak

Ба́сра *г.* (*Ирак*) Basra(h)

Ба́сса проли́в (*между Австралией и о. Тасмания*) Bass Strait

Bассе́йн *г.* (*Мьянма*) Bassein

Бас-Тер *г.* (*адм. центр о. Гваделупа, Малые Антильские о-ва*) Basse-Terre

Бaсте́р *г.* (*столица гос-ва Сент-Кристофер и Невис, о. Сент-Кристофер*) Basseterre

Басу́толенд Basutoland; *см.* Лесо́то

Бат *г.* (*граф. Эйвон, Англия, Великобритания*) Bath

Ба́та *г.* (*Экваториальная Гвинея*) Bata

Батабано́ *зал.* (*Карибское м., о. Куба*) Gulf of Batabanó

Бата́вия *г.* Batavia; *см.* Джака́рта

Бата́нгас *г.* (*о. Лусон, Филиппины*) Batangas

Ба́терст 1. *г.* Bathurst; *см.* Банжу́л; **2.** *о.* (*Тиморское м., Австралия*) Bathurst Island; **3.** *о.* (*Канадский Арктический арх., Канада*) Bathurst Island

Батл-Крик *г.* (*шт. Мичиган, США*) Battle Creek

Ба́тна *г.* (*Алжир*) Batna

Ба́тон-Руж *г.* (*адм. центр шт. Луизиана, США*) Baton Rouge

Баттамба́нг *г.* (*Камбоджа*) Battambang

Баттикало́а *г.* (*Шри-Ланка*) Batticaloa

Бату́ми *г.* (*столица Аджарской АССР, Грузинская ССР, СССР*) Batumi

Бауру́ *г.* (*Бразилия*) Baurú

Ба́утцен *г.* (*ФРГ*) Bautzen

Ба́ффина мо́ре (*между о-вами Баффинова Земля и Гренландия*) Baffin Bay

Ба́ффинова Земля́ *о.* (*Канадский Арктический арх., Канада*) Baffin Island

Ба́ффинов зали́в = Ба́ффина мо́ре

Бахавалпу́р *г.* (*Пакистан*) Bahawalpur

Бахари́я *оазис* (*Ливийская пуст., Египет*) Baharîya

Бахре́йн 1. Государство Бахрейн *гос-во* (*на о-вах Бахрейн, Персидский зал., Юго-Западная Азия*) Bahrain, Bahrein, State of Bahrain; **2.** *о-ва* (*Персидский зал., Индийский ок., гос-во Бахрейн*) Bahrain (*или* Bahrein) Islands

Бахчисара́й *г.* (*Крымская обл., Украинская ССР, СССР*) Bakhchisarai

Ба́ши *прол.* (*между о. Тайвань и Филиппинскими о-вами*) Bashi Channel

Башки́рская Автоно́мная Сове́тская Социалисти́ческая Респу́блика, Башки́рия (*РСФСР, СССР*) Bashkir Autonomous Soviet Socialist Republic, Bashkiria

Ба́я-Ма́ре *г.* (*Румыния*) Baia-Mare

Бая́мо *г.* (*Куба*) Bayamo

Баямо́н *г.* (*о. Пуэрто-Рико, Большие Антильские о-ва*) Bayamón

Бва́ке = Буа́ке

Беа́рн *ист. пров.* (*Франция*) Béarn

Беджа́йя *г.* (*Алжир*) Bejaïa

Бе́дфорд *г.* (*адм. центр граф. Бедфордшир Англия, Великобритания*) Bedford

Бе́дфордшир *граф.* (*Англия, Великобритания*) Bedfordshire

Безансо́н *г.* (*Франция*) Besançon

Безва́да *г.* Bezwada; *см.* Виджаява́да

Бе́йкер *о.* (*Тихий ок., влад. США*) Baker Island

Бе́йкерсфилд *г.* (*шт. Калифорния, США*) Bakersfield

Бейо́нн *г.* (*шт. Нью-Джерси, США*) Bayonne

Бе́йра *г.* (*Мозамбик*) Beira

Бейру́т *г.* (*столица Ливана*) Beirut

Бей-Си́ти *г.* (*шт. Мичиган, США*) Bay City

Бейцзи́н *г.* Beijing; *см.* Пеки́н

Бе́кешчаба *г.* (*Венгрия*) Békéscsaba

Бе́лая *р.* (*СССР*) Belaya

Бе́лая Во́льта *р.* (*Буркина-Фасо и Гана*) White Volta

Бе́лая Це́рковь *г.* (*Киевская обл., Украинская ССР, СССР*) Belaya Tserkov

Бе́лвилл I *г.* (*пров. Онтарио, Канада*) Belleville

Бе́лвилл II *г.* (*Капская пров., ЮАР*) Bellville

Белга́он, Белга́ум *г.* (*шт. Карнатака, Индия*) Belgaum

Бе́лгород *г.* (*центр Белгородской обл., РСФСР, СССР*) Belgorod

Белгра́д *г.* (*столица Югославии и Социалистической Республики Сербии*) Belgrade

Беле́н *г.* (*Бразилия*) Belém

Бели́з 1. *гос-во* (*Центральная Америка*) Belize; **2.** *г.* (*Белиз*) Belize

Белиту́нг *о.* (*Большие Зондские о-ва, Южно-Китайское м., Индонезия*) Belitung

Белл-Айл *прол.* (*между о. Ньюфаундленд и п-овом Лабрадор, Канада*) Strait of Belle Isle

Бе́ллинг(х)ем *г.* (*шт. Вашингтон, США*) Bellingham

Беллинсга́узена мо́ре (*Тихий ок., Антарктика*) Bellingshausen Sea

Бе́лое мо́ре (*Северный Ледовитый ок., у берегов СССР*) White Sea

Бе́лое о́зеро (*СССР*) Belo(y)e Ozero

Белору́сская Сове́тская Социалисти́ческая Респу́блика, Белору́ссия (*на зап. европейской части СССР*) Byelorussian Soviet Socialist Republic, Byelorussia

Белосто́к *г.* (*Польша*) Białystok

Бе́лпер *г.* (*граф. Дербишир, Англия, Великобритания*) Belper

Белуджиста́н *ист. обл.* (*Иран*) Baluchistan, Beluchistan

Бе́лу-Оризо́нти *г.* (*Бразилия*) Belo Horizonte

Белу́ха *гора* (*горн. сист. Алтай, СССР*) Belukha

Бе́лфаст 1. *окр.* (*Северная Ирландия, Великобритания*) Belfast; **2.** *г.* (*адм. центр округов Белфаст и Каслрей, Северная Ирландия, Великобритания*) Belfast; **3.** *г.* (*пров. Трансвааль, ЮАР*) Belfast

Бе́лчер *о-ва* (*Гудзонов зал., Канада*) Belcher Islands

Бе́лый Нил *р.* (*Судан*) White Nile; *см.* Нил

Бе́льгия, Королевство Бельгия *гос-во* (*Западная Европа*) Belgium, Kingdom of Belgium

Бельмопа́н *г.* (*столица Белиза*) Belmopan

Бе́льско-Бя́ла *г.* (*Польша*) Bielsko-Biała

Бе́льцы *г.* (*ССР Молдова, СССР*) Beltsy

Бена́рес *г.* Benares; *см.* Варана́си

Бенга́зи *г.* (*Ливия*) Bengasi

Бенга́лия *ист. обл.* (*Южная Азия*) Bengal

Бенга́льский зали́в (*Индийский ок., между п-овами Индостан и Индокитай*) Bay of Bengal

Бенге́ла *г.* (*Ангола*) Benguela

Бенде́р-Абба́с *г.* (*Иран*) Bandar Abbas

Бенде́ры *г.* (*ССР Молдова, СССР*) Bendery

Бе́ндиго *г.* (*шт. Виктория, Австралия*) Bendigo

Бе́ни *р.* (*Боливия*) Beni

Бени́н 1. Республика Бенин *гос-во* (*Западная Африка*) Benin, Republic of Benin; **2.** *зал.* (*часть Гвинейского зал., побережье Африки*) Bight of Benin

Бени́н-Си́ти *г.* (*Нигерия*) Benin City

Бе́ни-Суэ́йф *г.* (*Египет*) Beni Suef

Бен-Ло́монд 1. *горн. массив* (*о. Тасмания, Австралия*) Ben Lomond; **2.** *гора* (*Шотландия, Великобритания*) Ben Lomond

Бен-Не́вис *гора* (*Северо-Шотландское нагорье, Великобритания*) Ben Nevis

Бено́ни *г.* (*пров. Трансвааль, ЮАР*) Benoni

Бе́нуэ *р.* (*Камерун и Нигерия*) Benue

Бео́тия *ист. обл.* (*Греция*) Boeotia

Бе́рбера *г.* (*Сомали*) Berbera

Бе́ргамо *г.* (*Италия*) Bergamo

Бе́рген *г.* (*Норвегия*) Bergen

Бердя́нск *г.* (*Запорожская обл., Украинская ССР, СССР*) Berdyansk

Берегово́й хребе́т (*Канада и США*) Coast Range

Береговы́е хребты́ (*США*) Coast Ranges

Бе́рег Слоно́вой Ко́сти Ivory Coast; *см.* Кот-д'Ивуа́р

Березина́ *р.* (*СССР*) Berezina

Березники́ *г.* (*Пермская обл., РСФСР, СССР*) Berezniki

Бе́ри *г.* (*метроп. граф. Большой Манчестер, Англия, Великобритания*) Bury

Бе́ринга о́стров (*Командорские о-ва, Берингово м., СССР*) Bering Island

Бе́рингово мо́ре (*Тихий ок., между Азией и Северной Америкой*) Bering Sea

Бе́рингов проли́в (*между Азией и Северной Америкой, соединяет Чукотское и Берингово моря*) Bering Strait

Бе́ркенхед *г.* (*метроп. граф. Мерсисайд, Англия, Великобритания*) Birkenhead

Бе́ркли *г.* (*шт. Калифорния, США*) Berkeley

Бе́ркшир *граф.* (*Англия, Великобритания*) Berkshire

Берли́н *г.* (*столица ФРГ*) Berlin

Бе́рлингто̀н *г.* (*шт. Вермонт, США*) Burlington

Берму́дские острова́ (*Атлантический ок., влад. Великобритании*) Bermuda Islands, Bermudas

Берн *г.* (*столица Швейцарии*) Bern(e)

Берни́на *горн. массив* (*на границе Швейцарии и Италии*) Bernina

Бе́рнли *г.* (*граф. Ланкашир, Англия, Великобритания*) Burnley

Бе́рнские А́льпы *горы* (*Швейцария*) Bernese Alps

Берри́ *ист. пров.* (*Франция*) Berry

Бе́руин *г.* (*шт. Иллинойс, США*) Berwyn

Бески́ды *горы* (*часть Карпат, на границе Польши, Чехословакии и СССР*) Beskids

Бессара́бия *ист. обл.* (*СССР*) Bessarabia

Бе́ссемер *г.* (*шт. Алабама, США*) Bessemer

Бе́тлехем 1. *г.* (*шт. Пенсильвания, США*) Bethlehem; **2.** *г.* (*Оранжевая пров., ЮАР*) Bethlehem

Бечуа́наленд Bechuanaland; *см.* Ботсва́на

Беэ́р-Ше́ва *г.* (*Израиль*) Beersheba

Биарри́ц *г.* (*Франция*) Biarritz

Биа́фра *зал.* (*часть Гвинейского зал., побережье Африки*) Bight of Biafra

Би́ва *оз.* (*о. Хонсю, Япония*) Biwa

Биг-Бенд *нац. парк* (*США*) Big Bend National Park

Бижаго́ш *о-ва* (*зап. побережье Африки, Атлантический ок., Гвинея-Бисау*) Bissagos (*или* Bijagos) Islands

Бизе́рта *г.* (*Тунис*) Bizerta, Bizerte

Бийск *г.* (*Алтайский край, РСФСР, СССР*) Biysk, Biisk, Bisk

Бикане́р *г.* (*шт. Раджастхан, Индия*) Bikaner

Бики́ни *атолл* (*Маршалловы о-ва, Тихий ок.*) Bikini

Би́лефельд *г.* (*ФРГ*) Bielefeld

Би́ллингс *г.* (*шт. Монтана, США*) Billings

Биллито́н *о.* Billiton; *см.* Белиту́нг

Било́кси *г.* (*шт. Миссисипи, США*) Biloxi

Бильба́о *г.* (*Испания*) Bilbao

Би́нгемптон *г.* (*шт. Нью-Йорк, США*) Binghampton

Би́о-Би́о *р.* (*Чили*) Bío-Bío

Био́ко *о.* (*Гвинейский зал., Атлантический ок., Экваториальная Гвинея*) Bioko

Би́рма Burma; *см.* Мья́нма

Би́рмингем 1. *г.* (*адм. центр ме-*

троп. граф. Уэст-Мидлендс, Англия, Великобритания) Birmingham; **2.** *г.* (*шт. Алабама, США*) Birmingham

Биробиджа́н *г.* (*центр Еврейской АО, Хабаровский край, РСФСР, СССР*) Birobidzhan

Биса́у *г.* (*столица Гвинеи-Бисау*) Bissau

Биска́йский зали́в (*Атлантический ок., побережье Испании и Франции*) Bay of Biscay

Би́скра *г.* (*Алжир*) Biskra

Би́смарк *г.* (*адм. центр шт. Северная Дакота, США*) Bismarck

Би́смарка архипела́г (*Тихий ок., Меланезия, Папуа-Новая Гвинея*) Bismarck Archipelago

Би́стрица *г.* (*Румыния*) Bistriţa, Bistritsa

Би́ттеррут *хр.* (*Скалистые горы, США*) Bitterroot Range

Биха́р *шт.* (*Индия*) Bihar

Бишке́к *г.* (*столица Киргизской ССР, СССР*) Bishkek

Благове́щенск *г.* (*центр Амурской обл., РСФСР, СССР*) Blagoveshchensk

Благоевгра́д *г.* (*Болгария*) Blagoevgrad

Бла́нка-Пик *гора* (*Скалистые горы, США*) Blanca Peak

Бланта́йр-Ли́мбе *г.* (*Малави*) Blantyre-Limbe

Бле́нем *г.* (*адм. центр стат. р-на Марлборо, о. Южный, Новая Зеландия*) Blenheim

Бли́да *г.* (*Алжир*) Blida

Бли́жние *о-ва* (*арх. Алеутские о-ва, Тихий ок., США*) Near Islands

Бли́жний Восто́к (*терр. на зап. и юго-зап. Азии и сев.-вост. Африки, на которой расположены Египет, Судан, Турция, Кипр, Израиль, Иордания, Ливан, Сирия, Ирак, Саудовская Аравия и др. страны Аравийского п-ова*) Near East

Блу-Ма́унтинс *горы* (*США*) Blue Mountains

Блу́мингтон *г.* (*шт. Индиана, США*) Bloomington

Блу́мфонтейн *г.* (*адм. центр Оранжевой пров., ЮАР*) Bloemfontein

Блэ́кберн *г.* (*граф. Ланкашир, Англия, Великобритания*) Blackburn

Блэ́кпул *г.* (*граф. Ланкашир, Англия, Великобритания*) Blackpool

Блэ́куотер *р.* (*Ирландия*) Blackwater

Блэк-Хилс *горы* (*США*) Black Hills

Бо́бо-Дьюла́со *г.* (*Буркина-Фасо*) Bobo-Dioulasso

Бобру́йск *г.* (*Могилёвская обл., Белорусская ССР, СССР*) Bobruisk

Боге́мия *ист.* (*первоначальное назв. терр. Чехии*) Bohemia

Боге́мский Лес = Че́шский Лес

Богота́ *г.* (*столица Колумбии*) Bogotá

Бодайбо́ *г.* (*Иркутская обл., РСФСР, СССР*) Bodaibo

Бо́денское о́зеро (*Швейцария, ФРГ и Австрия*) Boden See

Бойо́ма *водопады* (*р. Конго, Заир*) Boyoma Falls

Бо́йсе *г.* (*адм. центр шт. Айдахо, США*) Boise

Бока́ро *г.* (*шт. Бихар, Индия*) Bokaro

Боке́ *г.* (*Гвинея*) Boké

Бо́ксбург *г.* (*пров. Трансвааль, ЮАР*) Boksburg

Болга́рия, Республика Болгария *гос-во* (*Юго-Восточная Европа*) Bulgaria, Republic of Bulgaria

Боли́вар *пик* (*горн. сист. Анды, Венесуэла*) Pico Bolivar

Боли́вия, Республика Боливия *гос-во* (*Южная Америка*) Bolivia, Republic of Bolivia

Боло́нья *г.* (*Италия*) Bologna

Бо́лтон *г.* (*метроп. граф. Большой Манчестер, Англия, Великобритания*) Bolton

Больца́но *г.* (*Италия*) Bolzano

Больша́я Бага́мская ба́нка (*между Багамскими о-вами и о. Куба, Атлантический ок.*) Great Bahama Bank

Больша́я доли́на (*горы Аппалачи, США*) Great Valley

Больша́я Ньюфаундле́ндская ба́нка (*у о. Ньюфаундленд, Атлантический ок.*) Grand Banks

Больша́я Песча́ная пусты́ня 1. Great Sandy Desert; *см.* Руб-эль-Хáли; **2.** (*Австралия*) Great Sandy Desert

Большáя пусты́ня Виктóрия (*Австралия*) Great Victoria Desert

Большеви́к *о.* (*арх. Северная Земля, СССР*) Bolshevik

Большúе Анти́льские островá (*Карибское м., Вест-Индия*) Greater Antilles

Большúе Зóндские островá (*Малайский арх., Индонезия, Малайзия, Бруней и Тимор*) Greater Sunda Isles

Большóе Кар(р)ý *плато* (*ЮАР*) Great Karroo

Большóе Медвéжье óзеро (*Канада*) Great Bear Lake

Большóе Невóльничье óзеро (*Канада*) Great Slave Lake

Большóе Солёное óзеро (*США*) Great Salt Lake

Большóй Áбако *о.* (*Атлантический ок., гос-во Багамские Острова*) Great Abaco

Большóй Австралúйский залúв (*Индийский ок., побережье Австралии*) Great Australian Bight

Большóй Артезиáнский Бассéйн *геогр. обл.* (*Австралия*) Great Artesian Basin

Большой Багáма *о.* (*Атлантический ок., гос-во Багамские Острова*) Grand (*или* Great) Bahama

Большóй Барьéрный риф (*Коралловое м., у сев.-вост. побережья Австралии*) Great Barrier Reef

Большóй Бассéйн *нагорье* (*США*) Great Basin

Большóй Бельт *прол.* (*между о-вами Фюн и Зеландия, соединяет Балтийское м. с прол. Каттегат*) Great Belt

Большóй Водораздéльный хребéт (*Австралия*) Great Dividing Range

Большóй Инáгуа *о.* (*Атлантический ок., гос-во Багамские Острова*) Great Inagua

Большóй каньóн (*р. Колорадо, США*) Grand Canyon

Большóй Лóндон *метроп. граф.* (*Англия, Великобритания*) Greater London

Большóй Манчéстер *метроп. граф.* (*Англия, Великобритания*) Greater Manchester

Большóй Нефýд *пуст.* (*Саудовская Аравия*) An Nafud

Большóй Хингáн *горы* (*Китай и Монголия*) Great Khingan Mountains

Бóма *г.* (*Заир*) Boma

Бомбéй *г.* (*адм. центр шт. Махараштра, Индия*) Bombay

Бóмонт *г.* (*шт. Техас, США*) Beaumont

Бон *г.* Bône; *см.* Аннáба

Бонáйре *о.* (*Малые Антильские о-ва, Карибское м., влад. Нидерландов*) Bonaire

Бонúн *о-ва* Bonin Islands; *см.* Огасавáра

Бонифáчо *прол.* (*между о-вами Корсика и Сардиния*) Strait of Bonifacio

Бонн *г.* (*ФРГ*) Bonn

Бóрдерс *обл.* (*Шотландия, Великобритания*) Borders

Бордó *г.* (*Франция*) Bordeaux

Борúсов *г.* (*Минская обл., Белорусская ССР, СССР*) Borisov

Борнéо *о.* Borneo; *см.* Калимантáн

Бóрнмут *г.* (*граф. Дорсетшир, Англия, Великобритания*) Bournemouth

Бóрнхольм *о.* (*Балтийское м., Дания*) Bornholm

Бородинó *пос.* (*Московская обл., РСФСР, СССР*) Borodino

Бóсния и Герцеговúна, Социалистическая Республика Босния и Герцеговина (*Югославия*) Bosnia and Herzegovina, Socialist Republic of Bosnia and Herzegovina

Бóстон *г.* (*адм. центр. шт. Массачусетс, США*) Boston

Босфóр *прол.* (*соединяет Чёрное и Мраморное моря*) Bosporus

Бóтани-Бей *зал.* (*Тасманово м., Австралия*) Botany Bay

Ботнúческий залúв (*Балтийское м., между берегами Швеции и Финляндии*) Gulf of Bothnia

Ботошáни *г.* (*Румыния*) Botoşani, Botoshani

Ботсвáна, Республика Ботсвана *гос-во* (*Южная Африка*) Botswana, Republic of Botswana

Бóттроп *г.* (*ФРГ*) Bottrop

Бóфорта мóре (*Северный Ледовитый ок., у берегов Северной Америки*) Beaufort Sea

Бохáй *прол.* (*Жёлтое м., между п-овами Ляодунским и Шаньдун, Китай*) Bohai, Strait of Pohai, Strait of Po Hai

Бохайвáнь *зал.* (*Жёлтое м., побережье Китая*) Bohai, Gulf of Pohai, Gulf of Po Hai

Бохóль *о.* (*Филиппины*) Bohol

Бóхум *г.* (*ФРГ*) Bochum

Брабáнт *ист. герцогство* (*Западная Европа*) Brabant

Брáга *г.* (*Португалия*) Braga

Брáдфорд *г.* (*метроп. граф. Уэст-Йоркшир, Англия, Великобритания*) Bradford

Браззави́ль *г.* (*столица Конго*) Brazzaville

Брази́лиа, Брази́лия *г.* (*столица Бразилии*) Brasília

Брази́лия, Федеративная Республика Бразилия *гос-во* (*Южная Америка*) Brazil, Federative Republic of Brazil

Брази́льское плоскогóрье (*Южная Америка*) Plateau of Brazil

Брази́льское течéние (*Атлантический ок.*) Brazil Current

Брáзос *р.* (*США*) Brazos

Брáйтон *г.* (*граф. Восточный Суссекс, Англия, Великобритания*) Brighton

Брáкпан *г.* (*пров. Трансвааль, ЮАР*) Brakpan

Брáнденбург **1.** *г.* (*ФРГ*) Brandenburg, **2.** *ист. обл.* (*ФРГ*) Brandenburg

Братислáва *г.* (*столица Словацкой Республики, Чехословакия*) Bratislava

Братск *г.* (*Иркутская обл., РСФСР, СССР*) Bratsk

Брáунсвилл *г.* (*шт. Техас, США*) Brownsville

Брáуншвейг *г.* (*ФРГ*) Braunschweig

Брахмапу́тра *р.* (*Китай, Индия и Бангладеш*) Brahmaputra

Брач *о.* (*Адриатическое м., Югославия*) Brač, Brach

Брашóв *г.* (*Румыния*) Braşov, Brashov

Брéгенц *г.* (*Австрия*) Bregenz

Бредá *г.* (*Нидерланды*) Breda

Брéмен *г.* (*ФРГ*) Bremen

Брéмертон *г.* (*шт. Вашингтон, США*) Bremerton

Брéмерхафен *г.* (*ФРГ*) Bremerhaven

Брéннер *пер.* (*горн. сист. Альпы, на границе Австрии и Италии*) Brenner Pass

Брéнтфорд *г.* (*метроп. граф. Большой Лондон, Англия, Великобритания*) Brentford

Брест **1.** *г.* (*центр Брестской обл., Белорусская ССР, СССР*) Brest; **2.** *г.* (*Франция*) Brest

Бретáнь *ист. пров.* (*Франция*) Brittany

Брéшиа *г.* (*Италия*) Brescia

Бри́джпорт *г.* (*шт. Коннектикут, США*) Bridgeport

Бри́джтаун *г.* (*столица Барбадоса*) Bridgetown

Бри́ндизи *г.* (*Италия*) Brindisi

Бри́сбен *г.* (*адм. центр шт. Квинсленд, Австралия*) Brisbane

Бри́столь *г.* (*адм. центр граф. Эйвон, Англия, Великобритания*) Bristol

Бристóльский зали́в I (*Берингово м., побережье Аляски*) Bristol Bay

Бристóльский зали́в II (*Атлантический ок., о. Великобритания*) Bristol Channel

Британия Britain; *см.* Великобритáния 1

Британская империя *ист.* (*Великобритания и её колониальные владения*) British Empire

Британская Колумбия *пров.* (*Канада*) British Columbia

Британские острова (*у сев.-зап. побережья Европы, Атлантический ок., гос-ва Великобритания и Ирландия*) the British Isles

Британский Гондурас British Honduras; *см.* Бели́з 1

Британское Содружество (Наций) *ист.* British Commonwealth (of Nations); *см.* Содру́жество

Брно *г.* (*Чехословакия*) Brno

Брóкен-Хилл **1.** *г.* (*шт. Новый Южный Уэльс, Австралия*) Broken Hill; **2.** *г.* Broken Hill; *см.* Кáбве

Брóккен *пик* (*горы Гарц, ФРГ*) Brocken

Бро́ктон *г.* (*шт. Массачусетс, США*) Brockton

Бро́мли *г.* (*метроп. граф. Большой Лондон, Англия, Великобритания*) Bromley

Бронкс (*р-н г. Нью-Йорк, США*) Bronx

Бру́клин (*р-н г. Нью-Йорк, США*) Brooklyn

Брукс *хр.* (*шт. Аляска, США*) Brooks Range

Бруне́й *гос-во* (*о. Калимантан, Юго-Восточная Азия*) Brunei

Брэ́йла *г.* (*Румыния*) Brăila

Брю́гге *г.* (*Бельгия*) Brugge

Брюссе́ль *г.* (*столица Бельгии*) Brussels

Брянск *г.* (*центр Брянской обл., РСФСР, СССР*) Bryansk

Буа́ке *г.* (*Кот-д' Ивуар*) Bouaké, Bwake

Буг *р.* (*СССР и Польша*) Bug

Бугенви́ль *о.* (*Соломоновы о-ва, Тихий ок., Папуа-Новая Гвинея*) Bougainville

Будапе́шт *г.* (*столица Венгрии*) Budapest

Бу́дё *г.* (*Норвегия*) Bodö

Бужи́ *г.* Bougie; *см.* Беджаӣя

Бужумбу́ра *г.* (*столица Бурунди*) Bujumbura

Бузэ́у *г.* (*Румыния*) Buzău

Бука́ву *г.* (*Заир*) Bukavu

Букарама́нга *г.* (*Колумбия*) Bucaramanga

Букитти́нги *г.* (*о. Суматра, Индонезия*) Bukittinggi

Буко́ба *г.* (*Танзания*) Bukoba

Букови́на *ист. обл.* (*СССР и Румыния*) Bukovina, Bucovina

Булава́йо *г.* (*Зимбабве*) Bulawayo

Бу́лган *г.* (*Монголия*) Bulgan

Було́нь *г.* (*Франция*) Boulogne

Бу́нго *прол.* (*между о-вами Кюсю и Сикоку, Япония*) Bungo Strait, Bungo Channel

Бурга́с *г.* (*Болгария*) Burgas

Бурга́сский зали́в (*Чёрное м., побережье Болгарии*) Gulf of Burgas

Бу́ргос *г.* (*Испания*) Burgos

Бургу́ндия *ист. пров.* (*Франция*) Burgundy

Буре́я *р.* (*СССР*) Bureya

Буркина́-Фасо́ *гос-во* (*Западная Африка*) Burkina Faso

Бу́рос *г.* (*Швеция*) Borås

Бу́рса *г.* (*Турция*) Bursa

Бу́ру *о.* (*Молуккские о-ва, Индонезия*) Buru

Буру́нди, Республика Бурунди *гос-во* (*Восточная Африка*) Burundi, Republic of Burundi

Буря́тская Автоно́мная Сове́тская Социалисти́ческая Респу́блика (*РСФСР, СССР*) Buryat (*или* Buriat) Autonomous Soviet Socialist Republic

Бута́н, Королевство Бутан (*Южная Азия*) Bhutan, Kingdom of Bhutan

Бу́тия 1. *зал.* (*Северный Ледовитый ок., между п-овом Бутия и о. Баффинова Земля*) Gulf of Boothia; **2.** *п-ов* (*на сев. Канады*) Boothia Peninsula

Бутл *г.* (*метроп. граф. Мерсисайд, Англия, Великобритания*) Bootle

Буту́ан *г.* (*о. Минданао, Филиппины*) Butuan

Бу́тунг *о.* (*м. Банда, Индонезия*) Butung

Бу́ффало *г.* (*шт. Нью-Йорк, США*) Buffalo

Бухара́ *г.* (*центр Бухарской обл., Узбекская ССР, СССР*) Bukhara

Бухаре́ст *г.* (*столица Румынии*) Bucharest

Буэнавенту́ра *г.* (*Колумбия*) Buenaventura

Буэ́нос-А́йрес 1. *г.* (*столица Аргентины*) Buenos Aires; **2.** *оз.* (*Аргентина и Чили*) Lake Buenos Aires

Бхавна́гар *г.* (*шт. Гуджарат, Индия*) Bhavnagar

Бхагалпу́р *г.* (*шт. Бихар, Индия*) Bhagalpur

Бхактапу́р *г.* (*Непал*) Bhaktapur

Бхатпа́ра *г.* (*шт. Западная Бенгалия, Индия*) Bhatpara

Бхила́и *г.* (*шт. Мадхья-Прадеш, Индия*) Bhilai

Бхопа́л *г.* (*адм. центр шт. Мадхья-Прадеш, Индия*) Bhopal

Бхубанешва́р *г.* (*адм. центр шт. Орисса, Индия*) Bhubaneshwar

Бы́дгощ *г.* (*Польша*) Bydgoszcz

Бы́том *г.* (*Польша*) Bytom

Бьюке́нен *г.* (*Либерия*) Buchanan

Бьютт *г.* (*шт. Монтана, США*) Butte

Бэйпи́н *г.* Peiping; *см.* Пеки́н

Бэйша́нь *нагорье* (*Китай*) Bei Shan

Бэнбу́ *г.* (*пров. Аньхой, Китай*) Bengbu, Pengpu

Бэньси́ *г.* (*пров. Ляонин, Китай*) Benxi, Penchi

Бэрд (*науч. ст. США, Антарктида*) Byrd

В

Ваа́ль *р.* (*ЮАР*) Vaal

Вава́у *о-ва* (*Тихий ок., гос-во Тонга*) Vavau

Вавило́н *ист. г.* (*столица Вавилонии, в Месопотамии, на терр. совр. Ирака*) Babylon

Вавило́ния *ист. гос-во* (*в Месопотамии, на терр. совр. Ирака*) Babylonia

Вагаршапа́т *г.* Vagarshapat; *см.* Эчмиадзи́н

Ва́ди-Натру́н *впадина* (*Египет*) Wadi al Natrun

Вад-Меда́ни *г.* (*Судан*) Wad Medani

Вадода́ра = **Баро́да**

Ваду́ц *г.* (*столица Лихтенштейна*) Vaduz

Вайга́ч *о.* (*между Баренцевым и Карским морями, СССР*) Vaigach

Ва́йкаунт-Ме́лвилл *прол.* (*Канадский Арктический арх.*) Viscount Melville Sound

Вайо́минг *шт.* (*США*) Wyoming

Вакая́ма *г.* (*о. Хонсю, Япония*) Wakayama

Вала́хия *ист. обл.* (*Румыния*) Walachia

Ва́лбжих *г.* (*Польша*) Wałbrzych

Валда́йская возвы́шенность (*сев.-зап. Восточно-Европейской равнины, СССР*) Valdai Hills

Валенси́йский зали́в (*Средиземное м., Испания*) Gulf of Valencia

Вале́нсия **1.** *г.* (*Испания*) Valencia; **2.** *ист. обл.* (*Испания*) Valencia; **3.** *г.* (*Венесуэла*) Valencia

Валле́тта *г.* (*столица Мальты*) Valletta

Вальди́вия *г.* (*Чили*) Valdivia

Валье́хо *г.* (*шт. Калифорния, США*) Vallejo

Вальпарайсо *г.* (*Чили*) Valparaíso

Вальядоли́д *г.* (*Испания*) Valladolid

Ван **1.** *г.* (*Турция*) Van; **2.** *оз.* (*Турция*) Van

Ванде́я *ист. обл.* (*Франция*) Vendée

Ванку́вер **1.** *г.* (*пров. Британская Колумбия, Канада*) Vancouver; **2.** *г.* (*шт. Вашингтон, США*) Vancouver; **3.** *о.* (*Тихий ок., Канада*) Vancouver Island

Вану́а-Ле́ву *о.* (*Тихий ок., гос-во Фиджи*) Vanua Levu

Вануа́ту, Республика Вануату *гос-во* (*на о-вах Новые Гебриды, Тихий ок.*) Vanuatu, Republic of Vanuatu

Варана́си *г.* (*шт. Уттар-Прадеш, Индия*) Varanasi

Вара́нгал *г.* (*шт. Андхра-Прадеш, Индия*) Warangal

Вара́нгер-фьорд (*Баренцево м., Норвегия*) Varanger Fjord

Ва́рна *г.* (*Болгария*) Varna

Варша́ва *г.* (*столица Польши*) Warsaw

Ва́са *г.* (*Финляндия*) Vaasa

Ватерло́о *нп* (*Бельгия*) Waterloo

Ватика́н, Государство-город Ватикан (*в зап. части Рима*) Vatican (City), State of Vatican City

Ва́тнайёкюдль *ледник* (*Исландия*) Vatnajökull

Вах *р.* (*СССР*) Vakh

Вахш *р.* (*СССР*) Vakhsh

Вашингто́н **1.** *шт.* (*США*) Washington; **2.** *г.* (*столица США*) Washington; **3.** *о.* (*о-ва Лайн, Тихий ок., Кирибати*) Washington Island; **4.** *гора* (*горы Аппалачи, США*) Mount Washington

Ве́зер *р.* (*ФРГ*) Weser

Везу́вий *влк.* (*Италия*) Vesuvius

Ве́ймар *г.* (*ФРГ*) Weimar

Вели́кая Кита́йская равни́на (*Китай*) Great Plain of China

Вели́кие Лу́ки *г.* (*Псковская

обл., РСФСР, СССР) Veliki(y)e Luki

Вели́кие озёра (*Верхнее, Гурон, Мичиган, Эри, Онтарио; Канада и США*) Great Lakes

Вели́кие равни́ны *плато* (*Канада и США*) Great Plains

Вели́кий У́стюг *г.* (*Вологодская обл., РСФСР, СССР*) Veliki(y) Ustyug

Великобрита́ния 1. Соединённое Королевство Великобритании и Северной Ирландии *гос-во* (*на Британских о-вах, Западная Европа*) Great Britain, United Kingdom of Great Britain and Northern Ireland; **2.** *о.* (*Британские о-ва, Атлантический ок., гос-во Великобритания*) Great Britain

Вели́ко-Ты́рново *г.* (*Болгария*) Veliko Tŭrnovo

Ве́лком *г.* (*Оранжевая пров., ЮАР*) Welkom

Ве́ллингтон = Уэллингтон

Веллу́ру *г.* (*шт. Тамилнад, Индия*) Vellore

Ве́на *г.* (*столица Австрии*) Vienna

Ве́нгрия, Венгерская Республика *гос-во* (*Центральная Европа*) Hungary, Republic of Hungary

Ве́нерн *оз.* (*Швеция*) Vänern

Венесу́эла, Республика Венесуэла *гос-во* (*Южная Америка*) Venezuela, Republic of Venezuela

Венесу́эльский зали́в (*Карибское м., побережье Венесуэлы*) Gulf of Venezuela

Венециа́нский зали́в (*Адриатическое м., у берегов Италии и Югославии*) Gulf of Venice

Вене́ция 1. *г.* (*Италия*) Venice, Venetia; **2.** *ист. гос-во* (*на терр. совр. Италии*) Venetia

Веракру́с *г.* (*Мексика*) Veracruz

Верде́н *г.* (*Франция*) Verdun

Вермо́нт *шт.* (*США*) Vermont

Веро́на *г.* (*Италия*) Verona

Верса́ль *г.* (*Франция*) Versailles

Ве́рхнее *оз.* (*Канада и США*) Lake Superior

Ве́рхняя Во́льта Upper Volta; *см.* Буркина́-Фасо́

Ве́рхняя Гвине́я *геогр. обл.* (*Западная Африка*) Upper Guinea

Ве́рхняя Тунгу́ска *р.* Upper Tunguska; *см.* Ангара́

Верхоя́нск *г.* (*Якутская АССР, РСФСР, СССР*) Verkhoyansk

Верхоя́нский хребе́т (*Якутская АССР, СССР*) Verkhoyansk Range

Ве́спрем *г.* (*Венгрия*) Veszprém

Ве́стеролен *о-ва* (*Норвежское м., Норвегия*) Vesterålen

Вестеро́с *г.* (*Швеция*) Västerås

Вест-И́ндия (*общее назв. о-вов Атлантического ок., между материками Северная и Южная Америка*) West Indies

Ве́стминстер *г.* (*метроп. граф. Большой Лондон, Англия, Великобритания*) Westminster

Вестфа́лия *ист. обл.* (*ФРГ*) Westphalia

Вест-фьорд (*Норвежское м., между Скандинавским п-овом и о-вами Лофотенскими и Вестеролен*) Vest Fjord

Ве́тар *о.* (*м. Банда, Индонезия*) Wetar

Ветлу́га *р.* (*СССР*) Vetluga

Ве́ттерн *оз.* (*Швеция*) Vättern

Ви́го *г.* (*Испания*) Vigo

Виджаява́да *г.* (*шт. Андхра-Прадеш, Индия*) Vijayawada

Ви́дин *г.* (*Болгария*) Vidin

Виза́нтий *ист. г.* (*на терр. совр. Турции*) Byzantium

Византи́йская импе́рия = Византи́я

Византи́я *ист. гос-во* (*Балканский п-ов, Малая Азия, юго-вост. Средиземноморья*) Byzantine Empire

Викто́рии Земля́ (*часть терр. Антарктиды*) Victoria Land

Викто́рия 1. *шт.* (*Австралия*) Victoria; **2.** *г.* (*столица гос-ва Сейшельские Острова, о. Маэ*) Victoria; **3.** *г.* (*адм. центр пров. Британская Колумбия, о. Ванкувер, Канада*) Victoria; **4.** *г.* (*Камерун*) Victoria; **5.** *г.* Victoria; *см.* Сянга́н 2; **6.** *о.* (*Канадский Арктический арх., Канада*) Victoria Island; **7.** *оз.* (*Уганда, Кения и Танзания*) Lake Victoria; **8.** *вдп.* (*р. Замбези, на границе Замбии и Зимбабве*)

Victoria Falls; **9.** *р.* (*Австралия*) Victoria (River)

Викто́рия-Нил *р.* (*Уганда*) Victoria Nile; *см.* Нил

Ви́ллемстад *г.* (*адм. центр о. Кюрасао, Малые Антильские о-ва*) Willemstad

Вильге́льма II Земля́ (*часть терр. Антарктиды*) Wilhelm II Land

Ви́льгельмсха́фен *г.* (*ФРГ*) Wilhelmshaven

Вильки́цкого проли́в (*между о. Большевик и п-овом Таймыр, соединяет Карское м. с м. Лаптевых*) Vilkitski Strait

Ви́льнюс *г.* (*столица Литвы*) Vilnius, Vilnyus

Ви́льсонс-Про́монтори *п-ов* (*Австралия*) Wilson's Promontory

Ви́льчека Земля́ *о.* (*арх. Земля Франца-Иосифа, Северный Ледовитый ок., СССР*) Wilczek Land

Вилю́й *р.* (*СССР*) Vilyui

Ви́ндзор *г.* (*граф. Беркшир, Англия, Великобритания*) Windsor

Ви́ндхук *г.* (*столица Намибии*) Windhoek

Ви́ндхья *горы* (*Индия*) Vindhya Mountains

Ви́ннипег **1.** *г.* (*адм. центр пров. Манитоба, Канада*) Winnipeg; **2.** *оз.* (*Канада*) Lake Winnipeg

Виннипего́сис *оз.* (*Канада*) Lake Winnipegosis

Ви́нница *г.* (*центр Винницкой обл., Украинская ССР, СССР*) Vinnitsa

Ви́нсон *горн. массив* (*Земля Элсуэрта, Антарктида*) Vinson Massif

Ви́нтертур *г.* (*Швейцария*) Winterthur

Винь *г.* (*Вьетнам*) Vinh

Ви́нья-дель-Мар *г.* (*Чили*) Viña del Mar

Вирги́ния *шт.* (*США*) Virginia

Вирги́нские острова́ (*Малые Антильские о-ва, Атлантический ок., влад. Великобритании и США*) Virgin Islands

Виру́нга *горы* (*на границе Заира, Руанды и Уганды*) Virunga Mountains

Ви́сбаден *г.* (*ФРГ*) Wiesbaden

Виско́нсин **1.** *шт.* (*США*) Wisconsin; **2.** *р.* (*США*) Wisconsin

Ви́сла *р.* (*Польша*) Vistula

Ви́смар *г.* (*ФРГ*) Wismar

Витва́терсранд *возв.* (*ЮАР*) Witwatersrand, the Rand

Ви́тебск *г.* (*центр Витебской обл., Белорусская ССР, СССР*) Vitebsk

Ви́ти-Ле́ву *о.* (*Тихий ок., гос-во Фиджи*) Viti Levu

Вити́м *р.* (*СССР*) Vitim

Вито́рия I *г.* (*Испания*) Vitoria

Вито́рия II *г.* (*Бразилия*) Vitória

Ви́ттен *г.* (*ФРГ*) Witten

Ви́ттенберг *г.* (*ФРГ*) Wittenberg

Вифлее́м *библ. г.* (*в Палестине*) Bethlehem

Виче́нца *г.* (*Италия*) Vicenza

Вишакхапа́тнам *г.* (*шт. Андхра-Прадеш, Индия*) Vishakhapatnam

Виши́ *г.* (*Франция*) Vichy

Владивосто́к *г.* (*центр Приморского края, РСФСР, СССР*) Vladivostok

Владикавка́з *г.* (*столица Северо-Осетинской АССР, РСФСР, СССР*) Vladikavkaz

Влади́мир *г.* (*центр Владимирской обл., РСФСР, СССР*) Vladimir

Влёра *г.* (*Албания*) Vlorë

Вло́цлавек *г.* (*Польша*) Włocławek

Влта́ва *р.* (*Чехословакия*) Vltava

Вне́шние Гебри́дские острова́ (*Атлантический ок., Великобритания*) Outer Hebrides

Вну́треннее Япо́нское мо́ре (*между о-вами Хонсю, Сикоку и Кюсю, Япония*) Inland Sea

Вну́тренние Гебри́дские острова́ (*Атлантический ок., Великобритания*) Inner Hebrides

Вну́тренняя Монго́лия *авт. р-н* (*Китай*) Inner Mongolia

Воге́зы *горы* (*Франция*) Vosges

Водзи́слав-Слё́нски *г.* (*Польша*) Wodzisław Śląski

Воево́дина *социалистический авт. край* (*Югославия*) Vojvodina, Voivodina

Вознесе́ния о́стров (*Атлантический ок., влад. Великобритании*) Ascension Island

Во́лга *р.* (*СССР*) Volga

Во́лго-Балти́йский во́дный путь (*соединяет р. Волга с Балтийским м. и через Беломорско-Балтийский канал — с Белым м., СССР*) Volga-Baltic Route

Волгогра́д *г.* (*центр Волгоградской обл., РСФСР, СССР*) Volgograd

Волгодо́нск *г.* (*Ростовская обл., РСФСР, СССР*) Volgodonsk

Во́лго-Донско́й судохо́дный кана́л (*соединяет реки Волга и Дон, СССР*) Volga-Don Ship Canal

Волжск *г.* (*Марийская АССР, РСФСР, СССР*) Volzhsk

Во́лжский *г.* (*Волгоградская обл., РСФСР, СССР*) Volzhski

Во́логда *г.* (*центр Вологодской обл., РСФСР, СССР*) Vologda

Волокола́мск *г.* (*Московская обл., РСФСР, СССР*) Volokolamsk

Во́лхов 1. *г.* (*Ленинградская обл., РСФСР, СССР*) Volkhov; **2.** *р.* (*СССР*) Volkhov

Волы́нь *ист. обл.* (*СССР и Польша*) Volhynia

Во́льта *р.* (*Гана*) Volta

Во́льфсбург *г.* (*ФРГ*) Wolfsburg

Вонджу́ *г.* (*Республика Корея*) Wŏnju

Онса́н *г.* (*КНДР*) Wŏnsan

Воркута́ *г.* (*Коми АССР, РСФСР, СССР*) Vorkuta

Воро́неж *г.* (*центр Воронежской обл., РСФСР, СССР*) Voronezh

Ворошиловгра́д *г.* Voroshilovgrad; *см.* Луга́нск

Восто́к (*науч. ст. СССР, Антарктида*) Vostok

Восто́чная А́нглия *ист. англосакс. кор-во* (*Великобритания*) East Anglia

Восто́чная Ри́мская импе́рия *ист.* Eastern Roman Empire; *см.* Византи́я

Восто́чная Руме́лия *ист. авт. обл.* (*в составе Османской империи, на терр. совр. Болгарии*) Eastern Rumelia

Восто́чная Сиби́рь (*часть терр. Сибири от р. Енисей на зап. до Тихого ок. на вост., СССР*) Eastern Siberia

Восто́чная Сье́рра-Ма́дре *горы* (*Мексика*) Sierra Madre Oriental

Восто́чно-Африка́нская зо́на разло́мов (*Африка*) Great Rift Valley, Rift Valley

Восто́чно-Европе́йская равни́на (*вост. часть Европы, СССР*) East European Plain

Восто́чное Само́а (*вост. часть о-вов Самоа, Тихий ок., влад. США*) Eastern Samoa

Восто́чно-Кита́йское мо́ре (*Тихий ок., у берегов Азии*) East China Sea

Восто́чно-Коре́йский зали́в (*Японское м., у берегов п-ова Корея*) East Korea Bay

Восто́чно-Сиби́рское мо́ре (*Северный Ледовитый ок., у берегов СССР*) East Siberian Sea

Восто́чные Га́ты *горы* (*Индия*) Eastern Ghats

Восто́чные шта́ты 1. (*штаты Новая Англия, Нью-Йорк и Нью-Джерси, США*) Eastern States; **2.** (*все штаты США на побережье Атлантического ок.*) Eastern States

Восто́чный Су́ссекс *граф.* (*Англия, Великобритания*) East Sussex

Восто́чный Тимо́р (*терр., оккупированная Индонезией, вост. часть о. Тимор, Малые Зондские о-ва*) East Timor

Вра́нгеля го́ры (*п-ов Аляска, США*) Wrangell Mountains

Вра́нгеля о́стров (*Северный Ледовитый ок., СССР*) Wrangel Island

Вра́ца *г.* (*Болгария*) Vratsa

Вро́цлав *г.* (*Польша*) Wrocław

Вуд-Ба́ффало *нац. парк* (*Канада*) Wood Buffalo National Park

Вуд-Грин *г.* (*метроп. граф. Большой Лондон, Англия, Великобритания*) Wood Green

Ву́лвергемптон *г.* (*метроп. граф. Уэст-Мидлендс, Англия, Великобритания*) Wolverhampton

Ву́лидж *г.* (*метроп. граф. Большой Лондон, Англия, Великобритания*) Woolwich

Ву́ллонгонг *г.* (*шт. Новый Южный Уэльс, Австралия*) Wollongong

Вулка́но *о.* (*Липарские о-ва, Тирренское м., Италия*) Vulcano

Вунсо́кет *г.* (*шт. Род-Айленд, США*) Woonsocket

Ву́пперталь *г.* (*ФРГ*) Wuppertal

Ву́стер 1. *г.* (*адм. центр граф. Херефорд-энд-Вустер, Англия, Великобритания*) Worcester; **2.** *г.* (*шт. Массачусетс, США*) Worcester

Вы́борг *г.* (*Ленинградская обл., РСФСР, СССР*) Vyborg

Высо́кие равни́ны (*часть плато Великих равнин, США*) High Plains

Высо́кие Та́тры *горы* High Tatra; *см.* Та́тры

Вы́чегда *р.* (*СССР*) Vychegda, Vichegda

Вьентья́н *г.* (*столица Лаоса*) Vientiane

Вьетна́м, Социалистическая Республика Вьетнам *гос-во* (*Юго-Восточная Азия*) Vietnam, Viet Nam, Socialist Republic of Vietnam

Вэйфа́н *г.* (*пров. Шаньдун, Китай*) Weifang

Вэньчжо́у *г.* (*пров. Чжэцзян, Китай*) Wenzhou, Wenchou, Wenchow

Вю́рцбург *г.* (*ФРГ*) Würzburg

Вя́зьма *г.* (*Смоленская обл., РСФСР, СССР*) Vyazma

Вя́тка 1. *р.* (*СССР*) Vyatka, Viatka; **2.** *г.* (*центр Вятской обл., РСФСР, СССР*) Vyatka, Viatka

Г

Гаа́га *г.* (*Нидерланды*) the Hague

Габеро́нес *г.* Gaberones; *см.* Габоро́не

Га́бес 1. *г.* (*Тунис*) Gabès; **2.** *зал.* (*Средиземное м., побережье Африки*) Gulf of Gabès

Габо́н, Габонская Республика *гос-во* (*Центральная Африка*) Gabo(o)n, Gabonese Republic

Габоро́не *г.* (*столица Ботсваны*) Gaborone

Га́брово *г.* (*Болгария*) Gabrovo

Гава́йи 1. *шт.* (*США, Гавайские о-ва*) Hawaii; **2.** *о-ва* Hawaii; *см.* Гава́йские острова́; **3.** *о.* (*Гавайские о-ва, Тихий ок., США*) Hawaii

Гава́йские острова́ (*Тихий ок., США*) Hawaiian Islands

Гава́на *г.* (*столица Кубы*) Havana

Гавиржов *г.* (*Чехословакия*) Havířov

Гавр *г.* (*Франция*) Le Havre, Havre

Гага́рин *г.* (*Смоленская обл., РСФСР, СССР*) Gagarin

Га́за *г.* (*Палестинские территории*) Gaza

Газианте́п *г.* (*Турция*) Gaziantep

Газни́ *г.* (*Афганистан*) Ghazni

Гаити 1. Республика Гаити *гос-во* (*в зап. части о. Га́ити и на прилегающих о-вах, Вест-Индия*) Haiti, Republic of Haiti; **2.** *о.* (*Большие Антильские о-ва, Атлантический ок., гос-во Гаити*) Haiti, Hispaniola

Гайа́на, Кооперативная Республика Гайана *гос-во* (*Южная Америка*) Guyana, Cooperative Republic of Guyana

Гала́пагос *о-ва* (*Тихий ок., Эквадор*) Galápagos Islands

Гала́тия *ист. страна* (*Турция*) Galatia

Гала́ц *г.* (*Румыния*) Galaţi, Galatz

Га́лвестон *г.* (*шт. Техас, США*) Galveston

Галиле́йское мо́ре Sea of Galilee; *см.* Тивериа́дское о́зеро

Галиле́я *ист. обл.* (*в Палестине*) Galilee

Гали́сия *ист. обл.* (*Испания*) Galicia

Га́лифакс 1. *г.* (*метроп. граф. Уэст-Йоркшир, Англия, Великобритания*) Halifax; **2.** *г.* (*адм. центр пров. Новая Шотландия, Канада*) Halifax

Га́лич 1. *г.* (*Костромская обл., РСФСР, СССР*) Galich; **2.** *г.* (*Ивано-Франковская обл., Украинская ССР, СССР*) Galich

Га́лле I *г.* (*ФРГ*) Halle

Га́лле II *г.* (*Шри-Ланка*) Galle

Га́лле-Но́йштадт *г.* (*ФРГ*) Halle Neustadt

Галли́польский полуо́стров (*между прол. Дарданеллы и Саросским зал., Турция*) Gallipoli Peninsula

Га́ллия *ист. обл.* (*Европа*) Gaul, Gallia

Га́лфпорт *г.* (*шт. Миссисипи, США*) Gulfport

Галли́нас *мыс* (*крайняя сев. точка Южной Америки, Колумбия*) Point Gallinas

Га́мбия **1.** Республика Гамбия *гос-во* (*Западная Африка*) Gambia, Republic of the Gambia; **2.** *р.* (*Гвинея, Сенегал и Гамбия*) Gambia

Га́мбург *г.* (*ФРГ*) Hamburg

Га́мильтон **1.** *г.* (*пров. Онтарио, Канада*) Hamilton; **2.** *г.* (*шт. Огайо, США*) Hamilton; **3.** *г.* (*обл. Стратклайд, Шотландия, Великобритания*) Hamilton; **4.** *г.* (*адм. центр стат. р-на Саут-Окленд-Бей-оф-Пленти, о. Северный, Новая Зеландия*) Hamilton; **5.** *г.* (*шт. Виктория, Австралия*) Hamilton; **6.** *г.* (*адм. центр Бермудских о-вов*) Hamilton; **7.** *зал.* (*Атлантический ок., побережье Канады*) Hamilton Inlet

Га́на, Республика Гана *гос-во* (*Западная Африка*) Ghana, Republic of Ghana

Ганг *р.* (*Индия и Бангладеш*) Ganges

Га́нгток *г.* (*адм. центр шт. Сикким, Индия*) Gangtok

Гандинага́р *г.* (*адм. центр шт. Гуджарат, Индия*) Gandhinagar

Га́ннибал = Ха́ннибал

Ганно́вер *г.* (*ФРГ*) Han(n)over

Ганьсу́ *пров.* (*Китай*) Gansu, Kansu

Ганьчжо́у *г.* (*пров. Цзянси, Китай*) Ganzhou, Kanchou, Kanchow

Гаосю́н *г.* (*пров. Тайвань, Китай*) Kaohsiung

Га́рва *г.* (*Камерун*) Garoua, Garua

Га́рда *оз.* (*Италия*) Lake Garda

Га́рден-Гров *г.* (*шт. Калифорния, США*) Garden Grove

Га́рлем (*негритянский квартал г. Нью-Йорк, США*) Harlem

Гаро́нна *р.* (*Испания и Франция*) Garonne

Га́ррисон *г.* (*шт. Северная Дакота, США*) Harrison

Га́руа = Га́рва

Гарц *горы* (*ФРГ*) Harz

Гаско́нь *ист. обл.* (*Франция*) Gascony

Гаспе́ *п-ов* (*на юго-вост. Канады*) Gaspé Peninsula

Га́стингс *г.* (*граф. Восточный Суссекс, Англия, Великобритания*) Hastings

Га́ты *горы* Ghats; *см.* Восто́чные Га́ты *и* За́падные Га́ты

Га́фса *г.* (*Тунис*) Gafsa

Га́я *г.* (*шт. Бихар, Индия*) Gaya

Гвадалаха́ра **1.** *г.* (*Мексика*) Guadalajara; **2.** *г.* (*Испания*) Guadalajara

Гвадалквиви́р *р.* (*Испания*) Guadalquivir

Гваделу́па **1.** *прол.* (*между о-вами Гваделупа и Монтсеррат, Малые Антильские о-ва*) Guadeloupe Passage; **2.** *о.* (*Малые Антильские о-ва, Атлантический ок., влад. Франции*) Guadeloupe

Гвадиа́на *р.* (*Испания и Португалия*) Guadiana

Гва́лияр *г.* (*шт. Мадхья-Прадеш, Индия*) Gwalior

Гвардафу́й *мыс* (*п-ов Сомали, Сомали*) Cape Guardafui

Гватема́ла **1.** Республика Гватемала *гос-во* (*Центральная Америка*) Guatemala, Republic of Guatemala; **2.** *г.* (*столица Гватемалы*) Guatemala

Гве́ло *г.* Gwelo; *см.* Гве́ру

Гве́ру *г.* (*Зимбабве*) Gweru

Гвиа́на (*влад. Франции, Южная Америка*) Guiana (French)

Гвиа́нское плоского́рье (*Южная Америка*) Guiana Highlands

Гвине́йский зали́в (*Атлантический ок., побережье Африки*) Gulf of Guinea

Гвине́йское тече́ние (*Атлантический ок.*) Guinea Current

Гвине́я, Гвинейская Республика *гос-во* (*Западная Африка*) Guinea, Republic of Guinea

Гвине́я-Биса́у, Республика Гвинея-Бисау *гос-во* (*Западная Африка*) Guinea-Bissau, Republic of Guinea-Bissau

Гданьск *г.* (*Польша*) Gdańsk

Гда́ньский зали́в (*Балтийское м., у берегов СССР и Польши*) Gulf (*или* Bay) of Danzig

Гды́ня *г.* (*Польша*) Gdynia

Гебри́дские острова́, Гебри́ды *арх.* Hebrides; *см.* Вне́шние Гебри́дские острова́ *и* Вну́тренние Гебри́дские острова́

Гези́ра (*междуречье Белого и Голубого Нила, Судан*) Gezira

Ге́йдельберг *г.* (*ФРГ*) Heidelberg

Ге́йлсберг *г.* (*шт. Иллинойс, США*) Galesburg

Ге́йтсхед *г.* (*метроп. граф. Тайн-энд-Уир, Англия, Великобритания*) Gateshead

Ге́кла *влк.* (*Исландия*) Hekla

Гелико́н *гора* (*Греция*) Helicon

Гелио́поль *ист. г.* (*Египет*) Heliopolis

Геллеспо́нт *ист.* (*др.-греч. назв. прол. Дарданеллы*) Hellespont, Hellespontus

Ге́льголанд *о.* (*Северное м., ФРГ*) Heligoland, Helgoland

Гельголa̋ндская бу́хта (*Северное м., ФРГ*) Heligoland Bight

Ге́льзенки́рхен *г.* (*ФРГ*) Gelsenkirchen

Ге́льсингфорс *г.* Helsingfors; *см.* Хе́льсинки

Генк *г.* (*Бельгия*) Genk

Гент *г.* (*Бельгия*) Ghent, Gent

Генуэ́зский зали́в (*Лигурийское м., побережье Италии*) Gulf of Genoa

Ге́нуя *г.* (*Италия*) Genoa

Гео́графа зали́в (*Индийский ок., побережье Австралии*) Geographe Bay

Гео́рга Земля́ *о.* (*арх. Земля Франца-Иосифа, СССР*) George Land

Гео́рга V Бе́рег (*Антарктида*) George V Coast

Гепта́рхия *ист.* (*назв. семи англосакс. королевств Британии*) the Heptarchy

Ге́ра *г.* (*ФРГ*) Gera

Гера́т *г.* (*Афганистан*) Herat

Гериру́д *р.* (*Афганистан и Иран*) Hari Rud; *см. тж.* Тедже́н 2

Геркула́нум *ист. г.* (*Италия*) Herculaneum

Геркуле́совы столбы́ (*древнее назв. Гибралтарского прол.*) Pillars of Hercules

Герма́ния, Федеративная Республика Германия *госво* (*Центральная Европа*) Germany, Federal Republic of Germany

Герни́ка, Герни́ка-и-Лу́но *г.* (*Испания*) Guernica

Ге́рнси *о.* (*Нормандские о-ва, прол. Ла-Манш, Великобритания*) Guernsey

Герсо́ппа *вдп.* (*р. Шаравати, Индия*) Falls of Gersoppa

Гётеборг *г.* (*Швеция*) Göteborg

Гёттинген *г.* (*ФРГ*) Göttingen

Ге́ттисберг *г.* (*шт. Пенсильвания, США*) Gettysburg

Гибралта́р (*влад. Великобритании, на юге Пиренейского п-ова*) Gibraltar

Гибралта́рский проли́в (*между Африкой и Пиренейским п-овом Европы*) Strait(s) of Gibraltar

Ги́бсона пусты́ня (*Австралия*) Gibson Desert

Гие́нь *ист. обл.* (*Франция*) Guienne, Guyenne

Ги́за *г.* Gîza; *см.* Эль-Ги́за

Ги́лберта острова́ (*Тихий ок., Микронезия, Кирибати*) Gilbert Islands

Ги́л(д)форд *г.* (*граф. Суррей, Англия, Великобритания*) Guildford

Гильме́нд *р.* (*Афганистан*) Helmand

Гимала́и *горн. сист.* (*Южная Азия*) the Himalaya(s)

Гиндуку́ш *горн. сист.* (*Южная Азия*) Hindu Kush

Гири́н 1. *пров.* (*Китай*) Kirin, Girin; **2.** *г.* (*пров. Гирин, Китай*) Kirin, Girin

Гирка́ния *ист. обл.* (*Иран*) Hyrcania

Ги́сборн *г.* (*адм. центр стат. р-на Ист-Кост, о. Северный, Новая Зеландия*) Gisborne

Гисса́рский хребе́т (*Средняя Азия, СССР*) Hissar Mountains

Ги́фу *г.* (*о. Хонсю, Япония*) Gifu

Гла́зго *г.* (*адм. центр обл. Стратклайд, Шотландия, Великобритания*) Glasgow

Гла́стонбери *г.* (*граф. Сомер-*

сетшир, Англия, Великобритания) Glastonbury

Глейс-Бей *г.* (*пров. Новая Шотландия, Канада*) Glace Bay

Гле́ндейл *г.* (*шт. Калифорния, США*) Glendale

Глен-Мор *низм.* (*Шотландия, Великобритания*) the Great Glen, Glen More, Glenmore

Гливи́це *г.* (*Польша*) Gliwice

Гло́мма *р.* (*Норвегия*) Glomma

Гло́стер 1. *г.* (*адм. центр граф. Глостершир, Англия, Великобритания*) Gloucester; **2.** *г.* (*шт. Массачусетс, США*) Gloucester

Гло́стершир *граф.* (*Англия, Великобритания*) Gloucestershire

Гне́зно *г.* (*Польша*) Gniezno

Го́а *шт.* (*Индия*) Goa

Го́би *пуст.* (*Монголия и Китай*) the Gobi

Говернадо́р-Валада́рис *г.* (*Бразилия*) Governador Valadares

Года́вари *р.* (*Индия*) Godavari

Го́дуин-О́стен = Чогори́

Голго́фа *библ. холм* (*в окрестностях Иерусалима*) Golgotha

Голд-Кост *г.* (*шт. Квинсленд, Австралия*) Gold Coast

Голко́нда *ист. гос-во* (*Индия*) Golconda

Голла́ндия Holland; *см.* Нидерла́нды

Го́лливу́д 1. *г.* (*шт. Флорида, США*) Hollywood; **2.** (*р-н г. Лос-Анджелес, США*) Hollywood

Голубо́й Нил *р.* (*Судан и Эфиопия*) Blue Nile

Голубо́й хребе́т (*США*) Blue Ridge

Голубы́е го́ры (*Австралия*) Blue Mountains

Го́луэй 1. *граф.* (*Ирландия*) Galway; **2.** *г.* (*адм. центр граф. Голуэй, Ирландия*) Galway; **3.** *зал.* (*Атлантический ок., Ирландия*) Galway Bay

Гольфстри́м *теч.* (*Атлантический ок.*) Gulf Stream

Го́мель *г.* (*центр Гомельской обл., Белорусская ССР, СССР*) Gomel

Го́ндар *г.* (*Эфиопия*) Gondar

Гондва́на *гипотет. материк* (*Южное полушарие*) Gondwana

Гондура́с, Республика Гондурас *гос-во* (*Центральная Америка*) Honduras, Republic of Honduras

Гондура́сский зали́в (*Карибское м., Центральная Америка*) Gulf of Honduras

Го́ндэр *г.* Gonder; *см.* Го́ндар

Гонко́нг Hong Kong; *см.* Сянга́н 1

Гонолу́лу *г.* (*адм. центр шт. Гавайи, о. Оаху, США*) Honolulu

Горакхпу́р *г.* (*шт. Уттар-Прадеш, Индия*) Gorakhpur

Го́рловка *г.* (*Донецкая обл., Украинская ССР, СССР*) Gorlovka

Горн *мыс* (*крайняя юж. точка Южной Америки, о. Горн, Чили*) Cape Horn

Го́рно-Алта́йск *г.* (*центр Горно-Алтайской АО, РСФСР, СССР*) Gorno-Altaisk

Го́рно-Алта́йская автоно́мная о́бласть (*Алтайский край, РСФСР, СССР*) Gorno-Altai Autonomous Region

Го́рно-Бадахша́нская автоно́мная о́бласть (*Таджикская ССР, СССР*) Gorno-Badakhshan Autonomous Region

Го́рький *г.* Gorki; *см.* Ни́жний Но́вгород

Го́спорт *г.* (*граф. Гэмпшир, Англия, Великобритания*) Gosport

Го́та *г.* (*ФРГ*) Gotha

Го́твальдов *г.* Gottwaldov; *см.* Злин

Го́тланд *о.* (*Балтийское м., Швеция*) Gottland, Gotland

Гото́ *о-ва* (*Восточно-Китайское м., Япония*) Goto Archipelago

Го́тхоб *г.* (*адм. центр о. Гренландия*) Godthaab

Го́цо *о.* (*Средиземное м., гос-во Мальта*) Gozo

Гоя́ния *г.* (*Бразилия*) Goiânia

Гра́дец-Кра́лове *г.* (*Чехословакия*) Hradec Králové

Гра́мпиан *обл.* (*Шотландия, Великобритания*) Grampian

Грампиа́нские го́ры (*Шотландия, Великобритания*) Grampian Hills, the Grampians

Грана́да 1. *г.* (*Испания*) Granada; **2.** *г.* (*Никарагуа*) Granada

Гранд-А́йленд *г.* (*шт. Небраска, США*) Grand Island

Гранд-Комо́р *о.* (*Индийский ок., гос-во Коморские Острова*) Great Comoro

Гранд-Ку́ли *каньон* (*Колумбийское плато, США*) Grand Coulee

Гранд-Ра́пидс *г.* (*шт. Мичиган, США*) Grand Rapids

Гранд-Терк *о.* (*о-ва Теркс, Атлантический ок., влад. Великобритании*) Grand Turk

Гранд-Фолс *вдп.* (*р. Черчилл, Канада*) Grand Falls

Гранд-Форкс *г.* (*шт. Северная Дакота, США*) Grand Forks

Гран-Кана́рия *о.* (*Канарские о-ва, Атлантический ок., Испания*) Grand Canary

Гран-Ча́ко *геогр. обл.* (*Аргентина, Парагвай и Боливия*) Gran Chaco

Грас *г.* (*Франция*) Grasse

Грац *г.* (*Австрия*) Graz

Грейт-Ва́лли = Больша́я доли́на

Грейт-Фолс *г.* (*шт. Монтана, США*) Great Falls

Грена́да 1. *гос-во* (*на о. Гренада и юж. части о-вов Гренадины, Вест-Индия*) Grenada; **2.** *о.* (*Малые Антильские о-ва, Атлантический ок., гос-во Гренада*) Grenada

Гренади́ны *о-ва* (*Малые Антильские о-ва, Атлантический ок., часть гос-в Гренада и Сент-Винсент и Гренадины*) Grenadines

Гренла́ндия *о.* (*между Северным Ледовитым и Атлантическим океанами, у сев.-вост. берегов Северной Америки, Дания*) Greenland

Гренла́ндское мо́ре (*Северный Ледовитый ок., между о-вами Гренландия и Шпицберген*) Greenland Sea

Грено́бль *г.* (*Франция*) Grenoble

Гре́ция, Греческая Республика *гос-во* (*Юго-Восточная Европа*) Greece, Hellenic Republic

Гри́мсби *г.* (*граф. Хамберсайд, Англия, Великобритания*) Grimsby

Грин-Бей *г.* (*шт. Висконсин, США*) Green Bay

Гри́нвилл 1. *г.* (*шт. Южная Каролина, США*) Greenville; **2.** *г.* (*шт. Миссисипи, США*) Greenville

Гри́нвич *г.* (*метроп. граф. Большой Лондон, Англия, Великобритания*) Greenwich

Гри́нвичский меридиа́н (*начальный* (*нулевой*) *меридиан, от которого ведётся счёт долгот на Земле*) Greenwich meridian

Гри́нок *г.* (*обл. Стратклайд, Шотландия, Великобритания*) Greenock

Грин-Ри́вер *р.* (*США*) Green River

Гри́нсборо *г.* (*шт. Северная Каролина, США*) Greensboro

Гро́дно *г.* (*центр Гродненской обл., Белорусская ССР, СССР*) Grodno

Гро́зный *г.* (*столица Чечено-Ингушской АССР, РСФСР, СССР*) Grozny

Гро́нинген *г.* (*Нидерланды*) Groningen

Гро́тфонтейн *г.* (*Намибия*) Grootfontein

Гру́дзёндз *г.* (*Польша*) Grudziądz

Грузи́нская Сове́тская Социалисти́ческая Респу́блика, Гру́зия (*центр. и зап. части Закавказья, СССР*) Georgian Soviet Socialist Republic, Georgia

Гуавья́ре *р.* (*Колумбия и Венесуэла*) Guaviare

Гуадалкана́л *о.* (*Тихий ок., гос-во Соломоновы Острова*) Guadalcanal

Гуа́м *о.* (*Марианские о-ва, Тихий ок., влад. США*) Guam

Гуанду́н *пров.* (*Китай*) Guangdong, Kwangtung

Гуанси́-Чжуа́нский автоно́мный райо́н (*Китай*) Guangxi Zhuang (*или* Kwangsi Chuang) Autonomous Region

Гуанта́намо *г.* (*Куба*) Guantánamo

Гуанчжо́у *г.* (*адм. центр пров. Гуандун, Китай*) Guangzhou, Kwangchow

Гуапоре́ *р.* (*Бразилия и Боливия*) Guaporé

Гуару́льюс *г.* (*Бразилия*) Guarulhos

Гуаяки́ль 1. *г.* (*Эквадор*) Guayaquil; **2.** *зал.* (*Тихий ок., по-*

бережье Эквадора) Gulf of Guayaquil

Гуая́ма *г.* (*о. Пуэрто-Рико, Большие Антильские о-ва*) Guayama

Гуджара́т *шт.* (*Индия*) Gujarat

Гуджранва́ла *г.* (*Пакистан*) Gujranwala

Гудзо́н *р.* (*США*) Hudson

Гудзо́нов зали́в (*Северный Ледовитый ок., Канада*) Hudson Bay

Гудзо́нов проли́в (*между п-овом Лабрадор и о. Баффинова Земля, Канада*) Hudson Strait

Гуи́нет *граф.* (*Уэльс, Великобритания*) Gwynedd

Гуйли́нь *г.* (*Гуанси-Чжуанский авт. р-н, Китай*) Guilin, Kuei-lin, Kweilin

Гуйчжо́у *пров.* (*Китай*) Guizhou, Kweichow

Гуйя́н *г.* (*адм. центр пров. Гуйчжоу, Китай*) Guiyang, Kweiyang

Гулиста́н *г.* (*центр Сырдарьинской обл., Узбекская ССР, СССР*) Gulistan

Гулль *г.* (*адм. центр граф. Хамберсайд, Англия, Великобритания*) Hull

Гунту́р(у) *г.* (*шт. Андхра-Прадеш, Индия*) Guntur

Гуро́н *оз.* (*США и Канада*) Lake Huron

Гу́рьев *г.* (*центр Гурьевской обл., Казахская ССР, СССР*) Guryev

Гуэ́нт *граф.* (*Уэльс, Великобритания*) Gwent

Гхор *впадина* (*Западная Азия*) the Ghor

Гэ́мпшир *граф.* (*Англия, Великобритания*) Hampshire, *сокр.* Hants

Гэ́рднер *оз.* (*Австралия*) Lake Gairdner

Гэ́ри *г.* (*шт. Индиана, США*) Gary

Гюйе́нн = Гие́нь

Гянджа́ *г.* (*Азербайджанская ССР, СССР*) Gandzha

Д

Дава́о *г.* (*о. Минданао, Филиппины*) Davao

Да́венпорт *г.* (*шт. Айова, США*) Davenport

Даво́с *г.* (*Швейцария*) Davos

Дагеста́нская Автоно́мная Сове́тская Социалисти́ческая Респу́блика, Дагеста́н (*РСФСР, СССР*) Dagestan Autonomous Soviet Socialist Republic, Dag(h)estan

Дагоме́я Dahomey; *см.* Бени́н 1

Да́дли *г.* (*метроп. граф. Уэст-Мидлендс, Англия, Великобритания*) Dudley

Да́дра и Нагархаве́ли *союзная терр.* (*Индия*) Dadra and Nagar Haveli

Дака́р *г.* (*столица Сенегала*) Dakar

Да́кия *ист. римская пров.* (*на терр. совр. Румынии*) Dacia

Да́кка *г.* (*столица Бангладеш*) Dacca

Далайно́р *оз.* (*Китай*) Dalai Nor

Дала́т *г.* (*Вьетнам*) Da Lat

Да́ллас *г.* (*шт. Техас, США*) Dallas

Далма́ция *ист. обл.* (*Югославия*) Dalmatia

Да́льний *г.* Dalny; *см.* Даля́нь

Да́льний Восто́к 1. (*общее назв. гос-в и территорий на вост. Азии*) Far East; **2.** (*крайняя вост. часть СССР*) Far East

Даля́нь *г.* (*пров. Ляонин, Китай*) Dalian, Dairen, Talien

Дама́н *г.* (*адм. центр союзной терр. Даман и Диу, Индия*) Daman

Дама́н и Ди́у *союзная терр.* (*Индия*) Daman and Diu

Даманху́р *г.* (*Египет*) Damanhûr

Да́мараленд *нагорье* (*Намибия*) Damaraland

Дама́ск *г.* (*столица Сирии*) Damascus

Дамба́ртон *г.* (*обл. Стратклайд, Шотландия, Великобритания*) Dumbarton

Дамие́тта *г.* Damietta; *см.* Думья́т

Дамма́м *г.* (*Саудовская Аравия*) Dammam

Дамо́дар *р.* (*Индия*) Damodar

Да́мпиер-Ленд *п-ов* (*Австралия*) Dampier Land

Дамфри́с *г.* (*адм. центр обл. Дамфрис-энд-Галловей, Шотландия, Великобритания*) Dumfries

Да́мфрис-энд-Га́лловей *обл.* (*Шотландия, Великобритания*) Dumfries and Galloway

Да́накиль *геогр. обл.* (*Эфиопия*) Danakil

Дана́нг *г.* (*Вьетнам*) Da Nang

Данба́р *г.* (*шт. Квинсленд, Австралия*) Dunbar

Да́нвилл 1. *г.* (*шт. Виргиния, США*) Danville; **2.** *г.* (*шт. Иллинойс, США*) Danville

Данга́ннон 1. *окр.* (*Северная Ирландия, Великобритания*) Dungannon; **2.** *г.* (*адм. центр окр. Данганнон, Северная Ирландия, Великобритания*) Dungannon

Данга́рван *г.* (*граф. Уотерфорд, Ирландия*) Dungarvan

Данди́ *г.* (*адм. центр обл. Тейсайд, Шотландия, Великобритания*) Dundee

Дандо́лк *г.* (*адм. центр граф. Лаут, Ирландия*) Dundalk

Дани́дин *г.* (*адм. центр стат. р-на Отаго, о. Южный, Новая Зеландия*) Dunedin

Да́ния, Королевство Дания *гос-во* (*Северо-Западная Европа*) Denmark, Kingdom of Denmark

Дан-Лэ́ри *г.* (*граф. Дублин, Ирландия*) Dun Laoghaire

Д'Антракасто́ *о-ва* (*Тихий ок., Папуа-Новая Гвинея*) D'Entrecasteaux Islands

Данфе́рмлин *г.* (*обл. Файф, Шотландия, Великобритания*) Dunfermline

Да́нциг *г.* Danzig; *см.* Гданьск

Да́рвин *г.* (*адм. центр Северной терр., Австралия*) Darwin

Дардане́ллы *прол.* (*соединяет Мраморное и Эгейское моря*) Dardanelles

Дардж́иллинг *г.* (*шт. Западная Бенгалия, Индия*) Darjeeling, Darjiling

Да́рем 1. *граф.* (*Англия, Великобритания*) Durham; **2.** *г.* (*адм. центр граф. Дарем, Англия, Великобритания*) Durham; **3.** *г.* (*шт. Северная Каролина, США*) Durham

Да́рлинг 1. *р.* (*Австралия*) Darling; **2.** *хр.* (*Австралия*) Darling Range

Да́рлингтон *г.* (*граф. Дарем, Англия, Великобритания*) Darlington

Да́рмштадт *г.* (*ФРГ*) Darmstadt

Да́ртмур *плато* (*Великобритания*) Dartmoor

Дарфу́р *плато* (*Судан*) Darfur

Да́рхан *г.* (*Монголия*) Darhan

Дарье́нский зали́в (*Карибское м., побережье Колумбии и Панамы*) Gulf of Darien

Дарья́льское уще́лье (*р. Терек, СССР*) Daryal (Pass)

Дар-эс-Сала́м *г.* (*столица Танзании*) Dar es Salaam, Daressalam

Да́тский проли́в (*между о-вами Гренландия и Исландия*) Denmark Strait

Дату́н *г.* (*пров. Шаньси, Китай*) Datong, Tatung

Да́угава *р.* Daugava (*Латвия*); *см.* За́падная Двина́

Да́угавпилс *г.* (*Латвия*) Daugavpils

Да́ун *окр.* (*Северная Ирландия, Великобритания*) Down

Даунпа́трик *г.* (*адм. центр окр. Даун, Северная Ирландия, Великобритания*) Downpatrick

Да́ха́у *г.* (*ФРГ*) Dachau

Да́хла 1. *г.* (*Западная Сахара*) Dakhla; **2.** *оазисы* (*Ливийская пуст., Египет*) Dakhla

Дахла́к *арх.* (*Красное м., Эфиопия*) Dahlak Archipelago

Двин *ист. г.* (*Армянская ССР, СССР*) Dwin

Дви́нская губа́ (*Белое м., СССР*) Dvina Gulf, Dvina Bay

Двуре́чье = Месопота́мия

Де́брецен *г.* (*Венгрия*) Debrecen

Де́ва *г.* (*Румыния*) Deva

Де́вон *о.* (*Канадский Арктический арх., Канада*) Devon Island

Де́вон(шир) *граф.* (*Англия, Великобритания*) Devon(shire)

Де́жнева мыс (*крайняя вост. точка Азии, Чукотский п-ов, СССР*) Cape Dezhnev

Де́йвис (*науч. ст. Австралии, Антарктида*) Davis

Де́йвиса мо́ре (*Индийский ок., Антарктика*) Davis Sea

Де́йвиса проли́в (*между о-вами Гренландия и Баффинова Земля*) Davis Strait

Де́йтон *г.* (*шт. Огайо, США*) Dayton

Дейто́на-Бич *г.* (*шт. Флорида, США*) Daytona Beach

Дека́н *плскг.* (*Индия*) Deccan

Деке́йтер 1. *г.* (*шт. Иллинойс, США*) Decatur; **2.** *г.* (*шт. Алабама, США*) Decatur

Де́лавэр 1. *шт.* (*США*) Delaware; **2.** *зал.* (*Антлантический ок., побережье США*) Delaware Bay; **3.** *р.* (*США*) Delaware

Де́ли 1. *союзная терр.* (*Индия*) Delhi; **2.** *г.* (*столица Индии и адм. центр союзной терр. Дели*) Delhi

Делфт *г.* (*Нидерланды*) Delft

Демаве́нд *влк.* (*горы Эльбурс, Иран*) Demavend, Damavand

Де-Мойн *г.* (*адм. центр шт. Айова, США*) Des Moines

Де́нвер *г.* (*адм. центр шт. Колорадо, США*) Denver

Денизли́ *г.* (*Турция*) Denizli

Дербе́нт *г.* (*Дагестанская АССР, РСФСР, СССР*) Derbent

Де́рби *г.* (*граф. Дербишир, Англия, Великобритания*) Derby

Де́рбишир *граф.* (*Англия, Великобритания*) Derbyshire

Дёрне *г.* (*Бельгия*) Deurne

Де́руэнт 1. *р.* (*приток р. Трент, Великобритания*) Derwent; **2.** *р.* (*приток р. Уз, Великобритания*) Derwent

Десна́ *р.* (*СССР*) Desna

Де́ссау *г.* (*ФРГ*) Dessau

Детро́йт *г.* (*шт. Мичиган, США*) Detroit

Де́тское Село́ *г.* Detsko(y)e Selo; *см.* Пу́шкин

Дехраду́н *г.* (*шт. Уттар-Прадеш, Индия*) Dehra Dun

Джабалпу́р *г.* (*шт. Мадхья-Прадеш, Индия*) Jabalpur

Джайпу́р *г.* (*адм. центр шт. Раджастхан, Индия*) Jaipur

Джака́рта *г.* (*столица Индонезии, о. Ява*) Djakarta, Jakarta

Джала́л-Аба́д *г.* (*центр Джалал-Абадской обл., Киргизская ССР, СССР*) Dzhalal Abad

Джаландха́р *г.* (*шт. Пенджаб, Индия*) Jullundur, Jalandhar

Джа́мби 1. *г.* Djambi, Jambi; *см.* Теланайпу́ра; **2.** *р.* Djambi, Jambi; *см.* Ха́ри

Джамбу́л *г.* (*центр Джамбулской обл., Казахская ССР, СССР*) Dzhambul

Джа́мму *г.* (*шт. Джамму и Кашмир, Индия*) Jammu

Джа́мму и Кашми́р *шт.* (*Индия*) Jammu and Kashmir

Джа́мна *р.* (*Индия*) Jumna

Джамна́гар *г.* (*шт. Гуджарат, Индия*) Jamnagar

Джамшедпу́р *г.* (*шт. Бихар, Индия*) Jamshedpur

Джа́рвис *о.* (*о-ва Лайн, Тихий ок., влад. США*) Jarvis Island

Джа́спер 1. *г.* (*шт. Алабама, США*) Jasper; **2.** *нац. парк* (*Канада*) Jasper National Park

Джа́фна *г.* (*Шри-Ланка*) Jaffna

Джа́я *гора* (*о. Новая Гвинея, Индонезия*) Mount Djaja

Дже́дборо *г.* (*обл. Бордерс, Шотландия, Великобритания*) Jedburgh

Джезказга́н *г.* (*центр Джезказганской обл., Казахская ССР, СССР*) Dzhezkazgan

Джеймс 1. *зал.* (*часть Гудзонова зал., Канада*) James Bay; **2.** *р.* (*приток р. Миссури, США*) James; **3.** *р.* (*впадает в Чесапикский зал., США*) James

Дже́ймса Ро́сса о́стров (*м. Уэддела, Антарктика*) James Ross Island

Дже́ймстаун 1. *г.* (*шт. Северная Дакота, США*) Jamestown; **2.** *г.* (*адм. центр о-ва Святой Елены*) Jamestown

Джелалаба́д *г.* (*Афганистан*) Jalalabad, Jelalabad

Дже́рмистон *г.* (*пров. Трансвааль, ЮАР*) Germiston

Дже́рси *о.* (*Нормандские о-ва, прол. Ла-Манш, Великобритания*) Jersey

Дже́рси-Си́ти *г.* (*шт. Нью-Джерси, США*) Jersey City

Дже́фферсон-Си́ти *г.* (*адм. центр шт. Миссури, США*) Jefferson City

Джибу́ти 1. Республика

Джибути *гос-во* (*Северо-Восточная Африка*) Djibouti, Republic of Djibouti; **2.** *г.* (*столица Джибути*) Djibouti

Джи́дда *г.* (*Саудовская Аравия*) Jidda

Джиза́к *г.* (*центр Джизакской обл., Узбекская ССР, СССР*) Dzhizak

Джи́ллингем *г.* (*граф. Кент, Англия, Великобритания*) Gillingham

Джило́нг *г.* (*шт. Виктория, Австралия*) Geelong

Джи́нджа *г.* (*Уганда*) Jinja

Джодхпу́р *г.* (*шт. Раджастхан, Индия*) Jodhpur

Джокьяка́рта *г.* (*о. Ява, Индонезия*) Jogjakarta, Jokjakarta

Джомолу́нгма *гора* Chomolungma; *см.* Эвере́ст

Джо́нсон-Си́ти *г.* (*шт. Теннесси, США*) Johnson City

Джо́нстаун *г.* (*шт. Пенсильвания, США*) Johnstown

Джо́нстон *атолл* (*Тихий ок., влад. США*) Johnston

Джо́плин *г.* (*шт. Миссури, США*) Joplin

Джо́рджия 1. *шт.* (*США*) Georgia; **2.** *прол.* (*между о. Ванкувер и Канадой*) Strait of Georgia

Джо́рджтаун I 1. *г.* (*столица Гайаны*) Georgetown; **2.** *г.* (*адм. центр влад. Великобритании на о-вах Кайман, о. Большой Кайман*) Georgetown

Джо́рджтаун II *г.* George Town; *см.* Пина́нг

Джохо́р *прол.* (*между п-овом Малакка и о. Сингапур*) Johore Strait

Джохо́р-Ба́ру *г.* (*Малайзия*) Johore Bahru

Джу́ба *р.* (*Эфиопия и Сомали*) Juba

Джунга́рия *ист. обл.* (*Китай*) Dzungaria

Джунга́рские Воро́та *горн. проход* (*на границе СССР и Китая*) Dzungarian Gates

Джунга́рский Алата́у *хр.* (*на границе СССР и Китая*) Dzungarian Ala Tau

Джу́но *г.* (*адм. центр шт. Аляска, США*) Juneau

Джу́ра *о.* (*арх. Гебридские о-ва, Атлантический ок., Великобритания*) Jura

Джхангмагхия́на *г.* (*Пакистан*) Jhang-Maghiana

Джха́нси *г.* (*шт. Уттар-Прадеш, Индия*) Jhansi

Джэ́ксон *г.* (*адм. центр шт. Миссисипи, США*) Jackson

Джэ́ксонвилл *г.* (*шт. Флорида, США*) Jacksonville

Дзержи́нск *г.* (*Нижегородская обл., РСФСР, СССР*) Dzerzhinsk

Ди 1. *р.* (*впадает в Ирландское м., Великобритания*) Dee; **2.** *р.* (*впадает в Северное м., Великобритания*) Dee

Диба́й *г.* Dibai; *см.* Duба́й

Ди́вед *граф.* (*Уэльс, Великобритания*) Dyfed

Дие́го-Гарси́я *о.* (*арх. Чагос, Индийский ок., влад. Великобритании*) Diego Garcia

Дижо́н *г.* (*Франция*) Dijon

Дизфу́ль *г.* (*Иран*) Dizful

Ди́ксон 1. *пгт* (*Таймырский (Долгано-Ненецкий) авт. окр., Красноярский край, РСФСР, СССР*) Dickson; **2.** *о.* (*Карское м., СССР*) Dickson Island

Ди́ксон-Э́нтранс *прол.* (*между о-вами Королевы Шарлотты и Принца Уэльского, Канада и США*) Dixon Entrance

Ди́ли *г.* (*адм. центр Восточного Тимора, о. Тимор*) Dili

Дими́тровград *г.* (*Болгария*) Dimitrovgrad

Диоми́да острова́ (*Берингов прол., часть принадлежит СССР, часть — США*) Diomede Islands

Ди́рборн *г.* (*шт. Мичиган, США*) Dearborn

Ди́ско *о.* (*у зап. побережья о. Гренландия, м. Баффина, Дания*) Disko

Диспу́р *г.* (*адм. центр шт. Ассам, Индия*) Dispur

Дия́рбакыр *г.* (*Турция*) Diyarbakir

Дми́трия Ла́птева проли́в (*между о. Большой Ляховский и Азией, соединяет м. Лаптевых с Восточно-Сибирским м.*) Dmitri Laptev Strait, Lapteva Strait

Днепр *р.* (*СССР*) Dnieper, Dnepr

Днепродзержи́нск *г.* (*Днепропетровская обл., Украинская ССР, СССР*) Dneprodzerzhinsk

Днепропетро́вск *г.* (*центр Днепропетровской обл., Украинская ССР, СССР*) Dnepropetrovsk

Днестр *р.* (*СССР*) Dniester, Dnestr

До́брой Наде́жды мыс (*на юге ЮАР*) Cape of Good Hope

Добру́джа *ист. обл.* (*Болгария и Румыния*) Dobruja, Dobrudja

До́вер *г.* (*адм. центр шт. Делавэр, США*) Dover

До́ггер *банка* (*Северное м.*) Dogger Bank

Додекане́с *о-ва* (*часть о-вов Южные Спорады, Эгейское м., Греция*) Dodecanese

Долге́ллай *г.* (*граф. Гуинет, Уэльс, Великобритания*) Dolgelley

Доли́на Сме́рти *межгорная впадина* (*США*) Death Valley

Домбро́ва-Гурни́ча *г.* (*Польша*) Dąbrowa Górnicza

Домини́ка 1. Содружество Доминики *гос-во* (*на о. Доминика, Вест-Индия*) Dominica, Commonwealth of Dominica; **2.** *прол.* (*между о-вами Доминика и Мари-Галант, Малые Антильские о-ва*) Dominica Passage; **3.** *о.* (*Малые Антильские о-ва, Атлантический ок., гос-во Доминика*) Dominica

Доминика́нская Респу́блика *гос-во* (*вост. часть о. Гаити, Вест-Индия*) Dominican Republic

Дон *р.* (*СССР*) Don

Донба́сс Donbas(s); *см.* Доне́цкий у́гольный бассе́йн

До́негол 1. *граф.* (*Ирландия*) Donegal; **2.** *г.* (*граф. Донегол, Ирландия*) Donegal; **3.** *зал.* (*Атлантический ок., побережье Ирландии*) Donegal Bay

Доне́ц *р.* Donets; *см.* Се́верский Доне́ц

Доне́цк *г.* (*центр Донецкой обл., Украинская ССР, СССР*) Donetsk

Доне́цкий у́гольный бассе́йн (*Украинская ССР, СССР*) Donets Basin

До́нкастер *г.* (*метроп. граф. Саут-Йоркшир, Англия, Великобритания*) Doncaster

Дордо́нь *р.* (*Франция*) Dordogne

До́рдрехт *г.* (*Нидерланды*) Dordrecht

До́рнох *г.* (*обл. Хайленд, Шотландия, Великобритания*) Dornoch

До́рсет(шир) *граф.* (*Англия, Великобритания*) Dorset(shire)

До́ртмунд *г.* (*ФРГ*) Dortmund

До́ру *р.* (*Испания и Португалия*) Douro

До́рчестер *г.* (*адм. центр граф. Дорсетшир, Англия, Великобритания*) Dorchester

До́си *р.* (*Бразилия*) Doce

До́усон *г.* (*терр. Юкон, Канада*) Dawson

До́ха *г.* (*столица Катара*) Doha

Дра *р.* (*Марокко*) Wad Dra

Дра́ва *р.* (*Италия, Австрия и Югославия*) Drava

Драко́новы го́ры (*ЮАР*) Drakensberg Mountains

Дра́ммен *г.* (*Норвегия*) Drammen

Дре́зден *г.* (*ФРГ*) Dresden

Дре́йка проли́в (*между арх. Огненная Земля и Южными Шетландскими о-вами*) Drake Passage, Drake Strait

Дрин *р.* (*Югославия и Албания*) Drin

Дри́на *р.* (*Югославия*) Drina

Дру́жбы острова́ Friendly Islands; *см.* То́нга 2

Дуа́ла *г.* (*Камерун*) Douala, Duala

Дуба́й *г.* (*Объединённые Арабские Эмираты*) Dubai

Ду́блин 1. *граф.* (*Ирландия*) Dublin; **2.** *г.* (*столица Ирландии*) Dublin

Дубна́ *г.* (*Московская обл., РСФСР, СССР*) Dubna

Дубо́нт *р.* (*Канада*) Dubawnt

Дубро́вник *г.* (*Республика Хорватия, Югославия*) Dubrovnik

Дубью́к *г.* (*шт. Айова, США*) Dubuque

Дувр *г.* (*граф. Кент, Англия, Великобритания*) Dover

Ду́врский проли́в Strait(s) of Dover; *см.* Па-де-Кале́

Ду́глас *г.* (*адм. центр о. Мэн, Великобритания*) Douglas

Дуди́нка *г.* (*центр Таймырского (Долгано-Ненецкого) авт. окр., Красноярский край, РСФСР, СССР*) Dudinka

Ду́йсбург *г.* (*ФРГ*) Duisburg

Ду́ки-ди-Каши́ас *г.* (*Бразилия*) Duque de Caxias

Дулу́т *г.* (*шт. Миннесота, США*) Duluth

Думья́т *г.* (*Египет*) Dumyat

Дуна́й *р.* (*Европа*) Danube

Дунтинху́ *оз.* (*Китай*) Dongting Hu, Tungting (Hu)

Дура́нго *г.* (*Мексика*) Durango

Ду́рбан *г.* (*пров. Натал, ЮАР*) Durban

Дургапу́р *г.* (*шт. Западная Бенгалия, Индия*) Durgapur

Ду́ррес *г.* (*Албания*) Durrës

Душанбе́ *г.* (*столица Таджикской ССР, СССР*) Dushanbe, Dyushambe

Ду́эро *р.* Duero; *см.* До́ру

Дхаулаги́ри *гора* (*горн. сист. Гималаи, Непал*) Dhaulagiri Mount

Ды́ре-Да́уа *г.* (*Эфиопия*) Dire Dawa

Дьёндьёш *г.* (*Венгрия*) Gylöngyös

Дьеп *г.* (*Франция*) Dieppe

Дьёр *г.* (*Венгрия*) Györ

Дью́сбери *г.* (*метроп. граф. Уэст-Йоркшир, Англия, Великобритания*) Dewsbury

Дюнке́рк *г.* (*Франция*) Dunkerque, Dunkirk

Дю́ссельдорф *г.* (*ФРГ*) Düsseldorf

Е

Е́вле *г.* (*Швеция*) Gävle

Евпато́рия *г.* (*Крымская обл., Украинская ССР, СССР*) Yevpatoriya, Evpatoria

Евра́зия *материк* (*Северное полушарие, состоит из двух частей света — Европы и Азии*) Eurasia

Евре́йская автоно́мная о́бласть (*Хабаровский край, РСФСР, СССР*) Jewish Autonomous Region

Евро́па *часть света* (*зап. часть материка Евразия*) Europe

Евфра́т *р.* (*Турция, Сирия и Ирак*) Euphrates

Еги́пет, Арабская Республика Египет *гос-во* (*Северо-Восточная Африка и Синайский п-ов Азии*) Egypt, Arab Republic of Egypt

Екатеринбу́рг *г.* (*центр Екатеринбургской обл., РСФСР, СССР*) Ekaterinburg

Е́лгава *г.* (*Латвия*) Yelgava, Jelgava

Еле́ня-Гу́ра *г.* (*Польша*) Jelenia Góra

Еле́ц *г.* (*Липецкая обл., РСФСР, СССР*) Yelets, Elets

Е́льня *г.* (*Смоленская обл., РСФСР, СССР*) Yelnya

Енанджа́ун *г.* (*Мьянма*) Yenangyaung

Енисе́й *р.* (*СССР*) Yenisei

Енисе́йск *г.* (*Красноярский край, РСФСР, СССР*) Yeniseisk

Енисе́йский зали́в (*Карское м., побережье СССР*) Yenisci Bay

Ерева́н *г.* (*столица Армянской ССР, СССР*) Yerevan, Erevan

Ж

Жавари́ *р.* (*Бразилия и Перу*) Javarí

Жапура́ *р.* (*Колумбия и Бразилия*) Japurá

Жда́нов *г.* Zhdanov; *см.* Мариу́поль

Жекитинью́нья *р.* (*Бразилия*) Jequitinhonha

Желе́зные Воро́та *теснина* (*р. Дунай, на границе Югославии и Румынии*) Iron Gate(s)

Жёлтая река́ Yellow River; *см.* Хуанхэ́

Жёлтое мо́ре (*Тихий ок., у берегов Азии*) Yellow Sea

Жене́ва *г.* (*Швейцария*) Geneva

Жене́вское о́зеро (*Франция и Швейцария*) Lake of Geneva

Же́шув *г.* (*Польша*) Rzeszów

Жигулёвск *г.* (*Самарская обл., РСФСР, СССР*) Zhigulevsk

Жи́лина *г.* (*Чехословакия*) Žilina

Жиро́нда (*эстуарий рек Гаронна и Дордонь, Франция*) Gironde

Жито́мир *г.* (*центр Житомирской обл., Украинская ССР, СССР*) Zhitomir

Жозе́ф-Бонапа́рт *зал.* (*Тиморское м., Австралия*) Joseph Bonaparte Gulf

Жуа́н-Песо́а *г.* (*Бразилия*) João Pessoa

Жужу́й *г.* (*Аргентина*) Jujuy

Жуи́с-ди-Фо́ра *г.* (*Бразилия*) Juiz de Fora

Жуко́вский *г.* (*Московская обл., РСФСР, СССР*) Zhukovski

Жундиаи́ *г.* (*Бразилия*) Jundiaí

Журуа́ *р.* (*Бразилия*) Juruá

Жутаи́ *р.* (*Бразилия*) Jutaí

З

Заала́йский хребе́т (*сев. часть Памира, СССР*) Trans Alai

За́(а)ле *р.* (*ФРГ*) Saale

Забайка́лье (*терр. к вост. от оз. Байкал, СССР*) Transbaikalia

За́бже *г.* (*Польша*) Zabrze

Заго́рск *г.* Zagorsk; *см.* Се́ргиев Поса́д

За́греб *г.* (*столица Республики Хорватия, Югославия*) Zagreb

Загро́с *горн. сист.* (*Иран*) Zagros Mountains

За́дар *г.* (*Республика Хорватия, Югославия*) Zadar

Заи́р 1. Республика Заир *гос-во* (*Центральная Африка*) Zaire, Republic of Zaire; **2.** *р.* Zaire; *см. тж.* Ко́нго 2

Зайса́н *оз.* (*СССР*) Zaisan

Закавка́зье (*терр. к югу от Главного хр. Большого Кавказа, СССР*) Transcaucasia

Заки́нф *о.* (*Ионические о-ва, Ионическое м., Греция*) Zante, Zakynthos

Закопа́не *г.* (*Польша*) Zakopane

За́лаэ́герсег *г.* (*Венгрия*) Zalaegerszeg

За́льцбург *г.* (*Австрия*) Salzburg

За́льцгиттер *г.* (*ФРГ*) Salzgitter

За́ма *ист. г.* (*в Северной Африке, на терр. совр. Туниса*) Zama

Замбе́зи *р.* (*Ангола, Замбия и Мозамбик*) Zambezi

За́мбия, Республика Замбия *гос-во* (*Центральная Африка*) Zambia, Republic of Zambia

Замбоа́нга *г.* (*о. Минданао, Филиппины*) Zamboanga

За́мосць *г.* (*Польша*) Zamość

Занзиба́р 1. *г.* (*Танзания*) Zanzibar; **2.** *о.* (*Индийский ок., Танзания*) Zanzibar

За́падная Австра́лия *шт.* (*Австралия*) Western Australia

За́падная Бенга́лия *шт.* (*Индия*) West Bengal

За́падная Вирги́ния *шт.* (*США*) West Virginia

За́падная Двина́ *р.* (*СССР, Латвия*) Zapadnaya Dvina

За́падная Саха́ра (*терр. на сев.-зап. Африки*) Western Sahara

За́падная Сиби́рь (*часть терр. Сибири от Урала на зап. до р. Енисей на вост., СССР*) Western Siberia

За́падная Сье́рра-Ма́дре *горы* (*Мексика*) Sierra Madre Occidental

За́падное Само́а *гос-во* (*зап. часть о-вов Самоа, Тихий ок.*) Western Samoa

За́падно-Коре́йский зали́в (*Жёлтое м., между п-овами Корея и Ляодунский*) Korea Bay

За́падно-Сиби́рская равни́на (*между Уралом на зап. и р. Енисей на вост., СССР*) West Siberian Plain

За́падные Га́ты *горы* (*Индия*) Western Ghats

За́падный Су́ссекс *граф.* (*Англия, Великобритания*) West Sussex

За́падный ше́льфовый ледни́к (*Антарктида*) West Ice Shelf

За́падный Шпицбе́рген *о.* (*арх. Шпицберген, Северный Ледовитый ок., Норвегия*) West Spitsbergen

Запоро́жье *г.* (*центр Запорожской обл., Украинская ССР, СССР*) Zaporozhye

Зáрия *г.* (*Нигерия*) Zaria

Зáхла *г.* (*Ливан*) Zahle

Звóлле *г.* (*Нидерланды*) Zwolle

Зёйдер-Зе *зал.* (*Северное м., Нидерланды*) Zuider Zee

Зéйнсвилл *г.* (*шт. Огайо, США*) Zanesville

Зелáндия *о.* (*Балтийское м., Дания*) Sjælland, Zealand

Зелёна-Гýра *г.* (*Польша*) Zielona Góra

Зелёного Мы́са островá (*Атлантический ок., Кабо-Верде*) Cape Verde Islands

Зелёные гóры (*США*) Green Mountains

Зелёный мыс (*Западная Африка, Сенегал*) Cape Vert, Cape Verde

Зенджáн *г.* (*Иран*) Zenjan

Зéница *г.* (*Социалистическая Республика Босния и Герцеговина, Югославия*) Zenica

Зéя *р.* (*СССР*) Zeya

Зимбáбве, Республика Зимбабве *гос-во* (*Южная Африка*) Zimbabwe, Republic of Zimbabwe

Зи́ндер *г.* (*Нигер*) Zinder

Златоýст *г.* (*Челябинская обл., РСФСР, СССР*) Zlatoust

Злин *г.* (*Чехословакия*) Zlín

Зóлинген *г.* (*ФРГ*) Solingen

Золотáя Ордá *ист. гос-во* (*Азия и Европа*) Golden Horde

Золотóй Бéрег Gold Coast; *см.* Гáна

Золотóй бéрег (*побережье Гвинейского зал., Гана*) Gold Coast

Золотóй Рог *бухта* (*прол. Босфор, Турция*) Golden Horn

Золоты́е Ворóта *прол.* (*соединяет зал. Сан-Франциско с Тихим ок.*) Golden Gate

Зóмба *г.* (*Малави*) Zomba

Зонгулдáк *г.* (*Турция*) Zonguldak

Зóндские островá Sunda (*или* Soenda) Isles; *см.* Большúе Зóндские островá *и* Мáлые Зóндские островá

Зóндский жёлоб (*Индийский ок.*) Sunda Deep

Зóндский проли́в (*между о-вами Ява и Суматра, Индонезия*) Sunda (*или* Soenda) Strait

Зрéнянин *г.* (*Социалистическая Республика Сербия, Югославия*) Zrenjanin

Зунд *прол.* the Sound; *см.* Э́ресунн

И

Ибагé *г.* (*Колумбия*) Ibagué

Ибáдан *г.* (*Нигерия*) Ibadan

Ибарáки *г.* (*о. Хонсю, Япония*) Ibaraki

Ибéрия 1. (*древнее назв. Испании*) Iberia; **2.** (*античное и византийское назв. Восточной Грузии*) Iberia

Ибúнь *г.* (*пров. Сычуань, Китай*) Yibin, Ipin

Ивáки *г.* (*о. Хонсю, Япония*) Iwaki

Ивáкуни *г.* (*о. Хонсю, Япония*) Iwakuni

Ивáново *г.* (*центр Ивановской обл., РСФСР, СССР*) Ivanovo

Ивáно-Франкóвск *г.* (*центр Ивано-Франковской обл., Украинская ССР, СССР*) Ivano-Frankovsk

Иви́са *о.* (*Балеарские о-ва, Средиземное м., Испания*) Ibiza, Iviza

И́во *г.* (*Нигерия*) Iwo

Игáрка *г.* (*Красноярский край, РСФСР, СССР*) Igarka

Игóльный мыс (*крайняя юж. точка Африки, ЮАР*) Cape Agulhas

Игуасý 1. *р.* (*Бразилия и Аргентина*) Iguaçú; **2.** *вдп.* (*р. Игуасу, на границе Аргентины и Бразилии*) Iguaçú Falls

И́дрия *г.* (*Республика Словения, Югославия*) Idrija

Иерихóн *ист. г.* (*в Палестине*) Jericho

Иерусали́м *г.* (*к зап. от Мёртвого м., Азия*) Jerusalem

Ижéвск *г.* (*столица Удмуртской АССР, РСФСР, СССР*) Izhevsk

Измаи́л *г.* (*Одесская обл., Украинская ССР, СССР*) Izmail

Изми́р *г.* (*Турция*) Izmir

Изми́рский зали́в (*Эгейское м., побережье Турции*) Gulf of Izmir

Изми́т *г.* (*Турция*) Izmit

Изми́тский зали́в (*Мраморное м., побережье Турции*) Gulf of Izmit

Изра́иль, Государство Израиль *гос-во* (*Западная Азия*) Israel, State of Israel

Ики́ке *г.* (*Чили*) Iquique

Ики́тос *г.* (*Перу*) Iquitos

Иле́ша *г.* (*Нигерия*) Ilesha

Или́ *р.* (*СССР и Китай*) Ili

Илиа́мна **1.** *оз.* (*п-ов Аляска, США*) Iliamna Lake; **2.** *влк.* (*п-ов Аляска, США*) Iliamna Peak

Или́ган *г.* (*о. Минданао, Филиппины*) Iligan

И́линг *г.* (*метроп. граф. Большой Лондон, Англия, Великобритания*) Ealing

Илио́н *ист. г.* Ilium; *см.* Тро́я

Иллино́йс **1.** *шт.* (*США*) Illinois; **2.** *р.* (*США*) Illinois

Илли́рия *ист. обл.* (*Европа*) Illyria

Илои́ло *г.* (*о. Панай, Филиппины*) Iloilo

Илори́н *г.* (*Нигерия*) Ilorin

Иль-де-Франс *ист. пров.* (*Франция*) Ile-de-France

Илье́ус *г.* (*Бразилия*) Ilhéus

Ильима́ни *гора* (*горн. сист. Анды, Боливия*) Illimani

И́льмень *оз.* (*СССР*) Ilmen

Ильямпу́ *гора* (*горн. сист. Анды, Боливия*) Illampu

Имаба́ри *г.* (*о. Сикоку, Япония*) Imabari

И́мандра *оз.* (*СССР*) Imandra

И́матра **1.** *г.* (*Финляндия*) Imatra; **2.** *вдп.* (*р. Вуокса, Финляндия*) Imatra

Имере́ти *ист. обл.* (*Грузинская ССР, СССР*) Imeretia

И́мпхал *г.* (*адм. центр шт. Манипур, Индия*) Imphal

И́нари *оз.* (*Финляндия*) Inari

Инверка́ргилл *г.* (*адм. центр стат. р-на Саутленд, о. Южный, Новая Зеландия*) Invercargill

Инверне́сс *г.* (*адм. центр обл. Хайленд, Шотландия, Великобритания*) Inverness

И́нглвуд *г.* (*шт. Калифорния, США*) Inglewood

И́нгольштадт *г.* (*ФРГ*) Ingolstadt

И́нгрид Кри́стенсен Бе́рег (*Антарктида*) Ingrid Christensen Coast

Инд *р.* (*Китай, Индия и Пакистан*) Indus

Инда́ур *г.* (*шт. Мадхья-Прадеш, Индия*) Indore

Индепе́нденс *г.* (*шт. Канзас, США*) Independence

Индиа́на *шт.* (*США*) Indiana

Индиана́полис *г.* (*адм. центр шт. Индиана, США*) Indianapolis

Индиги́рка *р.* (*СССР*) Indigirka

Инди́йский океа́н (*между Африкой, Азией, Австралией и Антарктидой*) Indian Ocean

И́ндия, Республика Индия *гос-во* (*Южная Азия*) India, Republic of India

И́ндо-Га́нгская равни́на (*Индия, Пакистан и Бангладеш*) Indo-Gangetic Plain

Индокита́й *п-ов* (*Юго-Восточная Азия*) Indochina, Indo-China

Индоне́зия, Республика Индонезия *гос-во* (*Юго-Восточная Азия*) Indonesia, Republic of Indonesia

Индоста́н *п-ов* (*Южная Азия*) Hindustan, Hindostan

И́нид *г.* (*шт. Оклахома, США*) Enid

Инко́у *г.* (*пров. Ляонин, Китай*) Yingkou, Yingkow

Инн *р.* (*Швейцария, Австрия и ФРГ*) Inn

Иновро́цлав *г.* (*Польша*) Inowrocław

И́нсбрук *г.* (*Австрия*) Innsbruck

Инчхо́н *г.* (*Республика Корея*) Inchon

Иньчуа́нь *г.* (*адм. центр Нинся-Хуэйского авт. р-на, Китай*) Yinchuan

Иньямба́не *г.* (*Мозамбик*) Inhambane

Иони́ческие острова́ (*Ионическое м., Греция*) Ionian Islands

Иони́ческое мо́ре (*часть Средиземного м., между Апеннинским и Балканским п-овами*) Ionian Sea

Ио́ния *ист. обл.* (*Малая Азия*) Ionia

Иорда́н *р.* (*Восточное Средиземноморье*) Jordan

Иорда́ния, Иорданское Хашимитское Королевство *гос-во* (*Западная Азия*) Jordan, Hashemite Kingdom of Jordan

Йпох *г.* (*Малайзия*) Ipoh

Ипр *г.* (*Бельгия*) Ieper

Йпсуич 1. *г.* (*адм. центр граф. Суффолк, Англия, Великобритания*) Ipswich; **2.** *г.* (*шт. Квинсленд, Австралия*) Ipswich

Иравáди *р.* (*Мьянма*) Irrawaddy

Ирáк, Иракская Республика *гос-во* (*Западная Азия*) Iraq, Republic of Iraq

Ирáн, Исламская Республика Иран *гос-во* (*Юго-Западная Азия*) Iran, Islamic Republic of Iran

Ирáнское нагóрье (*Афганистан, Иран и Пакистан*) Plateau of Iran

Ирапуáто *г.* (*Мексика*) Irapuato

Ирасý *влк.* (*Коста-Рика*) Irazú

Йрвингтон = Э́рвингтон

Иркýтск *г.* (*центр Иркутской обл., РСФСР, СССР*) Irkutsk

Ирлáндия 1. Ирландская Республика *гос-во* (*на о. Ирландия, Западная Европа*) Ireland, Republic of Ireland; **2.** *о.* (*Британские о-ва, Атлантический ок., гос-ва Ирландия и Великобритания*) Ireland

Ирлáндское мóре (*Атлантический ок., между о-вами Великобритания и Ирландия*) Irish Sea

Ирты́ш *р.* (*СССР*) Irtish, Irtysh

Исабéла *о.* (*о-ва Галапагос, Тихий ок., Эквадор*) Isabela Island

Исáлько *влк.* (*Сальвадор*) Izalco

Йсе 1. *г.* (*о. Хонсю, Япония*) Ise; **2.** *зал.* (*Тихий ок., о. Хонсю, Япония*) Ise Bay

Исéйин *г.* (*Нигерия*) Iseyin

Исикáри *р.* (*о. Хоккайдо, Япония*) Ishikari

Искендерýн 1. *г.* (*Турция*) Iskenderun; **2.** *зал.* (*Средиземное м., побережье Турции*) Gulf of Iskenderun

Исламабáд *г.* (*столица Пакистана*) Islamabad

Ислáндия 1. Республика Исландия *гос-во* (*на о. Исландия, в сев. части Атлантического ок., Европа*) Iceland, Republic of Iceland; **2.** *о.* (*Атлантический ок., гос-во Исландия*) Iceland

Исмаили́я *г.* (*Египет*) Ismailia

Испáния *гос-во* (*Юго-Западная Европа*) Spain

Иссы́к-Куль *оз.* (*СССР*) Issyk Kul

Йстборн *г.* (*граф. Восточный Суссекс, Англия, Великобритания*) Eastbourne

Ист-Кост *стат. р-н* (*Новая Зеландия, о. Северный*) East Coast

Йстли *г.* (*граф. Гэмпшир, Англия, Великобритания*) Eastleigh

Ист-Лóндон *г.* (*Капская пров., ЮАР*) East London

Йстон *г.* (*шт. Пенсильвания, США*) Easton

Ист-Óриндж *г.* (*шт. Нью-Джерси, США*) East Orange

Йстрия *п-ов* (*Югославия и Италия*) Istria, Istrian Peninsula

Ист-Сент-Лýис *г.* (*шт. Иллинойс, США*) East Saint Louis

Ист-Энд (*вост. часть г. Лондон, Великобритания*) East End

Исфахáн *г.* (*Иран*) Eşfahan, Isfahan

Итаби́ра *г.* (*Бразилия*) Itabira

Итáлия, Итальянская Республика *гос-во* (*Южная Европа*) Italy, Italian Republic

Итанáгар *г.* (*адм. центр шт. Аруначал-Прадеш, Индия*) Itanagar

Йтон *г.* (*граф. Бакингемшир, Англия, Великобритания*) Eton

Итурýп *о.* (*арх. Курильские о-ва, СССР*) Iturup

Иудéйское цáрство *ист. гос-во* (*в Палестине*) Judah

Иудéя *ист. пров.* (*в Палестине*) Jud(a)ea

Йфе *г.* (*Нигерия*) Ife

Ичáн *г.* (*пров. Хубэй, Китай*) Yichang, Ichang

Ичýнь *г.* (*пров. Хэйлунцзян, Китай*) Yichun, Ichun

Иши́м *р.* (*СССР*) Ishim

Ишимбáй *г.* (*Башкирская АССР, РСФСР, СССР*) Ishimbay

Й

Йезд *г.* (*Иран*) Yazd, Yezd

Йелл *о.* (*Шетландские о-ва, Атлантический ок., Великобритания*) Yell

Йе́ллоунайф *г.* (*адм. центр Северо-Западных территорий, Канада*) Yellowknife

Йе́ллоустон *р.* (*США*) Yellowstone

Йеллоусто́нский национа́льный парк (*США*) Yellowstone National Park

Йе́мен, Йеменская Республика *гос-во* (*Аравийский п-ов, Юго-Западная Азия*) Yemen, Republic of Yemen

Йе́на *г.* (*ФРГ*) Jena

Йёнчёпинг *г.* (*Швеция*) Jönköping

Йо́вил *г.* (*граф. Сомерсетшир, Англия, Великобритания*) Yeovil

Йоккайти *г.* (*о. Хонсю, Япония*) Yokkaichi

Йоко́сука *г.* (*о. Хонсю, Япония*) Yokosuka

Йокоха́ма *г.* (*о. Хонсю, Япония*) Yokohama

Йо́нкерс *г.* (*шт. Нью-Йорк, США*) Yonkers

Йорк 1. *г.* (*граф. Норт-Йоркшир, Англия, Великобритания*) York; **2.** *г.* (*шт. Пенсильвания, США*) York; **3.** *мыс* (*крайняя сев. точка Австралии, п-ов Кейп-Йорк*) Cape York

Йо́рктон *г.* (*пров. Саскачеван, Канада*) Yorkton

Йосе́митская доли́на (*США*) Yosemite Valley

Йосе́митский водопа́д (*р. Йосемити-Крик, США*) Yosemite Falls

Йосе́митский национа́льный парк (*США*) Yosemite National Park

Йоха́ннесбург *г.* (*пров. Трансвааль, ЮАР*) Johannesburg

Йошка́р-Ола́ *г.* (*столица Марийской АССР, РСФСР, СССР*) Ioshkar Ola

К

Кабанатуа́н *г.* (*о. Лусон, Филиппины*) Cabanatuan

Кабарди́но-Балка́рская Автоно́мная Сове́тская Социалисти́ческая Респу́блика, Кабарди́но-Балка́рия (*РСФСР, СССР*) Kabardino-Balkarian Autonomous Soviet Socialist Republic, Kabardino-Balkaria

Ка́бве *г.* (*Замбия*) Kabwe

Каби́мас *г.* (*Венесуэла*) Cabimas

Каби́нда *г.* (*Ангола*) Cabinda

Ка́бо-Ве́рде, Республика Кабо-Верде *гос-во* (*на о-вах Зелёного Мыса, Атлантический ок.*) Cabo Verde, Republic Cabo Verde

Ка́бот *прол.* (*между о-вами Ньюфаундленд и Кейп-Бретон, Канада*) Cabot Strait

Ка́бу-Бра́нку *мыс* (*крайняя вост. точка Южной Америки, Бразилия*) Cabo Branco

Кабу́л 1. *г.* (*столица Афганистана*) Kabul; **2.** *р.* (*Афганистан и Пакистан*) Kabul

Кавагу́ти *г.* (*о. Хонсю, Япония*) Kawaguchi

Ка́ван 1. *граф.* (*Ирландия*) Cavan; **2.** *г.* (*адм. центр граф. Каван, Ирландия*) Cavan

Кавара́тти *г.* (*адм. центр союзной терр. Лакшадвип, Индия*) Kavaratti

Кавса́ки *г.* (*о. Хонсю, Япония*) Kawasaki

Кавие́нг *г.* (*о. Новая Ирландия, Папуа-Новая Гвинея*) Kavieng

Кавка́з 1. (*терр. между Чёрным, Азовским и Каспийским морями, СССР*) Caucasia, the Caucasus; **2.** *горн. страна* (*между Чёрным, Азовским и Каспийским морями, СССР*) Caucasus Mountains, the Caucasus

Кагая́н-де-О́ро *г.* (*о. Минданао, Филиппины*) Cagayan de Oro

Каге́ра *р.* (*Руанда, Танзания и Уганда*) Kagera

Кагóсима *г.* (*о. Кюсю, Япония*) Kagoshima

Ка́гуас *г.* (*о. Пуэрто-Рико, Большие Антильские о-ва*) Caguas

Каде́ш *ист. г.* (*на терр. совр. Сирии*) Kadesh

Ка́дис *г.* (*Испания*) Cadiz

Кади́сский зали́в (*Атлантический ок., побережье Пиренейского п-ова*) Gulf of Cadiz

Каду́на *г.* (*Нигерия*) Kaduna

Ка́дьяк *о.* (*Тихий ок., США*) Kodiak, Kadiak

Ка́ес *г.* (*Мали*) Kayes

Казанлы́к *г.* (*Болгария*) Kazanlik

Каза́нь *г.* (*столица Татарской АССР, РСФСР, СССР*) Kazan

Каза́хская Сове́тская Социалисти́ческая Респу́блика, Казахста́н (*на юго-зап. азиатской части СССР*) Kazakh Soviet Socialist Republic, Kazak(h)stan

Казбе́к *гора* (*Кавказ, СССР*) Kazbek

Казви́н *г.* (*Иран*) Qazvīn, Kazvin

Каи́р *г.* (*столица Египта*) Cairo

Кайе́нна *г.* (*адм. центр Гвианы*) Cayenne

Ка́йзерсла́утерн *г.* (*ФРГ*) Kaiserslautern

Кайла́с *хр.* (*Китай*) Kailas

Кайма́н *жёлоб* (*Карибское м.*) Cayman Trench

Кайма́н острова́ (*Карибское м., Вест-Индия, влад. Великобритании*) Cayman Islands

Ка́йсери *г.* (*Турция*) Kayseri

Кайфы́н *г.* (*пров. Хэнань, Китай*) Kaifeng

Кала́брия *п-ов* (*Италия*) Calabria

Каламазу́ *г.* (*шт. Мичиган, США*) Kalamazoo

Калаха́ри *пуст.* (*Южная Африка*) Kalahari Desert

Калаха́ри-Ге́мсбок *нац. парк* (*ЮАР*) Kalahari Gemsbok

Калга́н *г.* Kalgan; *см.* Чжанцзякóу

Ка́лгари *г.* (*пров. Альберта, Канада*) Calgary

Калгу́рли *г.* (*шт. Западная Австралия, Австралия*) Kalgoorlie

Кале́ *г.* (*Франция*) Calais

Каледо́ния *ист.* (*древнее назв. сев. части о. Великобритания*) Caledonia

Каледо́нский кана́л (*соединяет Северное м. с Атлантическим ок., Великобритания*) Caledonian Canal

Ка́ли *г.* (*Колумбия*) Cali

Калиа́кра *мыс* (*Болгария*) Cape Kaliakra

Ка́ликут *г.* (*шт. Тамилнад, Индия*) Calicut

Калиманта́н *о.* (*Малайский арх., Большие Зондские о-ва, Индонезия, Малайзия и Бруней*) Kalimantan

Кали́нин *г.* Kalinin; *см.* Тверь

Калинингра́д **1.** *г.* (*центр Калининградской обл., РСФСР, СССР*) Kaliningrad; **2.** *г.* (*Московская обл., РСФСР, СССР*) Kaliningrad

Калифорни́йский зали́в (*Тихий ок., между п-овом Калифорния и побережьем Мексики*) Gulf of California

Калифорни́йское тече́ние (*Тихий ок.*) California Current

Калифо́рния **1.** *шт.* (*США*) California; **2.** *п-ов* (*на зап. Северной Америки, Мексика*) Lower California, Baja California

Ка́лиш *г.* (*Польша*) Kalisz

Ка́лка (*совр.* Кальчик) *р.* (*СССР*) Kalka

Калмы́цкая Автоно́мная Сове́тская Социалисти́ческая Респу́блика, Калмы́кия (*РСФСР, СССР*) Kalmyk (*или* Kalmuck) Autonomous Soviet Socialist Republic, Kalmykia

Калоо́кан *г.* (*о. Лусон, Филиппины*) Caloocan

Калу́га *г.* (*центр Калужской обл., РСФСР, СССР*) Kaluga

Кальку́тта *г.* (*адм. центр шт. Западная Бенгалия, Индия*) Calcutta

Ка́льмар *г.* (*Швеция*) Kalmar

Кальюб *г.* (*Египет*) Qalyub

Калья́о *г.* (*Перу*) Callao

Ка́льяри *г.* (*о. Сардиния, Италия*) Cagliari

Ка́ма *р.* (*СССР*) Kama

Камагуэ́й *г.* (*Куба*) Camagüey

Кама́кура *г.* (*о. Хонсю, Япония*) Kamakura

Кама́у 1. *п-ов* (*юж. побережье Вьетнама*) Camau; **2.** *мыс* (*юж. оконечность п-ова Камау, Вьетнам*) Point Camau

Камбе́йский зали́в (*Аравийское м., побережье п-ова Индостан*) Gulf of Cambay

Ка́мберленд 1. *г.* (*шт. Мэриленд, США*) Cumberland; **2.** *п-ов* (*о. Баффинова Земля, Канада*) Cumberland Peninsula; **3.** *р.* (*США*) Cumberland River; **4.** *плато* (*США*) Cumberland Plateau, Cumberland Mountains

Камберле́ндские го́ры (*Англия, Великобритания*) Cumbrian Mountains

Камбо́джа, Государство Камбоджа *гос-во* (*Юго-Восточная Азия*) Cambodia, State of Cambodia

Ка́мбрия *граф.* (*Англия, Великобритания*) Cumbria

Ка́мден *г.* (*шт. Нью-Джерси, США*) Camden

Ка́менск-Ура́льский *г.* (*Екатеринбургская обл., РСФСР, СССР*) Kamensk-Uralski

Камеру́н 1. Республика Камерун *гос-во* (*Западная Африка*) Cameroon, Cameroun, Republic of Cameroon; **2.** *влк.* (*Камерун*) Cameroon

Каммо́н *прол.* Kammon; *см.* Симонусе́ки 2

Кампа́ла *г.* (*столица Уганды*) Kampala

Кампа́ния *обл.* (*Италия*) Campania

Кампе́че *зал.* (*часть Мексиканского зал., Мексика*) Bay of Campeche

Кампи́на-Гра́нди *г.* (*Бразилия*) Campina Grande

Кампи́нас *г.* (*Бразилия*) Campinas

Кампонгса́ом *г.* (*Камбоджа*) Kompong Som, Kâmpóng Saôm

Кампонгтя́м *г.* (*Камбоджа*) Kampong Cham

Ка́мпу-Гра́нди *г.* (*Бразилия*) Campo Grande

Ка́мпус *г.* (*Бразилия*) Campos

Кампучи́я Kampuchea; *см.* Камбо́джа

Камра́нь *г.* (*Вьетнам*) Cam Ranh

Камфа́ *г.* (*Вьетнам*) Cam Pha

Камча́тка *п-ов* (*на сев.-вост. СССР*) Kamchatka

Камы́шин *г.* (*Волгоградская обл., РСФСР, СССР*) Kamyshin

Кан *г.* (*Франция*) Caen

Кана́верал *мыс* (*п-ов Флорида, США*) Cape Canaveral

Ка́на (Галиле́йская) *библ. г.* (*в Палестине*) Cana, Cana of Galilee

Кана́да *гос-во* (*Северная Америка*) Canada

Канадза́ва *г.* (*о. Хонсю, Япония*) Kanazawa

Кана́дский Аркти́ческий архипела́г (*у сев. побережья Северной Америки, Канада*) Arctic Archipelago, Canadian Arctic Islands

Кана́дский щит (*выступ фундамента на сев. Северо-Американской платформы, занимающий значительную часть Северной Америки и о. Гренландия*) Canadian Shield

Кана́нга *г.* (*Заир*) Kananga

Кана́рские острова́ (*Атлантический ок., Испания*) Canary Islands, Canaries

Ка́нбе́рра *г.* (*столица Австралии*) Canberra

Канге́ *г.* (*КНДР*) Kanggye

Кандага́р *г.* (*Афганистан*) Kandahar

Кандала́кша *г.* (*Мурманская обл., РСФСР, СССР*) Kandalaksha

Кандала́кшская губа́ = Кандала́кшский зали́в

Кандала́кшский зали́в (*Белое м., СССР*) Kandalaksha Gulf, Kandalaksha Bay

Ка́нди *г.* (*Шри-Ланка*) Kandy

Кане́йдиан *р.* (*США*) Canadian

Ка́нзас 1. *шт.* (*США*) Kansas; **2.** *р.* (*США*) Kansas

Ка́нзас-Си́ти 1. *г.* (*шт. Миссури, США*) Kansas City; **2.** *г.* (*шт. Канзас, США*) Kansas City

Ка́нин полуо́стров (*между Белым м. и Чешской губой Баренцева м., СССР*) Kanin Peninsula

Канка́н *г.* (*Гвинея*) Kankan

Ка́нн(ы) *г.* (*Франция*) Cannes

Ка́нны *ист. нп* (*Италия*) Cannae

Ка́но *г.* (*Нигерия*) Kano

Кано́ас *г.* (*Бразилия*) Canoas

Канпу́р *г.* (*шт. Уттар-Прадеш, Индия*) Kanpur, Cawnpore

Канск *г.* (*Красноярский край, РСФСР, СССР*) Kansk

Кантабри́йские го́ры (*Испания*) Cantabrian Mountains

Ка́нтон *г.* (*шт. Огайо, США*) Canton

Канто́н *г.* Canton; *см.* Гуанчжо́у

Кантхо́ *г.* (*Вьетнам*) Can Tho

Канченджа́нга *гора* (*горн. сист. Гималаи, на границе Непала и Индии*) Kanchenjunga, Kinchinjunga

Каола́к *г.* (*Сенегал*) Kaolack

Капе́рнаум *ист. г.* (*в Палестине*) Capernaum

Ка́пошвар *г.* (*Венгрия*) Kaposvár

Каппадо́кия *ист. обл.* (*в Малой Азии, на терр. совр. Турции*) Cappadocia

Ка́при *о.* (*Тирренское м., Италия*) Capri

Ка́прикорн *прол.* (*между Австралией и юж. частью Большого Барьерного рифа*) Capricorn Channel

Ка́пская прови́нция (*ЮАР*) Cape Province

Ка́пстад *г.* Kaapstad; *см.* Кейпта́ун

Ка́пуа *г.* (*Италия*) Capua

Ка́пуас *р.* (*о. Калимантан, Индонезия*) Kapuas

Кара́-Бога́з-Гол *оз.* (*СССР*) Kara Bogaz Gol

Караганда́ *г.* (*центр Карагандинской обл., Казахская ССР, СССР*) Karaganda

Карада́г *хр.* (*Иран*) Karadağ, Kara Dağ

Каракалпа́кская Автоно́мная Сове́тская Социалисти́ческая Респу́блика, Каракалпа́кия (*Узбекская ССР, СССР*) Kara-Kalpak Autonomous Soviet Socialist Republic, Kara-Kalpak

Кара́кас *г.* (*столица Венесуэлы*) Caracas

Каракору́м I *ист. г.* (*на терр. Монголии*) Karakorum

Каракору́м II 1. *горн. сист.* (*Индия и Китай*) Karakoram (*или* Karakorum) Range; **2.** *пер.* (*горн. сист. Каракорум, на границе Индии и Китая*) Karakoram Pass

Карaку́мский кана́л (*соединяет р. Амударья с р. Теджен и Каспийским м., СССР*) Kara Kum Canal

Караку́мы *пуст.* (*Туркменская ССР, СССР*) Kara Kum

Карача́ево-Черке́сская автоно́мная о́бласть (*Ставропольский край, РСФСР, СССР*) Karachayevo-Cherkess (*или* Karachai-Cherkess) Autonomous Region

Кара́чи *г.* (*Пакистан*) Karachi

Ка́рвина *г.* (*Чехословакия*) Karviná

Ка́рденас *г.* (*Куба*) Cárdenas

Ка́рдиган *зал.* (*Атлантический ок., о. Великобритания*) Cardigan Bay

Ка́рдифф *г.* (*адм. центр граф. Саут-Гламорган, Уэльс, Великобритания*) Cardiff

Каре́льская Автоно́мная Сове́тская Социалисти́ческая Респу́блика, Каре́лия (*РСФСР, СССР*) Karelian Autonomous Soviet Socialist Republic, Karelia

Каре́льский переше́ек (*между Финским зал. и Ладожским оз., СССР*) Karelian Isthmus

Кари́бское мо́ре (*Атлантический ок., между Центральной и Южной Америкой и Антильскими о-вами*) Caribbean Sea

Ка́рибу *горы* (*Канада*) Cariboo Mountains

Карима́та *прол.* (*между о-вами Калимантан и Белитунг, Индонезия*) Karimata Strait

Кари́нтия *ист. обл.* (*Европа*) Carinthia

Кариси́мби *влк.* (*горы Вирунга, на границе Заира и Руанды*) Karisimbi

Каркасо́н *г.* (*Франция*) Carcassonne

Карла́йл *г.* (*адм. центр граф.*

Камбрия, Англия, Великобритания) Carlisle

Карл-Маркс-Штадт *г.* Karl-Marx-Stadt; *см.* Хемниц

Ка́рловац *г.* (*Республика Хорватия, Югославия*) Karlovac

Ка́рлови-Ва́ри *г.* (*Чехословакия*) Karlovy Vary

Ка́рлоу 1. *граф.* (*Ирландия*) Carlow; **2.** *г.* (*адм. центр граф. Карлоу, Ирландия*) Carlow

Ка́рлсбад I *г.* (*шт. Нью-Мексико, США*) Carlsbad

Ка́рлсбад II *г.* Karlsbad, Carlsbad; *см.* Ка́рлови-Ва́ри

Ка́рлсруэ *г.* (*ФРГ*) Karlsruhe

Ка́рлстад *г.* (*Швеция*) Karlstad

Ка́рлтонвилл *г.* (*пров. Трансвааль, ЮАР*) Carletonville

Ка́рльскруна *г.* (*Швеция*) Karlskrona

Карма́ртен *г.* (*адм. центр граф. Дивед, Уэльс, Великобритания*) Carmarthen

Карна́рвон *г.* (*адм. центр граф. Гуинет, Уэльс, Великобритания*) Caernarvon

Карната́ка *шт.* (*Индия*) Karnataka

Кароли́нские острова́ *арх.* (*Тихий ок., Микронезия, опека ООН*) Caroline Islands, Carolines

Кароні́ *р.* (*Венесуэла*) Caroní

Карпа́ты *горн. сист.* (*Европа*) Carpathian Mountains, Carpathians

Карпента́рия *зал.* (*Арафурское м., побережье Австралии*) Gulf of Carpentaria

Карра́ра *г.* (*Италия*) Carrara

Ка́ррик(-он-Ша́ннон) *г.* (*адм. центр граф. Литрим, Ирландия*) Carrick (on Shannon)

Каррикфе́ргус 1. *окр.* (*Северная Ирландия, Великобритания*) Carrickfergus; **2.** *г.* (*адм. центр окр. Каррикфергус, Северная Ирландия, Великобритания*) Carrickfergus

Ка́рролл *г.* (*шт. Айова, США*) Carroll

Ка́рры *ист. г.* (*в Месопотамии, на терр. совр. Турции*) Carrhae

Карс *г.* (*Турция*) Kars

Ка́рские Воро́та *прол.* (*между о-вами Новая Земля и Вайгач, соединяет Баренцево и Карское моря*) Kara Strait

Ка́рское мо́ре (*Северный Ледовитый ок., у берегов СССР*) Kara Sea

Ка́рсон-Си́ти *г.* (*адм. центр шт. Невада, США*) Carson City

Картахе́на 1. *г.* (*Испания*) Cartagena; **2.** *г.* (*Колу́мбия*) Cartagena

Ка́ртли *ист. обл.* (*Грузинская ССР, СССР*) Kartli

Кару́н *р.* (*Иран*) Karun

Карфаге́н *ист. город-гос-во* (*в Северной Африке, на терр. совр. Туниса*) Carthago

Кархеми́ш *ист. г.* (*на терр. совр. Сирии*) Carchemish

Карши́ *г.* (*центр Кашкадарьинской обл., Узбекская ССР, СССР*) Karshi

Касабла́нка *г.* (*Марокко*) Casablanca

Каса́и *р.* (*Ангола и Заир*) Kasai

Каска́дные го́ры (*США и Канада*) Cascade Range

Каслба́р *г.* (*адм. центр граф. Мейо, Ирландия*) Castlebar

Ка́слрей *окр.* (*Северная Ирландия, Великобритания*) Castlereagh

Ка́спер *г.* (*шт. Вайоминг, США*) Casper

Каспи́йское мо́ре (*на границе Европы и Азии, СССР и Иран*) Caspian Sea

Ка́ссала *г.* (*Судан*) Kassala

Ка́ссель *г.* (*ФРГ*) Kassel

Касти́лия *ист. кор-во* (*Пиренейский п-ов, Европа*) Castile

Кастри́ *г.* (*столица Сент-Люсии*) Castries

Катало́ния *ист. обл.* (*Испания*) Catalonia

Ката́ния *г.* (*о. Сицилия, Италия*) Catania

Ка́тар 1. Государство Катар *гос-во* (*Аравийский п-ов, Юго-Западная Азия*) Qatar, State of Qatar; **2.** *п-ов* (*сев.-вост. часть Аравийского п-ова, Катар*) Qatar

Ка́ткин-Пик *гора* (*Драконовы горы, ЮАР*) Cathkin Peak

Ка́тмай *влк.* (*Алеутский хр., США*) Mount Katmai

Катманду́ *г.* (*столица Непала*) Katmandu

Катови́це *г.* (*Польша*) Katowice

Ка́тскилл *горы* (*США*) Catskill Mountains

Катта́ра *впадина* (*Египет*) Qattara Depression

Каттега́т *прол.* (*между п-овами Скандинавским и Ютландия*) Kattegat

Кату́нь *р.* (*СССР*) Katun

Катхиява́р *п-ов* (*Индия*) Kathiawar

Ка́уаи *о.* (*Гавайские о-ва, Тихий ок., США*) Kauai

Ка́ука *р.* (*Колумбия*) Cauca

Ка́унас *г.* (*Литва*) Kaunas

Ка́унсил-Блафс *г.* (*шт. Айова, США*) Council Bluffs

Ка́ус *г.* (*граф. Айл-оф-Уайт, Англия, Великобритания*) Cowes

Кафуэ́ *р.* (*Замбия*) Kafue

Кахама́рка *г.* (*Перу*) Cajamarca

Кахо́вка *г.* (*Херсонская обл., Украинская ССР, СССР*) Kakhovka

Каци́на *г.* (*Нигерия*) Katsina

Кач *зал.* (*Аравийское м., побережье п-ова Индостан*) Gulf of Cutch, Gulf of Kutch

Ка́чский Ранн Большой и Малый *солончаки* (*Индия и Пакистан*) Rann of Cutch Great and Little, Rann of Kutch Great and Little

Каша́н *г.* (*Иран*) Kashan

Кашга́р *г.* (*Синьцзян-Уйгурский авт. р-н, Китай*) Kaxgar, Kashgar

Кашга́рия *ист. обл.* (*Китай*) Kashgaria

Каши́ *г.* Kashi; *см.* Кашга́р

Каши́ас-ду-Сул *г.* (*Бразилия*) Caxias do Sul

Каши́ра *г.* (*Московская обл., РСФСР, СССР*) Kashira

Кашми́р *ист. обл.* (*Индия и Пакистан*) Kashmir

Ква́джалейн *атолл* (*Маршалловы о-ва, Тихий ок.*) Kwajalein

Ква́нго *р.* (*Ангола и Заир*) Kwango

Кванджу́ *г.* (*Республика Корея*) Kwangju

Ква́нза *р.* (*Ангола*) Cuanza

Квебе́к 1. *пров.* (*Канада*) Quebec; **2.** *г.* (*пров. Квебек, Канада*) Quebec

Кве́кве *г.* (*Зимбабве*) Que Que

Кве́тта *г.* (*Пакистан*) Quetta

Кви́нсленд *шт.* (*Австралия*) Queensland

Ке́ймбридж *г.* (*шт. Массачусетс, США*) Cambridge

Кейп-Бре́тон *о.* (*Атлантический ок., Канада*) Cape Breton Island

Кейп-Йорк *п-ов* (*Австралия*) Cape York Peninsula

Кейп-Код 1. *зал.* (*Атлантический ок., побережье США*) Cape Cod Bay; **2.** *п-ов* (*на сев.-вост. США*) Cape Cod, the Cape

Кейп-Кост *г.* (*Гана*) Cape Coast

Ке́йптаун *г.* (*адм. центр Капской пров., ЮАР*) Cape Town, Capetown

Ке́йси (*науч. ст. Австралии, Антарктида*) Casey

Кела́нг *г.* Kelang; *см.* Кланг

Келима́не *г.* (*Мозамбик*) Quelimane

Кёльн *г.* (*ФРГ*) Cologne

Ке́льце *г.* (*Польша*) Kielce

Ке́мбридж *г.* (*адм. центр граф. Кембриджшир, Англия, Великобритания*) Cambridge

Ке́мбриджшир *граф.* (*Англия, Великобритания*) Cambridgeshire

Кембри́йские го́ры (*Уэльс, Великобритания*) Cambrian Mountains

Ке́мбрия *ист.* (*древнее назв. Уэльса, Великобритания*) Cambria

Ке́мерово *г.* (*центр Кемеровской обл., РСФСР, СССР*) Kemerovo

Ке́ми-Йо́ки *р.* (*Финляндия*) Kemi

Ке́на *г.* (*Египет*) Qena

Кена́й *п-ов* (*юж. побережье шт. Аляска, США*) Kenai Peninsula

Кенгуру́ *о.* (*Индийский ок., Австралия*) Kangaroo Island

Ке́ндал *г.* (*граф. Камбрия, Англия, Великобритания*) Kendal

Кёнигсберг *г.* Königsberg; *см.* Калинингра́д 1

Кени́тра *г.* (*Марокко*) Kénitra

Ке́ния 1. Республика Кения *гос-во* (*Восточная Африка*)

Kenya, Republic of Kenya; **2.** *влк.* (*Кения*) Mount Kenya

Ке́ннеди мыс Cape Kennedy; *см.* Кана́верал

Кено́ша *г.* (*шт. Висконсин, США*) Kenosha

Кент 1. *граф.* (*Англия, Великобритания*) Kent; **2.** *ист. англосакс. кор-во* (*Великобритания*) Kent

Ке́нтербери 1. *стат. р-н* (*Новая Зеландия, о. Южный*) Canterbury; **2.** *г.* (*граф. Кент, Англия, Великобритания*) Canterbury

Кенту́кки *шт.* (*США*) Kentucky

Ке́рала *шт.* (*Индия*) Kerala

Кербела́ *г.* (*Ирак*) Karbala, Kerbela

Кергеле́н *арх.* (*Индийский ок., Антарктика, влад. Франции*) Kerguelen

Кере́таро *г.* (*Мексика*) Querétaro

Кери́нчи *влк.* (*о. Суматра, Индонезия*) Kerintji

Ке́ркира *о.* (*Ионические о-ва, Ионическое м., Греция*) Corfu

Керко́лди *г.* (*обл. Файф, Шотландия, Великобритания*) Kirkcaldy

Керку́бри *г.* (*обл. Дамфрис-энд-Галловей, Шотландия, Великобритания*) Kirkcudbright

Ке́ркуолл *г.* (*адм. центр обл. Оркни, о. Мейнленд, Шотландия, Великобритания*) Kirkwall

Терма́дек 1. *жёлоб* (*Тихий ок.*) Kermadec Trench; **2.** *о-ва* (*Тихий ок., влад. Новой Зеландии*) Kermadec Islands

Керма́н *г.* (*Иран*) Kerman

Керманша́х *г.* (*Иран*) Kermanshah

Ке́рри *граф.* (*Ирландия*) Kerry

Керуле́н *р.* (*Монголия и Китай*) Kerulen

Ке́рченский полуо́стров (*вост. часть Крымского п-ова, СССР*) Kerch (Peninsula)

Ке́рченский проли́в (*соединяет Азовское и Чёрное моря, СССР*) Kerch Strait

Керчь *г.* (*Крымская обл., Украинская ССР, СССР*) Kerch

Кесальтена́нго *г.* (*Гватемала*) Quezaltenango

Ке́сон-Си́ти *г.* (*о. Лусон, Филиппины*) Quezon City

Ке́ттеринг *г.* (*граф. Нортхемптоншир, Англия, Великобритания*) Kettering

Ке́тчикан *г.* (*шт. Аляска, США*) Ketchikan

Кеть *р.* (*СССР*) Ket

Кефалини́я *о.* (*Ионические о-ва, Ионическое м., Греция*) Cephalonia

Ке́чкемет *г.* (*Венгрия*) Kecskemét

Кзыл-Орда́ *г.* (*центр Кзыл-Ординской обл., Казахская ССР, СССР*) Kzyl-Orda

Кибдо́ *г.* (*Колумбия*) Quibdó

Ки́ву *оз.* (*Руанда и Заир*) Lake Kivu

Кига́ли *г.* (*столица Руанды*) Kigali

Киго́ма *г.* (*Танзания*) Kigoma

Ки́ев *г.* (*столица Украинской ССР, СССР*) Kiev

Кие́та *г.* (*о. Бугенвиль, Соломоновы о-ва, Папуа-Новая Гвинея*) Kieta

Ки́и *прол.* (*между о-вами Сикоку и Хонсю*) Kii Channel

Кикла́ды *арх.* (*Эгейское м., Греция*) Cyclades

Килауэ́а *влк.* (*о. Гавайи, США*) Kilauea

Килдэ́р 1. *граф.* (*Ирландия*) Kildare; **2.** *г.* (*граф. Килдэр, Ирландия*) Kildare

Килики́я *ист. обл.* (*в Малой Азии, на терр. совр. Турции*) Cilicia

Килиманджа́ро *гора* (*Танзания*) Mount Kilimanjaro

Ки́линг *о-ва* Keeling Islands; *см.* Коко́совые острова́

Килке́нни 1. *граф.* (*Ирландия*) Kilkenny; **2.** *г.* (*адм. центр граф. Килкенни, Ирландия*) Kilkenny

Килма́рнок *г.* (*обл. Стратклайд, Шотландия, Великобритания*) Kilmarnock

Киль *г.* (*ФРГ*) Kiel

Ки́льская бу́хта (*Балтийское м., ФРГ*) Kiel Bay

Ки́льский кана́л (*соединяет Балтийское и Северное моря, ФРГ*) Kiel Canal

Ки́мберли I *г.* (*Капская пров., ЮАР*) Kimberley

Ки́мберли II *плато* (*Австралия*) Kimberleys

Ким-Чхэк *г.* (*КНДР*) Kim-Ch'ack

Кинаба́лу *гора* (*о. Калимантан, Малайзия*) Kinabalu

Кинг *о.* (*прол. Басса, Австралия*) King Island

Кинг-Джордж *о.* (*Южные Шетландские о-ва, Атлантический ок., Антарктика*) King George Island

Ки́нгмен *риф* (*о-ва Лайн, Тихий ок., влад. США*) Kingman Reef

Ки́нгстаун *г.* (*столица гос-ва Сент-Винсент и Гренадины, о. Сент-Винсент*) Kingstown

Ки́нгстон 1. *г.* (*столица Ямайки*) Kingston; **2.** *г.* (*пров. Онтарио, Канада*) Kingston; **3.** *нп* (*адм. центр о. Норфолк*) Kingston

Ки́нгстон-апо́н-Темс, Ки́нгстон-он-Темс *г.* (*адм. центр метроп. граф. Большой Лондон и граф. Суррей, Англия, Великобритания*) Kingston upon Thames, Kingston on Thames

Кинг-Уи́льям *о.* (*Канадский Арктический арх., Канада*) King William Island

Ки́ндия *г.* (*Гвинея*) Kindia

Ки́нешма *г.* (*Ивановская обл., РСФСР, СССР*) Kineshma

Кинро́сс *г.* (*обл. Тейсайд, Шотландия, Великобритания*) Kinross

Кинша́са *г.* (*столица Заира*) Kinshasa

Кио́то *г.* (*о. Хонсю, Япония*) Kyoto

Кипр 1. Республика Кипр *гос-во* (*на о. Кипр, Средиземное м., Западная Азия*) Cyprus, Republic of Cyprus; **2.** *о.* (*Средиземное м., гос-во Кипр*) Cyprus

Кирги́зская Сове́тская Социалисти́ческая Респу́блика, Кирги́зия (*на сев.-вост. Средней Азии, СССР*) Kirg(h)iz Soviet Socialist Republic, Kirg(h)izia

Кире́на *ист. г.* (*на терр. совр. Ливии*) Cyrene

Кирена́ика *ист. обл.* (*Ливия*) Cyrenaica

Кириба́ти, Республика Кирибати *гос-во* (*на о-вах Гилберта, Лайн, Феникс и Ошен* (*Банаба*), *Тихий ок.*) Kiribati, Republic of Kiribati

ירку́к *г.* (*Ирак*) Kirkuk

Ки́ров *г.* Kirov; *см.* Вя́тка 2

Кировоба́д *г.* (*Азербайджанская ССР, СССР*) Kirovabad

Кировака́н *г.* (*Армянская ССР, СССР*) Kirovakan

Кировогра́д *г.* (*центр Кировоградской обл., Украинская ССР, СССР*) Kirovograd

Ки́ровск *г.* (*Мурманская обл., РСФСР, СССР*) Kirovsk

Ки́руна *г.* (*Швеция*) Kiruna

Кирю́ *г.* (*о. Хонсю, Япония*) Kiryu

Кисанга́ни *г.* (*Заир*) Kisangani

Киселёвск *г.* (*Кемеровская обл., РСФСР, СССР*) Kiselevsk

Кисива́да *г.* (*о. Хонсю, Япония*) Kishiwada

Кисима́йо *г.* (*Сомали*) Chisimaio

Кислово́дск *г.* (*Ставропольский край, РСФСР, СССР*) Kislovodsk

Кисма́йо *г.* Kismayu; *см.* Кисима́йо

Ки́стна *р.* Kistna; *см.* Кри́шна

Кису́му *г.* (*Кения*) Kisumu

Кита́й, Китайская Народная Республика *гос-во* (*Центральная и Восточная Азия*) China, People's Republic of China

Китакю́сю *г.* (*о. Кюсю, Япония*) Kitakyushu

Ки́тве-Нка́на *г.* (*Замбия*) Kitwe-Nkana

Ки́тимат *г.* (*пров. Британская Колумбия, Канада*) Kitimat

Ки́тира *о.* (*Средиземное м., Греция*) Kíthira, Cerigo

Ки́то *г.* (*столица Эквадора*) Quito

Ки́тченер *г.* (*пров. Онтарио, Канада*) Kitchener

Ки-Уэ́ст *г.* (*шт. Флорида, США*) Key West

Кишинёв *г.* (*столица ССР Молдова, СССР*) Kishinev

Кла́генфурт *г.* (*Австрия*) Klagenfurt

Кла́дно *г.* (*Чехословакия*) Kladno

Клайд *р.* (*Великобритания*) Clyde

Кла́йдсайд (*конурбация с центром в г. Глазго, обл. Стратклайд, Шотландия, Великобритания*) Clydeside

Кла́йпеда *г.* (*Литва*) Klaipeda

Кланг *г.* (*Малайзия*) Klang

Кла́рксберг *г.* (*шт. Западная Виргиния, США*) Clarksburg

Клермо́н-Ферра́н *г.* (*Франция*) Clermont-Ferrand

Кли́вленд 1. *граф.* (*Англия, Великобритания*) Cleveland; **2.** *г.* (*шт. Огайо, США*) Cleveland

Кли́вленд-Хайтс *г.* (*шт. Огайо, США*) Cleveland Heights

Клин *г.* (*Московская обл., РСФСР, СССР*) Klin

Кли́нтон *г.* (*шт. Айова, США*) Clinton

Кли́фтон *г.* (*шт. Нью-Джерси, США*) Clifton

Кло́ндайк 1. (*золотоносный р-н, Канада*) Klondike; **2.** *р.* (*Канада*) Klondike River

Клонме́л *г.* (*адм. центр граф. Типперэри, Ирландия*) Clonmel

Клуж-Напо́ка *г.* (*Румыния*) Cluj-Napoca

Клу́ид *граф.* (*Уэльс, Великобритания*) Clwyd

Клэр *граф.* (*Ирландия*) Clare

Ключевска́я Со́пка *влк.* (*п-ов Камчатка, СССР*) Klyuchevskaya Sopka

Кнос *ист. г.* (*о. Крит, Греция*) Knossos

Ко́бдо *г.* (*Монголия*) Kobdo

Ко́бе *г.* (*о. Хонсю, Япония*) Kobe

Ко́берн-Та́ун *г.* (*адм. центр о-вов Теркс и Кайкос*) Cockburn Town

Ко́бленц *г.* (*ФРГ*) Koblenz

Ко́вентри *г.* (*метроп. граф. Уэст-Мидлендс, Англия, Великобритания*) Coventry

Ко́вингтон *г.* (*шт. Кентукки, США*) Covington

Ковро́в *г.* (*Владимирская обл., РСФСР, СССР*) Kovrov

Ко́жикоде *г.* Kozhikode; *см.* Ка́ликут

Козеро́га тро́пик (*параллель 23°27′ юж. широты*) Tropic of Capricorn

Коимбату́р *г.* (*шт. Тамилнад, Индия*) Coimbatore

Ко́имбра *г.* (*Португалия*) Coimbra

Кока́нд *г.* (*Ферганская обл., Узбекская ССР, СССР*) Kokand

Коко́совые острова́ (*Индийский ок., Австралия*) Cocos Islands

Кокчета́в *г.* (*центр Кокчетавской обл., Казахская ССР, СССР*) Kokchetav

Ко́лвилл *р.* (*США*) Colville

Колгу́ев *о.* (*Баренцево м., СССР*) Kolguev

Коли́ма *влк.* (*Мексика*) Colima

Коло́бжег *г.* (*Польша*) Kołobrzeg

Коло́мбо *г.* (*столица Шри-Ланки*) Colombo

Коло́мна *г.* (*Московская обл., РСФСР, СССР*) Kolomna

Коло́н 1. *г.* (*Панама*) Colón; **2.** *арх.* Colón Archipelago; *см.* Гала́пагос

Колора́до 1. *шт.* (*США*) Colorado; **2.** *р.* (*впадает в Калифорнийский зал., США и Мексика*) Colorado; **3.** *р.* (*впадает в Мексиканский зал., США*) Colorado; **4.** *плато* (*США*) Colorado Plateau

Колора́до-Спрингс *г.* (*шт. Колорадо, США*) Colorado Springs

Колре́йн 1. *окр.* (*Северная Ирландия, Великобритания*) Coleraine; **2.** *г.* (*адм. центр окр. Колрейн, Северная Ирландия, Великобритания*) Coleraine

Колу́мбия I Республика Колумбия *гос-во* (*Южная Америка*) Colombia, Republic of Colombia

Колу́мбия II 1. *окр.* (*США*) District of Columbia; **2.** *г.* (*адм. центр шт. Южная Каролина, США*) Columbia; **3.** *р.* (*Канада и США*) Columbia

Колу́мбус 1. *г.* (*адм. центр шт. Огайо, США*) Columbus; **2.** *г.* (*шт. Джорджия, США*) Columbus

Колхапу́р *г.* (*шт. Махараштра, Индия*) Kolhapur

Колхи́да *ист.* (*др.-греч. назв. Западной Грузии*) Colchis

Ко́лчестер *г.* (*граф. Эссекс, Англия, Великобритания*) Colchester

Колыма́ *р.* (*СССР*) Kolyma, Kolima

Колы́мское наго́рье (*сев.-вост. СССР*) Kolyma Range

Кольма́р *г.* (*Франция*) Colmar

Ко́льский зали́в (*Баренцево м., СССР*) Kola Bay

Ко́льский полуо́стров (*на сев.-зап. европейской части СССР*) Kola Peninsula

Командо́рские острова́ (*Берингово м., СССР*) Komandorskie (*или* Commander) Islands

Ко́ми Автоно́мная Сове́тская Социалисти́ческая Респу́блика (*РСФСР, СССР*) Komi Autonomous Soviet Socialist Republic

Ко́ми-Пермя́цкий автоно́мный о́круг (*Пермская обл., РСФСР, СССР*) Komi-Permyak Autonomous Area

Коммуна́рск *г.* (*Луганская обл., Украинская ССР, СССР*) Kommunarsk

Коммуни́зма пик (*Памир, СССР*) Communism Peak

Ко́мо *оз.* (*Италия*) Lake Como

Комодо́ро-Рива́давия *г.* (*Аргентина*) Comodoro Rivadavia

Ко́морин = Ку́мари

Комо́рские Острова́, Федеральная Исламская Республика Коморские Острова *гос-во* (*на Коморских о-вах, Индийский ок.*) the Comoros, Federal Islamic Republic of the Comoros

Комо́рские острова́ (*Индийский ок., гос-во Коморские Острова*) Comoro Islands

Комсомо́лец *о.* (*арх. Северная Земля, Северный Ледовитый ок., СССР*) Komsomolets

Комсомо́льск-на-Аму́ре *г.* (*Хабаровский край, РСФСР, СССР*) Komsomolsk, Komsomolsk-on-Amur

Ко́накри *г.* (*столица Гвинеи*) Conakry

Ко́нго 1. Народная Республика Конго *гос-во* (*Центральная Африка*) Congo, People's Republic of the Congo; **2.** *р.* (*Заир, Конго и Ангола*) Congo

Ко́ни-А́йленд *о.* (*Атлантический ок., США*) Coney Island

Ко́нин *г.* (*Польша*) Konin

Ко́нкорд *г.* (*адм. центр шт. Нью-Гэмпшир, США*) Concord

Конко́рдия *г.* (*Аргентина*) Concordia

Ко́ннахт *ист. пров.* (*Ирландия*) Connacht, Connaught

Конне́ктикут 1. *шт.* (*США*) Connecticut; **2.** *р.* (*США*) Connecticut

Консепсьо́н 1. *г.* (*Чили*) Concepción; **2.** *г.* (*Парагвай*) Concepción

Константи́на *г.* (*Алжир*) Constantine

Константи́новка *г.* (*Донецкая обл., Украинская ССР, СССР*) Konstantinovka

Константино́поль *г.* Constantinople; *см.* Стамбу́л

Конста́нца *г.* (*Румыния*) Constanţa, Constantsa

Конста́нцское о́зеро Lake Constance; *см.* Бо́денское о́зеро

Ко́нья *г.* (*Турция*) Konya

Копе́йск *г.* (*Челябинская обл., РСФСР, СССР*) Kopeisk, Kopeysk

Копенга́ген *г.* (*столица Дании*) Copenhagen

Копетда́г *хр.* (*на границе СССР и Ирана*) Kopet Dagh

Ко́ппер *р.* (*США*) Copper

Кора́лловое мо́ре (*Тихий ок., у берегов Австралии, Новой Гвинеи и Новой Каледонии*) Coral Sea

Кордилье́ры *горн. сист.* (*Северная и Центральная Америка*) Cordilleras

Ко́рдова 1. *г.* (*Аргентина*) Córdoba; **2.** *г.* (*Испания*) Córdoba; **3.** *г.* (*Мексика*) Córdoba

Коре́йский проли́в (*между п-овом Корея и Японскими о-вами*) Korea Strait

Коре́я 1. Корейская Народно-Демократическая Республика *гос-во* (*сев. часть п-ова Корея, Восточная Азия*) Korea, Korean People's Democratic Republic; **2.** Республика Корея *гос-во* (*юж. часть п-ова Корея, Восточная Азия*) Korea, Republic of Korea; **3.** *п-ов* (*между Японским и Жёлтым морями, Азия*) Korea

Кори́нф *ист. город-гос-во* (*п-ов Пелопоннес, Греция*) Corinth

Кори́нфский зали́в (*Ионическое*

м., побережье Греции) Gulf of Corinth, Gulf of Lepanto

Кори́нфский перешéек (*между заливами Коринфским и Сароникос, Греция*) Isthmus of Corinth

Кория́ма *г.* (*о. Хонсю, Япония*) Koriyama

Корк 1. *граф.* (*Ирландия*) Cork; **2.** *г.* (*адм. центр граф. Корк, Ирландия*) Cork

Кóрно *гора* (*Италия*) Monte Corno

Кóрнуолл 1. *граф.* (*Англия, Великобритания*) Cornwall; **2.** *п-ов* (*на юго-зап. о. Великобритания*) Cornwall

Корнуóллис *о.* (*арх. Парри, Канадский Арктический арх., Канада*) Cornwallis Island

Кóро *г.* (*Венесуэла*) Coro

Королéвы Мод Земля́ (*часть терр. Антарктиды*) Queen Maud Land

Королéвы Мэ́ри Земля́ (*часть терр. Антарктиды*) Queen Mary Land

Королéвы Шарлóтты зали́в (*Тихий ок., побережье Канады*) Queen Charlotte Sound

Королéвы Шарлóтты островá *арх.* (*Тихий ок., Канада*) Queen Charlotte Islands

Коромандéльский бéрег (*вост. побережье п-ова Индостан, Индия*) Coromandel Coast

Коронéйшен *о.* (*Южные Оркнейские о-ва, Атлантический ок., Антарктика*) Coronation Island

Коропýна *гора* (*горн. сист. Анды, Перу*) Nevado Coropuna

Кóрпус-Кри́сти *г.* (*шт. Техас, США*) Corpus Christi

Корриéнтес *г.* (*Аргентина*) Corrientes

Кóрсика *о.* (*Средиземное м., Франция*) Corsica

Кóрсунь-Шевчéнковский *г.* (*Черкасская обл., Украинская ССР, СССР*) Korsun-Shevchenkovski

Кóртина-д'Ампéццо *г.* (*Италия*) Cortina d'Ampezzo

Корумбá *г.* (*Бразилия*) Corumbá

Кóрфу = Кéркира

Кóрча *г.* (*Албания*) Korçë

Коря́кский автонóмный óкруг (*Камчатская обл., РСФСР, СССР*) Koryak Autonomous Area

Космолéдо *о-ва* (*Индийский ок., гос-во Сейшельские Острова*) Cosmoledo Islands

Кóсово *социалистический авт. край* (*Югославия*) Kosovo

Кóста-Ри́ка, Республика Коста-Рика *гос-во* (*Центральная Америка*) Costa Rica, Republic of Costa Rica

Костромá *г.* (*центр Костромской обл., РСФСР, СССР*) Kostroma

Косцю́шко *гора* (*горы Австралийские Альпы, Австралия*) Mount Kosciusko

Кóта *г.* (*шт. Раджастхан, Индия*) Kotah

Кóта-Бáру *г.* (*Малайзия*) Kota Bharu

Кóта-Кинабáлу *г.* (*о. Калимантан, Малайзия*) Kota Kinabalu

Котантéн *п-ов* (*на сев.-зап. Франции*) Cotentin Peninsula

Кóтбус *г.* (*ФРГ*) Cottbus

Кот-д'Ивуáр *гос-во* (*Западная Африка*) Côte d'Ivoire

Котéльный *о.* (*арх. Новосибирские о-ва, Восточно-Сибирское м., СССР*) Kotelny, Kotelni

Кóти *г.* (*о. Сикоку, Япония*) Kochi

Кóтка *г.* (*Финляндия*) Kotka

Кóтлас *г.* (*Архангельская обл., РСФСР, СССР*) Kotlas

Котонý *г.* (*Бенин*) Cotonou

Котопáхи *влк.* (*горн. сист. Анды, Эквадор*) Cotopaxi

Котс *о.* (*Гудзонов зал., Канада*) Coats Island

Кóтса Земля́ (*часть терр. Антарктиды*) Coats Land

Коулýн *г.* Kowloon; *см.* Цзюлýн

Кофоридýа *г.* (*Гана*) Koforidua

Кóфу *г.* (*о. Хонсю, Япония*) Kofu

Кохи́ма *г.* (*адм. центр шт. Нагаленд, Индия*) Kohima

Кóхтла-Я́рве *г.* (*Эстония*) Kohtla-Järve, Kokhtla-Yarve

Коцебý зали́в (*Чукотское м., побережье Аляски, США*) Kotzebue Sound

Кочаба́мба *г.* (*Боливия*) Cochabamba

Коша́лин *г.* (*Польша*) Koszalin

Ко́шице *г.* (*Чехословакия*) Košice

Коямпутту́р = Коимбату́р

Кра *перешеек* (*соединяет п-ов Малакка с материком Азия, Таиланд*) Isthmus of Kra

Кра́гуевац *г.* (*Социалистическая Республика Сербия, Югославия*) Kragujevac

Крайо́ва *г.* (*Румыния*) Craiova

Кра́йстчерч *г.* (*адм. центр стат. р-на Кентербери, о. Южный, Новая Зеландия*) Christchurch

Кракта́у *влк.* (*Зондский прол., Индонезия*) Krakatau

Кра́ков *г.* (*Польша*) Kraków, Cracow

Крамато́рск *г.* (*Донецкая обл., Украинская ССР, СССР*) Kramatorsk

Кра́нстон *г.* (*шт. Род-Айленд, США*) Cranston

Кра́сная река́ Red River; *см.* Хонгха́

Красново́дск *г.* (*центр Красноводской обл., Туркменская ССР, СССР*) Krasnovodsk

Краснода́р *г.* (*центр Краснодарского края, РСФСР, СССР*) Krasnodar

Краснода́рский край (*РСФСР, СССР*) Krasnodar Territory

Краснодо́н *г.* (*Луганская обл., Украинская ССР, СССР*) Krasnodon

Кра́сное мо́ре (*Индийский ок., между Африкой и Аравийским п-овом*) Red Sea

Красноя́рск *г.* (*центр Красноярского края, РСФСР, СССР*) Krasnoyarsk

Красноя́рский край (*РСФСР, СССР*) Krasnoyarsk Territory

Крейга́вон *окр.* (*Северная Ирландия, Великобритания*) Craigavon

Кременчу́г *г.* (*Полтавская обл., Украинская ССР, СССР*) Kremenchug

Кремо́на *г.* (*Италия*) Cremona

Кре́фельд *г.* (*ФРГ*) Krefeld

Криво́й Рог *г.* (*Днепропетровская обл., Украинская ССР, СССР*) Krivoi Rog

Кри́стианса́нн *г.* (*Норвегия*) Kristiansand

Крит *о.* (*Средиземное м., Греция*) Crete

Кри́шна *р.* (*Индия*) Krishna

Крк *о.* (*Адриатическое м., Югославия*) Krk

Кро́йдон *г.* (*метроп. граф. Большой Лондон, Англия, Великобритания*) Croydon

Кроншта́дт *г.* (*Ленинградская обл., РСФСР, СССР*) Krons(h)tadt

Кро́сби *г.* (*метроп. граф. Мерсисайд, Англия, Великобритания*) Crosby

Кро́сно *г.* (*Польша*) Krosno

Кру *г.* (*граф. Чешир, Англия, Великобритания*) Crewe

Крым *п-ов* (*на юге европейской части СССР*) the Crimea

Кры́мские го́ры (*Крымский п-ов, СССР*) Crimean Mountains

Кры́мский полуо́стров = Крым

Кры́сьи *о-ва* (*арх. Алеутские о-ва, Тихий ок., США*) Rat Islands

Крю́герсдорп *г.* (*пров. Трансвааль, ЮАР*) Krugersdorp

Куа́ла-Лу́мпур *г.* (*столица Малайзии*) Kuala Lumpur

Ку́ба 1. Республика Куба *гос-во* (*на о. Куба и прилегающих о-вах Карибского м.*) Cuba, Republic of Cuba; **2.** *о.* (*Большие Антильские о-ва, Атлантический ок., гос-во Куба*) Cuba

Куба́нго *р.* (*Ангола, Намибия и Ботсвана*) Cubango

Куба́нь *р.* (*СССР*) Kuban

Куве́йт 1. Государство Кувейт *гос-во* (*Аравийский п-ов, Западная Азия*) Kuwait, Kuweit, State of Kuwait; **2.** *г.* Kuwait, Kuweit; *см.* Эль-Куве́йт

Кудымка́р *г.* (*центр Коми-Пермяцкого авт. окр., Пермская обл., РСФСР, СССР*) Kudymkar

Кузба́сс Kuzbas(s); *см.* Кузне́цкий у́гольный бассе́йн

Кузне́цк *г.* (*Пензенская обл., РСФСР, СССР*) Kuznetsk

Кузне́цкий у́гольный бассе́йн (*Кемеровская обл., СССР*) Kuznetsk Basin

Куина́на *г.* (*шт. Западная Австралия, Австралия*) Kwinana

Куинён *г.* (*Вьетнам*) Qui Nhon

Куи́нс (*р-н г. Нью-Йорк, США*) Queens

Куи́нси *г.* (*шт. Массачусетс, США*) Quincy

Ку́йбышев *г.* Kuibyshev; *см.* Сама́ра

Ку́ка гора́ (*о. Южный, Новая Зеландия*) Mount Cook, Aorangi

Ку́ка зали́в (*Тихий ок., побережье Аляски, США*) Cook Inlet

Ку́ка острова́ (*Тихий ок., Полинезия, влад. Новой Зеландии*) Cook Islands

Ку́ка проли́в (*между о-вами Северный и Южный, Новая Зеландия*) Cook Strait

Ку́кстаун 1. *окр.* (*Северная Ирландия, Великобритания*) Cookstown; **2.** *г.* (*адм. центр окр. Кукстаун, Северная Ирландия, Великобритания*) Cookstown

Кукуно́р *оз.* (*Китай*) Koko Nor

Ку́кута *г.* (*Колумбия*) Cúcuta

Кульяка́н *г.* (*Мексика*) Culiacán

Куля́б *г.* (*центр Кулябской обл., Таджикская ССР, СССР*) Kulyab

Кума́ *р.* (*СССР*) Kuma

Кумайри́ *г.* (*Армянская ССР, СССР*) Gumry

Кумамо́то *г.* (*о. Кюсю, Япония*) Kumamoto

Кумана́ *г.* (*Венесуэла*) Cumaná

Ку́мари *мыс* (*юж. оконечность п-ова Индостан, Индия*) Cape Comorin

Кума́си *г.* (*Гана*) Kumasi

Ку́мы *ист. г.* (*Италия*) Cumae

Куне́не *р.* (*Ангола и Намибия*) Cunene

Кунса́н *г.* (*Республика Корея*) Kunsan

Куньлу́нь *горн. сист.* (*Китай*) Kunlun (*или* Kuenlun) Shan

Куньми́н *г.* (*адм. центр пров. Юньнань, Китай*) Kunming

Ку́опио *г.* (*Финляндия*) Kuopio

Ку́пар *г.* (*обл. Файф, Шотландия, Великобритания*) Cupar

Ку́пер-Крик *р.* (*Австралия*) Cooper's Creek

Кура́ *р.* (*СССР и Турция*) Kura

Кура́сики *г.* (*о. Хонсю, Япония*) Kurashiki

Курга́н *г.* (*центр Курганской обл., РСФСР, СССР*) Kurgan

Курга́н-Тюбе́ *г.* (*центр Курган-Тюбинской обл., Таджикская ССР, СССР*) Kurgan Tyube

Курдиста́н *ист. обл.* (*Турция, Ирак, Иран и Сирия*) Kurdistan

Куре́ *г.* (*о. Хонсю, Япония*) Kure

Кури́льские острова́ *арх.* (*между о. Хоккайдо и п-овом Камчатка, Тихий ок., СССР*) Kuril(e) Islands, Kuril(e)s

Кури́льское тече́ние (*Тихий ок.*) Okhotsk Current

Курити́ба *г.* (*Бразилия*) Curitiba

Курля́ндия *ист. обл.* (*Латвия*) Kurland

Куроси́о *теч.* (*Тихий ок.*) Kuroshio, Black Stream

Курск *г.* (*центр Курской обл., РСФСР, СССР*) Kursk

Куруме́ *г.* (*о. Кюсю, Япония*) Kurume

Ку́са *р.* (*США*) Coosa

Куси́ро *г.* (*о. Хоккайдо, Япония*) Kushiro

Ку́ско *г.* (*Перу*) Cuzco

Ку́скоквим *р.* (*США*) Kuskokwim

Кустана́й *г.* (*центр Кустанайской обл., Казахская ССР, СССР*) Kustanai

Кутаи́си *г.* (*Грузинская ССР, СССР*) Kutaisi

Ку́фра *оазисы* (*Ливийская пуст., Ливия*) Cufra

Ку́чинг *г.* (*о. Калимантан, Малайзия*) Kuching

Ку́шка *г.* (*Марыйская обл., Туркменская ССР, СССР*) Kushka

Куэ́нка 1. *г.* (*Эквадор*) Cuenka; **2.** *г.* (*Испания*) Cuenka

Куэрнава́ка *г.* (*Мексика*) Cuernavaca

Куяба́ *г.* (*Бразилия*) Cuiabá

Кхарагпу́р *г.* (*шт. Западная Бенгалия, Индия*) Kharagpur

Кху́лна *г.* (*Бангладеш*) Khulna

Кызы́л *г.* (*столица Тувинской АССР, РСФСР, СССР*) Kyzyl

Кызы́л-Ирма́к *р.* (*Турция*) Kizil Irmak

Кызылку́м *пуст.* (*междуречье Сырдарьи и Амударьи, СССР*) Kyzyl Kum

Кыры́ккале́ *г.* (*Турция*) Kirikkale

Кьóга *оз.* (*Уганда*) Kyoga, Kioga

Кэлэрáш(и) *г.* (*Румыния*) Călăraşi

Кэ́мпбелл *о.* (*Тихий ок., Новая Зеландия*) Campbell Island

Кэрнс *г.* (*шт. Квинсленд, Австралия*) Cairns

Кэсóн *г.* (*КНДР*) Kaesong

Кюрасáо *о.* (*Малые Антильские о-ва, Карибское м., влад. Нидерландов*) Curaçao

Кюстенди́л *г.* (*Болгария*) Kyustendil

Кю́сю *о.* (*Тихий ок., Япония*) Kyushu

Кютáхья *г.* (*Турция*) Kütahya

Кя́хта *г.* (*Бурятская АССР, РСФСР, СССР*) Kyakhta

Л

Лáба *р.* Laba; *см.* Э́льба II

Лáббок *г.* (*шт. Техас, США*) Lubbock

Лабрадóр *п-ов* (*на сев-вост. Канады*) Labrador

Лабрадóрское течéние (*Атлантический ок.*) Labrador Current

Лавóнгай *о.* (*арх. Бисмарка, Тихий ок., Папуа-Новая Гвинея*) Lavongai

Лаврентúйская возвы́шенность Laurentian Highlands; *см.* Канáдский щит

Лагáш *ист. гос-во и г.* (*в Шумере, на терр. совр. Ирака*) Lagash

Лагóа-Мири́н *оз.* (*Бразилия и Уругвай*) Lake Mirim

Лáго-Архенти́но *оз.* (*Аргентина*) Lake Argentino

Лáгос *г.* (*столица Нигерии*) Lagos

Ла-Гуáйра *г.* (*Венесуэла*) La Guaira

Лáдожское óзеро (*СССР*) Ladoga (Lake), Ladozhsko(y)e Ozero

Лазу́рный бéрег (*побережье Средиземного м., Франция*) Côte d'Azur

Лайалпу́р *г.* Lyallpur; *см.* Фейсалабáд

Лáйард = Ли́ард

Лайм *зал.* (*прол. Ла-Манш, Великобритания*) Lyme Bay

Лáйма *г.* (*шт. Огайо, США*) Lima

Лайн *о-ва* (*Тихий ок., Полинезия, часть о-вов принадлежит Кирибати, часть — влад. США*) Line Islands

Лакедемóн *ист. город-гос-во* Lacedaemon; *см.* Спáрта 2

Лаккади́вские островá (*Аравийское м., Индия*) Laccadive Islands

Лáклан *р.* (*Австралия*) Lachlan

Лакóника, Лакóния (*юго-вост. часть п-ова Пелопоннес, Греция*) Laconica, Laconia

Ла-Кору́нья *г.* (*Испания*) La Coruña, Corunna

Ла-Кросс *г.* (*шт. Висконсин, США*) La Crosse

Лакхнáу *г.* (*адм. центр шт. Уттар-Прадеш, Индия*) Lucknow

Лакшадви́п *союзная терр.* (*Индия*) Lakshadweep

Лалитпу́р *г.* Lalitpur; *см.* Пáтан

Ла-Манш *прол.* (*между о. Великобритания и Францией*) La Manche

Ламбарéнé *г.* (*Габон*) Lambaréné

Лáмберта ледни́к (*Антарктида*) Lambert Glacier

Лáммермур-Хилс *горы* (*Великобритания*) Lammermoor (*или* Lammermuir) Hills

Лампáнг *г.* (*Таиланд*) Lampang

Лампеду́за *о.* (*Средиземное м., Италия*) Lampedusa

Лáнарк *г.* (*обл. Стратклайд, Шотландия, Великобритания*) Lanark

Лангедóк *ист. обл.* (*Франция*) Languedoc

Лáнди *о.* (*Бристольский зал., Атлантический ок., Великобритания*) Lundy Isle

Лáнкастер 1. *г.* (*граф. Ланкашир, Англия, Великобритания*) Lancaster; **2.** *г.* (*шт. Огайо, США*) Lancaster; **3.** *г.* (*шт. Пенсильвания, США*) Lancaster; **4.** *прол.* (*между о-вами Баффинова Земля, Байлот и Девон, Канадский Арктический арх.*) Lancaster Sound

Лáнкашир *граф.* (*Англия, Вели-*

кобритания) Lancashire, *сокр.* Lancs

Ла́нсинг *г.* (*адм. центр шт. Мичиган, США*) Lansing

Ланьчжо́у *г.* (*адм. центр пров. Ганьсу, Китай*) Lanzhou, Lanchow

Лао́с, Лаосская Народно-Демократическая Республика *гос-во* (*Юго-Восточная Азия*) Laos, Lao People's Democratic Republic

Ла-Пас 1. *г.* (*фактическая столица Боливии*) La Paz; **2.** *г.* (*Мексика*) La Paz

Лаперу́за проли́в (*между о-вами Сахалин и Хоккайдо, соединяет Охотское и Японское моря*) La Pérouse (*или* Soya) Strait

Лапла́ндия *ист.-геогр. обл.* (*Скандинавский и Кольский п-ова, Европа*) Lapland

Ла-Пла́та 1. *г.* (*Аргентина*) La Plata; **2.** (*эстуарий рек Парана и Уругвай; Аргентина и Уругвай*) Río de la Plata

Ла́ппеэнранта *г.* (*Финляндия*) Lappenranta

Ла́птевых мо́ре (*Северный Ледовитый ок., у берегов СССР*) Laptev Sea

Ларе́до *г.* (*шт. Техас, США*) Laredo

Ла́риса *г.* (*Греция*) Larissa

Ларн 1. *окр.* (*Северная Ирландия, Великобритания*) Larne; **2.** *г.* (*адм. центр окр. Ларн, Северная Ирландия, Великобритания*) Larne

Ла-Роше́ль *г.* (*Франция*) La Rochelle

Ла́рса *ист. город-гос-во* (*на терр. совр. Ирака*) Larsa

Ла́рса Кри́стенсена Бе́рег (*Антарктида*) Lars Christensen Coast

Ла́рсена ше́льфовый ледни́к (*Антарктида*) Larsen Ice Shelf

Лас-Ве́гас *г.* (*шт. Невада, США*) Las Vegas

Лас-Па́льмас *г.* (*о. Гран-Канария, Испания*) Las Palmas

Ла́ссен-Пик *влк.* (*Каскадные горы, США*) Lassen Peak

Латаки́я *г.* (*Сирия*) Latakia

Ла́твия, Латвийская Республика *гос-во* (*Центральная Европа*) Latvia, Latvian Republic

Латга́ле, Латга́лия *ист. обл.* (*Латвия*) Latgale

Лати́нская Аме́рика (*общее назв. стран, расположенных в юж. части Северной Америки, к югу от р. Рио-Браво-дель-Норте (включая Вест-Индию), и в Южной Америке*) Latin America

Ла́у *о-ва* (*о-ва Фиджи, Тихий ок., гос-во Фиджи*) Lau Islands

Ла́ут *граф.* (*Ирландия*) Louth

Ла́фборо *г.* (*граф. Лестершир, Англия, Великобритания*) Loughborough

Лафейе́тт 1. *г.* (*шт. Индиана, США*) Lafayette; **2.** *г.* (*шт. Луизиана, США*) Lafayette

Лахо́р *г.* (*Пакистан*) Lahore

Ла́хти *г.* (*Финляндия*) Lahti

Ла́цио *обл.* (*Италия*) Latium

Ла-Шо-де-Фон *г.* (*Швейцария*) La Chaux-de-Fonds

Лева́нт (*общее назв. стран вост. части Средиземного м.*) Levant

Леверку́зен *г.* (*ФРГ*) Leverkusen

Ле́вктры *ист г.* (*в Беотии, Греция*) Leuctra

Легни́ца *г.* (*Польша*) Legnica

Ле́йден *г.* (*Нидерланды*) Leiden, Leyden

Ле́йишь *граф.* Laoighis; *см.* Лишь

Ле́йквуд *г.* (*шт. Огайо, США*) Lakewood

Ле́йкленд *г.* (*шт. Флорида, США*) Lakeland

Лейк-Чарльз *г.* (*шт. Луизиана, США*) Lake Charles

Ле́йпциг *г.* (*ФРГ*) Leipzig

Ле́йте *о.* (*Филиппины*) Leyte

Ле́йтон *г.* (*метроп. граф. Большой Лондон, Англия, Великобритания*) Leyton

Ле́ксингтон 1. *г.* (*шт. Кентукки, США*) Lexington; **2.** *г.* (*шт. Массачусетс, США*) Lexington

Ле-Ман *г.* (*Франция*) Le Mans

Ле́мингтон 1. *г.* (*граф. Уорикшир, Англия, Великобритания*) Leamington; **2.** *г.* (*пров. Онтарио, Канада*) Leamington

Ле́мнос *о.* (*Эгейское м., Греция*) Lemnos

Ле́на *р.* (*СССР*) Lena

Лендс-Энд *мыс* (*п-ов Корнуолл, Великобритания*) Land's End

Ленинаба́д *г.* Leninabad; *см.* Худжа́нд

Ленинака́н *г.* Leninakan; *см.* Кумайри́

Ле́нина пик (*Заалайский хр., СССР*) Lenin Peak

Ленингра́д *г.* Leningrad; *см.* Санкт-Петербу́рг

Лениного́рск *г.* (*Восточно-Казахстанская обл., Казахская ССР, СССР*) Leninogorsk

Ле́нинск-Кузне́цкий *г.* (*Кемеровская обл., РСФСР, СССР*) Leninsk-Kuznetski

Ленкора́нь *г.* (*Азербайджанская ССР, СССР*) Lenkoran

Ле́нстер *ист. пров.* (*Ирландия*) Leinster

Лео́н 1. *г.* (*Испания*) León; **2.** *г.* (*Мексика*) León; **3.** *г.* (*Никарагуа*) León; **4.** *ист. обл. и гос-во* (*Испания*) León

Леопо́льда II о́зеро Lake Leopold II; *см.* Ма́и-Ндо́мбе

Леопольдви́ль *г.* Leopoldville; *см.* Кинша́са

Лепа́нто *г.* Lepanto; *см.* На́фпактос

Ле-Пор *г.* (*о. Реюньон*) Le Port

Ле́руик *г.* (*адм. центр обл. Шетланд, о. Мейнленд, Шотландия, Великобритания*) Lerwick

Ле́сбос *о.* (*Эгейское м., Греция*) Lesbos

Ле́сковац *г.* (*Социалистическая Республика Сербия, Югославия*) Leskovac

Лесо́то, Королевство Лесото *гос-во* (*Южная Африка*) Lesotho, Kingdom of Lesotho

Ле́стер *г.* (*адм. центр граф. Лестершир, Англия, Великобритания*) Leicester

Ле́стершир *граф.* (*Англия, Великобритания*) Leicestershire

Ле́уварден *г.* (*Нидерланды*) Leeuwarden

Лефка́с *о.* (*Ионические о-ва, Ионическое м., Греция*) Leukas, Levkás

Ли́ард *р.* (*Канада*) Liard

Ли́берец *г.* (*Чехословакия*) Liberec

Либе́рия, Республика Либерия *гос-во* (*Западная Африка*) Liberia, Republic of Liberia

Либреви́ль *г.* (*столица Габона*) Libreville

Лива́н 1. Ливанская Республика *гос-во* (*Западная Азия*) Lebanon, Lebanese Republic; **2.** *хр.* (*Ливан*) Lebanon Mountains

Ли́верпул(ь) *г.* (*адм. центр метроп. граф. Мерсисайд, Англия, Великобритания*) Liverpool

Ливи́йская пусты́ня (*Ливия, Египет и Судан*) Libyan Desert

Ли́вингстон *г.* (*Замбия*) Livingstone

Ли́вингстона водопа́ды (*р. Конго, Заир*) Livingstone Falls

Ли́вия, Социалистическая Народная Ливийская Арабская Джамахирия *гос-во* (*Северная Африка*) Libya, Socialist People's Libyan Arab Jamahiriya

Ливо́ния *ист. обл.* (*терр. совр. Латвии и Эстонии*) Livonia

Ливо́рно *г.* (*Италия*) Leghorn, Livorno

Лигури́йское мо́ре (*часть Средиземного м., у берегов Франции и Италии*) Ligurian Sea

Лигу́рия *обл.* (*Италия*) Liguria

Ли́дице *ист. пос.* (*Чехословакия*) Lidice

Ли́дия *ист. страна* (*Малая Азия*) Lydia

Лидс *г.* (*метроп. граф. Уэст-Йоркшир, Англия, Великобритания*) Leeds

Ли́епая *г.* (*Латвия*) Liepāja

Ли́зард *мыс* (*п-ов Корнуолл, Великобритания*) Lizard Head

Лика́си *г.* (*Заир*) Likasi

Ли́кия *ист. страна* (*Малая Азия*) Lycia

Лилль *г.* (*Франция*) Lille

Лило́нгве *г.* (*столица Малави*) Lilongwe

Ли́ма *г.* (*столица Перу*) Lima

Лимава́ди 1. *окр.* (*Северная Ирландия, Великобритания*) Limavady; **2.** *г.* (*адм. центр окр. Лима-*

вади, Северная Ирландия, Великобритания) Limavady

Лимасо́л *г.* (*Кипр*) Limas(s)ol

Ли́мерик 1. *граф.* (*Ирландия*) Limerick; **2.** *г.* (*адм. центр граф. Лимерик, Ирландия*) Limerick

Лимо́ж *г.* (*Франция*) Limoges

Лимо́н *г.* (*Коста-Рика*) Limón

Лимпо́по *р.* (*ЮАР, Мозамбик, Ботсвана и Зимбабве*) Limpopo

Лина́рес 1. *г.* (*Испания*) Linares; **2.** *г.* (*Чили*) Linares

Ли́нкольн 1. *г.* (*адм. центр шт. Небраска, США*) Lincoln; **2.** *г.* (*адм. центр граф. Линкольншир, Англия, Великобритания*) Lincoln

Ли́нкольншир *граф.* (*Англия, Великобритания*) Lincolnshire, *сокр.* Lincs

Линли́тгоу *г.* (*обл. Лотиан, Шотландия, Великобритания*) Linlithgow

Линн *г.* (*шт. Массачусетс, США*) Lynn

Линц *г.* (*Австрия*) Linz

Ли́нчберг *г.* (*шт. Виргиния, США*) Lynchburg

Ли́нчёпинг *г.* (*Швеция*) Linköping

Лио́н *г.* (*Франция*) Lyons

Лио́нский зали́в (*Средиземное м., побережье Франции*) Gulf of Lions

Липа́рские острова́ (*Тирренское м., Италия*) Lipari Islands

Ли́пецк *г.* (*центр Липецкой обл., РСФСР, СССР*) Lipetsk

Ли́сберн 1. *окр.* (*Северная Ирландия, Великобритания*) Lisburn; **2.** *г.* (*окр. Лисберн, Северная Ирландия, Великобритания*) Lisburn

Лисича́нск *г.* (*Луганская обл., Украинская ССР, СССР*) Lisichansk

Лис(с)або́н *г.* (*столица Португалии*) Lisbon

Ли́сьи *о-ва* (*арх. Алеутские о-ва, Тихий ок., США*) Fox Islands

Ли́тгоу *г.* (*шт. Новый Южный Уэльс, Австралия*) Lithgow

Литл-Минч *прол.* (*между о. Скай и Внешними Гебридскими о-вами, Великобритания*) Little Minch

Литл-Рок *г.* (*адм. центр шт. Арканзас, США*) Little Rock

Литва́, Литовская Республика *гос-во* (*Центральная Европа*) Lithuania, Lithuanian Republic

Ли́трим *граф.* (*Ирландия*) Leitrim

Ли́ффорд *г.* (*адм. центр граф. Донегол, Ирландия*) Lifford

Ли́хтенштейн, Княжество Лихтенштейн *гос-во* (*Центральная Европа*) Liechtenstein, Principality of Liechtenstein

Лишь *граф.* (*Ирландия*) Leix

Лланге́вни *г.* (*граф. Гуинет, Уэльс, Великобритания*) Llangefni

Лланди́дно *г.* (*граф. Гуинет, Уэльс, Великобритания*) Llandudno

Лландри́ндод-Уэ́лс *г.* (*адм. центр граф. Поуис, Уэльс, Великобритания*) Llandrindod Wells

Ллане́лли *г.* (*граф. Дивед, Уэльс, Великобритания*) Llanelly

Лла́но-Эстака́до *плато* (*США*) Llano Estacado, Staked Plain

Лоби́ту *г.* (*Ангола*) Lobito

Лобно́р *оз.* (*Китай*) Lop Nor

Ло́веч *г.* (*Болгария*) Lovech

Ло́ган 1. *г.* (*шт. Юта, США*) Logan; **2.** *гора* (*горы Святого Ильи, Канада*) Mount Logan

Лого́не *р.* (*Камерун и Чад*) Logone

Лодзь *г.* (*Польша*) Łódź, Lodz

Лоза́нна *г.* (*Швейцария*) Lausanne

Лока́рно *г.* (*Швейцария*) Locarno

Ло́лланн *о.* (*Балтийское м., Дания*) Lolland

Лома́ми *р.* (*Заир*) Lomami

Ломба́рдия *обл.* (*Италия*) Lombardy

Ломбо́к *о.* (*Малые Зондские о-ва, Индонезия*) Lombok

Ломе́ *г.* (*столица Того*) Lomé

Ломоно́сов *г.* (*Ленинградская обл., РСФСР, СССР*) Lomonosov

Лонг-А́йленд 1. *о.* (*Атлантический ок., у вост. побережья США*) Long Island; **2.** *о.* (*Атлантический ок., гос-во Багамские Острова*) Long Island

Ло́нга проли́в (*между о. Врангеля и берегом Азии, соединяет Восточно-Сибирское и Чукотское моря*) Long Strait

Лонг-Бич *г.* (*шт. Калифорния, США*) Long Beach

Ло́нгвью *г.* (*шт. Вашингтон, США*) Longview

Ло́нгйир *г.* (*о. Западный Шпицберген, Норвегия*) Longyear City

Ло́нгфорд 1. *граф.* (*Ирландия*) Longford; **2.** *г.* (*адм. центр граф. Лонгфорд, Ирландия*) Longford

Ло́ндон 1. *г.* (*столица Великобритании*) London; **2.** *г.* (*пров. Онтарио, Канада*) London

Лондонде́рри 1. *окр.* (*Северная Ирландия, Великобритания*) Londonderry; **2.** *г.* (*адм. центр окр. Лондондерри, Северная Ирландия, Великобритания*) Londonderry

Лондри́на *г.* (*Бразилия*) Londrina

Ло́нсестон *г.* (*шт. Тасмания, Австралия*) Launceston

Лопа́тка *мыс* (*юж. оконечность п-ова Камчатка, СССР*) Cape Lopatka

Лоре́йн *г.* (*шт. Огайо, США*) Lorain

Ло́ренс *г.* (*шт. Массачусетс, США*) Lawrence

Лоре́нсу-Ма́ркиш *г.* Lourenço Marques; *см.* Мапу́ту

Лорья́н *г.* (*Франция*) Lorient

Лос-А́ламос *г.* (*шт. Нью-Мексико, США*) Los Alamos

Лос-А́нджелес *г.* (*шт. Калифорния, США*) Los Angeles

Лос-А́нхелес *г.* (*Чили*) Los Ángeles

Ло́та *г.* (*Чили*) Lota

Лотари́нгия *ист. пров.* (*Франция*) Lorraine

Ло́тиан *обл.* (*Шотландия, Великобритания*) Lothian

Ло́тон *г.* (*шт. Оклахома, США*) Lawton

Ло́устофт *г.* (*граф. Суффолк, Англия, Великобритания*) Lowestoft

Ло́уэлл *г.* (*шт. Массачусетс, США*) Lowell

Ло́уэр-Хатт *г.* (*о. Северный, Новая Зеландия*) Lower Hutt

Лофоте́нские острова́ (*Норвежское м., Норвегия*) Lofoten Islands

Лох-Дерг *оз.* (*Ирландия*) Lough Derg

Лох-Ко́рриб *оз.* (*Ирландия*) Lough Corrib

Лох-Ло́монд *оз.* (*Великобритания*) Loch Lomond

Лох-Маск *оз.* (*Ирландия*) Lough Mask

Лох-Ней *оз.* (*Северная Ирландия, Великобритания*) Lough Neagh

Лох-Несс *оз.* (*Великобритания*) Loch Ness

Лох-Ри *оз.* (*Ирландия*) Lough Ree

Лох-Фойл *зал.* (*Атлантический ок., побережье о. Ирландия*) Lough Foyle

Лох-Эрн *оз.* (*Северная Ирландия, Великобритания*) Lough Erne

Ло́ялти = Луайоте́

Лоя́н *г.* (*пров. Хэнань, Китай*) Luoyang, Loyang

Луайоте́ *о-ва* (*Тихий ок., влад. Франции*) Loyalty Islands, Loyalties

Луала́ба (*назв. верхнего течения р. Конго, Заир*) Lualaba

Луангпраба́нг *г.* (*Лаос*) Luang Prabang

Луа́нда *г.* (*столица Анголы*) Luanda, Loanda

Луа́ншья *г.* (*Замбия*) Luanshya

Луа́ра *р.* (*Франция*) Loire

Лубумба́ши *г.* (*Заир*) Lubumbashi

Лу́га *г.* (*Ленинградская обл., РСФСР, СССР*) Luga

Луга́но *г.* (*Швейцария*) Lugano

Луга́нск *г.* (*центр Луганской обл., Украинская ССР, СССР*) Lugansk

Лудхия́на *г.* (*шт. Пенджаб, Индия*) Ludhiana

Луизиа́да *арх.* (*Коралловое м., Папуа-Новая Гвинея*) Louisiade Archipelago

Луизиа́на *шт.* (*США*) Louisiana

Лу́исвилл *г.* (*шт. Кентукки, США*) Louisville

Лу́кка *г.* (*Италия*) Lucca

Луксо́р *г.* (*Египет*) Luxor

Лу́лео *г.* (*Швеция*) Luleå

Лунд *г.* (*Швеция*) Lund

Лурд *г.* (*Франция*) Lourdes

Луриста́н *ист. обл.* (*Иран*) Luristan

Луса́ка *г.* (*столица Замбии*) Lusaka

Лусо́н *о.* (*Филиппины*) Luzon

Лу́тон *г.* (*граф. Бедфордшир, Англия, Великобритания*) Luton

Луцк *г.* (*центр Волынской обл., Украинская ССР, СССР*) Lutsk

Лучжо́у *г.* (*пров. Сычуань, Китай*) Luzhou, Luchow

Лха́са *г.* (*адм. центр Тибетского авт. р-на, Китай*) Lhasa

Львов *г.* (*центр Львовской обл., Украинская ССР, СССР*) Lvov

Льеж *г.* (*Бельгия*) Liége

Лью́ис I. *г.* (*адм. центр граф. Восточный Суссекс, Англия, Великобритания*) Lewes

Лью́ис II *о.* (*арх. Гебридские о-ва, Атлантический ок., Великобритания*) Lewis

Лью́истон *г.* (*шт. Мэн, США*) Lewiston

Льюльяйлья́ко *влк.* (*горн. сист. Анды, на границе Чили и Аргентины*) Llullaillaco

Лья́нос *геогр. обл.* (*Колумбия и Венесуэла*) Llanos

Лю́бек *г.* (*ФРГ*) Lübeck

Лю́берцы *г.* (*Московская обл., РСФСР, СССР*) Lyubertsy

Лю́бин *г.* (*Польша*) Lubin

Лю́блин *г.* (*Польша*) Lublin

Лю́бля́на *г.* (*столица Республики Словения, Югославия*) Ljubljana

Лю́двигсхафен *г.* (*ФРГ*) Ludwigshafen

Лю́дериц *г.* (*Намибия*) Lüderitz

Люйшу́нь *г.* (*пров. Ляонин, Китай*) Lüshun, Liushung

Люксембу́рг **1.** Великое Герцогство Люксембург *гос-во* (*Западная Европа*) Luxembourg, Luxemburg, Grand Duchy of Luxembourg; **2.** *г.* (*столица Люксембурга*) Luxembourg, Luxemburg

Люте́ция *ист.* (*древнее поселение на месте совр. Парижа*) Lutetia

Люце́рн *г.* (*Швейцария*) Lucerne

Ляоду́нский зали́в (*Жёлтое м., побережье Китая*) Gulf of Liaodong, Gulf of Liaotung

Ляоду́нский полуо́стров (*на сев.-вост. Китая*) Liaodong, Liaotung Peninsula

Ляони́н *пров.* (*Китай*) Liaoning

Ляохэ́ *р.* (*Китай*) Liao

Ляоя́н *г.* (*пров. Ляонин, Китай*) Liaoyang

М

Маа́с *р.* (*Бельгия, Нидерланды и Франция*) Maas

Маври́кий **1.** *гос-во* (*на о. Маврикий и ряде о-вов в зап. части Индийского ок.*) Mauritius; **2.** *о.* (*Маскаренские о-ва, Индийский ок., гос-во Маврикий*) Mauritius

Маврита́ния, Исламская Республика Мавритания *гос-во* (*Северо-Западная Африка*) Mauritania, Islamic Republic of Mauritania

Магада́н *г.* (*центр Магаданской обл., РСФСР, СССР*) Magadan

Магдале́на *р.* (*Колумбия*) Magdalena

Ма́гдебург *г.* (*ФРГ*) Magdeburg

Магела́нг *г.* (*о. Ява, Индонезия*) Magelang

Магелла́нов проли́в (*между Южной Америкой и арх. Огненная Земля*) Strait of Magellan

Ма́герёйа *о.* (*Северный Ледовитый ок., Норвегия*) Mageröy

Магнитого́рск *г.* (*Челябинская обл., РСФСР, СССР*) Magnitogorsk

Ма́гриб (*регион в Африке, включающий Тунис, Алжир, Марокко*) Maghreb, Maghrib

Мадагаска́р **1.** Демократическая Республика Мадагаскар *гос-во* (*на о. Мадагаскар, Индийский ок.*) Madagascar, Democratic Republic of Madagascar; **2.** *о.* (*Индийский ок., гос-во Мадагаскар*) Madagascar

Маде́йра **1.** *о-ва* (*Атлантический ок., Португалия*) Madeira; **2.** *о.* (*о-ва Мадейра, Атлантический ок., Португалия*) Madeira; **3.** *р.* (*Бразилия и Боливия*) Madeira

Ма́дисон *г.* (*адм. центр шт. Висконсин, США*) Madison

Мадиу́н *г.* (*о. Ява, Индонезия*) Madiun

Мадра́с **1.** *шт.* Madras; *см.* Тамилна́д; **2.** *г.* (*адм. центр шт. Тамилнад, Индия*) Madras

Мадри́д *г.* (*столица Испании*) Madrid

Маду́ра *о.* (*Большие Зондские о-ва, Яванское м., Индонезия*) Madura, Madoera

Мадура́й *г.* (*шт. Тамилнад, Индия*) Madurai

Ма́дхья-Пра́деш *шт.* (*Индия*) Madhya Pradesh

Маза́ри-Шари́ф *г.* (*Афганистан*) Mazar-i-Sharif

Мазу́рские озёра (*Польша*) Masurian Lakes

Ма́и-Ндо́мбе *оз.* (*Заир*) Lake Mai Ndombe

Майа́ми *г.* (*шт. Флорида, США*) Miami

Майа́ми-Бич *г.* (*шт. Флорида, США*) Miami Beach

Ма́йдзуру *г.* (*о. Хонсю, Япония*) Maizuru

Майкети́я *г.* (*Венесуэла*) Maiquetía

Майко́п *г.* (*центр Адыгейской АО, Краснодарский край, РСФСР, СССР*) Maikop

Майн *р.* (*ФРГ*) Main

Ма́йнот *г.* (*шт. Северная Дакота, США*) Minot

Майнц *г.* (*ФРГ*) Mainz

Майо́рка = Мальо́рка

Ма́йсен *г.* (*ФРГ*) Meissen

Майсу́р *г.* (*шт. Карнатака, Индия*) Mysore

Мака́о Macao; *см.* Аомы́нь 1

Мака́сар *г.* Makassar; *см.* Уджунгпанда́нг

Макаса́рский проли́в (*между о-вами Калимантан и Сулавеси, Индонезия*) Makassar Strait

Макдо́ннелл *горы* (*Австралия*) Macdonnell Ranges

Македо́ния **1.** Социалистическая Республика Македония (*Югославия*) Macedonia, Socialist Republic of Macedonia; **2.** *ист. обл.* (*Югославия, Греция и Болгария*) Macedonia

Маке́евка *г.* (*Донецкая обл., Украинская ССР, СССР*) Make(y)evka

Мак(к)е́нзи **1.** *зал.* (*м. Бофорта, побережье Канады*) Mackenzie Bay; **2.** *р.* (*Канада*) Mackenzie; **3.** *горы* (*Канада*) Mackenzie Mountains

Мак-Ки́нли *гора* (*Аляскинский хр., США*) Mount McKinley

Мак-Ки́спорт *г.* (*шт. Пенсильвания, США*) McKeesport

Мак-Кли́нток *прол.* (*между о-вами Принца Уэльского и Виктория, Канадский Арктический арх.*) M'Clintock Channel

Мак-Клур *прол.* (*между о-вами Банкс и Мелвилл, Канадский Арктический арх.*) M'Clure (*или* McClure) Strait

Мак-Ме́рдо (*науч. ст. США, Антарктида*) MacMurdo

Мак-Ро́бертсона Земля́ (*часть терр. Антарктиды*) MacRobertson Land

Малаба́рский бе́рег (*юго-зап. побережье п-ова Индостан, Индия*) Malabar Coast

Мала́бо *г.* (*столица Экваториальной Гвинеи, о. Биоко*) Malabo

Мала́ви **1.** Республика Малави *гос-во* (*Восточная Африка*) Malawi, Republic of Malawi; **2.** *оз.* Lake Malawi; *см.* Нья́са

Ма́лага *г.* (*Испания*) Málaga

Мала́ита *о.* (*Тихий ок., гос-во Соломоновы Острова*) Malaita

Мала́йзия *гос-во* (*Юго-Восточная Азия*) Malaysia

Мала́йский архипела́г (*группа о-вов между Азией и Австралией, Индонезия, Малайзия и Филиппины*) Malay Archipelago

Мала́йя (*зап. часть Малайзии, на п-ове Малакка*) Malaya

Мала́кка I *г.* (*Малайзия*) Malacca

Мала́кка II *п-ов* (*юж. часть п-ова Индокитай, Азия*) Malay Peninsula

Мала́ккский проли́в (*между п-овом Малакка и о. Суматра*) Strait of Malacca

Мала́нг *г.* (*о. Ява, Индонезия*) Malang

Мала́тья *г.* (*Турция*) Malatya

Ма́лая А́зия *п-ов* (*на зап. Азии, Турция*) Asia Minor

Ма́лая Бага́мская ба́нка (*Багамские о-ва, Атлантический ок.*) Little Bahama Bank

Ма́лая Миссу́ри *р.* (*США*) Little Missouri

Мáле *г.* (*столица Мальдивской Республики*) Male

Малéя *мыс* (*п-ов Пелопоннес, Греция*) Cape Malea

Малú, Республика Мали *гос-во* (*Западная Африка*) Mali, Republic of Mali

Малúн *г.* Malines; *см.* Мéхелен

Мáлин-Хед *мыс* (*о. Ирландия*) Malin Head

Малл *о.* (*арх. Гебридские о-ва, Атлантический ок., Великобритания*) Mull

Маллингáр *г.* (*адм. центр граф. Уэстмит, Ирландия*) Mullingar

Мáлое Кар(р)ý *плато* (*ЮАР*) Little Karroo

Мáлое Невóльничье óзеро (*Канада*) Lesser Slave Lake

Малоярослáвец *г.* (*Калужская обл., РСФСР, СССР*) Maloyaroslavets

Мáлые Антúльские островá (*Карибское м., Вест-Индия*) Lesser Antilles

Мáлые Зóндские островá (*Малайский арх., Индонезия, Малайзия, Бруней и Тимор*) Lesser Sunda Isles

Мáлый Бельт *прол.* (*между п-овом Ютландия и о. Фюн, соединяет Балтийское м. с прол. Каттегат*) Little Belt

Мáлый Хингáн *горы* (*Китай*) Little Khingan Mountains

Мальвúнские островá Malvinas Islands; *см.* Фолклéндские островá

Мальдúвские островá (*Индийский ок., гос-во Мальдивы*) Maldives, Maldive Islands

Мальдúвы 1. Мальдивская Республика *гос-во* (*на Мальдивских о-вах, Индийский ок.*) Maldives, Republic of Maldives; **2.** = Мальдúвские островá

Мáльмё *г.* (*Швеция*) Malmö

Мальóрка *о.* (*Балеарские о-ва, Средиземное м., Испания*) Majorca

Мáльта 1. Республика Мальта *гос-во* (*на о. Мальта и прилегающих о-вах, Средиземное м.*) Malta, Republic of Malta; **2.** *о.* (*Средиземное м., гос-во Мальта*) Malta

Мальтúйский пролúв (*между о-вами Сицилия и Мальта, Средиземное м.*) Malta Channel

Мамберáмо *р.* (*о. Новая Гвинея, Индонезия*) Mamberamo

Мáмонтова пещéра (*горы Аппалачи, США*) Mammoth Cave

Маморé *р.* (*Боливия и Бразилия*) Mamoré

Манáгуа 1. *г.* (*столица Никарагуа*) Managua; **2.** *оз.* (*Никарагуа*) Lake Managua

Манáдо *г.* (*о. Сулавеси, Индонезия*) Manado

Манáма *г.* (*столица Бахрейна*) Manama

Манáрский залúв (*Индийский ок., побережье п-ова Индостан*) Gulf of Mannar

Манáус *г.* (*Бразилия*) Manaus

Мангалýру *г.* (*шт. Карнатака, Индия*) Mangalore

Мáнгейм *г.* (*ФРГ*) Mannheim

Мангышлáк *п-ов* (*сев.-вост. побережье Каспийского м., СССР*) Mangyshlak, Mangishlak

Мандалáй *г.* (*Мьянма*) Mandalay

Мандáлгóби *г.* (*Монголия*) Mandal Gobi

Манúла *г.* (*столица Филиппин, о. Лусон*) Manila

Манипýр *шт.* (*Индия*) Manipur

Манисáлес *г.* (*Колумбия*) Manizales

Манитóба 1. *пров.* (*Канада*) Manitoba; **2.** *оз.* (*Канада*) Lake Manitoba

Манитовóк *г.* (*шт. Висконсин, США*) Manitowoc

Манитýлин *о.* (*оз. Гурон, Канада*) Manitoulin Island

Мансанúльо *г.* (*Куба*) Manzanillo

Мáнси *г.* (*шт. Индиана, США*) Muncie

Мáнстер *ист. пров.* (*Ирландия*) Munster

Мáнсфилд 1. *г.* (*граф. Ноттингемшир, Англия, Великобритания*) Mansfield; **2.** *г.* (*шт. Виктория, Австралия*) Mansfield

Мантинéя *ист. г.* (*п-ов Пелопоннес, Греция*) Mantinea

Мáнтуя *г.* (*Италия*) Mantua

Манýа *о-ва* (*Тихий ок., Восточ-*

ное Самоа, влад. США) Manua Islands

Ма́нус *о.* (*о-ва Адмиралтейства, Тихий ок., Папуа-Новая Гвинея*) Manus

Манха́ттан 1. (*р-н г. Нью-Йорк, США*) Manhattan; **2.** *о.* (*р. Гудзон, США*) Manhattan

Ма́нчестер 1. *г.* (*адм. центр метроп. граф. Большой Манчестер, Англия, Великобритания*) Manchester; **2.** *г.* (*шт. Нью-Гэмпшир, США*) Manchester

Манче́стерский кана́л (*соединяет г. Манчестер с Ирландским м., Великобритания*) Manchester Ship Canal

Маньчжу́рия *ист.* (*наименование совр. сев.-вост. части Китая*) Manchuria

Мапу́ту *г.* (*столица Мозамбика*) Maputo

Маради́ *г.* (*Нигер*) Maradi

Мара́ка́й *г.* (*Венесуэла*) Maracay

Мара́ка́йбо 1. *г.* (*Венесуэла*) Maracaibo; **2.** *зал.* Gulf of Maracaibo; *см.* Венесуэ́льский зали́в; **3.** *оз.* (*Венесуэла*) Lake Maracaibo

Мараньо́н *р.* (*Перу*) Marañón

Марафо́н 1. *г.* (*Греция*) Marathon; **2.** *ист. селение* (*в Аттике, Греция*) Marathon

Мара́ш *г.* (*Турция*) Maraş, Marash

Ма́рбург, Ма́рбург-ан-дер-Лан *г.* (*ФРГ*) Marburg, Marburg an der Lahn

Маргари́та *о.* (*Карибское м., Венесуэла*) Margarita

Маргила́н *г.* (*Ферганская обл., Узбекская ССР, СССР*) Margilan, Margelan

Ма́ргит *г.* (*граф. Кент, Англия, Великобритания*) Margate

Марда́н *г.* (*Пакистан*) Mardan

Мар-дель-Пла́та *г.* (*Аргентина*) Mar del Plata

Мариа́нские острова́ (*Тихий ок., Микронезия, опека ООН*) Mariana Islands, Marianas

Мариа́нский жёлоб (*Тихий ок.*) Mariana Trench

Ма́рибор *г.* (*Республика Словения, Югославия*) Maribor

Мари́йская Автоно́мная Сове́тская Социалисти́ческая Респу́блика (*РСФСР, СССР*) Mari Autonomous Soviet Socialist Republic

Мариу́поль *г.* (*Донецкая обл., Украинская ССР, СССР*) Mariupol

Мари́ца *р.* (*Болгария, Греция и Турция*) Maritsa

Марки́зские острова́ (*Тихий ок., Полинезия, влад. Франции*) Marquesas Islands

Ма́рлборо *стат. р-н* (*Новая Зеландия, о. Южный*) Marlborough

Ма́рна *р.* (*Франция*) Marne

Маро́кко, Королевство Марокко *гос-во* (*Северо-Западная Африка*) Morocco, Kingdom of Morocco

Марра́ке́ш *г.* (*Марокко*) Marrakech, Marrakesh

Маррамби́джи *р.* (*Австралия*) Murrumbidgee

Ма́рри = Му́ррей

Марроки́ *мыс* (*крайняя юж. точка Европы, Испания*) Point Marroquí

Марса́ла *г.* (*о. Сицилия, Италия*) Marsala

Марсе́ль *г.* (*Франция*) Marseilles

Мартаба́н = Моутама́

Мартини́ка 1. *прол.* (*между о-вами Доминика и Мартиника, Малые Антильские о-ва*) Martinique Passage; **2.** *о.* (*Малые Антильские о-ва, Атлантический ок., влад. Франции*) Martinique

Марч *г.* (*граф. Кембриджшир, Англия, Великобритания*) March

Марш *ист. пров.* (*Франция*) Marche

Ма́ршалл *г.* (*шт. Техас, США*) Marshall

Марша́лловы острова́ (*Тихий ок., Микронезия, опека ООН*) Marshall Islands

Мары́ *г.* (*центр Марыйской обл., Туркменская ССР, СССР*) Mary

Маса́н *г.* (*Республика Корея*) Masan

Масба́те 1. *г.* (*о. Масбате, Филиппины*) Masbate; **2.** *о.* (*Филиппины*) Masbate

Ма́сгрейв *горы* (*Австралия*) Musgrave Ranges

Масейо́ *г.* (*Бразилия*) Maceió

Мáсеру *г.* (*столица Лесото*) Maseru

Маскарéнские островá (*Индийский ок., вост. часть — гос-во Маврикий, зап. часть, о. Реюньон — влад. Франции*) Mascarene Islands

Маскáт *г.* (*столица Омана*) Masqat, Muscat

Маскúгон *г.* (*шт. Мичиган, США*) Muskegon

Маскóги *г.* (*шт. Оклахома, США*) Muskogee

Мáсса *г.* (*Италия*) Massa

Массачýсетс **1.** *шт.* (*США*) Massachusetts; **2.** *зал.* (*Атлантический ок., побережье США*) Massachusetts Bay

Матагáльпа *г.* (*Никарагуа*) Matagalpa

Матáди *г.* (*Заир*) Matadi

Матамóрос *г.* (*Мексика*) Matamoros

Матáнсас *г.* (*Куба*) Matanzas

Мáточкин Шар *прол.* (*между Северным и Южным о-вами Новой Земли, соединяет Баренцево и Карское моря*) Matochkin Strait, Matochkin Shar

Мáттерхорн *гора* (*горн. сист. Альпы, на границе Швейцарии и Италии*) Matterhorn

Мáту-Грóсу *плато* (*Бразилия*) Plateau of Mato Grosso

Мáуи *о.* (*Гавайские о-ва, Тихий ок., США*) Maui

Мáуна-Кéа *влк.* (*о. Гавайи, США*) Mauna Kea

Мáуна-Лóа *влк.* (*о. Гавайи, США*) Mauna Loa

Мáунт-Лавúния *г.* (*Шри-Ланка*) Mount Lavinia

Мáутхаузен *г.* (*Австрия*) Mauthausen

Маханáди *р.* (*Индия*) Mahanadi

Махарáштра **1.** *шт.* (*Индия*) Maharashtra; **2.** *ист. обл.* (*Индия*) Maharashtra

Махачкалá *г.* (*столица Дагестанской АССР, РСФСР, СССР*) Makhachkala

Мацýдо *г.* (*о. Хонсю, Япония*) Matsudo

Мацумóто *г.* (*о. Хонсю, Япония*) Matsumoto

Мацуя́ма *г.* (*о. Сикоку, Япония*) Matsuyama

Мáчу-Пúкчу *ист. крепость* (*Перу*) Machu Picchu

Маэ́ *о.* (*Индийский ок., гос-во Сейшельские Острова*) Mahé

Маэбáси *г.* (*о. Хонсю, Япония*) Maebashi

Маягуэ́с *г.* (*о. Пуэрто-Рико, Большие Антильские о-ва*) Mayagüez

Мбабáне *г.* (*столица Свазиленда*) Mbabane

Мбандáка *г.* (*Заир*) Mbandaka

Мбýжи-Мáйи *г.* (*Заир*) Mbuji-Mayi

Мвáнза *г.* (*Танзания*) Mwanza

Мвéру *оз.* (*Заир и Замбия*) Mweru

Мегúддо *ист. г.* (*в Палестине*) Megiddo

Мегрéлия *ист. обл.* (*Грузинская ССР, СССР*) Mingrelia

Мегхалáя *шт.* (*Индия*) Meghalaya

Медáн *г.* (*о. Суматра, Индонезия*) Medan

Медеá *г.* (*Алжир*) Médéa

Медельúн *г.* (*Колумбия*) Medellín

Медиáш *г.* (*Румыния*) Mediaş

Медúна *г.* (*Саудовская Аравия*) Medina

Мéдфорд *г.* (*шт. Массачусетс, США*) Medford

Междурéчье *геогр. обл.* (*Аргентина*) Entre Ríos

Мёз *р.* Meuse; *см.* Маáс

Мезéнская губá (*Белое м., СССР*) Mezen Gulf

Мезéнь *р.* (*СССР*) Mezen

Мёзия *ист. обл.* (*Восточная Европа*) Moesia

Мéйдстон *г.* (*адм. центр граф. Кент, Англия, Великобритания*) Maidstone

Мéйкон *г.* (*шт. Джорджия, США*) Macon

Мéйнленд **1.** *о.* (*Оркнейские о-ва, Атлантический ок., Великобритания*) Mainland; **2.** *о.* (*Шетландские о-ва, Атлантический ок., Великобритания*) Mainland

Мéйо *граф.* (*Ирландия*) Mayo

Мéйсон-Сúти *г.* (*шт. Айова, США*) Mason City

Мéкка *г.* (*Саудовская Аравия*) Mecca

Мéкленбург *ист. обл.* (*ФРГ*) Mecklenburg

Мекленбýргская бýхта (*Балтийское м., ФРГ*) Bay of Mecklenburg

Мекнéс *г.* (*Марокко*) Meknes

Мекóнг *р.* (*Юго-Восточная Азия*) Mekong

Мéксика, Мексиканские Соединённые Штаты *гос-во* (*Северная Америка*) Mexico, United Mexican States

Мексикáнский залúв (*Атлантический ок., побережье Северной Америки*) Gulf of Mexico

Мексикáнское нагóрье (*Мексика и США*) Plateau of Mexico, Mexican Plateau

Меланéзия (*общее назв. о-вов в юго-зап. части Тихого ок.*) Melanesia

Мéларен *оз.* (*Швеция*) Mälaren

Мéлвилл 1. *п-ов* (*Канада*) Melville Peninsula; **2.** *о.* (*Тиморское м., Австралия*) Melville Island; **3.** *о.* (*Канадский Арктический арх., Канада*) Melville Island; **4.** *оз.* (*Канада*) Lake Melville

Мелúлья *г.* (*влад. Испании на терр. Марокко*) Melilla

Мелитóполь *г.* (*Запорожская обл., Украинская ССР, СССР*) Melitopol

Мéльбурн *г.* (*адм. центр шт. Виктория, Австралия*) Melbourne

Мéмфис I *г.* (*шт. Теннесси, США*) Memphis

Мéмфúс II *ист. г.* (*Египет*) Memphis

Мен *ист. пров.* (*Франция*) Maine

Менáм *р.* Menam; *см.* Менáм-Чáо-Прáя

Менáм-Чáо-Прáя *р.* (*Таиланд*) Chao Phraya

Мендóса *г.* (*Аргентина*) Mendoza

Менóрка *о.* (*Балеарские о-ва, Средиземное м., Испания*) Minorca

Ментáвай *о-ва* (*Индийский ок., Индонезия*) Mentawai

Мерв *ист. г.* (*в Средней Азии, Туркменская ССР, СССР*) Merv

Мергýй = Мьей

Мéрида 1. *г.* (*Мексика*) Mérida; **2.** *г.* (*Венесуэла*) Mérida

Мéриден *г.* (*шт. Коннектикут, США*) Meriden

Мерúдиан *г.* (*шт. Миссисипи, США*) Meridian

Мерóэ *г.* (*Судан*) Meroë

Мéрсú *р.* (*Великобритания*) Mersey

Мерсúн *г.* (*Турция*) Mersin

Мéрсисайд *метроп. граф.* (*Англия, Великобритания*) Merseyside

Мéрсия *ист. англосакс. кор-во* (*Великобритания*) Mercia

Мёртвое мóре (*Иордания и Израиль*) Dead Sea

Мéртир-Тúдвил *г.* (*граф. Мид-Гламорган, Уэльс, Великобритания*) Merthyr Tydfil

Мéру *влк.* (*Танзания*) Mount Meru

Мéрчисон 1. *мыс* (*крайняя сев. точка Северной Америки, п-ов Бутия, Канада*) Cape Murchison; **2.** *р.* (*Австралия*) Murchison

Месопотáмия *ист. обл.* (*Западная Азия*) Mesopotamia

Мессúна *г.* (*о. Сицилия, Италия*) Messina

Мессúнский пролúв (*между Апеннинским п-овом и о. Сицилия, Средиземное м.*) Strait of Messina

Мéта *р.* (*Колумбия и Венесуэла*) Meta

Мéхелен *г.* (*Бельгия*) Mechelen, Mechlin

Мехикáли *г.* (*Мексика*) Mexicali

Мéхико *г.* (*столица Мексики*) Mexico (City)

Мец *г.* (*Франция*) Metz

Мешхéд *г.* (*Иран*) Mashhad, Meshed

Миáсс *г.* (*Челябинская обл., РСФСР, СССР*) Miass

Мид *вдхр.* (*США*) Lake Mead

Мид-Гламóрган *граф.* (*Уэльс, Великобритания*) Mid Glamorgan

Мúдделбург *г.* (*Нидерланды*) Middelburg

Мúдия *ист. обл.* (*Малая Азия*) Media

Мúдленд *г.* (*шт. Техас, США*) Midland

Мúдлендс (*центр. графства*

Англии, Великобритания) the Midlands

Ми́длсбро *г.* (*адм. центр граф. Кливленд, Англия, Великобритания*) Middlesbrough

Ми́длтаун *г.* (*шт. Огайо, США*) Middletown

Ми́дуэй *атолл* (*Гавайские о-ва, Тихий ок., США*) Midway Islands

Ми́зен-Хед *мыс* (*о. Ирландия*) Mizen Head

Мизора́м *шт.* (*Индия*) Mizoram

Мизу́ла *г.* (*шт. Монтана, США*) Missoula

Мике́ны *ист. г.* (*Греция*) Mycenae

Микроне́зия (*общее назв. о-вов в зап. части Тихого ок.*) Micronesia

Мила́н *г.* (*Италия*) Milan

Миле́т *ист. г.* (*в Ионии, Малая Азия*) Miletus

Ми́лос *о.* (*арх. Киклады, Эгейское м., Греция*) Melos

Милуо́ки *г.* (*шт. Висконсин, США*) Milwaukee

Ми́лы *ист. г.* (*о. Сицилия*) Mylae

Ми́нас-де-Риоти́нто *г.* (*Испания*) Minas de Ríotinto

Минатитла́н *г.* (*Мексика*) Minatitlán

Мингре́лия = Мегре́лия

Минданао́ **1.** *о.* (*Филиппины*) Mindanao; **2.** *м.* (*Филиппины*) Mindanao Sea

Минде́лу *г.* (*Кабо-Верде*) Mindello

Минд́оро *о.* (*Филиппины*) Mindoro

Миннеа́полис *г.* (*шт. Миннесота, США*) Minneapolis

Миннесо́та *шт.* (*США*) Minnesota

Минск *г.* (*столица Белорусской ССР, СССР*) Minsk

Минуси́нск *г.* (*Красноярский край, РСФСР, СССР*) Minusinsk

Ми́ри *г.* (*о. Калимантан, Малайзия*) Miri

Ми́рный **1.** *г.* (*Якутская АССР, РСФСР, СССР*) Mirny; **2.** (*науч. ст. СССР, Антарктида*) Mirny

Миссиси́пи **1.** *шт.* (*США*) Mississippi; **2.** *р.* (*США*) Mississippi

Миссу́ри **1.** *шт.* (*США*) Missouri; **2.** *р.* (*США*) Missouri; **3.** *плато* (*США и Канада*) Missouri Plateau

Мистасси́ни *оз.* (*Канада*) Mistassini

Ми́сти *влк.* (*горн. сист. Анды, Перу*) El Misti

Мит *граф.* (*Ирландия*) Meath

Мита́ка *г.* (*о. Хонсю, Япония*) Mitaka

Митхо́ *г.* (*Вьетнам*) Mỹ Tho

Ми́тчелл *гора* (*горы Аппалачи, США*) Mount Mitchell

Мичига́н **1.** *шт.* (*США*) Michigan; **2.** *оз.* (*США*) Lake Michigan

Мичу́ринск *г.* (*Тамбовская обл., РСФСР, СССР*) Michurinsk

Мишаво́ка *г.* (*шт. Индиана, США*) Mishawaka

Мишика́мо *оз.* (*Канада*) Mishikamau Lake

Ми́школьц *г.* (*Венгрия*) Miskolc

Миядза́ки *г.* (*о. Кюсю, Япония*) Miyazaki

Мла́да-Бо́леслав *г.* (*Чехословакия*) Mladá Boleslav

Мо́а *г.* (*Куба*) Moa

Моа́в *ист. страна* (*на вост. берегу р. Иордан и побережье Мёртвого м.*) Moab

Моби́л **1.** *г.* (*шт. Алабама, США*) Mobile; **2.** *р.* (*США*) Mobile

Мобу́ту-Се́се-Се́ко *оз.* (*Заир и Уганда*) Lake Mobutu Sese Seko

Могади́шо (*столица Сомали*) Mogadiscio, Mogadishu

Могилёв *г.* (*центр Могилёвской обл., Белорусская ССР, СССР*) Mogilev

Моде́на *г.* (*Италия*) Modena

Можа́йск *г.* (*Московская обл., РСФСР, СССР*) Mozhaisk

Мозамби́к **1.** Республика Мозамбик *гос-во* (*Юго-Восточная Африка*) Mozambique, Republic of Mozambique; **2.** *г.* (*Мозамбик*) Mozambique

Мозамби́кский проли́в (*между о. Мадагаскар и Африкой*) Mozambique Channel

Мо́зе́ль *р.* (*Франция, Люксембург и ФРГ*) Moselle

Мо́кка = Мо́ха

Мокпхо́ *г.* (*Республика Корея*) Mokpo

Моламья́йн *г.* (*Мьянма*) Moulmein

Молда́вия Moldavia; *см.* Молдо́ва

Мо́лден 1. *г.* (*шт. Массачусетс, США*) Malden; **2.** *о.* (*о-ва Лайн, Тихий ок., Кирибати*) Malden

Молдо́ва, Сове́тская Социалисти́ческая Респу́блика Молдо́ва (*на юго-зап. СССР*) Moldova, Soviet Socialist Republic of Moldova

Молу́ккские острова́ (*Малайский арх., Индонезия*) Moluccas

Молу́ккское мо́ре (*Тихий ок., между о. Сулавеси и Молуккскими о-вами, Индонезия*) Molucca Sea

Момба́са *г.* (*Кения*) Mombasa

Мо́на *прол.* (*между о-вами Гаити и Пуэрто-Рико, Большие Антильские о-ва*) Mona Passage

Мона́ко 1. Княжество Монако *гос-во* (*Западная Европа*) Monaco, Principality of Monaco; **2.** *г.* (*столица Монако*) Monaco

Мо́нахан 1. *граф.* (*Ирландия*) Monaghan; **2.** *г.* (*адм. центр граф. Монахан, Ирландия*) Monaghan

Монбла́н 1. *горн. массив* (*горн. сист. Альпы, на границе Франции, Италии и Швейцарии*) Mont Blanc; **2.** *гора* (*горн. массив Монблан, Франция*) Mont Blanc

Монго́лия, Монгольская Народная Республика *гос-во* (*Центральная Азия*) Mongolia, Mongolian People's Republic

Монго́льский Алта́й *горн. сист.* (*Монголия и Китай*) Mongolian Altai

Мо́нктон *г.* (*пров. Нью-Брансуик, Канада*) Moncton

Монпелье́ *г.* (*Франция*) Montpellier

Монреа́ль *г.* (*пров. Квебек, Канада*) Montreal

Монро́ 1. *г.* (*шт. Луизиана, США*) Monroe; **2.** *г.* (*шт. Мичиган, США*) Monroe

Монро́вия *г.* (*столица Либерии*) Monrovia

Монс *г.* (*Бельгия*) Mons

Монта́на *шт.* (*США*) Montana

Монтго́мери *г.* (*адм. центр шт. Алабама, США*) Montgomery

Монтевиде́о *г.* (*столица Уругвая*) Montevideo

Монте́го-Бей *г.* (*Ямайка*) Montego Bay

Мо́нте-Ка́рло *г.* (*Монако*) Monte Carlo

Монтери́я *г.* (*Колумбия*) Montería

Монтерре́й *г.* (*Мексика*) Monterrey

Монтпи́лиер *г.* (*адм. центр шт. Вермонт, США*) Montpelier

Монтсерра́т *о.* (*Малые Антильские о-ва, Атлантический ок., влад. Великобритании*) Montserrat

Мо́нца *г.* (*Италия*) Monza

Мончего́рск *г.* (*Мурманская обл., РСФСР, СССР*) Monchegorsk

Мо́ра́ва 1. *р.* (*Чехословакия и Австрия*) Morava; **2.** *р.* (*Югославия*) Morava

Мора́вия *ист. обл.* (*Чехословакия*) Moravia

Мора́вска-О́страва *г.* Moravská Ostrava; *см.* О́страва

Морадаба́д *г.* (*шт. Уттар-Прадеш, Индия*) Moradabad

Мораху́ва *г.* (*Шри-Ланка*) Moratuwa

Мордо́вская Автоно́мная Сове́тская Социалисти́ческая Респу́блика, Мордо́вия (*РСФСР, СССР*) Mordovian Autonomous Soviet Socialist Republic, Mordovia

Море́лия *г.* (*Мексика*) Morelia

Мореплáвателей острова́ Navigators Islands; *см.* Само́а

Морио́ка *г.* (*о. Хонсю, Япония*) Morioka

Мо́ри-Ферт *зал.* (*Северное м., о. Великобритания*) Moray Firth

Мо́ркам *зал.* (*Ирландское м., о. Великобритания*) Morecambe Bay

Мо́ро *зал.* (*м. Минданао, Филиппины*) Moro Gulf

Моро́ни *г.* (*столица гос-ва Коморские Острова, о. Гранд-Комор*) Moroni

Мо́рсби *о.* (*о-ва Королевы Шарлотты, Тихий ок., Канада*) Moresby Island

Москва́ I. *г.* (*столица СССР и РСФСР*) Moscow

Москва́ II *р.* (*СССР*) Moskva

Москвы́ кана́л и́мени (*соединяет р. Волга с р. Москва, СССР*) Moscow Canal

Моски́товый бе́рег (*побережье Карибского м., Гондурас и Никарагуа*) Mosquito Coast

Мост *г.* (*Чехословакия*) Most

Мостагане́м *г.* (*Алжир*) Mostaganem

Мо́стар *г.* (*Социалистическая Республика Босния и Герцеговина, Югославия*) Mostar

Мосу́л *г.* (*Ирак*) Mosul

Мо́теруэлл *г.* (*обл. Стратклайд, Шотландия, Великобритания*) Motherwell

Моулме́йн = Моламья́йн

Мо́усон (*науч. ст. Австралии, Антарктида*) Mawson

Моутама́ *зал.* (*Андаманское м., Мьянма*) Gulf of Martaban

Мо́ха *г.* (*Йемен*) Mocha

Моха́ве *пуст.* (*США*) Mohave (*или* Mojave) Desert

Мохаммеди́я *г.* (*Марокко*) Mohammedia

Мра́морное мо́ре (*между Европой и Малой Азией*) Sea of Marmara

Музаффарна́гар *г.* (*шт. Уттар-Прадеш, Индия*) Muzaffarnagar

Мукде́н *г.* Mukden; *см.* Шэнья́н

Муласе́н *гора* (*хр. Сьерра-Невада, Испания*) Mulhacén

Мулта́н *г.* (*Пакистан*) Multan

Му́нду *г.* (*Чад*) Moundou

Мунку́-Сарды́к *гора* (*горн. сист. Восточный Саян, на границе СССР и Монголии*) Munku-Sardyk

Мура́т *р.* (*Турция*) Murat

Мурга́б *р.* (*СССР и Афганистан*) Murghab

Му́реш *р.* (*Венгрия и Румыния*) Mureş

Му́рманск *г.* (*центр Мурманской обл., РСФСР, СССР*) Murmansk

Му́рманский бе́рег (*побережье Баренцева м., Кольский п-ов, СССР*) Murman(sk) Coast

Му́ром *г.* (*Владимирская обл., РСФСР, СССР*) Murom

Му́ррей *р.* (*Австралия*) Murray

Му́рсия 1. *г.* (*Испания*) Murcia; **2.** *ист. обл.* (*Испания*) Murcia

Мусала́ *гора* (*горн. массив Рила, Болгария*) Musala

Муса́н *г.* (*КНДР*) Musan

Муха́ррак *г.* (*Бахрейн*) Muharraq

Мыслови́це *г.* (*Польша*) Mysłowice

Мыти́щи *г.* (*Московская обл., РСФСР, СССР*) Mytishchi

Мьей 1. *г.* (*Мьянма*) Mergui; **2.** *арх.* (*Андаманское м., Мьянма*) Mergui Archipelago

Мьёса *оз.* (*Норвегия*) Mjösa

Мьинджа́н *г.* (*Мьянма*) Myingyan

Мья́нма, Союз Мьянма *гос-во* (*Юго-Восточная Азия*) Myanma, Union of Myanma

Мэн I *шт.* (*США*) Maine

Мэн II *о.* (*Ирландское м., Великобритания*) Isle of Man

Мэ́риборо 1. *г.* (*шт. Квинсленд, Австралия*) Maryborough; **2.** *г.* (*шт. Виктория, Австралия*) Maryborough; **3.** *г.* Maryborough; *см.* Порт-Ли́ше

Мэ́ри Бэрд Земля́ (*часть терр. Антарктиды*) Marie Byrd Land

Мэ́риленд *шт.* (*США*) Maryland

Мюлу́з *г.* (*Франция*) Mulhouse

Мю́льхайм *г.* (*ФРГ*) Mulheim

Мю́нстер *г.* (*ФРГ*) Münster

Мю́нхен *г.* (*ФРГ*) Munich

Н

На́бережные Челны́ *г.* (*Татарская АССР, РСФСР, СССР*) Naberezhnye Chelny

На́блус *г.* (*Иордания*) Nablus

Нава́рра *ист. обл.* (*Испания*) Navarre

Наве́тренные острова́ (*вост. группа Малых Антильских о-вов, Карибское м.*) Windward Islands

Наве́тренный проли́в (*между о-вами Куба и Гаити*) Windward Passage

Нагале́нд *шт.* (*Индия*) Nagaland

Нага́но *г.* (*о. Хонсю, Япония*) Nagano

Нагао́ка *г.* (*о. Хонсю, Япония*) Nagaoka

Нагаса́ки *г.* (*о. Кюсю, Япония*) Nagasaki

Наго́рно-Караба́хская автоно́мная о́бласть (*Азербайджанская ССР, СССР*) Nagorno-Karabakh Autonomous Region

Наго́я *г.* (*о. Хонсю, Япония*) Nagoya

Нагпу́р *г.* (*шт. Махараштра, Индия*) Nagpur

Наджи́н *г.* (*КНДР*) Najin

Нады́м *г.* (*Ямало-Ненецкий авт. окр., Тюменская обл., РСФСР, СССР*) Nadym

Назаре́т *г.* (*Палестинские территории*) Nazareth

Назилли́ *г.* (*Турция*) Nazilli

Найро́би 1 *г.* (*столица Кении*) Nairobi; **2.** *нац. парк* (*Кения*) Nairobi National Park

На́ксос *о.* (*арх. Киклады, Эгейское м., Греция*) Naxos

Нактонга́н *р.* (*Республика Корея*) Naktong

Наку́ру *г.* (*Кения*) Nakuru

Накхо́нратчасима́ *г.* (*Таиланд*) Nakhon Ratchasima

На́лларбор *равнина* (*Австралия*) Nullarbor Plain

На́льчик *г.* (*столица Кабардино-Балкарской АССР, РСФСР, СССР*) Nalchik

Нама́кваленд 1. *ист. обл.* (*ЮАР*) Namaqualand, Namaland; **2.** *плскг.* (*Намибия и ЮАР*) Namaqualand, Namaland

Наманга́н *г.* (*центр Наманганской обл, Узбекская ССР, СССР*) Namangan

Намди́нь *г.* (*Вьетнам*) Nam Dinh

На́миб *пуст.* (*Намибия*) Namib Desert

Нами́бия, Республика Намибия *гос-во* (*Юго-Западная Африка*) Namibia, Republic of Namibia

Нампхо́ *г.* (*КНДР*) Namp'o

На́мцо *оз.* (*Китай*) Nam Co, Nam Tso

Наму́р *г.* (*Бельгия*) Namur

На́нгапа́рбат *гора* (*горн. сист. Гималаи, Индия*) Nanga Parbat

Нанки́н *г.* (*адм. центр пров. Цзянсу, Китай*) Nanking

Нанси́ *г.* (*Франция*) Nancy

Нант *г.* (*Франция*) Nantes

Наньли́н *горн. сист.* (*Китай*) Nan Ling

Нанькни́н *г.* (*адм. центр Гуанси-Чжуанского авт. р-на, Китай*) Nanning

Наньту́н *г.* (*пров. Цзянсу, Китай*) Nantong, Nantung

Наньцзи́н *г.* Nanjing; *см.* Нанки́н

Наньча́н *г.* (*адм. центр пров. Цзянси, Китай*) Nanchang

Наньчу́н *г.* (*пров. Сычуань, Китай*) Nanchong, Nanchung

Наньша́нь *горн. сист.* (*Китай*) Nan Shan

На́ра *г.* (*о. Хонсю, Япония*) Nara

Нараянга́ндж *г.* (*Бангладеш*) Narayanganj

Нарба́да *р.* (*Индия*) Narbada

На́рва *г.* (*Эстония*) Narva

На́рвик *г.* (*Норвегия*) Narvik

Нарма́да *р.* Narmada; *см.* Нарба́да

На́родная *гора* (*Уральские горы, СССР*) Mount Narodnaya

На́ро-Фоми́нск *г.* (*Московская обл., РСФСР, СССР*) Naro Fominsk

Нары́н 1. *г.* (*центр Нарынской обл., Киргизская ССР, СССР*) Naryn, **2.** *р.* (*СССР*) Naryn

Нарья́н-Мар *г.* (*центр Ненецкого авт. окр., Архангельская обл., РСФСР, СССР*) Naryan-Mar

На́ссо *г.* (*столица гос-ва Багамские Острова, о. Нью-Провиденс*) Nassau

Ната́л 1. – Ната́ль; **2.** *г.* (*Бразилия*) Natal

Ната́ль *пров.* (*ЮАР*) Natal

Ната́нья *г.* (*Израиль*) Natanya

Нау́ру 1. Республика Науру *гос-во* (*на о. Науру, Тихий ок.*) Nauru, Republic of Nauru; **2.** *о.* (*Тихий ок., гос-во Науру*) Nauru

На́фпактос *г.* (*Греция*) Návpaktos

На́ха *г.* (*о. Окинава, Япония*) Naha

Нахичева́нская Автоно́мная Сове́тская Социалисти́ческая Респу́блика (*Азербайджанская ССР, СССР*) Nakhichevan Autonomous Soviet Socialist Republic

Нахичева́нь *г.* (*столица Нахичеванской АССР, Азербайджан-*

ская ССР, СССР) Nakhichevan

Нахо́дка *г.* (*Приморский край, РСФСР, СССР*) Nakhodka

На́швилл *г.* (*адм. центр шт. Теннесси, США*) Nashville

Нджаме́на *г.* (*столица Чада*) N'Djamena

Ндо́ла *г.* (*Замбия*) Ndola

Неаполита́нский зали́в (*Тирренское м., Италия*) Bay of Naples

Неа́поль *г.* (*Италия*) Naples

Неби́т-Даг *г.* (*Красноводская обл., Туркменская ССР, СССР*) Nebit-Dag

Небра́ска *шт.* (*США*) Nebraska

Нева́ *р.* (*СССР*) Neva

Нева́да *шт.* (*США*) Nevada

Невинномы́сск *г.* (*Ставропольский край, РСФСР, СССР*) Nevinnomyssk

Не́вис *о.* (*Малые Антильские о-ва, Атлантический ок., гос-во Сент-Кристофер и Невис*) Nevis

Нево́льничий бе́рег *уст.* (*назв. побережья Гвинейского зал., Африка*) Slave Coast

Нево́льничья *р.* (*Канада*) Slave River

Невшате́ль *г.* (*Швейцария*) Neuchâtel

Невшате́льское о́зеро (*Швейцария*) Lake of Neuchâtel

Него́мбо *г.* (*Шри-Ланка*) Negombo

Не́грос *о.* (*Филиппины*) Negros

Неджд *пров.* (*Саудовская Аравия*) Nejd

Не́жин *г.* (*Черниговская обл., Украинская ССР, СССР*) Nezhin

Не́йва *г.* (*Колумбия*) Neiva

Не́ймеген *г.* (*Нидерланды*) Nijmegen

Не́йпир *г.* (*адм. центр стат. р-на Хокс-Бей, о. Северный, Новая Зеландия*) Napier

Нейс *г.* (*адм. центр граф. Килдэр, Ирландия*) Naas

Не́йсе = Ны́са-Лужи́цка

Не́ккар *р.* (*ФРГ*) Neckar

Не́льсон 1. *стат. р-н* (*Новая Зеландия, о. Южный*) Nelson; **2.** *г.* (*адм. центр стат. р-на Нельсон, о. Южный, Новая Зеландия*) Nelson; **3.** *р.* (*Канада*) Nelson

Не́ман *р.* (*СССР, Литва*) Neman

Не́нецкий автоно́мный о́круг (*Архангельская обл., РСФСР, СССР*) Nenets Autonomous Area

Непа́л, Королевство Непал *гос-во* (*Южная Азия*) Nepal, Kingdom of Nepal

Не́рчинск *г.* (*Читинская обл., РСФСР, СССР*) Nerchinsk

Нефтека́мск *г.* (*Башкирская АССР, РСФСР, СССР*) Neftekamsk

Нефтечала́ *г.* (*Азербайджанская ССР, СССР*) Neftechala

Нефтеюга́нск *г.* (*Ханты-Мансийский авт. окр., Тюменская обл., РСФСР, СССР*) Nefteyugansk

Нефу́д Nefud; *см.* Большо́й Нефу́д

Ниага́ра *р.* (*Канада и США*) Niagara

Ниага́ра-Фолс 1. *г.* (*шт. Нью-Йорк, США*) Niagara Falls; **2.** *г.* (*пров. Онтарио, Канада*) Niagara Falls

Ниага́рский водопа́д (*р. Ниагара, на границе Канады и США*) Niagara Falls

Ниаме́й *г.* (*столица Нигера*) Niamey

Ни́ас *о.* (*Индийский ок., Индонезия*) Nias

Ниверне́ *ист. пров.* (*Франция*) Nivernais

Ни́гер 1. Республика Нигер *гос-во* (*Западная Африка*) Niger, Republic of the Niger; **2.** *р.* (*Гвинея, Мали, Нигер и Нигерия*) Niger

Ниге́рия, Федеративная Республика Нигерия *гос-во* (*Западная Африка*) Nigeria, Federal Republic of Nigeria

Нидерла́ндская Гвиа́на Netherlands Guiana; *см.* Сурина́м

Нидерла́нды, Королевство Нидерландов *гос-во* (*Западная Европа*) Netherlands, Kingdom of the Netherlands

Нижнева́ртовск *г.* (*Тюменская обл., РСФСР, СССР*) Nizhnevartovsk

Нижнека́мск *г.* (*Татарская АССР, РСФСР, СССР*) Nizhnekamsk

Ни́жний Но́вгород *г.* (*центр Нижегородской обл., РСФСР, СССР*) Nizhni Novgorod

Ни́жний Таги́л *г.* (*Екатеринбургская обл., РСФСР, СССР*) Nizhni Tagil

Ни́жняя Гвине́я *геогр. обл.* (*Центральная Африка*) Lower Guinea

Ни́жняя Тунгу́ска *р.* (*СССР*) Lower Tunguska

Ниига́та *г.* (*о. Хонсю, Япония*) Niigata

Никара́гуа 1. Республика Никарагуа *гос-во* (*Центральная Америка*) Nicaragua, Republic of Nicaragua; **2.** *оз.* (*Никарагуа*) Lake Nicaragua

Никоба́рские острова́ (*между Бенгальским зал. и Андаманским м., Индийский ок., Индия*) Nicobar Islands

Никола́ев *г.* (*центр Николаевской обл., Украинская ССР, СССР*) Nikola(y)ev

Ни́кополь *г.* (*Днепропетровская обл., Украинская ССР, СССР*) Nikopol

Никоси́я *г.* (*столица Кипра*) Nicosia

Нил *р.* (*сев.-вост. Африки*) Nile

Нилги́ри *горн. массив* (*Индия*) Nilgiri Hills, Nilgiris

Ним *г.* (*Франция*) Nîmes

Нинбо́ *г.* (*пров. Чжэцзян, Китай*) Ningbo, Ningpo

Нине́ви́я *ист. г.* (*в Ассирии, на терр. сов. Ирака*) Nineveh

Нинся́-Хуэ́йский автоно́мный райо́н (*Китай*) Ningxia (*или* Ningsia) Hui Autonomous Region

Ни́пигон *оз.* (*Канада*) Lake Nipigon

Ниппу́р *ист. г.* (*в Шумере, на терр. совр. Ирака*) Nippur

Нитеро́й *г.* (*Бразилия*) Niterói

Ни́тра *г.* (*Чехословакия*) Nitra

Ниу́э *о.* (*Тихий ок., влад. Новой Зеландии*) Niue

Ни́цца *г.* (*Франция*) Nice

Ниш *г.* (*Социалистическая Республика Сербия, Югославия*) Niš, Nish

Нконгса́мба *г.* (*Камерун*) Nkongsamba

Нобео́ка *г.* (*о. Кюсю, Япония*) Nobeoka

Но́ва-Игуасу́ *г.* (*Бразилия*) Nova Iguaçu

Но́ва-Лижбо́а *г.* Nova Lisboa; *см.* Уа́мбо

Нова́ра *г.* (*Италия*) Novara

Но́вая А́нглия (*назв. р-на на сев. Атлантического побережья США*) New England

Но́вая Брита́ния *о.* (*арх. Бисмарка, Тихий ок., Папуа-Новая Гвинея*) New Britain

Но́вая Гвине́я *о.* (*Тихий ок., зап. часть принадлежит Индонезии, вост. часть — Папуа-Новой Гвинее*) New Guinea

Но́вая Гео́ргия = Нью-Джо́рджия

Но́вая Зела́ндия 1. *гос-во* (*на о-вах Новая Зеландия, Тихий ок.*) New Zealand; **2.** *о-ва* (*Тихий ок.*) New Zealand

Но́вая Земля́ *арх.* (*Северный Ледовитый ок., СССР*) Novaya Zemlya, New Land

Но́вая Ирла́ндия *о.* (*арх. Бисмарка, Тихий ок., Папуа-Новая Гвинея*) New Ireland

Но́вая Каледо́ния *о.* (*Тихий ок., Меланезия, влад. Франции*) New Caledonia

Но́вая Касти́лия *ист. обл.* (*Испания*) New Castile

Но́вая Сиби́рь *о.* (*арх. Новосибирские о-ва, Восточно-Сибирское м., СССР*) Novaya Sibir, New Siberia

Но́вая Шотла́ндия 1. *пров.* (*Канада*) Nova Scotia; **2.** *п-ов* (*Канада*) Nova Scotia

Но́вгород *г.* (*центр Новгородской обл., РСФСР, СССР*) Novgorod

Но́ви-Сад *г.* (*Социалистическая Республика Сербия, Югославия*) Novi Sad

Новокузне́цк *г.* (*Кемеровская обл., РСФСР, СССР*) Novokuznetsk

Новоку́йбышевск *г.* (*Самарская обл., РСФСР, СССР*) Novokuibyshevsk

Новомоско́вск *г.* (*Тульская обл., РСФСР, СССР*) Novomoskovsk

Новопо́лоцк *г.* (*Витебская обл., Белорусская ССР, СССР*) Novopolotsk

Новоросси́йск *г.* (*Краснодар-*

ский край, РСФСР, СССР) Novorossisk

Новосиби́рск *г.* (*центр Новосибирской обл., РСФСР, СССР*) Novosibirsk

Новосиби́рские острова́ *арх.* (*Восточно-Сибирское м., СССР*) New Siberian Islands

Новотро́ицк *г.* (*Оренбургская обл., РСФСР, СССР*) Novotroitsk

Новочерка́сск *г.* (*Ростовская обл., РСФСР, СССР*) Novocherkassk

Новоша́хтинск *г.* (*Ростовская обл., РСФСР, СССР*) Novoshakhtinsk

Но́вые Гебри́ды *о-ва* (*Тихий ок., Вануату*) New Hebrides

Но́вый Амстерда́м (*назв. г. Нью-Йорк до 1664 г.*) New Amsterdam

Но́вый Ганно́вер *о.* New Hanover; *см.* Лаво́нгай

Но́вый Де́ли = Нью-Де́ли

Но́вый Орлеа́н *г.* (*шт. Луизиана, США*) New Orleans

Но́вый Ю́жный Уэ́льс *шт.* (*Австралия*) New South Wales

Ноги́нск *г.* (*Московская обл., РСФСР, СССР*) Noginsk

Но́кса Бе́рег (*Антарктида*) Knox Coast

Но́ксвилл *г.* (*шт. Теннесси, США*) Knoxville

Ном *г.* (*шт. Аляска, США*) Nome

Норве́гия, Королевство Норвегия *гос-во* (*Северная Европа*) Norway, Kingdom of Norway

Норве́жское мо́ре (*Северный Ледовитый ок., у берегов Норвегии*) Norwegian Sea

Но́рдкин *мыс* (*крайняя сев. точка Европы, Норвегия*) Cape Nordkyn

Но́ридж *г.* (*адм. центр граф. Норфолк, Англия, Великобритания*) Norwich

Нори́льск *г.* (*Красноярский край, РСФСР, СССР*) Norilsk

Но́рланд 1. *ист. обл.* (*Швеция*) Norrland; **2.** *плато* (*Швеция*) Norrland

Норма́ндия *ист. обл.* (*Франция*) Normandy

Норма́ндские острова́ (*прол. Ла-Манш, Великобритания*) Channel Islands, Norman Isles

Но́рристаун *г.* (*шт. Пенсильвания, США*) Norristown

Норта́ллертон *г.* (*адм. центр граф. Норт-Йоркшир, Англия, Великобритания*) Northallerton

Норта́мберленд *граф.* (*Англия, Великобритания*) Northumberland

Норт-Да́ун *окр.* (*Северная Ирландия, Великобритания*) North Down

Норт-Да́унс *возв.* (*Великобритания*) North Downs

Норт-Йо́ркшир *граф.* (*Англия, Великобритания*) North Yorkshire

Норт-Кане́йдиан *р.* (*США*) North Canadian

Но́ртленд *стат. р-н* (*Новая Зеландия, о. Северный*) Northland

Норт-Литл-Рок *г.* (*шт. Арканзас, США*) North Little Rock

Норт-Минч *прол.* (*между о-вами Великобритания и Льюис*) North Minch

Но́ртон *зал.* (*Берингово м., побережье Аляски, США*) Norton Sound

Норт-Платт *р.* (*США*) North Platte

Норт-Саска́чеван *р.* (*Канада*) North Saskatchewan

Норт-У́ист *о.* (*арх. Гебридские о-ва, Атлантический ок., Великобритания*) North Uist

Норту́мбрия *ист. англосакс. кор-во* (*Великобритания*) Northumbria

Нортхе́мптон *г.* (*адм. центр граф. Нортхемптоншир, Англия, Великобритания*) Northampton

Нортхе́мптоншир *граф.* (*Англия, Великобритания*) Northamptonshire, *сокр.* Northants

Но́руолк *г.* (*шт. Коннектикут, США*) Norwalk

Но́рфолк 1. *граф.* (*Англия, Великобритания*) Norfolk; **2.** *г.* (*шт. Виргиния, США*) Norfolk; **3.** *о.* (*м. Фиджи, влад. Австралии*) Norfolk Island

Но́рчёпинг *г.* (*Швеция*) Norrköping

Но́ттингем *г.* (*адм. центр граф.*

Ноттингемшир, Англия, Великобритания) Nottingham

Ноттингемшир *граф.* (*Англия, Великобритания*) Nottinghamshire, *сокр.* Notts

Ноушехр *г.* (*Иран*) Nowshahr

Нуадибу *г.* (*Мавритания*) Nouadhibou

Нуакшот *г.* (*столица Мавритании*) Nouakchott

Нубийская пустыня (*Судан*) Nubian Desert

Нубия *ист. обл.* (*Египет и Судан*) Nubia

Нукуалофа *г.* (*столица Тонга, о. Тонгатапу*) Nukualofa, Nuku'alofa

Нукус *г.* (*столица Каракалпакской АССР, Узбекская ССР, СССР*) Nukus

Нумадзу *г.* (*о. Хонсю, Япония*) Numazu

Нуманция *ист. г.* (*Испания*) Numantia

Нумеа *г.* (*адм. центр Новой Каледонии, Океания*) Nouméa

Нумидия *ист. обл.* (*в Северной Африке, на терр. совр. Алжира*) Numidia

Нунивак *о.* (*Берингово м., влад. США*) Nunivak

Нурек *г.* (*Таджикская ССР, СССР*) Nurek

Нуэвитас *г.* (*Куба*) Nuevitas

Нуэво-Ларедо *г.* (*Мексика*) Nuevo Laredo

Ныса-Лужицка *р.* (*Чехословакия, Польши и ФРГ*) Neisse

Ньиредьхаза *г.* (*Венгрия*) Nyíregyháza

Нью-Амстердам *г.* (*Гайана*) New Amsterdam

Ньюарк *г.* (*шт. Нью-Джерси, США*) Newark

Нью-Бедфорд *г.* (*шт. Массачусетс, США*) New Bedford

Ньюберг *г.* (*шт. Нью-Йорк, США*) Newburgh

Нью-Брансуик 1. *пров.* (*Канада*) New Brunswick; **2.** *г.* (*шт. Нью-Джерси, США*) New Brunswick

Нью-Бритен *г.* (*шт. Коннектикут, США*) New Britain

Нью-Дели (*часть г. Дели, Индия*) New Delhi

Нью-Джерси *шт.* (*США*) New Jersey

Нью-Джорджия *о.* (*Тихий ок., гос-во Соломоновы Острова*) New Georgia

Нью-Йорк 1. *шт.* (*США*) New York; **2.** *г.* (*шт. Нью-Йорк, США*) New York

Нью-Йорк-Стэйт-Бардж-канал (*сист. каналов, США*) New York State Barge Canal

Ньюкасл 1. *г.* (*адм. центр метроп. граф. Тайн-энд-Уир, Англия, Великобритания*) Newcastle; **2.** *г.* (*шт. Новый Южный Уэльс, Австралия*) Newcastle; **3.** *г.* (*пров. Натал, ЮАР*) Newcastle

Ньюкасл-апон-Тайн *г.* Newcastle upon Tyne; *см.* Ньюкасл 1

Нью-Лондон *г.* (*шт. Коннектикут, США*) New London

Нью-Мексико *шт.* (*США*) New Mexico

Нью-Олбани *г.* (*шт. Индиана, США*) New Albany

Нью-Плимут *г.* (*адм. центр стат. р-на Таранаки, о. Северный, Новая Зеландия*) New Plymouth

Ньюпорт 1. *г.* (*адм. центр граф. Айл-оф-Уайт, Англия, Великобритания*) Newport; **2.** *г.* (*граф. Гуэнт, Уэльс, Великобритания*) Newport

Ньюпорт-Ньюс *г.* (*шт. Виргиния, США*) Newport News

Нью-Провиденс *о.* (*Атлантический ок., гос-во Багамские Острова*) New Providence

Ньюри *г.* (*адм. центр окр. Ньюри-энд-Морн, Северная Ирландия, Великобритания*) Newry

Ньюри-энд-Морн *окр.* (*Северная Ирландия, Великобритания*) Newry and Mourne

Нью-Рошелл *г.* (*шт. Нью-Йорк, США*) New Rochelle

Ньютаунабби 1. *окр.* (*Северная Ирландия, Великобритания*) Newtownabbey; **2.** *г.* (*адм. центр окр. Ньютаунабби, Северная Ирландия, Великобритания*) Newtownabbey

Ньютаунардс *г.* (*адм. центр окр. Ардс, Северная Ирландия, Великобритания*) Newtownards

Нью́тон *г.* (*шт. Массачусетс, США*) Newton

Нью-У́эстминстер *г.* (*пров. Британская Колумбия, Канада*) New Westminster

Ньюфа́ундле́нд 1. *пров.* (*Канада*) Newfoundland; **2.** *о.* (*Атлантический ок., Канада*) Newfoundland

Нью-Хе́йвен *г.* (*шт. Коннектикут, США*) New Haven

Нью-Хэ́мпшир *шт.* (*США*) New Hampshire

Нья́са *оз.* (*Малави, Мозамбик и Танзания*) Lake Nyas(s)a

Нья́саленд Nyasaland; *см.* Мала́ви 1

Нэрн *г.* (*обл. Хайленд, Шотландия, Великобритания*) Nairn

Ню́рнберг *г.* (*ФРГ*) Nuremberg, Nürnberg

Няча́нг *г.* (*Вьетнам*) Nha Trang

О

Оаха́ка *г.* (*Мексика*) Oaxaca

Оа́ху *о.* (*Гавайские о-ва, Тихий ок., США*) Oahu

О́берн 1. *г.* (*шт. Нью-Йорк, США*) Auburn; **2.** *г.* (*шт. Мэн, США*) Auburn

О́берхаузен *г.* (*ФРГ*) Oberhausen

О́би *о-ва* (*Молуккские о-ва, Индонезия*) Obi Islands

Оби́хиро *г.* (*о. Хоккайдо, Япония*) Obihiro

О́бнинск *г.* (*Калужская обл., РСФСР, СССР*) Obninsk

О́бская губа́ (*Карское м., СССР*) Gulf of Ob

О́бщества острова́ (*Тихий ок., влад. Франции*) Society Islands

Объединённые Ара́бские Эмира́ты *гос-во* (*Аравийский п-ов, Юго-Западная Азия*) United Arab Emirates

Обь *р.* (*СССР*) Ob

Овье́до *г.* (*Испания*) Oviedo

Ога́йо 1. *шт.* (*США*) Ohio; **2.** *р.* (*США*) Ohio

О́гаки *г.* (*о. Хонсю, Япония*) Ogaki

Огасава́ра *о-ва* (*Тихий ок., Япония*) Ogasawara Islands

Ога́ста 1. *г.* (*адм. центр шт. Мэн, США*) Augusta; **2.** *г.* (*шт. Джорджия, США*) Augusta

Огбомо́шо *г.* (*Нигерия*) Ogbomosho

О́гден *г.* (*шт. Юта, США*) Ogden

О́гненная Земля́ *арх.* (*между Тихим и Атлантическим океанами, Аргентина и Чили*) Tierra del Fuego

Огове́ *р.* (*Конго и Габон*) Ogooué, Ogowe

Одава́ра *г.* (*о. Хонсю, Япония*) Odawara

О́денсе *г.* (*о. Фюн, Дания*) Odense

О́дер *р.* Oder; *см.* О́дра

Оде́сса *г.* (*центр Одесской обл., Украинская ССР, СССР*) Odessa

Одинцо́во *г.* (*Московская обл., РСФСР, СССР*) Odintsovo

О́дра *р.* (*Чехословакия, Польша и ФРГ*) Odra

О́зарк *плато* (*США*) Ozark Plateau

Озд *г.* (*Венгрия*) Ozd

Озёрный край (*Англия, Великобритания*) Lake District

О́ита *г.* (*о. Кюсю, Япония*) Oita

Оймяко́н *с.* (*Якутская АССР, РСФСР, СССР*) Oimyakon

О́йо *г.* (*Нигерия*) Oyo

Ока́ 1. *р.* (*приток Волги, СССР*) Oka; **2.** *р.* (*приток Ангары, СССР*) Oka

Окава́нго *р.* Okavango; *см.* Куба́нго

Окадза́ки *г.* (*о. Хонсю, Япония*) Okazaki

Ока́ра *г.* (*Пакистан*) Okara

Окая́ма *г.* (*о. Хонсю, Япония*) Okayama

О́квилл *г.* (*пров. Онтарио, Канада*) Oakville

Океа́ния (*совокупность о-вов в Тихом ок.*) Oceania

О́кем *г.* (*граф. Лестершир, Англия, Великобритания*) Oakham

Окина́ва 1. *о-ва* (*арх. Рюкю, Тихий ок., Япония*) Okinawa; **2.** *о.* (*о-ва Окинава, Тихий ок., Япония*) Okinawa

Окичо́би *оз.* (*США*) Lake Okeechobee

Оклахо́ма *шт.* (*США*) Oklahoma

Оклахо́ма-Си́ти *г.* (*адм. центр шт. Оклахома, США*) Oklahoma City

О́кленд I *г.* (*шт. Калифорния, США*) Oakland

О́кленд II 1. *г.* (*адм. центр стат. р-на Сентрал-Окленд, о. Северный, Новая Зеландия*) Auckland; **2.** *о-ва* (*Тихий ок., Новая Зеландия*) Auckland Islands

О-Клэр *г.* (*шт. Висконсин, США*) Eau Claire

Ок-Парк *г.* (*шт. Иллинойс, США*) Oak Park

Ок-Ридж *г.* (*шт. Теннесси, США*) Oak Ridge

О́ксфорд *г.* (*адм. центр граф. Оксфордшир, Англия, Великобритания*) Oxford

О́ксфордшир *граф.* (*Англия, Великобритания*) Oxfordshire, *сокр.* Oxon

Октя́брьский *г.* (*Башкирская АССР, РСФСР, СССР*) Oktyabrski

Октя́брьской Револю́ции о́стров (*арх. Северная Земля, Северный Ледовитый ок., СССР*) October Revolution Island

О́лбани 1. *г.* (*адм. центр шт. Нью-Йорк, США*) Albany; **2.** *р.* (*Канада*) Albany

О́лдбери *г.* (*метроп. граф. Уэст-Мидлендс, Англия, Великобритания*) Oldbury

О́лдем *г.* (*метроп. граф. Большой Манчестер, Англия, Великобритания*) Oldham

О́лдермастон *г.* (*граф. Беркшир, Англия, Великобритания*) Aldermaston

Олёкма *р.* (*СССР*) Olekma

Оленёк *р.* (*СССР*) Olenek

Оле́нье о́зеро (*Канада*) Reindeer Lake

О́лесунн *г.* (*Норвегия*) Ålesund

Оли́мп *гора* (*Греция*) Olympus

Оли́мпик *горы* (*США*) Olympic Mountains

Оли́мпия 1. *г.* (*адм. центр шт. Вашингтон, США*) Olympia; **2.** *ист. г.* (*п-ов Пелопоннес, Греция*) Olympia

Оли́нда *г.* (*Бразилия*) Olinda

О́лифантс 1. *р.* (*приток р. Лимпопо, ЮАР и Мозамбик*) Olifants; **2.** *р.* (*Капская пров., ЮАР*) Olifants

О́ломоуц *г.* (*Чехословакия*) Olomouc

Оло́нец *г.* (*Карельская АССР, РСФСР, СССР*) Olonets

Олт *р.* (*Румыния*) Olt

О́льборг *г.* (*Дания*) Ålborg, Aalborg

Ольги́н *г.* (*Куба*) Holguín

О́льденбург *г.* (*ФРГ*) Oldenburg

О́льстер *ист. обл.* (*Северная Ирландия* (*Великобритания*) *и Ирландия*) Ulster

О́льштын *г.* (*Польша*) Olsztyn

О́ма 1. *окр.* (*Северная Ирландия, Великобритания*) Omagh; **2.** *г.* (*адм. центр окр. Ома, Северная Ирландия, Великобритания*) Omagh

Ома́н, Султанат Оман *гос-во* (*Аравийский п-ов, Юго-Западная Азия*) Oman, Sultanate of Oman

Ома́нский зали́в (*Аравийское м., между побережьем Аравийского п-ова и Ирана*) Gulf of Oman

О́маха *г.* (*шт. Небраска, США*) Omaha

Омдурма́н *г.* (*Судан*) Omdurman

О́мия *г.* (*о. Хонсю, Япония*) Omiya

Омоло́н *р.* (*СССР*) Omolon

Омск *г.* (*центр Омской обл., РСФСР, СССР*) Omsk

Оне́га 1. *г.* (*Архангельская обл., РСФСР, СССР*) Onega; **2.** *р.* (*СССР*) Onega

Оне́жская губа́ (*Белое м., СССР*) Onega Bay

Оне́жское о́зеро (*СССР*) Onega

Они́ча *г.* (*Нигерия*) Onitsha

Оно́н *р.* (*СССР и Монголия*) Onon

Онта́рио 1. *пров.* (*Канада*) Ontario; **2.** *оз.* (*Канада и США*) Lake Ontario

О́пава *г.* (*Чехословакия*) Opava

Опо́ле *г.* (*Польша*) Opole

Опо́рто *г.* Oporto; *см.* По́рту

Ора́дя *г.* (*Румыния*) Oradea

Ора́н *г.* (*Алжир*) Oran

Ора́нжевая *р.* (*Лесото, ЮАР и Намибия*) Orange

Ора́нжевая прови́нция (*ЮАР*) Orange Free State

Орджоники́дзе **1.** *г.* Ordzhonikidze; *см.* Владикавка́з; **2.** *г.* (*Днепропетровская обл., Украинская ССР, СССР*) Ordzhonikidze

О́регон *шт.* (*США*) Oregon

Орёл *г.* (*центр Орловской обл., РСФСР, СССР*) Orel

Оренбу́рг *г.* (*центр Оренбургской обл., РСФСР, СССР*) Orenburg

Оре́хово-Зу́ево *г.* (*Московская обл., РСФСР, СССР*) Orekhovo-Zuyevo

О́риндж *г.* (*шт. Новый Южный Уэльс, Австралия*) Orange

Орино́ко *р.* (*Венесуэла и Колумбия*) Orinoco

Ориса́ба **1.** *г.* (*Мексика*) Orizaba; **2.** *влк.* (*Мексика*) Orizaba

Ори́сса *шт.* (*Индия*) Orissa

Оркне́йские острова́ (*Атлантический ок., Великобритания*) Orkney Islands

О́ркни *обл.* (*Шотландия, Великобритания, Оркнейские о-ва*) Orkney

Орла́ндо *г.* (*шт. Флорида, США*) Orlando

Орлеа́н *г.* (*Франция*) Orléans

Ормýзский проли́в (*соединяет Персидский и Оманский заливы*) Strait of Ormuz

Оро́ра *г.* (*шт. Иллинойс, США*) Aurora

Оро́я *г.* (*Перу*) La Oroya

О́рпингтон *г.* (*метроп. граф. Большой Лондон, Англия, Великобритания*) Orpington

Орск *г.* (*Оренбургская обл., РСФСР, СССР*) Orsk

О́ру-Пре́ту *г.* (*Бразилия*) Ouro Prêto

Ору́ро *г.* (*Боливия*) Oruro

Орхо́н *р.* (*Монголия*) Or(k)hon

О́рхус *г.* (*Дания*) Århus, Aarhus

О́рша *г.* (*Витебская обл., Белорусская ССР, СССР*) Orsha

О́сака *г.* (*о. Хонсю, Япония*) Osaka

Осве́нцим *г.* (*Польша*) Oświęcim

О́сиек *г.* (*Республика Хорватия, Югославия*) Osijek

О́сло *г.* (*столица Норвегии*) Oslo

О́сло-фьорд (*прол. Скагеррак, побережье Норвегии*) Oslo Fjord

Осма́нская импе́рия *ист.* (*назв. султанской Турции*) Ottoman Empire

Оснабрю́к *г.* (*ФРГ*) Osnabrück

Осо́рно *г.* (*Чили*) Osorno

Оспитале́т *г.* (*Испания*) Hospitalet

Осте́нде *г.* (*Бельгия*) Ostende

О́стин *г.* (*адм. центр шт. Техас, США*) Austin

Ост-И́ндия *ист.* (*назв. терр. Индии и некоторых др. стран Южной и Юго-Восточной Азии*) East Indies

О́страва *г.* (*Чехословакия*) Ostrava

Острова́ Зелёного Мы́са, Республика Зелёного Мыса Cape Verde Islands, Republic of Cape Verde; *см.* Ка́бо-Ве́рде

Ота́го *стат. р-н* (*Новая Зеландия, о. Южный*) Otago

Ота́ру *г.* (*о. Хоккайдо, Япония*) Otaru

О́твоцк *г.* (*Польша*) Otwock

Отра́нто *прол.* (*между Апеннинским и Балканским п-овами, Средиземное м.*) Strait of Otranto

О́тса Бе́рег (*Антарктида*) Oates Coast

Отта́ва **1.** *г.* (*столица Канады*) Ottawa; **2.** *р.* (*Канада*) Ottawa

Отта́муа *г.* (*шт. Айова, США*) Ottumwa

Оттома́нская импе́рия = Осма́нская импе́рия

О́улу *г.* (*Финляндия*) Oulu

О́уэн *вдп.* (*р. Виктория-Нил, Уганда*) Owen Falls

О́уэнсборо *г.* (*шт. Кентукки, США*) Owensboro

О́ффали *граф.* (*Ирландия*) Offaly

О́хос-дель-Сала́до *влк.* (*горн. сист. Анды, на границе Чили и Аргентины*) Ojos del Salado

Охо́тское мо́ре (*Тихий ок., у берегов СССР и Японии*) Sea of Okhotsk

Охри́дское о́зеро (*Югославия и Албания*) Lake Ohrid

О́цу *г.* (*о. Хонсю, Япония*) Otsu

Оча́ков *г.* (*Николаевская обл., Украинская ССР, СССР*) Ochakov

Ош *г.* (*Джалал-Абадская обл., Киргизская ССР, СССР*) Osh

О́шава *г.* (*пров. Онтарио, Канада*) Oshawa

О́шен *о.* (*Тихий ок., Кирибати*) Ocean Island

О́шкош *г.* (*шт. Висконсин, США*) Oshkosh

Ошо́гбо *г.* (*Нигерия*) Oshogbo

Оя́сио *теч.* Oyashio Current; *см.* Кури́льское тече́ние

П

Пабьяни́це *г.* (*Польша*) Pabianice, Pabjanice

Пави́я *г.* (*Италия*) Pavia

Павлогра́д *г.* (*Днепропетровская обл., Украинская ССР, СССР*) Pavlograd

Павлода́р *г.* (*центр Павлодарской обл., Казахская ССР, СССР*) Pavlodar

Пага́н *г.* (*Мьянма*) Pagan

Па́го-Па́го *г.* (*адм. центр Восточного Самоа, о. Тутуила*) Pago Pago

Па́данг *г.* (*о. Суматра, Индонезия*) Padang

Па-де-Кале́ *прол.* (*между о. Великобритания и Францией*) Pas de Calais

Па́дуя *г.* (*Италия*) Padua

Падью́ка *г.* (*шт. Кентукки, США*) Paducah

Па́зарджик *г.* (*Болгария*) Pazardzhik

Пайн-Блафф *г.* (*шт. Арканзас, США*) Pine Bluff

Пайн-Пойнт *г.* (*Северо-Западные территории, Канада*) Pine Point

Пайсанду́ *г.* (*Уругвай*) Paysandú

Пакانба́ру *г.* (*о. Суматра, Индонезия*) Pakanbaru

Пакиста́н, Исламская Республика Пакистан *гос-во* (*Южная Азия*) Pakistan, Islamic Republic of Pakistan

Паксе́ *г.* (*Лаос*) Paksé

Пала́ван *о.* (*Филиппины*) Palawan

Пала́на *пгт* (*центр Корякского авт. окр., Камчатская обл., РСФСР, СССР*) Palana

Пала́у *о-ва* (*арх. Каролинские о-ва, Тихий ок.*) Palau

Палемба́нг *г.* (*о. Суматра, Индонезия*) Palembang

Пале́рмо *г.* (*о. Сицилия, Италия*) Palermo

Палести́на *ист. обл.* (*в Западной Азии*) Palestine

Па́лмерстон-Норт *г.* (*о. Северный, Новая Зеландия*) Palmerston North

Па́льма *г.* (*о. Мальорка, Испания*) Palma

Пальми́ра I *г.* (*Колумбия*) Palmira

Пальми́ра II 1. *ист. г.* (*на терр. совр. Сирии*) Palmyra; **2.** *атолл* (*о-ва Лайн, Тихий ок., влад. США*) Palmyra Island

Пами́р *нагорье* (*СССР, Китай и Афганистан*) Pamir, the Pamirs

Па́млико *зал.* (*Атлантический ок., побережье США*) Pamlico Sound

Па́мпа, Пампа́сы *геогр. обл.* (*Аргентина*) Pampas

Памплона *г.* (*Испания*) Pamplona

Памфи́лия *ист. обл.* (*в Малой Азии, на терр. совр. Турции*) Pamphylia

Панаджи́ *г.* (*адм. центр шт. Гоа, Индия*) Panaji

Пана́й *о.* (*Филиппины*) Panay

Пана́ма́ 1. Республика Панама *гос-во* (*Центральная Америка*) Panama, Republic of Panama; **2.** *г.* (*столица Панамы*) Panama

Пана́мский зали́в (*Тихий ок., Панама*) Gulf of Panama

Пана́мский кана́л (*соединяет Атлантический и Тихий океаны, Панама*) Panama Canal

Пана́мский переше́ек (*соединяет Северную Америку с Южной, Панама*) Isthmus of Panama

Панджи́м *г.* Panjim; *см.* Панаджи́

Паневежи́с *г.* (*Литва*) Panevežys

Пантеллерия *о.* (*Средиземное м., Италия*) Pantelleria

Пантикапей *ист. г.* (*в Крыму, совр. г. Керчь, СССР*) Panticapaeum

Панчево *г.* (*Социалистическая Республика Сербия, Югославия*) Pančevo

Папеэте *г.* (*адм. центр Французской Полинезии, о. Таити*) Papeete

Папская область *ист. гос-во* (*Италия*) States of the Church, Papal States

Папуа *зал.* (*Коралловое м., побережье о. Новая Гвинея*) Gulf of Papua

Папуа-Новая Гвинея *гос-во* (*вост. часть о. Новая Гвинея с близлежащими о-вами, Тихий ок.*) Papua New Guinea

Пара *г.* Pará; *см.* Белен

Парагвай 1. Республика Парагвай *гос-во* (*Южная Америка*) Paraguay, Republic of Paraguay; **2.** *р.* (*Бразилия, Парагвай и Аргентина*) Paraguay

Параиба *р.* (*Бразилия*) Paraíba

Парамарибо *г.* (*столица Суринама*) Paramaribo

Парана 1. *г.* (*Аргентина*) Paraná; **2.** *р.* (*Бразилия и Аргентина*) Paraná

Парасельские острова (*Южно-Китайское м.*) Paracel Islands

Пардубице *г.* (*Чехословакия*) Pardubice

Париж *г.* (*столица Франции*) Paris

Париньяс *мыс* (*крайняя зап. точка Южной Америки, Перу*) Point Pariñas

Пария *зал.* (*Атлантический ок., Венесуэла*) Gulf of Paria

Паркерсберг *г.* (*шт. Западная Виргиния, США*) Parkersburg

Парма *г.* (*Италия*) Parma

Парнаиба 1. *г.* (*Бразилия*) Parnaíba; **2.** *р.* (*Бразилия*) Parnaíba

Парнас *гора* (*Греция*) Parnassus

Паропамиз *горн. сист.* (*Афганистан*) Paropamisus

Парос *о.* (*арх. Киклады, Эгейское м., Греция*) Paros

Парри архипелаг (*Канадский Арктический арх., Канада*) Parry Islands

Парфянское царство *ист. гос-во* (*к юго-вост. от Каспийского м.*) Parthia

Пасадена *г.* (*шт. Калифорния, США*) Pasadena

Пасай *г.* (*о. Лусон, Филиппины*) Pasay

Пасаргады *ист. г.* (*Иран*) Pasargadae

Пассейик *г.* (*шт. Нью-Джерси, США*) Passaik

Пасто *г.* (*Колумбия*) Pasto

Пасхи остров (*Тихий ок., Чили*) Easter Island

Патагония *геогр. обл.* (*Аргентина*) Patagonia

Патан *г.* (*Непал*) Patan

Патерсон *г.* (*шт. Нью-Джерси, США*) Paterson

Патиала *г.* (*шт. Пенджаб, Индия*) Patiala

Патна *г.* (*адм. центр шт. Бихар, Индия*) Patna

Патры *г.* (*Греция*) Patras

Пафлагония *ист. гос-во* (*в Малой Азии, на терр. совр. Турции*) Paphlagonia

Пачука *г.* (*Мексика*) Pachuca

Пегу *г.* (*Мьянма*) Pegu

Пейн *оз.* (*Канада*) Payne Lake

Пейпси *оз.* Peipus; *см.* Чудское озеро

Пейсли *г.* (*обл. Стратклайд, Шотландия, Великобритания*) Paisley

Пекалонган *г.* (*о. Ява, Индонезия*) Pekalongan

Пекин *г.* (*столица Китая*) Peking

Пекос *р.* (*США*) (Rio) Pecos

Пелопоннес *п-ов* (*Греция*) Peloponnesus

Пелотас *г.* (*Бразилия*) Pelotas

Пематангсиантар *г.* (*о. Суматра, Индонезия*) Pematangsiantar

Пемба *о.* (*Индийский ок., Танзания*) Pemba

Пенджаб 1. *шт.* (*Индия*) Punjab; **2.** *ист.-геогр. обл.* (*Южная Азия*) Punjab

Пенза *г.* (*центр Пензенской обл., РСФСР, СССР*) Penza

Пеннинские горы (*Великобритания*) Pennine Chain

Пенсакола *г.* (*шт. Флорида, США*) Pensacola

Пенсильва́ния *шт.* (*США*) Pennsylvania

Пе́нтленд-Ферт *прол.* (*между Оркнейскими о-вами и о. Великобритания*) Pentland Firth

Пео́рия *г.* (*шт. Иллинойс, США*) Peoria

Первоура́льск *г.* (*Екатеринбургская обл., РСФСР, СССР*) Pervouralsk

Перга́м *ист. гос-во и г.* (*Малая Азия*) Pergamum

Передово́й хребе́т (*Скалистые горы, США*) Front Range

Пере́йра *г.* (*Колумбия*) Pereira

Перeко́пский перешéек (*соединяет Крымский п-ов с материком, СССР*) Perekop

Пересла́вль-Залéсский *г.* (*Ярославская обл., РСФСР, СССР*) Pereslavl-Zaleski

Пересла́вское óзеро Pereslavl; *см.* Плещéево óзеро

Перея́слав-Хмельни́цкий *г.* (*Киевская обл., Украинская ССР, СССР*) Pereyaslav-Khmelnitski

Перл *р.* (*США*) Pearl

Перл-Ха́рбор *бухта* (*Тихий ок., о. Оаху, Гавайские о-ва*) Pearl Harbour

Пермь *г.* (*центр Пермской обл., РСФСР, СССР*) Perm

Пернамбу́ку *г.* Pernambuco, *см.* Реси́фи

Пе́рник *г.* (*Болгария*) Pernik

Персе́поль *ист. г.* (*Иран*) Persepolis

Перси́дский зали́в (*Индийский ок., у берегов Юго-Западной Азии*) Persian Gulf

Пе́рсия Persia; *см.* Ира́н

Перт 1. *г.* (*адм. центр шт. Западная Австралия, Австралия*) Perth; **2.** *г.* (*обл. Тейсайд, Шотландия, Великобритания*) Perth

Перу́, Республика Перу *гос-во* (*Южная Америка*) Peru, Republic of Peru

Перуа́нское тече́ние (*Тихий ок.*) Peruvian Current

Перу́джа *г.* (*Италия*) Perugia

Перцо́вый бе́рег (*побережье Атлантического ок., Либерия*) Grain Coast

Пескадо́рские острова́ Pescadores; *см.* Пэнху́

Песка́ра *г.* (*Италия*) Pescara

Пе́тах-Ти́ква *г.* (*Израиль*) Petach Tikva

Петерго́ф *г.* Peterhof; *см.* Петродворе́ц

Пе́тра *ист. г.* (*Иордания*) Petra

Петра́ Вели́кого зали́в (*Японское м., побережье СССР*) Peter the Great Bay

Петра́ I о́стров (*м. Беллинсгаузена, Антарктика*) Peter I Island

Петрогра́д *г.* Petrograd; *см.* Санкт-Петербу́рг

Петродворе́ц *г.* (*Ленинградская обл., РСФСР, СССР*) Petrodvorets

Петрозаво́дск *г.* (*столица Карельской АССР, РСФСР, СССР*) Petrozavodsk

Петрокре́пость *г.* (*Ленинградская обл., РСФСР, СССР*) Petrokrepost

Петропа́вловск *г.* (*центр Северо-Казахстанской обл., Казахская ССР, СССР*) Petropavlovsk

Петропа́вловск-Камча́тский *г.* (*центр Камчатской обл., РСФСР, СССР*) Petropavlovsk-Kamchatski

Петро́полис *г.* (*Бразилия*) Petrópolis

Петроше́ни *г.* (*Румыния*) Petroşeni

Печ I *г.* (*Венгрия*) Pécs

Печ II *г.* (*Социалистическая Республика Сербия, Югославия*) Peć, Pech

Печо́ра *р.* (*СССР*) Pechora

Печо́рская губа́ (*Баренцево м., СССР*) Pechora Bay

Пешава́р *г.* (*Пакистан*) Peshawar

Пиа́й *мыс* (*крайняя юж. точка Азии, п-ов Малакка, Малайзия*) Cape Piai

Пиблс *г.* (*обл. Бордерс, Шотландия, Великобритания*) Peebles

Пи́дмонт *плато* (*США*) Piedmont Plateau

Пи́за *г.* (*Италия*) Pisa

Пикарди́я *ист. пров.* (*Франция*) Picardy

Пи́ла *г.* (*Польша*) Piła

Пили́ца *р.* (*Польша*) Pilica, Pilitsa

Пилькома́йо *р.* (*Боливия, Парагвай и Аргентина*) Pilcomayo

Пина́нг *г.* (*Малайзия*) Penang

Пина́р-дель-Ри́о *г.* (*Куба*) Pinar del Río

Пинг *р.* (*Таиланд*) Ping

Пинд *горы* (*Греция*) Pindus

Пи́нос = Хувенту́д

Пинск *г.* (*Брестская обл., Белорусская ССР, СССР*) Pinsk

Пирасика́ба *г.* (*Бразилия*) Piracicaba

Пире́й *г.* (*Греция*) Piraeus

Пирене́и *горн. сист.* (*на границе Испании и Франции*) Pyrenees

Пирене́йский полуо́стров (*на юго-зап. Европы, Испания и Португалия*) Iberian Peninsula

Пи́ри Земля́ *п-ов* (*о. Гренландия*) Peary Land

Пирр *г.* (*адм. центр шт. Южная Дакота, США*) Pierre

Пис-Ри́вер *р.* (*Канада*) Peace River

Пи́терборо 1. *г.* (*граф. Кембриджшир, Англия, Великобритания*) Peterborough; **2.** *г.* (*пров. Онтарио, Канада*) Peterborough

Питерма́рицбург *г.* (*адм. центр пров. Натал, ЮАР*) Pietermaritzburg

Пи́терсбург *г.* (*пров. Трансвааль, ЮАР*) Pietersburg

Пите́шти *г.* (*Румыния*) Piteşti

Пи́ткэрн *о.* (*Тихий ок., Полинезия, влад. Великобритании*) Pitcairn Island

Пи́тсбург *г.* (*шт. Пенсильвания, США*) Pittsburgh

Пи́тсфилд *г.* (*шт. Массачусетс, США*) Pittsfield

Платт *р.* (*США*) Platte

Пла́уэн *г.* (*ФРГ*) Plauen

Пле́вен, Пле́вна *г.* (*Болгария*) Pleven, Plevna

Плеще́ево о́зеро (*СССР*) Pleshche(y)evo

Пли́мут 1. *г.* (*граф. Девоншир, Англия, Великобритания*) Plymouth; **2.** *г.* (*о. Монтсеррат, Малые Антильские о-ва*) Plymouth

Пло́вдив *г.* (*Болгария*) Plovdiv

Плое́шти *г.* (*Румыния*) Ploeşti

Плоцк *г.* (*Польша*) Płock

Пльзень *г.* (*Чехословакия*) Plzeň

Пномпе́нь *г.* (*столица Камбоджи*) Pnompenh, Pnom-Penh, Phnom Penh

По I *г.* (*Франция*) Pau

По II *р.* (*Италия*) Po

Побе́ды пик (*горн. сист. Тянь-Шань, СССР*) Pobeda Peak

Подве́тренные острова́ (*юж. группа Малых Антильских о-вов, Карибское м.*) Leeward Islands

Подка́менная Тунгу́ска *р.* (*СССР*) Stony Tunguska

Подо́лье *ист. обл.* (*Украинская ССР, СССР*) Podolia

Подо́льск *г.* (*Московская обл., РСФСР, СССР*) Podolsk

Подо́льская земля́ = Подо́лье

По́знань *г.* (*Польша*) Poznań

Поле́сская ни́зменность, Поле́сье (*Белорусская ССР, Украинская ССР и РСФСР, СССР*) Polesye

Полине́зия (*общее назв. о-вов в центр. части Тихого ок.*) Polynesia

По́лкский проли́в (*между п-овом Индостан и о. Шри-Ланка*) Palk Strait

По́лоцк *г.* (*Витебская обл., Белорусская ССР, СССР*) Polotsk

Полта́ва *г.* (*центр Полтавской обл., Украинская ССР, СССР*) Poltava

По́льша, Республика Польша *гос-во* (*Центральная Европа*) Poland, Republic of Poland

Поля́рное плато́ (*Антарктида*) South Polar Plateau

Помера́ния *ист. обл.* Pomerania; *см.* Помо́рье

Помо́на *о.* Pomona; *см.* Ме́йнленд 1

Помо́рье *ист. обл.* (*Польша*) Pomorze

Помпе́и *ист. г.* (*Италия*) Pompeii

По́напе *о.* (*арх. Каролинские о-ва, Тихий ок.*) Ponape

Пондише́ри 1. *союзная терр.* (*Индия*) Pondicherry; **2.** *г.* (*адм. центр союзной терр. Пондишери, Индия*) Pondicherry

По́нсе *г.* (*о. Пуэрто-Рико, Большие Антильские о-ва*) Ponce

Понт = Понти́йское ца́рство

По́нта-Гро́са *г.* (*Бразилия*) Ponta Grossa

По́нтиак *г.* (*шт. Мичиган, США*) Pontiac

Понтиа́нак *г.* (*о. Калимантан, Индонезия*) Pontianak

Понти́йское ца́рство *ист. гос-во* (*Малая Азия*) Pontus

Поопо́ *оз.* (*Боливия*) Lake Poopo

Попая́н *г.* (*Колумбия*) Popayán

Попокате́петль *влк.* (*Мексика*) Popocatepetl

По́ри *г.* (*Финляндия*) Pori

По́ркьюпайн *р.* (*Канада и США*) Porcupine

Портада́ун *г.* (*адм. центр окр. Крейгавон, Северная Ирландия, Великобритания*) Portadown

Порт-Арту́р *г.* Port Arthur; *см.* Люйшу́нь

Порт-Блэр *г.* (*адм. центр союзной терр. Андаманские и Никобарские о-ва, Индия*) Port Blair

Порт-Ви́ла *г.* (*столица Вануату, о. Эфате*) Port Vila

Порт-Гуро́н *г.* (*шт. Мичиган, США*) Port Huron

Порт-Ке́мбла *г.* (*шт. Новый Южный Уэльс, Австралия*) Port Kembla

Порт-Ле́йише = Порт-Ли́ше

По́ртленд 1. *г.* (*шт. Орегон, США*) Portland; **2.** *г.* (*шт. Мэн, США*) Portland; **3.** *г.* (*граф. Дорсетшир, Англия, Великобритания*) Portland

Порт-Ли́ше *г.* (*адм. центр граф. Лишь, Ирландия*) Port Laoighise

Порт-Луи́ *г.* (*столица Маврикия, о. Маврикий*) Port Louis

Порт-Мо́рсби *г.* (*столица Папуа-Новой Гвинеи*) Port Moresby

Портовье́хо *г.* (*Эквадор*) Portoviejo

По́рто-Но́во *г.* (*столица Бенина*) Porto Novo

Порт-о-Пренс *г.* (*столица Гаити*) Port-au-Prince

Порт-оф-Спейн *г.* (*столица гос-ва Тринидад и Тобаго, о. Тринидад*) Port of Spain

Порт-Пи́ри *г.* (*шт. Южная Австралия, Австралия*) Port Pirie

Порт-Саи́д *г.* (*Египет*) Port Said

По́ртсмут 1. *г.* (*граф. Гэмпшир, Англия, Великобритания*) Portsmouth; **2.** *г.* (*шт. Виргиния, США*) Portsmouth

Порт-Стэ́нли *г.* (*адм. центр Фолклендских (Мальвинских) о-вов*) Port Stanley

Порт-Суда́н *г.* (*Судан*) Port Sudan

По́рту *г.* (*Португалия*) Pôrto

По́рту-Але́гри *г.* (*Бразилия*) Pôrto Alegre

Португа́лия, Португальская Республика *гос-во* (*Юго-Западная Европа*) Portugal, Portuguese Republic

Порт-Фи́ллип *зал.* (*прол. Басса, побережье Австралии*) Port Phillip Bay

Порт-Ха́ркорт *г.* (*Нигерия*) Port Harcourt

Порт-Эли́забет *г.* (*Капская пров., ЮАР*) Port Elizabeth

Порт-Этье́нн *г.* Port-Étienne; *см.* Нуади́бу

Поса́дас *г.* (*Аргентина*) Posadas

По́са-Ри́ка *г.* (*Мексика*) Poza Rica

Пота́кет *г.* (*шт. Род-Айленд, США*) Pawtucket

Пото́мак *р.* (*США*) Potomac

Потоси́ *г.* (*Боливия*) Potosí

По́тсдам *г.* (*ФРГ*) Potsdam

По́уис *граф.* (*Уэльс, Великобритания*) Powys

По́чефструм *г.* (*пров. Трансвааль, ЮАР*) Potchefstroom

Поянху́ *оз.* (*Китай*) Poyang Hu

Пра́вды Бе́рег (*Антарктида*) Pravda Coast

Пра́га *г.* (*столица Чехословакии и Чешской Республики*) Prague

Пра́то *г.* (*Италия*) Prato

Пра́я *г.* (*столица Кабо-Верде, о. Сантьягу*) Praia

Предкавка́зье (*терр. к сев. от Большого Кавказа, СССР*) Ciscaucasia

Пре́спа *оз.* (*Югославия, Албания и Греция*) Lake Prespa

Пре́стон *г.* (*адм. центр граф. Ланкашир, Англия, Великобритания*) Preston

Прето́рия *г.* (*столица ЮАР*) Pretoria

Пре́шов *г.* (*Чехословакия*) Prešov

Пржева́льск *г.* (*центр Иссык-*

Кульской обл., Киргизская ССР, СССР) Przhevalsk

Приатланти́ческая ни́зменность (*США*) Atlantic Coastal Plain

Прибыло́ва острова́ (*Берингово м., США*) Pribilof Islands

Прие́на *ист. г.* (*Малая Азия*) Priene

При́зрен *г.* (*Социалистическая Республика Сербия, Югославия*) Prizren

Примексика́нская ни́зменность (*США и Мексика*) Gulf Plain

Примо́рские А́льпы *горы* (*Франция и Италия*) Maritime Alps

Примо́рский край (*РСФСР, СССР*) Primorski Krai, Maritime Territory

При́нсипи *о.* (*Гвинейский зал., Атлантический ок., гос-во Сан-Томе и Принсипи*) Principe Island

Принс-Па́трик *о.* (*арх. Парри, Канадский Арктический арх., Канада*) Prince Patrick Island

Принс-Чарльз 1. *о.* (*басс. Фокса, Северный Ледовитый ок., Канада*) Prince Charles Island; **2.** *горы* (*Антарктида*) Prince Charles Mountains

Принс-Э́дуард *о.* (*зал. Святого Лаврентия, Канада*) Prince Edward Island

При́нца Уэ́льского мыс (*крайняя зап. точка Северной Америки, п-ов Аляска, США*) Cape Prince of Wales

При́нца Уэ́льского о́стров 1. (*арх. Александра, Тихий ок., США*) Prince of Wales Island; **2.** (*Канадский Арктический арх., Канада*) Prince of Wales Island

При́нца Эдуа́рда о́стров *пров.* (*Канада*) Prince Edward Island

При́нцевы острова́ (*Мраморное м., Турция*) Princes Islands

Принце́ссы Елизаве́ты Земля́ (*часть терр. Антарктиды*) Princess Elizabeth Land

Принце́ссы Ма́рты Бе́рег (*Антарктида*) Princess Martha Coast

Принце́ссы Ра́гнхилль Бе́рег (*Антарктида*) Princess Ragnhild Coast

При́пять *р.* (*СССР*) Pripyat

При́штина *г.* (*Социалистическая Республика Сербия, Югославия*) Priština

Прова́нс *ист. пров.* (*Франция*) Provence

Провиде́ния бу́хта (*Анадырский зал., побережье СССР*) Providence Bay

Про́виденс *г.* (*адм. центр шт. Род-Айленд, США*) Providence

Про́во *г.* (*шт. Юта, США*) Provo

Проко́пьевск *г.* (*Кемеровская обл., РСФСР, СССР*) Prokop(y)evsk

Пру́ссия *ист. гос-во* (*Европа*) Prussia

Прут *р.* (*СССР и Румыния*) Prut

Псков *г.* (*центр Псковской обл., РСФСР, СССР*) Pskov

Пско́вское о́зеро (*СССР*) Lake Pskov

Пуату́ *ист. пров.* (*Франция*) Poitou

Пуатье́ *г.* (*Франция*) Poitiers

Пул *г.* (*граф. Дорсетшир, Англия, Великобритания*) Poole

Пу́ла *г.* (*Республика Хорватия, Югославия*) Pula

Пу́на *г.* (*шт. Махараштра, Индия*) Poona

Пу́но *г.* (*Перу*) Puno

Пу́нта-Аре́нас *г.* (*Чили*) Punta Arenas

Пуру́с *р.* (*Перу и Бразилия*) Purús

Пуса́н *г.* (*Республика Корея*) Pusan

Путтучче́ри = Пондише́ри

Путума́йо *р.* (*Южная Америка*) Putumayo

Пу́шкин *г.* (*Ленинградская обл., РСФСР, СССР*) Pushkin

Пуэ́бла *г.* (*Мексика*) Puebla

Пуэ́бло *г.* (*шт. Колорадо, США*) Pueblo

Пуэ́нт-а-Питр *г.* (*о. Гваделупа, Малые Антильские о-ва*) Pointe-à-Pitre

Пуэ́нт-Нуа́р *г.* (*Конго*) Pointe-Noire

Пуэ́рто-Кабе́льо *г.* (*Венесуэла*) Puerto Cabello

Пуэ́рто-ла-Крус *г.* (*Венесуэла*) Puerto la Cruz

Пуэртолья́но *г.* (*Испания*) Puertollano

Пуэ́рто-Монт *г.* (*Чили*) Puerto Montt

Пуэ́рто-Ри́ко 1. Содружество Пуэрто-Рико (*страна на о. Пуэрто-Рико и близлежащих о-вах, влад. США*) Puerto Rico, Porto Rico, Commonwealth of Puerto Rico; **2.** *жёлоб* (*Атлантический ок.*) Puerto Rico Trench; **3.** *о.* (*Большие Антильские о-ва, Атлантический ок., влад. США*) Puerto Rico, Porto Rico

Пфо́рцхайм *г.* (*ФРГ*) Pforzheim

Пхенья́н *г.* (*столица КНДР*) Pyongyang

Пхоха́н *г.* (*Республика Корея*) Pohang

Пхуке́т *г.* (*Таиланд*) Phuket

Пше́мысль *г.* (*Польша*) Przemyśl

Пьемо́нт *обл.* (*Италия*) Piedmont

Пьюджет-Са́унд *зал.* (*Тихий ок., побережье Северной Америки*) Puget Sound

Пьяче́нца *г.* (*Италия*) Piacenza

Пэнху́ *о-ва* (*Тайваньский прол., Китай*) Penghu

Пя́йянне *оз.* (*Финляндия*) Päijänne

Пясина *р.* (*СССР*) Pyasina

Пятиго́рск *г.* (*Ставропольский край, РСФСР, СССР*) Pyatigorsk

Р

Раба́т *г.* (*столица Марокко*) Rabat

Раба́ул *г.* (*о. Новая Британия, Папуа-Новая Гвинея*) Rabaul

Равалпи́нди *г.* (*Пакистан*) Rawalpindi

Раве́нна *г.* (*Италия*) Ravenna

Ра́гби *г.* (*граф. Уорикшир, Англия, Великобритания*) Rugby

Рагу́за *г.* (*о. Сицилия, Италия*) Ragusa

Раджама́ндри *г.* (*шт. Андхра-Прадеш, Индия*) Rajahmundry

Раджастха́н 1. *шт.* (*Индия*) Rajasthan; **2.** *ист. обл.* (*Индия*) Rajasthan

Раджко́т *г.* (*шт. Гуджарат, Индия*) Rajkot

Раджпута́на *ист. обл.* Rajputana; *см.* Раджастха́н 2

Ра́дом *г.* (*Польша*) Radom

Радо́мско *г.* (*Польша*) Radomsko

Ра́зград *г.* (*Болгария*) Razgrad

Райдт *г.* (*ФРГ*) Rheydt

Райпу́р *г.* (*шт. Мадхья-Прадеш, Индия*) Raipur

Ра́ка тро́пик (*параллель 23°27′ сев. широты*) Tropic of Cancer

Ра́лик *о-ва* (*Маршалловы о-ва, Тихий ок.*) Ralik

Рам *о.* (*арх. Гебридские о-ва, Атлантический ок., Великобритания*) Isle of Rum

Рама́т-Ган *г.* (*Израиль*) Ramat Gan

Рамбуйе́ *г.* (*Франция*) Rambouillet

Рампу́р *г.* (*шт. Уттар-Прадеш, Индия*) Rampur

Ра́мсгит *г.* (*граф. Кент, Англия, Великобритания*) Ramsgate

Рангу́н *г.* Rangoon; *см.* Янго́н

Ра́ндфонтейн *г.* (*пров. Трансвааль, ЮАР*) Randfontein

Ранка́гуа *г.* (*Чили*) Rancagua

Ра́нчи *г.* (*шт. Бихар, Индия*) Ranchi

Рапа́лло *г.* (*Италия*) Rapallo

Рапид-Сити *г.* (*шт. Южная Дакота, США*) Rapid City

Рарото́нга *о.* (*о-ва Кука, Тихий ок., влад. Новой Зеландии*) Rarotonga

Рас-Дашэ́н *гора* (*Эфиопское нагорье, Эфиопия*) Ras Dashan

Раси́н *г.* (*шт. Висконсин, США*) Racine

Рас-Танну́ра *г.* (*Саудовская Аравия*) Ras Tanura

Рас-Хафу́н *мыс* Ras Hafun; *см.* Хафу́н

Рат *мыс* (*о. Великобритания*) Cape Wrath

Ра́так *о-ва* (*Маршалловы о-ва, Тихий ок.*) Ratak

Ра́тенов *г.* (*ФРГ*) Rathenow

Ра́тленд *г.* (*шт. Вермонт, США*) Rutland

Ратнапу́ра *г.* (*Шри-Ланка*) Ratnapura

Ратьжа́ *г.* (*Вьетнам*) Rach Gia

Рацı́буж *г.* (*Польша*) Racibórz

Ре́вель *г.* Revel; *см.* Та́ллинн

Ре́генсбург *г.* (*ФРГ*) Regensburg

Региста́н *пуст.* (*Афганистан*) Registan

Реджа́йна *г.* (*адм. центр пров. Саскачеван, Канада*) Regina

Ре́джо-ди-Кала́брия *г.* (*Италия*) Reggio di Calabria

Ре́джо-нель-Эми́лия *г.* (*Италия*) Reggio nell'Emilia

Ре́динг **1.** *г.* (*адм. центр граф. Беркшир, Англия, Великобритания*) Reading; **2.** *г.* (*шт. Пенсильвания, США*) Reading

Ред-Ри́вер **1.** *р.* (*приток р. Миссисипи, США*) Red River; **2.** *р.* (*впадает в оз. Виннипег, США и Канада*) Red River

Резайе́ *г.* Rezaieh, Rizaiyeh; *см.* У́рмия 1

Ре́йкьявик *г.* (*столица Исландии*) Reykjavík

Реймс *г.* (*Франция*) R(h)eims

Рейн *р.* (*Западная Европа*) Rhine

Рейни́р *влк.* (*Каскадные горы, США*) Mount Rainier

Рейно́са *г.* (*Мексика*) Reynosa

Ре́клингхаузен *г.* (*ФРГ*) Recklinghausen

Ре́мшайд *г.* (*ФРГ*) Remscheid

Рен(н) *г.* (*Франция*) Rennes

Репа́бликан *р.* (*США*) Republican

Ресисте́нсия *г.* (*Аргентина*) Resistencia

Реси́фи *г.* (*Бразилия*) Recife

Ре́шица *г.* (*Румыния*) Reşiţa

Решт *г.* (*Иран*) Rasht, Resht

Реюньо́н *о.* (*Маскаренские о-ва, Индийский ок., влад. Франции*) Réunion

Ржев *г.* (*Тверская обл., РСФСР, СССР*) Rzhev

Рибейра́н-Пре́ту *г.* (*Бразилия*) Riberão Prêto

Риве́ра *г.* (*Уругвай*) Rivera

Ривера́йна *геогр. обл.* (*Австралия*) Riverina

Ри́версайд *г.* (*шт. Калифорния, США*) Riverside

Ривье́ра (*побережье Средиземного м., Франция, Италия и Монако*) Riviera

Ри́га *г.* (*столица Латвии*) Riga

Рие́ка *г.* (*Республика Хорватия, Югославия*) Rijeka

Ри́жский зали́в (*Балтийское м., побережье Латвии и Эстонии*) Gulf of Riga

Ри́за *г.* (*ФРГ*) Riesa

Ризе́ *г.* (*Турция*) Rize

Ри́ла *горн. массив* (*Болгария*) Rila Planina

Рим *г.* (*столица Италии*) Rome

Ри́мини *г.* (*Италия*) Rimini

Ри́мская импе́рия *ист. гос-во* (*Европа*) Roman Empire

Ри́но *г.* (*шт. Невада, США*) Reno

Риоба́мба *г.* (*Эквадор*) Riobamba

Ри́о-Берме́хо *р.* (*Аргентина*) (Río) Bermejo

Ри́о-Бра́во-дель-Но́рте *р.* Río Bravo (del Norte); *см.* Ри́о-Гра́нде

Ри́о-Гра́нде *р.* (*США и Мексика*) Rio Grande

Ри́о-Гра́нде-де-Сантья́го *р.* (*Мексика*) Río Grande de Santiago

Ри́о-де-Жане́йро *г.* (*Бразилия*) Rio de Janeiro

Ри́о-Колора́до *р.* (*Аргентина*) (Río) Colorado

Ри́о-Не́гро **1.** *р.* (*Аргентина*) Río Negro; **2.** *р.* (*Уругвай*) Río Negro

Ри́о-Сала́до *р.* (*Аргентина*) Río Salado

Ри́тин *г.* (*граф. Клуид, Уэльс, Великобритания*) Ruthin

Ри́у-Бра́нку *р.* (*Бразилия*) Rio Branco

Ри́у-Гра́нди **1.** *г.* (*Бразилия*) Rio Grande; **2.** *р.* (*Бразилия*) Rio Grande

Ри́у-Не́гру *р.* (*Бразилия*) Rio Negro

Ри́чардсон *горы* (*Канада*) Richardson Mountains

Ри́чмонд **1.** *г.* (*адм. центр шт. Виргиния, США*) Richmond; **2.** *г.* (*шт. Индиана, США*) Richmond; **3.** *г.* (*граф. Норт-Йоркшир, Англия, Великобритания*) Richmond; **4.** *г.* (*шт. Квинсленд, Австралия*) Richmond; **5.** *г.* (*Капская пров., ЮАР*) Richmond; **6.** (*р-н г. Нью-Йорк, США*) Richmond

Ро́анок **1.** *г.* (*шт. Виргиния, США*) Roanoke; **2.** *р.* (*США*) Roanoke

Ро́бсон *гора* (*Скалистые горы, Канада*) Mount Robson

Ро́вно *г.* (*центр Ровенской обл., Украинская ССР, СССР*) Rovno

Род-Айленд *шт.* (*США*) Rhode Island

Родо́пы *горы* (*Болгария и Греция*) Rhodope, Rodopi

Ро́дос 1. *г.* (*о. Родос, Греция*) Rhodes; **2.** *о.* (*о-ва Южные Спорады, Эгейское м., Греция*) Rhodes

Родри́гес *о.* (*Маскаренские о-ва, Индийский ок., гос-во Маврикий*) Rodriguez

Род-Та́ун *г.* (*адм. центр влад. Великобритании на Виргинских о-вах, о. Тортола*) Road Town

Рождества́ о́стров 1. (*Индийский ок., влад. Австралии*) Christmas Island; **2.** (*о-ва Лайн, Тихий ок., Кирибати*) Christmas Island

Розо́ *г.* (*столица Доминики*) Roseau

Ро́зуэлл *г.* (*шт. Нью-Мексико, США*) Roswell

Ро́ка *мыс* (*крайняя зап. точка Европы, Пиренейский п-ов, Португалия*) Cape Roca

Рок-А́йленд *г.* (*шт. Иллинойс, США*) Rock Island

Ро́ки-Ма́унт *г.* (*шт. Северная Каролина, США*) Rocky Mount

Ро́кфорд *г.* (*шт. Иллинойс, США*) Rockford

Рокхе́мптон *г.* (*шт. Квинсленд, Австралия*) Rockhampton

Ро́ли *г.* (*адм. центр шт. Северная Каролина, США*) Raleigh

Ро́ман *г.* (*Румыния*) Roman

Рома́н-Кош *гора* (*Крымские горы, СССР*) Roman Kosh

Рома́нья *ист. обл.* (*Италия*) Romagna

Ро́мфорд *г.* (*метроп. граф. Большой Лондон, Англия, Великобритания*) Romford

Ро́на *р.* (*Швейцария и Франция*) Rhone

Ро́нта *г.* (*граф. Мид-Гламорган, Уэльс, Великобритания*) Rhondda

Роса́рио *г.* (*Аргентина*) Rosario

Ро́скилле *г.* (*Дания*) Roskilde

Роско́ммон 1. *граф.* (*Ирландия*) Roscommon; **2.** *г.* (*адм. центр граф. Роскоммон, Ирландия*) Roscommon

Ро́сса *о.* Ross Island; *см.* Дже́ймса Ро́сса о́стров

Ро́сса мо́ре (*Тихий ок., Антарктика*) Ross Sea

Ро́сса ше́льфовый ледни́к (*Антарктида*) Ross Ice Shelf

Росси́йская импе́рия *ист. гос-во* (*Европа и Азия*) Russian Empire

Росси́йская Сове́тская Федерати́вная Социалисти́ческая Респу́блика (*вост. часть Европы и сев. часть Азии, СССР*) Russian Soviet Federative Socialist Republic

Росси́я 1. Russia; *см.* Росси́йская Сове́тская Федерати́вная Социалисти́ческая Респу́блика; **2.** *ист. страна и гос-во* (*на терр. совр. СССР*) Russia

Росто́в *г.* (*Ярославская обл., РСФСР, СССР*) Rostov

Росто́в-на-Дону́ *г.* (*центр Ростовской обл., РСФСР, СССР*) Rostov-on-Don

Ро́сток *г.* (*ФРГ*) Rostock

Ро́терем *г.* (*метроп. граф Саут-Йоркшир, Англия, Великобритания*) Rotherham

Ротору́а *г.* (*о. Северный, Новая Зеландия*) Rotorua

Ро́тсей *г.* (*обл. Стратклайд, Шотландия, Великобритания*) Rothesay

Ро́ттердам *г.* (*Нидерланды*) Rotterdam

Роуркела *г.* (*шт. Орисса, Индия*) Raurkela, Rourkela

Ро́хас *г.* (*о. Панай, Филиппины*) Roxas

Ро́чдейл *г.* (*метроп. граф. Большой Манчестер, Англия, Великобритания*) Rochdale

Ро́честер *г.* (*шт. Нью-Йорк, США*) Rochester

Руа́н *г.* (*Франция*) Rouen

Руа́нда, Руандийская Республика *гос-во* (*Восточная Африка*) Rwanda, Ruanda, Rwandese Republic

Руапе́ху *влк.* (*о. Северный, Новая Зеландия*) Ruapehu

Рубе́ *г.* (*Франция*) Roubaix

Рубико́н *ист. р.* (*Италия*) Rubicon

Рубцо́вск *г.* (*Алтайский край, РСФСР, СССР*) Rubtsovsk

Руб-эль-Ха́ли *пуст.* (*на юго-вост. Аравийского п-ова, Азия*) Rub' al Khali

Рувензо́ри *горн. массив* (*на границе Заира и Уганды*) Ruwenzori

Руву́ма *р.* (*Мозамбик и Танзания*) Ruvuma

Ру́да-Слёнска *г.* (*Польша*) Ruda Śląska

Ру́дные го́ры (*на границе ФРГ и Чехословакии*) Erzgebirge, Ore Mountains

Ру́дный *г.* (*Кустанайская обл., Казахская ССР, СССР*) Rudny

Рудо́льф *оз.* (*Кения*) Lake Rudolf

Ру́дольштадт *г.* (*ФРГ*) Rudolstadt

Румы́ния *гос-во* (*Юго-Восточная Европа*) R(o)umania, Romania

Рур 1. (*индустриальный р-н, ФРГ*) Ruhr; **2.** *р.* (*ФРГ*) Ruhr

Ру́се *г.* (*Болгария*) Ruse

Руссильо́н *ист. пров.* (*Франция*) Roussillon

Ру́сская равни́на = Восто́чно-Европе́йская равни́на

Руста́ви *г.* (*Грузинская ССР, СССР*) Rustavi

Руфи́джи *р.* (*Танзания*) Rufiji

Рыба́чий *п-ов* (*Кольский п-ов, СССР*) Rybachi Peninsula

Ры́бинск *г.* (*Ярославская обл., РСФСР, СССР*) Rybinsk

Ры́бник *г.* (*Польша*) Rybnik

Рю́ген *о.* (*Балтийское м., ФРГ*) Rügen

Рюкю́ *арх.* (*Тихий ок., Япония*) Ryukyu Islands

Рю́стенбург *г.* (*пров. Трансвааль, ЮАР*) Rustenburg

Ряза́нь *г.* (*центр Рязанской обл., РСФСР, СССР*) Ryazan

С

Саа́р 1. *земля* (*ФРГ*) Saarland, Saar; **2.** *р.* (*Франция и ФРГ*) Saar

Саарбрю́ккен *г.* (*ФРГ*) Saarbrücken

Са́аремаа *о.* (*Балтийское м., Эстония*) Saaremaa, Sarema

Са́ба, Сабейское царство *ист. гос-во* (*Аравийский п-ов*) Saba, Sheba

Сабаде́ль *г.* (*Испания*) Sabadell

Саби́н *р.* (*США*) Sabine

Са́ва *р.* (*Югославия*) Sava

Сава́йи *о.* (*Тихий ок., Западное Самоа*) Savaii

Сава́нна 1. *г.* (*шт. Джорджия, США*) Savannah; **2.** *р.* (*США*) Savannah

Са́видж *о.* Savage Island; *см.* Ниу́э

Саво́йя *ист. обл.* (*Франция*) Savoy

Са́ву *м.* (*Тихий ок., Индонезия*) Savu (*или* Sawu) Sea

Сага́ми *зал.* (*Тихий ок., о. Хонсю, Япония*) Sagami Sea

Сагамиха́ра *г.* (*о. Хонсю, Япония*) Sagamihara

Сагене́й *р.* (*Канада*) Saguenay

Са́гино *г.* (*шт. Мичиган, США*) Saginaw

Са́дбери *г.* (*пров. Онтарио, Канада*) Sudbury

Саи́с *ист. г.* (*Египет*) Sais

Сайго́н *г.* Saigon; *см.* Хошими́н

Са́йда *г.* (*Ливан*) Saïda

Са́йма *оз.* (*Финляндия*) Lake Saimaa

Сайпа́н *о.* (*Марианские о-ва, Тихий ок.*) Saipan

Сака́и *г.* (*о. Хонсю, Япония*) Sakai

Сакатеколу́ка *г.* (*Сальвадор*) Zacatecoluca

Сакраме́нто 1. *г.* (*адм. центр шт. Калифорния, США*) Sacramento; **2.** *р.* (*США*) Sacramento; **3.** *горы* (*США*) Sacramento Mountains

Саксо́ния *ист. обл.* (*ФРГ*) Saxony

Салава́т *г.* (*Башкирская АССР, РСФСР, СССР*) Salavat

Салама́нка 1. *г.* (*Испания*) Salamanca; **2.** *г.* (*Мексика*) Salamanca

Салвадо́р *г.* (*Бразилия*) Salvador

Сале́ *г.* (*Марокко*) Salé

Сале́м *г.* (*шт. Тамилнад, Индия*) Salem

Салента́на *п-ов* (*Италия*) Salentine Peninsula

Сале́рно *г.* (*Италия*) Salerno

Сале́рнский зали́в (*Тирренское*

м., побережье Италии) Gulf of Salerno

Салеха́рд *г.* (*центр Ямало-Ненецкого авт. окр., Тюменская обл., РСФСР, СССР*) Salekhard

Сало́ни́ки *г.* (*Греция*) Salonika, Saloniki

Салони́кский зали́в – Термаикóс

Салуи́н *р.* (*Китай, Мьянма и Таиланд*) Salween

Сальвадо́р, Республика Эль-Сальвадор *гос-во* (*Центральная Америка*) El Salvador, Republic of El Salvador

Са́льта *г.* (*Аргентина*) Salta

Сальти́льо *г.* (*Мексика*) Saltillo

Са́льто *г.* (*Уругвай*) Salto

Са́мар *о.* (*Филиппины*) Samar

Сама́ра *г.* (*центр Самарской обл., РСФСР, СССР*) Samara

Самари́нда *г.* (*о. Калимантан, Индонезия*) Samarinda

Сама́рия *ист. г.* (*в Палестине*) Samaria

Самарка́нд *г.* (*центр Самаркандской обл., Узбекская ССР, СССР*) Samarkand

Само́а *о-ва* (*Тихий ок., зап. часть — гос-во Западное Самоа, вост. часть — влад. США*) Samoa Islands

Са́мос *о.* (*о-ва Южные Спорады, Эгейское м., Греция*) Samos

Самотра́ки *о.* (*Эгейское м., Греция*) Samothrace

Самсу́н *г.* (*Турция*) Samsun

Сана́ *г.* (*столица Йемена*) San'a, Sanaa

Сан-А́нджело *г.* (*шт. Техас, США*) San Angelo

Сан-Анто́нио *г.* (*шт. Техас, США*) San Antonio

Сан-Бернарди́но *г.* (*шт. Калифорния, США*) San Bernardino

Санга́ *р.* (*Центральноафриканская Республика, Камерун и Конго*) Sanga

Санга́рский проли́в = Цуга́ру

Сан-Гонса́лу *г.* (*Бразилия*) São Gonçalo

Са́ндерленд *г.* (*метроп. граф. Тайн-энд-Уир, Англия, Великобритания*) Sunderland

Сан-Дие́го *г.* (*шт. Калифорния, США*) San Diego

Сандо́меж *г.* (*Польша*) Sandomierz

Сан-Жуа́н-ди-Мерити́ *г.* (*Бразилия*) São João de Meriti

Сан-Ка́рлос *г.* (*о. Негрос, Филиппины*) San Carlos

Сан-Кристо́баль I *г.* (*Венесуэла*) San Cristóbal

Сан-Кристо́баль II *о.* (*Тихий ок., гос-во Соломоновы Острова*) San Cristobal

Санкт-Мо́риц *г.* (*Швейцария*) Saint-Moritz

Санкт-Петербу́рг *г.* (*центр Ленинградской обл., РСФСР, СССР*) Saint Petersburg

Сан-Луи́с *г.* (*Бразилия*) São Luís

Сан-Луи́с-Потоси́ *г.* (*Мексика*) San Luis Potosí

Сан-Мари́но 1. Республика Сан-Марино *гос-во* (*Южная Европа*) San Marino, Republic of San Marino; **2.** *г.* (*столица Сан-Марино*) San Marino

Сан-Ма́ркос *г.* (*Гватемала*) San Marcos

Сан-Мигéль *г.* (*Сальвадор*) San Miguel

Сан-Мигéль-де-Тукума́н=Тукума́н

Са́ннивейл *г.* (*шт. Калифорния, США*) Sunnyvale

Са́нникова проли́в (*между о-вами Котельный и Малый Ляховский, соединяет м. Лаптевых с Восточно-Сибирским м.*) Sannikov Strait

Сан-Никола́с 1. *г.* (*Аргентина*) San Nicolás; **2.** *г.* (*Перу*) San Nicolás

Сан-Па́бло *г.* (*о. Лусон, Филиппины*) San Pablo

Сан-Па́улу *г.* (*Бразилия*) São Paulo

Сан-Пéдро-Су́ла *г.* (*Гондурас*) San Pedro Sula

Сан-Рéмо *г.* (*Италия*) San Remo

Сан-Сальвадо́р 1. *г.* (*столица Сальвадора*) San Salvador; **2.** *о.* (*Атлантический ок., гос-во Багамские Острова*) San Salvador

Сан-Сальвадо́р-де-Жужу́й = Жужу́й

Сан-Себастья́н *г.* (*Испания*) San Sebastián

Са́нта-А́на 1. *г.* (*шт. Калифорния, США*) Santa Ana; **2.** *г.* (*Сальвадор*) Santa Ana

Са́нта-Ба́рбара *г.* (*шт. Калифорния, США*) Santa Barbara

Са́нта-Исабе́ль 1. *г.* Santa Isabel; *см.* Мала́бо; **2.** *о.* (*Тихий ок., гос-во Соломоновы Острова*) Santa Isabel

Са́нта-Кла́ра *г.* (*Куба*) Santa Clara

Са́нта-Круз *г.* (*шт. Калифорния, США*) Santa Cruz

Са́нта-Крус I 1. *г.* (*Боливия*) Santa Cruz; **2.** *о-ва* (*Тихий ок., гос-во Соломоновы Острова*) Santa Cruz Islands

Са́нта-Крус II *о.* (*Виргинские о-ва, Атлантический ок., влад. США*) Saint Croix, Santa Cruz

Са́нта-Крус-де-Тенери́фе *г.* (*о. Тенерифе, Испания*) Santa Cruz de Tenerife

Са́нта-Ма́рта *г.* (*Колумбия*) Santa Marta

Са́нта-Мо́ника *г.* (*шт. Калифорния, США*) Santa Monica

Сантанде́р *г.* (*Испания*) Santander

Са́нта-Фе 1. *г.* (*адм. центр шт. Нью-Мексико, США*) Santa Fe; **2.** *г.* (*Аргентина*) Santa Fe

Са́нто-Доми́нго *г.* (*столица Доминиканской Республики*) Santo-Domingo

Сан-Томе́ 1. *г.* (*столица гос-ва Сан-Томе и Принсипи, о. Сан-Томе*) São Tomé; **2.** *о.* (*Гвинейский зал., Атлантический ок., гос-во Сан-Томе и Принсипи*) São Tomé

Сан-Томе́ и При́нсипи, Демократическая Республика Сан-Томе и Принсипи *гос-во* (*на одноимённых о-вах, Гвинейский зал., Атлантический ок.*) São Tomé e Príncipe, Democratic Republic of São Tomé e Príncipe

Са́нту-Андре́ *г.* (*Бразилия*) Santo André

Са́нтус *г.* (*Бразилия*) Santos

Сантья́го 1. *г.* (*столица Чили*) Santiago; **2.** *г.* (*Доминиканская Республика*) Santiago

Сантья́го-де-Компосте́ла *г.* (*Испания*) Santiago de Compostela

Сантья́го-де-Ку́ба *г.* (*Куба*) Santiago de Cuba

Сантья́гу *о.* (*о-ва Зелёного Мыса, Атлантический ок., Кабо-Верде*) São Tiago, Santiago

Са́нфорд *влк.* (*горы Врангеля, США*) Mount Sanford

Сан-Франси́ску *р.* (*Бразилия*) São Francisco

Сан-Франци́ско 1. *г.* (*шт. Калифорния, США*) San Francisco; **2.** *зал.* (*Тихий ок., побережье США*) San Francisco Bay

Сан-Хоаки́н *р.* (*США*) San Joaquin

Сан-Хосе́ I 1. *г.* (*столица Коста-Рики*) San José; **2.** *г.* (*Гватемала*) San José

Сан-Хосе́ II *г.* (*шт. Калифорния, США*) San Jose

Сан-Хуа́н 1. *г.* (*адм. центр о. Пуэрто-Рико, Большие Антильские о-ва*) San Juan; **2.** *г.* (*Аргентина*) San Juan

Са́ппоро *г.* (*о. Хоккайдо, Япония*) Sapporo

Сараго́са *г.* (*Испания*) Saragossa

Сара́ево *г.* (*столица Социалистической Республики Босния и Герцеговина, Югославия*) Sarajevo

Сара́нск *г.* (*столица Мордовской АССР, РСФСР, СССР*) Saransk

Сара́пул *г.* (*Удмуртская АССР, РСФСР, СССР*) Sarapul

Сарасо́та *г.* (*шт. Флорида, США*) Sarasota

Сара́тов *г.* (*центр Саратовской обл., РСФСР, СССР*) Saratov

Сарга́ссово мо́ре (*Атлантический ок.*) Sargasso Sea

Сарго́дха *г.* (*Пакистан*) Sargodha

Сарди́ния *о.* (*Средиземное м., Италия*) Sardinia

Сариво́н *г.* (*КНДР*) Sariwŏn

Са́рния *г.* (*пров. Онтарио, Канада*) Sarnia

Сароникос *зал.* (*Эгейское м., побережье Греции*) Saronic Gulf

Саро́сский зали́в (*Эгейское м., побережье Турции*) Saros Gulf

Сарх *г.* (*Чад*) Sarh

Сасе́бо *г.* (*о. Кюсю, Япония*) Sasebo

Саскату́н *г.* (*пров. Саскачеван, Канада*) Saskatoon

Саска́чеван 1. *пров.* (*Канада*)

Saskatchewan; **2.** *р.* (*Канада*) Saskatchewan

Саскуэха́нна *р.* (*США*) Susquehanna

Са́ссари *г.* (*о. Сардиния, Италия*) Sassari

Са́терленд *вдп.* (*о. Южный, Новая Зеландия*) Sutherland Falls

Са́тледж *р.* (*Китай, Индия и Пакистан*) Sutlej

Са́ту-Ма́ре *г.* (*Румыния*) Satu-Mare

Сау́довская Ара́вия, Королевство Саудовская Аравия *гос-во* (*Аравийский п-ов, Юго-Западная Азия*) Saudi Arabia, Kingdom of Saudi Arabia

Са́ут-Бенд *г.* (*шт. Индиана, США*) South Bend

Са́ут-Гейт *г.* (*шт. Калифорния, США*) South Gate

Саутге́мптон 1. *г.* (*граф. Гэмпшир, Англия, Великобритания*) Southampton; **2.** *о.* (*Гудзонов зал., Канада*) Southampton Island

Са́утгит *г.* (*метроп. граф. Большой Лондон, Англия, Великобритания*) Southgate

Са́ут-Гламо́рган *граф.* (*Уэльс, Великобритания*) South Glamorgan

Са́ут-Да́унс *возв.* (*Великобритания*) South Downs

Са́утенд-он-Си *г.* (*граф. Эссекс, Англия, Великобритания*) Southend on Sea

Са́ут-Ист-Пойнт *мыс* (*крайняя юж. точка Австралии*) South East Point

Са́ут-Йо́ркшир *метроп. граф.* (*Англия, Великобритания*) South Yorkshire

Са́утленд *стат. р-н* (*Новая Зеландия, о. Северный*) Southland

Са́ут-О́кленд-Бей-оф-Пле́нти *стат. р-н* (*Новая Зеландия, о. Северный*) South Auckland-Bay of Plenty

Са́ут-Платт *р.* (*США*) South Platte

Са́утпорт 1. *г.* (*метроп. граф. Мерсисайд, Англия, Великобритания*) Southport; **2.** *г.* (*шт. Квинсленд, Австралия*) Southport

Са́ут-Саска́чеван *р.* (*Канада*) South Saskatchewan

Са́ут-У́ист *о.* (*арх. Гебридские о-ва, Атлантический ок., Великобритания*) South Uist

Са́ут-Шилдс *г.* (*метроп. граф. Тайн-энд-Уир, Англия, Великобритания*) South Shields

Сафи́ *г.* (*Марокко*) Saf(f)i

Сахали́н *о.* (*Охотское м., СССР*) Sakhalin

Сахали́нский зали́в (*Охотское м., СССР*) Gulf of Sakhalin

Саха́ма *гора* (*горн. сист. Анды, Боливия*) Sajama, Sahama

Саха́ра *пуст.* (*Северная Африка*) Sahara

Сахаранпу́р *г.* (*шт. Уттар-Прадеш, Индия*) Saharanpur

Сахи́вал *г.* (*Пакистан*) Sahiwal

Саяны *горн. сист.* (*на юге Восточной Сибири, СССР*) Sayan Mountains

Сва́зиленд, Королевство Свазиленд *гос-во* (*Южная Африка*) Swaziland, Kingdom of Swaziland

Свато́у *г.* Swatow; *см.* Шаньто́у

Свердло́вск *г.* Sverdlovsk; *см.* Екатеринбу́рг

Све́рдруп *о-ва* (*Канадский Арктический арх., Канада*) Sverdrup Islands

Свишто́в *г.* (*Болгария*) Svištov, Svishtov

Свято́го Гео́рга проли́в (*между о-вами Великобритания и Ирландия*) Saint George('s) Channel

Свято́го Ильи́ гора́ (*горы Святого Ильи, на границе Канады и США*) Mount Saint Elias

Свято́го Ильи́ го́ры (*Канада и США*) Saint Elias Range

Свято́го Лавре́нтия зали́в (*Атлантический ок., побережье Канады*) Gulf of Saint Lawrence

Свято́го Лавре́нтия о́стров (*Берингово м., США*) Saint Lawrence Island

Свято́го Лавре́нтия река́ (*Канада*) Saint Lawrence

Свято́й Еле́ны о́стров (*Атлантический ок., влад. Великобритании*) Saint Helena

Свяще́нная Ри́мская импе́рия *ист. гос-во* (*Европа*) Holy Roman Empire

Себу́ 1. *г.* (*о. Себу, Филиппины*) Cebu; **2.** *о.* (*Филиппины*) Cebu

Сева́н *оз.* (*СССР*) Sevan(g)

Севасто́поль *г.* (*Крымская обл., Украинская ССР, СССР*) Sevastopol

Се́вен-А́йлендс *г.* Seven Islands; *см.* Сет-Иль

Севе́нны *горы* (*Франция*) Cévennes

Се́верн 1. *р.* (*Великобритания*) Severn; **2.** *р.* (*Канада*) Severn

Се́верная Аме́рика *материк* (*Западное полушарие*) North America

Се́верная Дако́та *шт.* (*США*) North Dakota

Се́верная Двина́ *р.* (*СССР*) Northern Dvina

Се́верная Земля́ *арх.* (*Северный Ледовитый ок., СССР*) Severnaya Zemlya, Northern Land

Се́верная Ирла́ндия (*адм.-полит. часть Великобритании*) Northern Ireland

Се́верная Кароли́на *шт.* (*США*) North Carolina

Се́верная Роде́зия Northern Rhodesia; *см.* За́мбия

Се́верная террито́рия (*Австралия*) Northern Territory

Се́верное мо́ре (*Атлантический ок., у берегов Европы*) North Sea

Се́верные Спора́ды *о-ва* (*Эгейское м., Греция*) Northern Sporades

Се́верный Кавка́з (*терр., охватывающая Предкавказье, часть сев. склона Большого Кавказа и его зап. оконечность, СССР*) Northern Caucasia

Се́верный Ледови́тый океа́н (*между Евразией и Северной Америкой*) Arctic Ocean

Се́верный морско́й путь (*главная судоходная магистраль СССР по морям и проливам Северного Ледовитого ок.*) Northern Sea Route

Се́верный о́стров (*Тихий ок., Новая Зеландия*) North Island

Се́верный по́люс (*в центр. части Северного Ледовитого ок.*) North Pole

Се́верный поля́рный круг (*параллель 66°33′ сев. широты*) Arctic Circle

Се́верный проли́в (*между о-вами Великобритания и Ирландия*) North Channel

Се́веро-Алба́нские А́льпы *горы* (*Албания и Югославия*) North Albanian Alps

Се́веро-Восто́чная Земля́ *о.* (*арх. Шпицберген, Северный Ледовитый ок., Норвегия*) North East Land

Се́веро-Герма́нская ни́зменность (*часть Среднеевропейской равнины, ФРГ*) North German Plain

Северодви́нск *г.* (*Архангельская обл., РСФСР, СССР*) Severodvinsk

Северодоне́цк *г.* (*Донецкая обл., Украинская ССР, СССР*) Severodonetsk

Се́веро-За́падные террито́рии (*Канада*) Northwest (*или* North-West) Territories

Се́веро-За́падный прохо́д (*северный морской путь между Атлантическим и Тихим океанами через моря и проливы Канадского Арктического арх.*) Northwest Passage

Се́веро-Осети́нская Автоно́мная Сове́тская Социалисти́ческая Респу́блика, Се́верная Осе́тия (*РСФСР, СССР*) North Ossetian Autonomous Soviet Socialist Republic, North Ossetia

Се́веро-Сиби́рская ни́зменность (*Восточная Сибирь, СССР*) North Siberian Plain

Се́веро-Шотла́ндское наго́рье (*Великобритания*) Northern Highlands

Се́верский Доне́ц *р.* (*СССР*) Severski Donets

Севи́лья *г.* (*Испания*) Seville

Се́гед *г.* (*Венгрия*) Szeged

Сего́вия *г.* (*Испания*) Segovia

Сегу́ *г.* (*Мали*) Ségou

Седа́н *г.* (*Франция*) Sedan

Се́йлем *г.* (*адм. центр шт. Орегон, США*) Salem

Сейха́н *г.* Seyhan; *см.* А́дана

Сейше́льские Острова́, Республика Сейшельские Острова *гос-во* (*на Сейшельских и Амирантских о-вах, Индийский ок.*) Seychelles, Republic of Seychelles

Сейше́льские острова́ (*Индий-*

ский ок., гос-во Сейшельские Острова) Seychelles

Секвóйя *нац. парк* (*США*) Sequoia National Park

Сéконди-Такорáди *г.* (*Гана*) Sekondi-Takoradi

Селáм = Салéм

Селенгá *р.* (*Монголия и СССР*) Selenga

Сéлкерк *г.* (*обл. Бордерс, Шотландия, Великобритания*) Selkirk

Семáранг *г.* (*о. Ява, Индонезия*) Semarang, Samarang

Семипалáтинск *г.* (*центр Семипалатинской обл., Казахская ССР, СССР*) Semipalatinsk

Семь Королéвств = Гептáрхия

Сéна *р.* (*Франция*) Seine

Сен-Бернáр *пер.* Saint Bernard; *см.* Сен-Бернáр Большóй *и* Сен-Бернáр Мáлый

Сен-Бернáр Большóй *пер.* (*горн. сист. Альпы, на границе Швейцарии и Италии*) Great Saint Bernard

Сен-Бернáр Мáлый *пер.* (*горн. сист. Альпы, на границе Франции и Италии*) Little Saint Bernard

Сен-Готáрд *пер.* (*горн. сист. Альпы, Швейцария*) Saint Got(t)hard

Сендáй *г.* (*о. Хонсю, Япония*) Sendai

Сен-Дени́ *г.* (*адм. центр о. Реюньон*) Saint-Denis

Сенегáл **1.** Республика Сенегал *гос-во* (*Западная Африка*) Senegal, Republic of Senegal; **2.** *р.* (*Мали, Сенегал и Мавритания*) Senegal

Сен-Луи́ *г.* (*Сенегал*) Saint-Louis

Сен-Малó **1.** *г.* (*Франция*) Saint-Malo; **2.** *зал.* (*прол. Ла-Манш, побережье Франции*) Gulf of Saint-Malo

Сен-Мартéн *о.* (*Малые Антильские о-ва, Атлантический ок., сев. часть — влад. Франции, юж. часть — Нидерландов*) Saint Martin

Сен-Назéр *г.* (*Франция*) Saint-Nazaire

Сен-Пьер и Микелóн *о-ва* (*Атлантический ок., у вост. берегов Канады, влад. Франции*) Saint Pierre and Miquelon

Сент-Бóнифейс *г.* (*пров. Манитоба, Канада*) Saint Boniface

Сент-Ви́нсент **1.** *прол.* (*между о-вами Сент-Люсия и Сент-Винсент, Малые Антильские о-ва*) Saint Vincent Passage; **2.** *зал.* (*Индийский ок., побережье Австралии*) Gulf of Saint Vincent; **3.** *о.* (*Малые Антильские о-ва, Атлантический ок., гос-во Сент-Винсент и Гренадины*) Saint Vincent

Сент-Ви́нсент и Гренади́ны *гос-во* (*на одноимённых о-вах, Малые Антильские о-ва, Вест-Индия*) Saint Vincent and the Grenadines

Сент-Джон **1.** *г.* (*пров. Нью-Брансуик, Канада*) Saint John; **2.** *р.* (*США и Канада*) Saint John

Сент-Джонс I **1.** *г.* (*столица гос-ва Антигуа и Барбуда, о. Антигуа*) Saint John's; **2.** *г.* (*адм. центр пров. Ньюфаундленд, Канада*) Saint John's

Сент-Джонс II *г.* (*шт. Мичиган, США*) Saint Johns

Сент-Джóрджес *г.* (*столица Гренады*) Saint George's

Сент-Кáтаринс *г.* (*пров. Онтарио, Канада*) Saint Catharines

Сент-Кит(т)с *о.* Saint Kitts; *см.* Сент-Кри́стофер

Сент-Клэр **1.** *оз.* (*Канада и США*) Lake Saint Clair; **2.** *р.* (*Канада и США*) Saint Clair

Сент-Кри́стофер *о.* (*Малые Антильские о-ва, Атлантический ок., гос-во Сент-Кристофер и Невис*) Saint Christopher

Сент-Кри́стофер и Нéвис, Федерация Сент-Кристофер и Невис *гос-во* (*на одноимённых о-вах, Вест-Индия*) Saint Christopher and Nevis, Federation of Saint Christopher and Nevis

Сент-Лýис *г.* (*шт. Миссури, США*) Saint Louis

Сент-Люси́я **1.** *гос-во* (*на о. Сент-Люсия, Малые Антильские о-ва, Вест-Индия*) Saint Lucia; **2.** *прол.* (*между о-вами Мартиника и Сент-Люсия, Малые Антильские о-ва*) Saint Lucia Channel; **3.** *о.* (*Малые Антильские о-ва, Ат-*

лантический ок., гос-во Сент-Люсия) Saint Lucia

Сент-О́лбанс *г.* (*граф. Хартфордшир, Англия, Великобритания*) Saint Albans

Сент-Пи́терсберг *г.* (*шт. Флорида, США*) Saint Petersburg

Сент-Пол *г.* (*адм. центр шт. Миннесота, США*) Saint Paul

Се́нтрал *обл.* (*Шотландия, Великобритания*) Central

Се́нтрал-О́кленд *стат. р-н* (*Новая Зеландия, о. Северный*) Central Auckland

Сент-То́мас *о.* (*Виргинские о-ва, Атлантический ок., влад. США*) Saint Thomas

Сент-Хе́ленс *г.* (*метроп. граф. Мерсисайд, Англия, Великобритания*) Saint Helens

Сент-Чарльз *мыс* (*крайняя вост. точка Северной Америки, п-ов Лабрадор, Канада*) Cape Saint Charles

Сент-Этье́н *г.* (*Франция*) Saint-Étienne

Се́нья *о.* (*Норвежское м., Норвегия*) Senja

Сера́м 1. *м.* (*Тихий ок., Индонезия*) Ceram Sea; **2.** *о.* (*Молуккские о-ва, м. Серам, Индонезия*) Ceram, Seram

Се́рбия, Социалистическая Республика Сербия (*Югославия*) Serbia, Socialist Republic of Serbia

Се́ргиев Поса́д *г.* (*Московская обл., РСФСР, СССР*) Sergiev Posad

Серенге́ти *нац. парк* (*Танзания*) Serengeti National Park

Се́рпухов *г.* (*Московская обл., РСФСР, СССР*) Serpukhov

Се́рро-де-Па́ско *г.* (*Перу*) Cerro de Pasco

Сет-Иль *г.* (*пров. Квебек, Канада*) Sept-Îles

Сети́ф *г.* (*Алжир*) Sétif

Се́то-Найка́й *м.* Seto Naikai; *см.* Вну́треннее Япо́нское мо́ре

Сету́бал *г.* (*Португалия*) Setúbal

Сеу́л *г.* (*столица Республики Корея*) Seoul

Сеу́та *г.* (*влад. Испании на терр. Марокко*) Ceuta

Сиалко́т *г.* (*Пакистан*) Sialkot

Сиа́м Siam; *см.* Таила́нд

Сиа́мский зали́в (*Южно-Корейское м., между п-овами Индокитай и Малакка*) Gulf of Siam, Gulf of Thailand

Сиа́нь *г.* (*адм. центр пров. Шэньси, Китай*) Xian, Sian

Си́барис *др.-греч. колония* (*на терр. совр. Италии*) Sybaris

Сиби́рь (*часть азиатской терр. СССР от Урала на зап. до Тихого ок. на вост.*) Siberia; *см. тж.* Восто́чная Сиби́рь *и* За́падная Сиби́рь

Сиби́у *г.* (*Румыния*) Sibiu

Сибуя́н *м.* (*Филиппины*) Sibuyan Sea

Сива́лик *горы* (*горн. сист. Гималаи, Индия и Непал*) Siwalik Range

Сива́с *г.* (*Турция*) Sivas

Сива́ш *зал.* (*Азовское м., СССР*) Sivash

Си́дар-Ра́пидс *г.* (*шт. Айова, США*) Cedar Rapids

Сидзуо́ка *г.* (*о. Хонсю, Япония*) Shizuoka

Си́ди-бель-Аббе́с *г.* (*Алжир*) Sidi-bel-Abbès

Си́дней *г.* (*адм. центр шт. Новый Южный Уэльс, Австралия*) Sydney

Си́дни *г.* (*о. Кейп-Бретон, пров. Новая Шотландия, Канада*) Sydney

Сидо́н *ист. город-гос-во* (*в Финикии, совр. г. Сайда*) Sidon

Си́дра *зал.* (*Средиземное м., побережье Ливии*) Gulf of Sidra

Сие́на *г.* (*Италия*) Siena

Сикки́м *шт.* (*Индия*) Sikkim

Сико́ку *о.* (*Тихий ок., Япония*) Shikoku

Силва́са *г.* (*адм. центр союзной терр. Дадра и Нагархавели, Индия*) Silvassa

Силе́зия *ист. обл.* (*Польша и Чехословакия*) Silesia

Сили́стра *г.* (*Болгария*) Silistra

Си́лли *о-ва* (*Атлантический ок., Великобритания*) Scilly Isles, Isles of Scilly

Симаба́ра *зал.* (*Восточно-Китайское м., о. Кюсю, Япония*) Shimabara Bay

Си́маррон *р.* (*США*) Cimarron

Симби́рск *г.* Simbirsk; *см.* Улья́новск

Си́мла *г.* (*адм. центр шт. Химачал-Прадеш, Индия*) Simla

Симоносе́ки **1.** *г.* (*о. Хонсю, Япония*) Shimonoseki; **2.** *прол.* (*между о-вами Хонсю и Кюсю, Япония*) Shimonoseki Strait

Симпло́н *пер.* (*горн. сист. Альпы, Швейцария*) Simplon

Си́мпсон *пуст.* (*Австралия*) Simpson Desert

Симферо́поль *г.* (*центр Крымской обл., Украинская ССР, СССР*) Simferopol

Сина́й *библ. гора* (*Египет*) Mount Sinai

Сина́йский полуо́стров (*между заливами Акаба и Суэцким, Египет*) Sinai

Сингапу́р **1.** Республика Сингапур *гос-во* (*Юго-Восточная Азия*) Singapore, Republic of Singapore; **2.** *г.* (*столица Сингапура*) Singapore; **3.** *о.* (*у юж. побережья п-ова Малакка, Южно-Китайское м., гос-во Сингапур*) Singapore

Сингапу́рский проли́в (*между о. Сингапур и п-овом Малакка*) Strait of Singapore

Сини́н *г.* (*адм. центр пров. Цинхай, Китай*) Xining, Hsining, Sining

Сино́п *г.* (*Турция*) Sinop

Синыйджу́ *г.* (*КНДР*) Sinŭiju

Синься́н *г.* (*пров. Хэнань, Китай*) Xinxiang, Hsinhsiang, Sinsiang

Синьцзя́н-Уйгу́рский автоно́мный райо́н (*Китай*) Xinjiang Uygur (*или* Sinkiang Uighur) Autonomous Region

Сио́н *библ. холм* (*в Палестине*) Zion

Сираку́за *г.* (*о. Сицилия, Италия*) Syracuse

Сираку́зы *ист. город-гос-во* (*о. Сицилия*) Syracuse

Си́ракьюс *г.* (*шт. Нью-Йорк, США*) Syracuse

Сире́т *р.* (*СССР и Румыния*) Siret

Сири́йская пусты́ня (*Сирия, Иордания, Ирак и Саудовская Аравия*) Syrian Desert, El Hamad

Си́рия, Сирийская Арабская Республика *гос-во* (*Западная Азия*) Syria, Syrian Arab Republic

Си́сак *г.* (*Республика Хорватия, Югославия*) Sisak

Си́серо *г.* (*шт. Иллинойс, США*) Cicero

Си́ти (*центр. часть г. Лондон, Великобритания*) the City

Си́тка *г.* (*шт. Аляска, США*) Sitka

Ситлальте́петль *влк.* Citlaltepetl; *см.* Орисаба 2

Ситуэ́ *г.* (*Мьянма*) Sittwe

Сихотэ́-Али́нь *горн. страна* (*юго-вост. СССР*) Sikhote Alin

Сицзя́н *р.* (*Китай*) Xi (Jiang), Si (Kiang)

Сици́лий Короле́вство обе́их *ист. гос-во* (*о. Сицилия и юж. часть Апеннинского п-ова*) the Two Sicilies

Сицили́йский проли́в = Туни́сский проли́в

Сици́лия *о.* (*Средиземное м., Италия*) Sicily

Си́эм *г.* (*граф. Дарем, Англия, Великобритания*) Seaham

Сиэ́тл *г.* (*шт. Вашингтон, США*) Seattle

Скагерра́к *прол.* (*между п-овами Скандинавским и Ютландия*) Skager(r)ak

Ска́гуэй *г.* (*шт. Аляска, США*) Skagway

Скада́рское о́зеро (*Югославия и Албания*) Lake Scutari

Скай *о.* (*арх. Гебридские о-ва, Атлантический ок., Великобритания*) Skye

Скали́стые го́ры (*Канада и США*) Rocky Mountains, Rockies

Скандина́вский полуо́стров (*Европа*) Scandinavia, Scandinavian Peninsula

Ска́па-Фло́у *зал.* (*Атлантический ок., Оркнейские о-ва, Великобритания*) Scapa Flow

Ска́рборо *г.* (*граф. Норт-Йоркшир, Англия, Великобритания*) Scarborough

Скво-Вэ́лли *г.* (*шт. Калифорния, США*) Squaw Valley

Скене́ктади *г.* (*шт. Нью-Йорк, США*) Schenectady

Ски́кда *г.* (*Алжир*) Skikda

Ски́рос *о.* (*о-ва Северные Спо-*

рады, Эгейское м., Греция) Skyros, Scyros

Ски́фское госуда́рство *ист. гос-во* (*на терр. Северного Причерноморья*) Scythia

Ско́не *п-ов* (*Швеция*) Skåne

Ско́пле *г.* Skoplje; *см.* Ско́пье

Ско́пье *г.* (*столица Социалистической Республики Македонии, Югославия*) Skopje

Ско́рсби *зал.* (*о. Гренландия*) Scoresby Sound

Скотт (*науч. ст. Новой Зеландии, Антарктида*) Scott

Ско́тта о́стров (*Тихий ок., Антарктика*) Scott Island

Ско́фелл *гора* (*Камберлендские горы, Великобритания*) Scafell Pike

Ско́ша мо́ре (*Атлантический ок., Антарктика*) Scotia Sea

Скра́нтон *г.* (*шт. Пенсильвания, США*) Scranton

Сла́вков *г.* (*Чехословакия*) Slavkov

Славо́ния *ист. обл.* (*Югославия*) Slavonia

Славя́нск *г.* (*Донецкая обл., Украинская ССР, СССР*) Slavyansk

Сла́йго 1. *граф.* (*Ирландия*) Sligo; **2.** *г.* (*адм. центр граф. Слайго, Ирландия*) Sligo; **3.** *зал.* (*Атлантический ок., побережье Ирландии*) Sligo Bay

Сла́у *г.* (*граф. Бакингемшир, Англия, Великобритания*) Slough

Сли́вен *г.* (*Болгария*) Sliven

Сли́форд *г.* (*граф. Линкольншир, Англия, Великобритания*) Sleaford

Слова́кия, Словацкая Республика (*Чехословакия*) Slovakia, Slovak Republic

Слове́ния, Республика Словения (*Югославия*) Slovenia, Republic of Slovenia

Сме́тик *г.* (*метроп. граф. Уэст-Мидлендс, Англия, Великобритания*) Smethwick

Сми́рна *г.* Smyrna; *см.* Изми́р

Смит *прол.* (*между о-вами Гренландия и Элсмир*) Smith Sound

Смо́ки-Хилл *р.* (*США*) Smoky Hill

Смоле́нск *г.* (*центр Смоленской обл., РСФСР, СССР*) Smolensk

Смо́лян *г.* (*Болгария*) Smolian

Сне́жка *гора* (*горы Судеты, на границе Польши и Чехословакии*) Sněžka

Снейк *р.* (*США*) Snake

Сно́удон *гора* (*Кембрийские горы, Великобритания*) Snowdon

Сно́уи-Ри́вер *р.* (*Австралия*) Snowy River

Со́бат *р.* (*Эфиопия и Судан*) Sobat

Сове́тск *г.* (*Калининградская обл., РСФСР, СССР*) Sovetsk

Сове́тская (*науч. ст. СССР, Антарктида*) Sovetskaya

Сове́тская Га́вань *г.* (*Хабаровский край, РСФСР, СССР*) Sovetskaya Gavan

Сове́тский Сою́з Soviet Union; *см.* Сою́з Сове́тских Социалисти́ческих Респу́блик

Сове́тское плато́ (*Антарктида*) Plateau Sovietskoye

Согд, Согдиа́на *ист. обл.* (*Средняя Азия*) Sogdiana

Со́гне-фьорд (*Норвежское м., Норвегия*) Sogne Fjord

Содо́м и Гомо́рра *библ.* (*два города у устья р. Иордан, в Палестине*) Sodom and Gomorrah

Содру́жество (*объединение в составе Великобритании и её бывших колоний*) the Commonwealth

Соединённое Короле́вство United Kingdom; *см.* Великобрита́ния 1

Соединённые Шта́ты Аме́рики (США) *гос-во* (*Северная Америка*) United States of America (USA)

Соко́то *г.* (*Нигерия*) Sokoto

Соко́тра *о.* (*Индийский ок., Йемен*) Socotra, Sokotra

Солика́мск *г.* (*Пермская обл., РСФСР, СССР*) Solikamsk

Со́ло 1. *г.* Solo; *см.* Сурака́рта; **2.** *р.* (*о. Ява, Индонезия*) Solo

Соломо́новы Острова́ *гос-во* (*на Соломоновых о-вах, кроме о-вов Бугенвиль и Бука, Тихий ок.*) Solomon Islands

Соломо́новы острова́ *арх.* (*Тихий ок., Меланезия, гос-ва Папуа-Новая Гвинея и Соломоновы Острова*) Solomon Islands

Со́лсбери 1. *г.* (*граф. Уилтшир, Англия, Великобритания*) Salisbury; **2.** *г.* Salisbury; *см.* Хара́рс

Солт-Лейк-Си́ти *г.* (*адм. центр шт. Юта, США*) Salt Lake City

Со́лтон-Си *оз.* (*США*) Salton Sea

Со́луэй-Ферт *зал.* (*Ирландское м., о. Великобритания*) Solway Firth

Со́лфорд *г.* (*метроп. граф. Большой Манчестер, Англия, Великобритания*) Salford

Соль-Иле́цк *г.* (*Оренбургская обл., РСФСР, СССР*) Sol-Iletsk

Со́льнок *г.* (*Венгрия*) Szolnok

Сомали́ I Сомалийская Демократическая Республика *гос-во* (*Северо-Восточная Африка*) Somalia, Somali Democratic Republic

Сомали́ II *п-ов* (*на вост. Африки*) Somali Peninsula

Со́мбатхей *г.* (*Венгрия*) Szombathely

Со́мервилл *г.* (*шт. Массачусетс, США*) Somerville

Со́мерсет *о.* (*Канадский Арктический арх., Канада*) Somerset Island

Со́мерсет(шир) *граф.* (*Англия, Великобритания*) Somerset(shire)

Со́мма *р.* (*Франция*) Somme

Со́на *р.* (*Франция*) Saône

Сонгкхла́ *г.* (*Таиланд*) Songk(h)la

Со́пот *г.* (*Польша*) Sopot

Сорока́ба *г.* (*Бразилия*) Sorocaba

Сорре́нто *г.* (*Италия*) Sorrento

Сосно́вец *г.* (*Польша*) Sosnowiec

Софи́я *г.* (*столица Болгарии*) Sofia

Соха́г *г.* (*Египет*) Sohâg

Со́чи *г.* (*Краснодарский край, РСФСР, СССР*) Sochi

Сою́з Сове́тских Социалисти́ческих Респу́блик (СССР) *гос-во* (*Восточная Европа, Северная и Средняя Азия*) Union of Soviet Socialist Republics (USSR)

Спа *г.* (*Бельгия*) Spa

Спа́рта 1. *г.* (*Греция*) Sparta; **2.** *ист. город-гос-во* (*п-ов Пелопоннес, Греция*) Sparta

Спа́ртанберг *г.* (*шт. Южная Каролина, США*) Spartanburg

Спе́нсер *зал.* (*Индийский ок., побережье Австралии*) Spencer('s) Gulf

Спе́ция *г.* (*Италия*) La Spezia

Сплит *г.* (*Республика Хорватия, Югославия*) Split

Спока́н *г.* (*шт. Вашингтон, США*) Spokane

Спора́ды *о-ва* Sporades; *см.* Ю́жные Спора́ды *и* Се́верные Спора́ды

Спрингс *г.* (*пров. Трансвааль, ЮАР*) Springs

Спри́нгфилд 1. *г.* (*адм. центр шт. Иллинойс, США*) Springfield; **2.** *г.* (*шт. Массачусетс, США*) Springfield; **3.** *г.* (*шт. Миссури, США*) Springfield

Средизе́мное мо́ре (*Атлантический ок., между Евразией и Африкой*) Mediterranean Sea

Среди́нный хребе́т (*п-ов Камчатка, СССР*) Sredinny (*или* Central) Range

Среднеру́сская возвы́шенность (*центр европейской части СССР*) Central Russian Upland

Среднесиби́рское плоского́рье (*между реками Енисей на зап. и Лена на вост., СССР*) Central Siberian Plateau

Среднешотла́ндская ни́зменность (*Великобритания*) the Lowlands

Сре́дний Восто́к (*условное назв. стран Ближнего Востока вместе с Ираном и Афганистаном, Азия*) Middle East

Сре́дняя А́зия (*юго-зап. азиатской части СССР*) Central Asia

Срина́гар *г.* (*адм. центр шт. Джамму и Кашмир, Индия*) Srinagar

Става́нгер *г.* (*Норвегия*) Stavanger

Ста́врополь *г.* (*центр Ставропольского края, РСФСР, СССР*) Stavropol

Ставропо́льский край (*РСФСР, СССР*) Stavropol Territory

Сталингра́д *г.* Stalingrad; *см.* Волгогра́д

Стамбу́л *г.* (*Турция*) Istanbul, Stamb(o)ul

Ста́мфорд *г.* (*шт. Коннектикут, США*) Stamford

Станово́й хребе́т (*Восточная Сибирь, СССР*) Stanovoi Range

Ста́ра-Заго́ра *г.* (*Болгария*) Stara Zagora

Ста́ра-Планина́ *горы* (*Болгария*) Stara Planina

Ста́рая Ру́сса *г.* (*Новгородская обл., РСФСР, СССР*) Staraya Russa

Ста́рый Оско́л *г.* (*Белгородская обл., РСФСР, СССР*) Stary Oskol

Ста́ур *р.* (*Великобритания*) Stour

Ста́ффорд *г.* (*адм. центр граф. Стаффордшир, Англия, Великобритания*) Stafford

Ста́ффордшир *граф.* (*Англия, Великобритания*) Staffordshire, *сокр.* Staffs

Степанаке́рт *г.* (*центр Нагорно-Карабахской АО, Азербайджанская ССР, СССР*) Stepanakert

Сте́рлинг 1. *г.* (*адм. центр обл. Сентрал, Шотландия, Великобритания*) Stirling; **2.** *г.* (*шт. Колорадо, США*) Stirling

Стерлитама́к *г.* (*Башкирская АССР, РСФСР, СССР*) Sterlitamak

Стип-Пойнт *мыс* (*крайняя зап. точка Австралии*) Steep Point

Стокго́льм *г.* (*столица Швеции*) Stockholm

Сток-он-Трент *г.* (*граф. Стаффордшир, Англия, Великобритания*) Stoke on Trent

Сто́кпорт *г.* (*метроп. граф. Большой Манчестер, Англия, Великобритания*) Stockport

Сто́ктон *г.* (*шт. Калифорния, США*) Stockton

Сто́нхейвен *г.* (*обл. Грампиан, Шотландия, Великобритания*) Stonehaven

Страба́н 1. *окр.* (*Северная Ирландия, Великобритания*) Strabane; **2.** *г.* (*адм. центр окр. Страбан, Северная Ирландия, Великобритания*) Strabane

Страсбу́р *г.* (*Франция*) Strasbourg

Стратклáйд *обл.* (*Шотландия, Великобритания*) Strathclyde

Стра́тфорд-он-Э́йвон *г.* (*граф. Уорикшир, Англия, Великобритания*) Stratford on Avon

Стре́тфорд *г.* (*граф. Ланкашир, Англия, Великобритания*) Stretford

Стро́мболи 1. *о.* (*Липарские о-ва, Тирренское м., Италия*) Stromboli; **2.** *влк.* (*о. Стромболи, Италия*) Stromboli

Стью́арт *о.* (*Тихий ок., Новая Зеландия*) Stewart Island

Стью́бенвилл *г.* (*шт. Огайо, США*) Steubenville

Стэнливи́ль *г.* Stanleyville; *см.* Кисанга́ни

Стэ́нли водопа́ды Stanley Falls; *см.* Бойо́ма

Су́ботица *г.* (*Социалистическая Республика Сербия, Югославия*) Subotica

Су́ва *г.* (*столица Фиджи, о. Вити-Леву*) Suva

Суво́н *г.* (*Республика Корея*) Suwŏn

Суда́н 1. Республика Судан *гос-во* (*Северо-Восточная Африка*) Sudan, Soudan, Republic of the Sudan; **2.** *геогр. обл.* (*Африка*) Sudan

Суде́ты *горы* (*на границе Польши, Чехословакии и ФРГ*) Sudeten, Sudetes, Sudetic Mountains

Су́здаль *г.* (*Владимирская обл., РСФСР, СССР*) Suzdal

Су́зы *ист. г.* (*на терр. совр. Ирана*) Susa

Суи́ндон *г.* (*граф. Уилтшир, Англия, Великобритания*) Swindon

Су́ита *г.* (*о. Хонсю, Япония*) Suita

Су́ккур *г.* (*Пакистан*) Sukkur

Су́кре *г.* (*офиц. столица Боливии*) Sucre

Су́ла *о-ва* (*Малайский арх., Индонезия*) Sula (*или* Soela) Islands

Сулаве́си 1. *м.* (*Тихий ок., между о-вами Калимантан, Сулавеси и Филиппинскими*) Sulawesi Sea; **2.** *о.* (*Большие Зондские о-ва, Индонезия*) Sulawesi

Сулейма́новы го́ры (*Пакистан и Афганистан*) Sulaiman Range

Су́лу 1. *м.* (*Тихий ок., между Филиппинскими о-вами и о. Калимантан*) Sulu Sea; **2.** *арх.* (*Филиппины*) Sulu Archipelago

Сума́тра *о.* (*Большие Зондские о-ва, Индонезия*) Sumatra

Су́мба *о.* (*Малые Зондские о-ва, Индонезия*) Sumba, Soemba

Сумба́ва *о.* (*Малые Зондские о-ва, Индонезия*) Sumbawa, Soembawa

Сумга́ит *г.* (*Азербайджанская ССР, СССР*) Sumgait

Су́мы *г.* (*центр Сумской обл., Украинская ССР, СССР*) Sumy

Су́нгари *р.* (*Китай*) Sungari

Су́ндсвалль *г.* (*Швеция*) Sundsvall

Суо́нси *г.* (*адм. центр граф. Уэст-Гламорган, Уэльс, Великобритания*) Swansea

Сура́ *р.* (*СССР*) Sura

Сураба́я *г.* (*о. Ява, Индонезия*) Surabaja

Суракá́рта *г.* (*о. Ява, Индонезия*) Surakarta

Сура́т *г.* (*шт. Гуджарат, Индия*) Surat

Сургу́т *г.* (*Ханты-Мансийский авт. окр., Тюменская обл., РСФСР, СССР*) Surgut

Сурина́м, Республика Суринам *гос-во* (*Южная Америка*) Surinam, Republic of Surinam

Су́ррей *граф.* (*Англия, Великобритания*) Surrey

Сус *г.* (*Тунис*) Sousse

Су-Сент-Мари́ *г.* (*пров. Онтарио, Канада*) Sault Sainte Marie

Су-Си́ти *г.* (*шт. Айова, США*) Sioux City

Су́ссекс *ист. англосакс. кор-во* (*Великобритания*) Sussex

Сусума́н *г.* (*Магаданская обл., РСФСР, СССР*) Susuman

Су-Фолс *г.* (*шт. Южная Дакота, США*) Sioux Falls

Су́ффолк *граф.* (*Англия, Великобритания*) Suffolk

Сухо́на *р.* (*СССР*) Sukhona

Суху́ми *г.* (*столица Абхазской АССР, Грузинская ССР, СССР*) Sukhumi

Суча́ва *г.* (*Румыния*) Suceava

Сучжо́у *г.* (*пров. Цзянсу, Китай*) Suzhou, Soochow

Суэ́ц *г.* (*Египет*) Suez

Суэ́цкий зали́в (*Красное м., между Синайским п-овом и берегом Африки*) Gulf of Suez

Суэ́цкий кана́л (*соединяет Красное и Средиземное моря, Египет*) Suez Canal

Суэ́цкий переше́к (*соединяет Африку с Азией, Египет*) Isthmus of Suez

Сфакс *г.* (*Тунис*) Sfax

Сы́зрань *г.* (*Самарская обл., РСФСР, СССР*) Syzran

Сыктывка́р *г.* (*столица Коми АССР, РСФСР, СССР*) Syktyvkar

Сырдарья́ *р.* (*СССР*) Syr-Darya

Сычуа́нь *пров.* (*Китай*) Sichuan, Szechuan, Szechwan

Сье́го-де-А́вила *г.* (*Куба*) Ciego de Ávila

Сьенфуэ́гос *г.* (*Куба*) Cienfuegos

Сье́рра-Лео́не 1. Республика Сьерра-Леоне *гос-во* (*Западная Африка*) Sierra Leone; Republic of Sierra Leone; **2.** *п-ов* (*Западная Африка, гос-во Сьерра-Леоне*) Sierra Leone Peninsula

Сье́рра-Море́на *горы* (*Испания*) Sierra Morena

Сье́рра-Нева́да 1. *хр.* (*США*) Sierra Nevada; **2.** *горн. массив* (*Испания*) Sierra Nevada

Сью́ард *п-ов* (*между заливами Коцебу и Нортон, США*) Seward Peninsula

Сьюда́д-Боли́вар *г.* (*Венесуэла*) Ciudad Bolívar

Сьюда́д-Маде́ро *г.* (*Мексика*) Ciudad Madero

Сьюда́д-Трухи́льо *г.* Ciudad Trujillo; *см.* Са́нто-Доми́нго

Сьюда́д-Хуа́рес *г.* (*Мексика*) Ciudad Juáres

Сюйчжо́у *г.* (*пров. Цзянсу, Китай*) Xuzhou, Süchow

Сямы́нь *г.* (*пров. Фуцзянь, Китай*) Xiamen, Hsiamen

Сянга́н 1. (*влад. Великобритании, юго-вост. побережье Китая*) Xianggang, Siangan; **2.** *г.* (*адм. центр влад. Сянган*) Xianggang, Siangan

Сянцзя́н *р.* (*Китай*) Xiang (Jiang), Siang

Т

Таба́на-Нтленья́на = Тхаба́на-Нтленья́на

Табо́ра *г.* (*Танзания*) Tabora

Тавр *горн. сист.* (*Турция*) Taurus Mountains

Таври́да *ист.* (*назв. Крымского п-ова*) Taurida

Таганро́г *г.* (*Ростовская обл., РСФСР, СССР*) Taganrog

Таганро́гский зали́в (*Азовское м., СССР*) Gulf of Taganrog

Таджи́кская Сове́тская Социалисти́ческая Респу́блика, Таджикиста́н (*на юго-вост. Средней Азии, СССР*) Tadzhik (*или* Tajik) Soviet Socialist Republic, Tadzhikistan, Tajikistan

Таз *р.* (*СССР*) Taz

Та́за *г.* (*Марокко*) Taza

Та́зовская губа́ (*зал. Обской губы Карского м., СССР*) Taz Bay

Таи́з *г.* (*Йемен*) Taiz, Ta'izz

Таила́нд, Королевство Таиланд *гос-во* (*Юго-Восточная Азия*) Thailand, Kingdom of Thailand

Таи́ти *о.* (*о-ва Общества, Тихий ок., влад. Франции*) Tahiti

Тайбэ́й *г.* (*адм. центр пров. Тайвань, Китай*) Taipei, Taipeh

Тайва́нь 1. *пров.* (*Китай*) Taiwan; **2.** *о.* (*Тихий ок., Китай*) Taiwan

Тайва́ньский проли́в (*между о. Тайвань и побережьем континентального Китая*) Taiwan Strait

Таймы́р 1. *п-ов* (*на сев. СССР*) Taimyr Peninsula; **2.** *оз.* (*СССР*) Taimyr Lake

Таймы́рский (Долга́но-Не́нецкий) автоно́мный о́круг (*Красноярский край, РСФСР, СССР*) Taimyr Autonomous Area

Тайн *р.* (*Великобритания*) Tyne

Тайна́нь *г.* (*пров. Тайвань, Китай*) Tainan

Та́йнмут *г.* (*метроп. граф. Тайн-энд-Уир, Англия, Великобритания*) Tynemouth

Та́йнсайд (*конурбация с центром в г. Ньюкасл, метроп. граф. Тайн-энд-Уир, Англия, Великобритания*) Tyneside

Тайн-энд-Уи́р *метроп. граф.* (*Англия, Великобритания*) Tyne and Wear

Тайпи́нг *г.* (*Малайзия*) Taiping

Тайху́ *оз.* (*Китай*) Tai Hu

Тайчжу́н *г.* (*пров. Тайвань, Китай*) Taichung

Тайша́нь 1. *хр.* (*Китай*) Tai Shan; **2.** *гора* (*хр. Тайшань, Китай*) Tai Shan

Тайше́т *г.* (*Иркутская обл., РСФСР, СССР*) Taishet

Тайюа́нь *г.* (*адм. центр пров. Шаньси, Китай*) Taiyuan

Такама́цу *г.* (*о. Сикоку, Япония*) Takamatsu

Та́кла-Мака́н *пуст.* (*Китай*) Takla Makan

Тако́ма *г.* (*шт. Вашингтон, США*) Tacoma

Такора́ди *г.* Takoradi; *см.* Се́конди-Такора́ди

Тала́ра *г.* (*Перу*) Talara

Тала́с *г.* (*центр Таласской обл., Киргизская ССР, СССР*) Talas

Талды́-Курга́н *г.* (*центр Талды-Курганской обл., Казахская ССР, СССР*) Taldy-Kurgan

Талламо́р *г.* (*адм. центр граф. Оффали, Ирландия*) Tullamore

Таллаха́сси *г.* (*адм. центр шт. Флорида, США*) Tallahassee

Та́ллинн *г.* (*столица Эстонии*) Tallinn

Та́лса *г.* (*шт. Оклахома, США*) Tulsa

Та́лька *г.* (*Чили*) Talca

Талькауа́но *г.* (*Чили*) Talcahuano

Тама́ле *г.* (*Гана*) Tamale

Тама́нский полуо́стров (*между Чёрным и Азовским морями, СССР*) Taman

Тамата́ве *г.* Tamatave; *см.* Туама́сина

Тамбо́в *г.* (*центр Тамбовской обл., РСФСР, СССР*) Tambov

Тамилна́д *шт.* (*Индия*) Tamil Nadu

Та́ммерфорс *г.* Tammerfors; *см.* Та́мпере

Та́мпа *г.* (*шт. Флорида, США*) Tampa

Та́мпере *г.* (*Финляндия*) Tampere

Тампи́ко *г.* (*Мексика*) Tampico

Та́на 1. *оз.* (*Эфиопия*) Lake Tana; **2.** *р.* (*Кения*) Tana

Та́нана *р.* (*США*) Tanana

Тананари́ве *г.* Tananarive; *см.* Антананари́ву

Та́нга *г.* (*Танзания*) Tanga

Танганьи́ка 1. (*назв. материковой части Танзании*) Tanganyika; **2.** *оз.* (*Танзания, Заир, Замбия и Бурунди*) Lake Tanganyika

Та́нгла *хр.* (*Китай*) Tanglha

Та́ндер-Бей *г.* (*пров. Онтарио, Канада*) Thunder Bay

Танджунгпри́ок *г.* (*о. Ява, Индонезия*) Tandjungpriok

Танже́р *г.* (*Марокко*) Tangier

Танза́ния, Объединённая Республика Танзания *гос-во* (*Восточная Африка*) Tanzania, United Republic of Tanzania

Тани́мбар *о-ва* (*м. Банда, Индонезия*) Tanimbar Islands

Та́нта *г.* (*Египет*) Tanta

Танша́нь *г.* (*пров. Хэбэй, Китай*) Tangshan

Тапажо́с *р.* (*Бразилия*) Tapajós

Тар *пуст.* (*Индия и Пакистан*) Thar (*или* Indian) Desert

Тара́ва 1. *г.* (*столица Кирибати, на атолле Тарава*) Tarawa; **2.** *атолл* (*о-ва Гилберта, Тихий ок., Кирибати*) Tarawa

Ирана́ки *стат. р-н* (*Новая Зеландия, о. Северный*) Taranaki

Та́ранто 1. *г.* (*Италия*) Taranto; **2.** *зал.* (*Ионическое м., Италия*) Gulf of Taranto

Тари́м *р.* (*Китай*) Tarim

Таркви́нии *ист. г.* (*на терр. совр. Италии*) Tarquinii

Та́рлак *г.* (*о. Лусон, Филиппины*) Tarlac

Та́рнув *г.* (*Польша*) Tarnów

Таррaго́на *г.* (*Испания*) Tarragona

Терра́са *г.* (*Испания*) Tarrasa

Та́ррок *г.* (*граф. Эссекс, Англия, Великобритания*) Thurrock

Та́рсус *г.* (*Турция*) Tarsus

Та́рту *г.* (*Эстония*) Tartu

Таскалу́са *г.* (*шт. Алабама, США*) Tuscaloosa

Та́смана Земля́ (*сев.-зап. побережье Австралии*) Tasman Peninsula

Тасма́ния 1. *шт.* (*Австралия, о. Тасмания*) Tasmania; **2.** *о.* (*у юго-вост. побережья Австралии, Австралия*) Tasmania

Тасма́ново мо́ре (*Тихий ок., между Австралией, Новой Зеландией и о. Тасмания*) Tasman Sea

Та́сос *о.* (*Эгейское м., Греция*) Thasos

Та́табанья *г.* (*Венгрия*) Tatabánya

Тата́рская Автоно́мная Сове́тская Социалисти́ческая Респу́блика (*РСФСР, СССР*) Tatar Autonomous Soviet Socialist Republic

Тата́рский проли́в (*между материком Азия и о. Сахалин*) Gulf of Tatary, Tatar Strait

Та́тры *горы* (*Польша и Чехословакия*) Tatra Mountains

Таубате́ *г.* (*Бразилия*) Taubaté

Та́унсвилл *г.* (*шт. Квинсленд, Австралия*) Townsville

Та́упо *оз.* (*о. Северный, Новая Зеландия*) Lake Taupo

Тафила́льт *оазисы* (*Марокко*) Tafilelt, Tafilalet

Та́хо *р.* (*Испания и Португалия*) Tagus

Тахуму́лько *влк.* (*Гватемала*) Tajumulco

Ташау́з *г.* (*центр Ташаузской обл., Туркменская ССР, СССР*) Tashauz

Ташке́нт *г.* (*столица Узбекской ССР, СССР*) Tashkent

Тбили́си *г.* (*столица Грузинской ССР, СССР*) Tbilisi

Тверь *г.* (*центр Тверской обл., РСФСР, СССР*) Tver

Те-А́нау *оз.* (*о. Южный, Новая Зеландия*) Te Anau Lake

Тебри́з *г.* (*Иран*) Tabriz

Тевтобу́ргский Лес *горы* (*ФРГ*) Teutoburger Wald

Тегера́н *г.* (*столица Ирана*) Teheran, Tehran

Тегусига́льпа *г.* (*столица Гондураса*) Tegucigalpa

Теджéн 1. *г.* (*Ашхабадская обл., Туркменская ССР, СССР*) Tedzhen; **2.** *р.* (*СССР*) Tedzhen

Те́жу = Та́хо

Тей *р.* (*Великобритания*) Tay

Те́йсайд *обл.* (*Шотландия, Великобритания*) Tayside

Тексарка́на *г.* (*шт. Техас, США*) Texarkana

Теланайпу́ра *г.* (*о. Суматра, Индонезия*) Telanaipura

Теле́цкое о́зеро (*СССР*) Teletskoye

Тель-Ави́в *г.* (*гл. город Израиля*) Tel Aviv, Tel-Aviv-Jaffa

Те́ма *г.* (*Гана*) Tema

Те́мза *р.* (*Великобритания*) Thames

Темирта́у *г.* (*Карагандинская обл., Казахская ССР, СССР*) Temirtau

Тему́ко *г.* (*Чили*) Temuco

Тенери́фе *о.* (*Канарские о-ва, Атлантический ок., Испания*) Tenerife

Теннесси́ 1. *шт.* (*США*) Tennessee; **2.** *р.* (*США*) Tennessee

Терези́на *г.* (*Бразилия*) Teresina

Те́рек *р.* (*СССР*) Terek

Теркс и Ка́йкос *о-ва* (*Багамские о-ва, Атлантический ок., влад. Великобритании*) Turks and Caicos Islands

Термаико́с *зал.* (*Эгейское м., побережье Греции*) Gulf of Salonika

Терме́з *г.* (*центр Сурхандарьинской обл., Узбекская ССР, СССР*) Termez

Терно́поль *г.* (*центр Тернопольской обл., Украинская ССР, СССР*) Ternopol

Террито́рия столи́цы Австра́лии (*Австралия*) Australian Capital Territory

Те-Со́лент *прол.* (*между о-вами Великобритания и Уайт*) the Solent

Тетуа́н *г.* (*Марокко*) Tétuan

Теуантепе́к 1. *зал.* (*Тихий ок., побережье Мексики*) Gulf of Tehuantepec; **2.** *перешеек* (*между Атлантическим и Тихим океанами, Мексика*) Isthmus of Tehuantepec

Теха́с *шт.* (*США*) Texas

Тибе́сти *нагорье* (*Чад*) Tibesti Mountains

Тибе́т 1. = Тибе́тский автоно́мный райо́н; **2.** *нагорье* Tibet; *см.* Тибе́тское наго́рье

Тибе́тский автоно́мный райо́н (*Китай*) Tibet

Тибе́тское наго́рье (*Китай*) Plateau of Tibet

Тибр *р.* (*Италия*) Tiber

Тивериа́дское о́зеро (*Израиль и Сирия*) Sea of Tiberias, Tiberias Lake

Тигр *р.* (*Турция, Сирия и Ирак*) Tigris

Тиете́ = Тьете́

Тизи́-Узу́ *г.* (*Алжир*) Tizi-Ouzou

Тика́ль *ист. г.* (*Гватемала*) Tikal

Ти́кси *пгт* (*Якутская АССР, РСФСР, СССР*) Tiksi

Ти́лбург *г.* (*Нидерланды*) Tilburg

Ти́лос *о.* (*о-ва Южные Спорады, Эгейское м., Греция*) Delos

Тильзи́т *г.* Tilsit; *см.* Сове́тск

Тимбу́кту *г.* Timbuktu; *см.* Томбу́кту

Тимишоа́ра *г.* (*Румыния*) Timişoara

Тимо́р *о.* (*Малые Зондские о-ва, Индонезия и Восточный Тимор*) Timor

Тимо́рское мо́ре (*Индийский ок., между Австралией и о. Тимор*) Timor Sea

Типпер́эри 1. *граф.* (*Ирландия*) Tipperary; **2.** *г.* (*граф. Типперэри, Ирландия*) Tipperary

Тир *ист. город-гос-во* (*в Финикии, совр. г. Сур в Ливане*) Tyre

Тира́на *г.* (*столица Албании*) Tirana, Tiranë

Тира́споль *г.* (*ССР Молдова, СССР*) Tiraspol

Тиричми́р *гора* (*горн. сист. Гиндукуш, Пакистан*) Tirich Mir

Тиро́ль *земля* (*Австрия*) Tirol, Tyrol

Тирре́нское мо́ре (*часть Средиземного м., между Апеннинским п-овом и о-вами Сицилия, Сардиния и Корсика*) Tyrrhenian Sea

Ти́руванантапу́рам *г.* (*адм. центр шт. Керала, Индия*) Trivandrum

Ти́руччираппа́лли *г.* (*шт. Тамилнад, Индия*) Tiruchchirappalli

Тис *р.* (*Великобритания*) Tees

Ти́са *р.* (*СССР, Венгрия, Юго-*

славия, Румыния и Чехословакия) Tisza

Титика́ка *оз.* (*Боливия и Перу*) Lake Titicaca

Титогра́д *г.* (*столица Социалистической Республики Черногории, Югославия*) Titograd

Тиха́ма *равнина* (*Аравийский п-ов, Азия*) Tihama, Tehama

Ти́хвин *г.* (*Ленинградская обл., РСФСР, СССР*) Tikhvin

Ти́хий океа́н (*между Австралией, Азией, Северной и Южной Америкой и Антарктидой*) Pacific Ocean

Тихуа́на *г.* (*Мексика*) Tijuana

Тичи́но *р.* (*Швейцария и Италия*) Ticino

Тκварче́ли *г.* (*Абхазская АССР, Грузинская ССР, СССР*) Tkvarcheli

Ткибу́ли *г.* (*Грузинская ССР, СССР*) Tkibuli

Тлемсе́н *г.* (*Алжир*) Tlemcen, Tlemsen

Toба́го *о.* (*Атлантический ок., гос-во Тринидад и Тобаго*) Tobago

Тобо́л *р.* (*СССР*) Tobol

Тобо́льск *г.* (*Тюменская обл., РСФСР, СССР*) Tobolsk

Тобру́к *г.* (*Ливия*) Tobruk

Това́рищество острово́в = О́бщества острова́

То́го, Тоголезская Республика *гос-во* (*Западная Африка*) Togo, Togolese Republic

Тоенака *г.* (*о. Хонсю, Япония*) Toyonaka

Токанти́нс *р.* (*Бразилия*) Tocantins

Токела́у *о-ва* (*Тихий ок., Полинезия, влад. Новой Зеландии*) Tokelau

Токи́йский зали́в (*Тихий ок., побережье о. Хонсю, Япония*) Tokyo Bay

То́кио *г.* (*столица Японии, о. Хонсю*) Tokyo

Токопи́лья *г.* (*Чили*) Tocopilla

Токуси́ма *г.* (*о. Сикоку, Япония*) Tokushima

Толбу́хин *г.* (*Болгария*) Tolbukhin

Толе́до *г.* (*Испания*) Toledo

Толи́до *г.* (*шт. Огайо, США*) Toledo

Толу́ка *г.* (*Мексика*) Toluca

Толья́тти *г.* (*Самарская обл., РСФСР, СССР*) Tolyatti

Томбукту́ *г.* (*Мали*) Tombouctou

Томск *г.* (*центр Томской обл., РСФСР, СССР*) Tomsk

Томь *р.* (*СССР*) Tom

То́нга **1.** Королевство Тонга *гос-во* (*на о-вах Тонга, Тихий ок.*) Tonga, Kingdom of Tonga; **2.** *о-ва* (*Тихий ок., гос-во Тонга*) Tonga Islands

То́нга жёлоб (*Тихий ок.*) Tonga Trench

Тонгата́пу *о.* (*Тихий ок., гос-во Тонга*) Tongatapu

Тонки́нский зали́в = Бакбо́

Тонлеса́п *оз.* (*Камбоджа*) Tonle Sap

Тоно́н-ле-Бен *г.* (*Франция*) Thonon-les-Bains

То́нтон *г.* (*адм. центр граф. Сомерсетшир, Англия, Великобритания*) Taunton

Топи́ка *г.* (*адм. центр шт. Канзас, США*) Topeka

Топо́зеро *оз.* (*СССР*) Topozero

То́рбей *г.* (*граф. Девоншир, Англия, Великобритания*) Torbay

То́рки *г.* (*граф. Девоншир, Англия, Великобритания*) Torquay

Торо́нто *г.* (*адм. центр пров. Онтарио, Канада*) Toronto

То́рранс *г.* (*шт. Калифорния, США*) Torrance

То́рренс *оз.* (*Австралия*) Torrens

Торрео́н *г.* (*Мексика*) Torreón

То́рреса проли́в (*между Австралией и о. Новая Гвинея*) Torres Strait

Торсхавн *г.* (*адм. центр Фарерских о-вов*) Thorshavn

Торто́ла *о.* (*Виргинские о-ва, Атлантический ок., влад. Великобритании*) Tortola

То́рунь *г.* (*Польша*) Toruń

Таска́на *обл.* (*Италия*) Tuscany

То́ттенем *г.* (*метроп. граф. Большой Лондон, Англия, Великобритания*) Tottenham

Тотто́ри *г.* (*о. Хонсю, Япония*) Tottori

Тоя́ма *г.* (*о. Хонсю, Япония*) Toyama

Трабзо́н *г.* (*Турция*) Trabzon

Тразиме́нское о́зеро (*Италия*) Trasimene Lake, Trasimeno

Трали́ *г.* (*адм. центр граф. Керри, Ирландия*) Tralee

Трансантаркти́ческие го́ры (*Антарктида*) Transantarctic Mountains

Трансва́аль *пров.* (*ЮАР*) Transvaal

Трансильва́ния *ист. обл.* (*Румыния*) Transylvania

Трансиорда́ния Transjordan; *см.* Иорда́ния

Тра́пани *г.* (*о. Сицилия, Италия*) Trapani

Трапезу́нд *г.* Trebizond; *см.* Трабзо́н

Трафальга́р *мыс* (*Испания*) Cape Trafalgar

Тре́ббия *р.* (*Италия*) Trebbia

Трейл *г.* (*пров. Британская Колумбия, Канада*) Trail

Трент *р.* (*Великобритания*) Trent

Тре́нтон *г.* (*адм. центр шт. Нью-Джерси, США*) Trenton

Трива́ндрам = Ти́руванантапу́рам

Трие́ст *г.* (*Италия*) Trieste

Трие́стский зали́в (*часть Венецианского зал., Адриатическое м.*) Gulf of Tireste

Трим *г.* (*граф. Мит, Ирландия*) Trim

Тринида́д *о.* (*Атлантический ок., гос-во Тринидад и Тобаго*) Trinidad

Тринида́д и Тоба́го, Республика Тринидад и Тобаго *гос-во* (*на одноимённых о-вах, Вест-Индия*) Trinidad and Tobago, Republic of Trinidad and Tobago

Тринкомали́ *г.* (*Шри-Ланка*) Trincomalee, Trinkomali

Три́поли 1. *г.* (*столица Ливии*) Tripoli; **2.** *г.* (*Ливан*) Tripoli

Триполита́ния *ист. обл.* (*Ливия*) Tripolitania

Трипу́ра *шт.* (*Индия*) Tripura

Трир *г.* (*ФРГ*) Trier, Trèves

Триста́н-да-Ку́нья *о-ва* (*Атлантический ок., влад. Великобритании*) Tristan da Cunha Islands

Тро́ицк 1. *г.* (*Московская обл., РСФСР, СССР*) Troitsk; **2.** *г.* (*Челябинская обл., РСФСР, СССР*) Troitsk

Трой *г.* (*шт. Нью-Йорк, США*) Troy

Тро́льхеттан *г.* (*Швеция*) Trollhättan

Тро́мсё *г.* (*Норвегия*) Tromsö

Тро́нхейм *г.* (*Норвегия*) Trondheim

Тро́убридж *г.* (*адм. центр граф. Уилтшир, Англия, Великобритания*) Trowbridge

Тро́я *ист г.* (*Малая Азия*) Troy

Труа́ *г.* (*Франция*) Troyes

Труа́-Ривье́р *г.* (*пров. Квебек, Канада*) Three Rivers

Труви́ль-сюр-Мер *г.* (*Франция*) Trouville-sur-Mer

Тру́ро 1. *г.* (*адм. центр граф. Корнуолл, Англия, Великобритания*) Truro; **2.** *г.* (*пров. Новая Шотландия, Канада*) Truro

Трускаве́ц *г.* (*Львовская обл., Украинская ССР, СССР*) Truskavets

Трухи́льо 1. *г.* (*Перу*) Trujillo; **2.** *г.* (*Венесуэла*) Trujillo

Туама́сина *г.* (*Мадагаскар*) Toamasina

Туамо́ту *арх.* (*Тихий ок., влад. Франции*) Tuamotu Archipelago

Туапсе́ *г.* (*Краснодарский край, РСФСР, СССР*) Tuapse

Тубка́ль *гора* (*горн. сист. Атлас, Марокко*) Toubkal

Тубуа́и *о-ва* (*Тихий ок., влад. Франции*) Tubuai Islands

Тува́лу 1. *гос-во* (*на о-вах Тувалу, Тихий ок.*) Tuvalu; **2.** *о-ва* (*Тихий ок., Полинезия, гос-во Тувалу*) Tuvalu

Туви́нская Автоно́мная Сове́тская Социалисти́ческая Респу́блика, Тува́ (*РСФСР, СССР*) Tuva Autonomous Soviet Socialist Republic, Tuva

Туву́мба *г.* (*шт. Квинсленд, Австралия*) Toowoomba

Туге́ла 1. *р.* (*ЮАР*) Tugela; **2.** *вдп.* (*р. Тугела, ЮАР*) Tugela Falls

Туз *оз.* (*Турция*) Tuz Lake

Ту́зла *г.* (*Социалистическая Республика Босния и Герцеговина, Югославия*) Tuzla

Туи́д *р.* (*Великобритания*) Tweed

Туи́кенем *г.* (*метроп. граф. Бо-*

льшой Лондон, Англия, Великобритания) Twickenham

Туймазы́ *г.* (*Башкирская АССР, РСФСР, СССР*) Tuimazy, Tuymazy

Тукума́н *г.* (*Аргентина*) Tucumán

Ту́ла *г.* (*центр Тульской обл, РСФСР, СССР*) Tula

Туло́н *г.* (*Франция*) Toulon

Тулуа́ *г.* (*Колумбия*) Tuluá

Тулу́за *г.* (*Франция*) Toulouse

Ту́лча *г.* (*Румыния*) Tulcea

Тульчи́н *г.* (*Винницкая обл., Украинская ССР, СССР*) Tulchin

Тума́ко *г.* (*Колумбия*) Tumaco

Туни́с I Тунисская Республика *гос-во* (*Северная Африка*) Tunisia, Republic of Tunisia

Туни́с II *г.* (*столица Туниса*) Tunis

Туни́сский зали́в (*Средиземное м., побережье Африки*) Gulf of Tunis

Туни́сский проли́в (*между Африкой и о. Сицилия, Средиземное м.*) Sicilian Channel

Тупунга́то *влк.* (*горн. сист. Анды, на границе Чили и Аргентины*) Tupungato

Тур *г.* (*Франция*) Tours

Тура́ 1. *пгт* (*центр Эвенкийского авт. окр., Красноярский край, РСФСР, СССР*) Tura; **2.** *р.* (*СССР*) Tura

Туре́н *ист. пров.* (*Франция*) Touraine

Тури́н *г.* (*Италия*) Turin

Тури́нск *г.* (*Екатеринбургская обл., РСФСР, СССР*) Turinsk

Туркеста́н *ист.* (*назв. терр. в Средней и Центральной Азии*) Turkestan, Turkistan

Туркме́нская Сове́тская Социалисти́ческая Респу́блика, Туркмениста́н (*на юго-зап. Средней Азии, СССР*) Turkmen Soviet Socialist Republic, Turkmenistan

Ту́рку *г.* (*Финляндия*) Turku

Ту́рне-Эльв *р.* (*Швеция и Финляндия*) Torne

Турфа́нская впа́дина = Турфа́нская котлови́на

Турфа́нская котлови́на (*Китай*) Turfan Depression

Ту́рция, Турецкая Республика *гос-во* (*Юго-Восточная Европа и Западная Азия*) Turkey, Republic of Turkey

Тусо́н *г.* (*шт. Аризона, США*) Tucson

Тутуи́ла *о.* (*о-ва Самоа, Тихий ок., Восточное Самоа, влад. США*) Tutuila

Тхаба́на-Нтленья́на *гора* (*Драконовы горы, Лесото*) Thabana-Ntlenyana

Тха́на *г.* (*Махараштра, Индия*) Thana

Тханьхоа́ *г.* (*Вьетнам*) Thanh Hoa

Тхимпху́ *г.* (*столица Бутана*) Thimbu, Thimphu

Тхонбури́ *г.* (*Таиланд*) Thonburi

Ты́нда *г.* (*Амурская обл., РСФСР, СССР*) Tynda

Ты́ргу-Муре́ш *г.* (*Румыния*) Tîrgu Mureş

Ты́хы *г.* (*Польша*) Tychy

Тьете́ *р.* (*Бразилия*) Tietê

Тэгу́ *г.* (*Республика Корея*) Taegu

Тэджо́н *г.* (*Республика Корея*) Taejon

Тэнгри́-Нур *оз.* Tengri Nor; *см.* На́мцо

Тэчжо́н = Тэджо́н

Тюме́нь *г.* (*центр Тюменской обл., РСФСР, СССР*) Tyumen

Тюри́нгенский Лес *горы* (*ФРГ*) Thuringian Forest

Тюри́нгия *ист. обл.* (*ФРГ*) Thuringia

Тяньцзи́нь *г.* (*Китай*) Tianjin, Tientsin

Тянь-Шань *горн. сист.* (*СССР и Китай*) Tien Shan

У

Уагаду́гу *г.* (*столица Буркина-Фасо*) Ouagadougou

Уа́за *р.* (*Бельгия и Франция*) Oise

Уа́й *р.* (*Великобритания*) Wye

Уа́йт *о.* (*прол. Ла-Манш, Великобритания*) Isle of Wight

Уа́йт-Ма́унтинс *горы* (*США*) White Mountains

Уа́йт-Ри́вер 1. *р.* (*приток р. Миссисипи, США*) White River; **2.** *р.* (*приток р. Миссури, США*) White River

Уа́йтхорс *г.* (*адм. центр терр. Юкон, Канада*) Whitehorse, White Horse

Уалья́га *р.* (*Перу*) Huallaga

Уа́мбо *г.* (*Ангола*) Huambo

Уаскара́н *гора* (*горн. сист. Анды, Перу*) Huascarán, Huascán

Уба́нги *р.* (*Центральноафриканская Республика, Конго и Заир*) Ubangi

Уба́нги-Ша́ри Ubangi-Shari; *см.* Центральноафрика́нская Респу́блика

Убе́ *г.* (*о. Хонсю, Япония*) Ube

Убера́ба *г.* (*Бразилия*) Uberaba

Уберла́ндия *г.* (*Бразилия*) Uberlândia

У́бсу-Нур *оз.* (*Монголия и СССР*) Ubsu Nur

Уга́нда, Республика Уганда *гос-во* (*Восточная Африка*) Uganda, Republic of Uganda

Углего́рск 1. *г.* (*Сахалинская обл., РСФСР, СССР*) Uglegorsk; **2.** *г.* (*Донецкая обл., Украинская ССР, СССР*) Uglegorsk

Удайпу́р *г.* (*шт. Раджастхан, Индия*) Udaipur

У́джда *г.* (*Марокко*) Oujda

Уджунгпанда́нг *г.* (*о. Сулавеси, Индонезия*) Ujung Pandang

Удму́ртская Автоно́мная Сове́тская Социалисти́ческая Респу́блика (*РСФСР, СССР*) Udmurt Autonomous Soviet Socialist Republic

Удо́нтхани *г.* (*Таиланд*) Udon Thani

У́жгород *г.* (*центр Закарпатской обл., Украинская ССР, СССР*) Uzhgorod

Уз 1. *р.* (*впадает в зал. Уош, Великобритания*) Ouse; **2.** *р.* (*впадает в зал. Хамбер, Великобритания*) Ouse

Узбе́кская Сове́тская Социалисти́ческая Респу́блика, Узбекиста́н (*центр. часть Средней Азии, СССР*) Uzbek Soviet Socialist Republic, Uzbekistan

Уи́ган *г.* (*метроп. граф. Большой Манчестер, Англия, Великобритания*) Wigan

Уи́гтаун *г.* (*обл. Дамфрис-энд-Галловей, Шотландия, Великобритания*) Wigtown

Уи́к *г.* (*обл. Хайленд, Шотландия, Великобритания*) Wick

Уи́клоу 1. *граф.* (*Ирландия*) Wicklow; **2.** *г.* (*адм. центр граф. Уиклоу, Ирландия*) Wicklow

Уи́линг *г.* (*шт. Западная Виргиния, США*) Wheeling

Уи́лкса Земля́ (*часть терр. Антарктиды*) Wilkes Land

Уи́лкс-Ба́рре *г.* (*шт. Пенсильвания, США*) Wilkes-Barre

Уи́лмингтон 1. *г.* (*шт. Делавэр, США*) Wilmington; **2.** *г.* (*шт. Северная Каролина, США*) Wilmington

Уи́лтшир *граф.* (*Англия, Великобритания*) Wiltshire, *сокр.* Wilts

Уи́льямспорт *г.* (*шт. Пенсильвания, США*) Williamsport

Уи́мблдон *г.* (*метроп. граф. Большой Лондон, Англия, Великобритания*) Wimbledon

Уи́нсор *г.* (*пров. Онтарио, Канада*) Windsor

Уи́нстон-Се́йлем *г.* (*шт. Северная Каролина, США*) Winston-Salem

Уи́нчестер *г.* (*адм. центр граф. Гэмпшир, Англия, Великобритания*) Winchester

Уи́тни *гора* (*хр. Сьерра-Невада, США*) Mount Whitney

Уи́ттиер *г.* (*шт. Аляска, США*) Whittier

Уи́чито *г.* (*шт. Канзас, США*) Wichita

Уи́чито-Фолс *г.* (*шт. Техас, США*) Wichita Falls

Уи́шо *г.* (*обл. Стратклайд, Шотландия, Великобритания*) Wishaw

Укая́ли *р.* (*Перу*) Ucayali

Украи́нская Сове́тская Социалисти́ческая Респу́блика, Украи́на (*на юго-зап. европейской части СССР*) Ukrainian Soviet Socialist Republic, Ukraine

Ула́н-Ба́тор *г.* (*столица Монголии*) Ulan Bator

Уланго́м *г.* (*Монголия*) Ulan Gom, Ulaangom

Ула́н-Удэ́ *г.* (*столица Бурятской АССР, РСФСР, СССР*) Ulan-Ude

Улугмузта́г *гора* (*горн. сист. Куньлунь, Китай*) Ulugh Muztagh, Muztagh

Ульм *г.* (*ФРГ*) Ulm

Ульса́н *г.* (*Республика Корея*) Ulsan

Улья́новск *г.* (*центр Ульяновской обл., РСФСР, СССР*) Ulyanovsk

Уля́сутай *г.* (*Монголия*) Uliassutai

У́мань *г.* (*Черкасская обл., Украинская ССР, СССР*) Uman

У́мео *г.* (*Швеция*) Umeå

У́ме-Эльв *р.* (*Швеция*) Ume

У́мнак *о.* (*арх. Алеутские о-ва, Тихий ок., США*) Umnak

Унала́шка *о.* (*арх. Алеутские о-ва, Тихий ок., США*) Unalaska

Унга́ва 1. *зал.* (*Атлантический ок., Канада*) Ungava Bay; **2.** *п-ов* (*п-ов Лабрадор, Канада*) Ungava Peninsula

Унги́ *г.* (*КНДР*) Ungi

У́нимак *о.* (*арх. Алеутские о-ва, Тихий ок., США*) Unimak

Уо́баш *р.* (*США*) Wabash

Уо́ддингтон *гора* (*Береговой хр., Канада*) Mount Waddington

Уоки́ган *г.* (*шт. Иллинойс, США*) Waukegan

Уо́лласи *г.* (*метроп. граф. Мерсисайд, Англия, Великобритания*) Wallasey

Уо́ллис и Футу́на *о-ва* (*Тихий ок., влад. Франции*) Wallis and Futuna Islands

Уо́лсолл *г.* (*метроп. граф. Уэст-Мидлендс, Англия, Великобритания*) Walsall

Уо́лтемстоу *г.* (*метроп. граф. Большой Лондон, Англия, Великобритания*) Walthamstow

Уо́лфиш-Бей 1. *г.* (*Намибия*) Walvis (*или* Walfish) Bay; **2.** *зал.* (*Атлантический ок., побережье Намибии*) Walvis (*или* Walfish) Bay

Уонгану́и *г.* (*о. Северный, Новая Зеландия*) Wanganui

Уо́рик *г.* (*адм. центр граф. Уорикшир, Англия, Великобритания*) Warwick

Уо́рикшир *граф.* (*Англия, Великобритания*) Warwickshire

Уо́ррен *г.* (*шт. Огайо, США*) Warren

Уо́ррингтон *г.* (*граф. Чешир, Англия, Великобритания*) Warrington

Уо́са(т)ч *хр.* (*Скалистые горы, США*) Wasatch Range

Уо́тербери *г.* (*шт. Коннектикут, США*) Waterbury

Уо́терлу *г.* (*шт. Айова, США*) Waterloo

Уо́тертаун *г.* (*шт. Нью-Йорк, США*) Watertown

Уо́терфорд 1. *граф.* (*Ирландия*) Waterford; **2.** *г.* (*адм. центр граф. Уотерфорд, Ирландия*) Waterford

Уо́тфорд *г.* (*граф. Хартфордшир, Англия, Великобритания*) Watford

Уо́ш *зал.* (*Северное м., о. Великобритания*) the Wash

Уо́шито *р.* (*США*) Washita

Упо́лу *о.* (*о-ва Самоа, Тихий ок., Западное Самоа*) Upolu

У́псала *г.* (*Швеция*) Uppsala

Ур *ист. г.* (*в Шумере, на терр. совр. Ирака*) Ur

Ура́ва *г.* (*о. Хонсю, Япония*) Urawa

Ура́л 1. (*терр. между Восточно-Европейской и Западно-Сибирской равнинами, СССР*) Ural; **2.** *р.* (*СССР*) Ural; **3.** = Ура́льские го́ры

Ура́льск *г.* (*центр Уральской обл., Казахская ССР, СССР*) Uralsk

Ура́льские го́ры (*на границе Европы и Азии, СССР*) Ural Mountains, Urals

Ура́рту *ист. гос-во* (*на терр. Армянского нагорья*) Urartu

Урге́нч *г.* (*центр Хорезмской обл., Узбекская ССР, СССР*) Urgench

У́рмия 1. *г.* (*Иран*) Urmia; **2.** *оз.* (*Иран*) Lake Urmia

Уругва́й 1. Восточная Республика Уругвай *гос-во* (*Южная Америка*) Uruguay, Eastern Republic of Uruguay; **2.** *р.* (*Бразилия, Уругвай и Аргентина*) Uruguay

Уру́к *ист. город-гос-во* (*в Шумере, на терр. совр. Ирака*) Uruk, Erech

Урумчи́ *г.* (*адм. центр Синьцзян-Уйгурского авт. р-на, Китай*) Ürümqi, Urumchi

У́рфа *г.* (*Турция*) Urfa

Уси́ *г.* (*пров. Цзянсу, Китай*) Wuxi, Wuhsi, Wusih

Усо́лье-Сиби́рское *г.* (*Иркутская обл., РСФСР, СССР*) Usolye Sibirsko(y)e

Уссу́ри *р.* (*СССР и Китай*) Ussuri

Уссури́йск *г.* (*Приморский край, РСФСР, СССР*) Ussuri(i)sk

Усть-Каменого́рск *г.* (*центр Восточно-Казахстанской обл., Казахская ССР, СССР*) Ust Kamenogorsk

Усть-Кут *г.* (*Иркутская обл., РСФСР, СССР*) Ust Kut

Усть-Орды́нский *пгт* (*центр Усть-Ордынского Бурятского авт. окр., Иркутская обл., РСФСР, СССР*) Ust-Ordynski

Усть-Орды́нский Буря́тский автоно́мный о́круг (*Иркутская обл., РСФСР, СССР*) Ust-Orda Buryat Autonomous Area

Устю́рт *плато* (*между Аральским и Каспийским морями, СССР*) Ustyurt

Усумбу́ра *г.* Usumbura; *см.* Бужумбу́ра

У́тика *ист. г.* (*Тунис*) Utica

У́трехт *г.* (*Нидерланды*) Utrecht

У́ттар-Пра́деш *шт.* (*Индия*) Uttar Pradesh

Уфа́ *г.* (*столица Башкирской АССР, РСФСР, СССР*) Ufa

Уха́нь (*общее назв. городов Учан, Ханькоу и Ханьян, адм. центр пров. Хубэй, Китай*) Wuhan

Ухта́ *г.* (*Коми АССР, РСФСР, СССР*) Ukhta

Уху́ *г.* (*пров. Аньхой, Китай*) Wuhu

Уцуно́мия *г.* (*о. Хонсю, Япония*) Utsunomiya

Уча́н *г.* Wuchang; *см.* Уха́нь

Ушма́ль *ист. г.* (*Мексика*) Uxmal

Уэ́би-Шабе́лле *р.* (*Эфиопия и Сомали*) Webi Shebeli

Уэ́дделла мо́ре (*Атлантический ок., Антарктика*) Weddell Sea

Уэ́д-Дра = Дра

Уэ́д-Меда́ни = Вад-Меда́ни

Уэ́йк *атолл* (*Тихий ок., влад. США*) Wake Island

Уэ́йко *г.* (*шт. Техас, США*) Waco

Уэ́йкфилд *г.* (*адм. центр метроп. граф. Уэст-Йоркшир, Англия, Великобритания*) Wakefield

Уэ́ймут *г.* (*граф. Дорсетшир, Англия, Великобритания*) Weymouth

Уэ́ксфорд **1.** *граф.* (*Ирландия*) Wexford; **2.** *г.* (*адм. центр граф. Уэксфорд, Ирландия*) Wexford

Уэ́лленд *г.* (*пров. Онтарио, Канада*) Welland

Уэ́ллингтон **1.** *стат. р-н* (*Новая Зеландия, о. Северный*) Wellington; **2.** *г.* (*столица Новой Зеландии, о. Северный*) Wellington **3.** *о.* (*Тихий ок., Чили*) Wellington

Уэ́лшпул *г.* (*граф. Поуис, Уэльс, Великобритания*) Welshpool

Уэ́льва *г.* (*Испания*) Huelva

Уэ́льс **1.** (*адм.-полит. часть Великобритании*) Wales; **2.** *п-ов* (*о. Великобритания*) Wales

Уэ́мбли *г.* (*метроп. граф. Большой Лондон, Англия, Великобритания*) Wembley

Уэ́ртинг *г.* (*граф. Западный Суссекс, Англия, Великобритания*) Worthing

Уэ́ссекс *ист. англосакс. кор-во* (*Великобритания*) Wessex

Уэ́ст-Бро́мидж *г.* (*метроп. граф. Уэст-Мидлендс, Англия, Великобритания*) West Bromwich

Уэ́ст-Гламо́рган *граф.* (*Уэльс, Великобритания*) West Glamorgan

Уэ́стерн-Айлс *обл.* (*Шотландия, Великобритания, Внешние Гебридские о-ва*) Western Isles

Уэ́ст-Йо́ркшир *метроп. граф.* (*Англия, Великобритания*) West Yorkshire

Уэ́стленд *стат. р-н* (*Новая Зеландия, о. Южный*) Westland

Уэ́ст-Ми́длендс *метроп. граф.* (*Англия, Великобритания*) West Midlands

Уэ́стмит *граф.* (*Ирландия*) Westmeath

Уэ́стон-сью́пер-Мэр *г.* (*граф. Эйвон, Англия, Великобритания*) Weston super Mare

Уэ́ст-Палм-Бич *г.* (*шт. Флорида, США*) West Palm Beach

Уэ́ст-Ха́ртлпул *г.* West Hartlepool; *см.* Ха́ртлпул

Уэ́ст-Хэм *г.* (*метроп. граф. Большой Лондон, Англия, Великобритания*) West Ham

Уэ́ст-Энд (*зап. часть г. Лондон, Великобритания*) West End

Ф

Фагато́го *г.* (*о. Тутуила, Восточное Самоа*) Fagatogo

Фадде́евский *о.* (*арх. Новосибирские о-ва, СССР*) Fadde(y)evski

Файф *обл.* (*Шотландия, Великобритания*) Fife

Фа́льстер *о.* (*Балтийское м., Дания*) Falster

Фамагу́ста *г.* (*Кипр*) Famagusta

Фа́нди *зал.* (*Атлантический ок., побережье Канады*) Bay of Fundy

Фа́о *г.* (*Ирак*) Fao

Фара́фра *оазис* (*Ливийская пуст., Египет*) Farafra

Фа́рго *г.* (*шт. Северная Дакота, США*) Fargo

Фаре́рские острова́ (*Атлантический ок., Дания*) Faeroes

Фарс *ист. обл.* (*Иран*) Fars

Фа́рса́л *г.* (*Греция*) Pharsalus

Фа́руэлл *мыс* (*о. Южный, Новая Зеландия*) Cape Farewell

Фе́йра-ди-Санта́на *г.* (*Бразилия*) Feira de Santana

Фейсалаба́д *г.* (*Пакистан*) Faisalabad

Фе́никс *арх.* (*Тихий ок., Полинезия, Кирибати*) Phoenix Islands

Феодо́сия *г.* (*Крымская обл., Украинская ССР, СССР*) Feodosiya

Фергана́ *г.* (*центр Ферганской обл., Узбекская ССР, СССР*) Ferg(h)ana

Ферга́нская доли́на (*Средняя Азия, СССР*) Ferg(h)ana Valley, Ferg(h)ana Basin

Фере́нигинг *г.* (*пров. Трансвааль, ЮАР*) Vereeniging

Ферма́на *окр.* (*Северная Ирландия, Великобритания*) Fermanagh

Фермопи́лы *горн. проход* (*Греция*) Pass of Thermopylae

Ферна́ндо-По *о.* Fernando Poo, Fernando Po; *см.* Био́ко

Ферра́ра *г.* (*Италия*) Ferrara

Ферт-оф-Клайд *зал.* (*Ирландское м., побережье о. Великобритания*) Firth of Clyde

Ферт-оф-Лорн *зал.* (*Атлантический ок., побережье о. Великобритания*) Firth of Lorne

Ферт-оф-Тей *зал.* (*Северное м., побережье о. Великобритания*) Firth of Tay

Ферт-оф-Форт *зал.* (*Северное м., побережье о. Великобритания*) Firth of Forth

Фес *г.* (*Марокко*) Fès, Fez

Фесса́лия *ист. обл.* (*Греция*) Thessaly

Фессало́ни́ки *г.* Thessaloníki; *см.* Сало́ни́ки

Фецца́н *ист. обл.* (*Ливия*) Fezzan

Фианаранцу́а *г.* (*Мадагаскар*) Fianarantsoa

Фи́вы *ист. г.* (*Египет*) Thebes

Фи́джи 1. *гос-во* (*на о-вах Фиджи, Тихий ок.*) Fiji; **2.** *о-ва* (*Тихий ок., гос-во Фиджи*) Fiji Islands

Филаде́льфия *г.* (*шт. Пенсильвания, США*) Philadelphia

Филипви́ль *г.* Philippeville; *см.* Ски́кда

Филиппи́нские острова́ (*Тихий ок., Филиппины*) Philippine Islands

Филиппи́нский жёлоб (*Тихий ок.*) Philippine Trench

Филиппи́нское мо́ре (*Тихий ок., к вост. от Филиппинских о-вов*) Philippine Sea

Филиппи́ны 1. Республика Филиппины *гос-во* (*на Филиппинских о-вах, Юго-Восточная Азия*) Philippines, Republic of the Philippines; **2.** *о-ва* Philippines; *см.* Филиппи́нские острова́

Фи́льхнера ше́льфовый ледни́к (*Антарктида*) Filchner Ice Shelf

Финга́лова пеще́ра (*о. Стафф, Великобритания*) Fingal's Cave

Фи́ндли *г.* (*шт. Огайо, США*) Findlay

Финики́я *ист. страна* (*на вост. побережье Средиземного м.*) Phoenicia

Фи́никс *г.* (*адм. центр шт. Аризона, США*) Phoenix

Финисте́рре *мыс* (*Пиренейский п-ов, Испания*) Cape Finisterre

Финля́ндия, Финляндская Республика *гос-во* (*Северная Европа*) Finland, Republic of Finland

Фи́нский зали́в (*Балтийское м., побережье СССР, Эстонии и Финляндии*) Gulf of Finland

Фи́нчли *г.* (*метроп. граф. Большой Лондон, Англия, Великобритания*) Finchley

Фицро́й *р.* (*Австралия*) Fitzroy

Флай *р.* (*о. Новая Гвинея, Папуа-Новая Гвинея*) Fly

Фла́мборо-Хед *мыс* (*о. Великобритания*) Flamborough Head

Фла́ндрия *ист. пров.* (*Франция и Бельгия*) Flanders

Фле́нсбург *г.* (*ФРГ*) Flensburg

Фли́ндерс 1. *о.* (*прол. Басса, Австралия*) Flinders; **2.** *р.* (*Австралия*) Flinders; **3.** *хр.* (*Австралия*) Flinders Range

Флинт 1. *г.* (*шт. Мичиган, США*) Flint; **2.** *г.* (*граф. Клуид, Уэльс, Великобритания*) Flint

Фли́ссинген *г.* (*Нидерланды*) Vlissingen, Flushing

Фли́твуд *г.* (*граф. Ланкашир, Англия, Великобритания*) Fleetwood

Флоре́нция *г.* (*Италия*) Florence

Фло́рес *о.* (*Малые Зондские о-ва, м. Флорес, Индонезия*) Flores

Фло́рес мо́ре (*Тихий ок., Индонезия*) Flores Sea

Флориано́полис *г.* (*Бразилия*) Florianópolis

Флори́да 1. *шт.* (*США*) Florida; **2.** *п-ов* (*на юго-вост. США*) Florida

Флори́да-Кис *о-ва* (*к югу от п-ова Флорида, США*) Florida Keys

Флори́дский проли́в (*между п-овом Флорида, Багамскими о-вами и о. Куба*) Florida Strait, Straits of Florida

Фо́во *прол.* (*между о-вами Южный и Стьюарт, Новая Зеландия*) Foveaux Strait

Фо́джа *г.* (*Италия*) Foggia

Фо́кса Бассе́йн *зал.* (*между п-овом Мелвилл и о. Баффинова Земля, Канада*) Foxe Basin

Фокша́ни *г.* (*Румыния*) Focşani

Фо́лкерк *г.* (*обл. Сентрал, Шотландия, Великобритания*) Falkirk

Фолкле́ндские острова́ *арх.* (*у юго-вост. побережья Южной Америки, Атлантический ок., влад. Великобритании*) Falkland Islands

Фо́лкстон *г.* (*граф. Кент, Англия, Великобритания*) Folkestone

Фолл-Ри́вер *г.* (*шт. Массачусетс, США*) Fall River

Фон-дю-Лак *г.* (*шт. Висконсин, США*) Fond du Lac

Фонсе́ка *зал.* (*Тихий ок., побережье Сальвадора, Гондураса и Никарагуа*) Gulf of Fonseca, Fonseca Bay

Фор-де-Франс *г.* (*адм. центр о. Мартиника, Малые Антильские о-ва*) Fort-de-France

Форли́ *г.* (*Италия*) Forlì

Формо́за *о.* Formosa; *см.* Тайва́нь 2

Формо́зский проли́в Formosa Strait; *см.* Тайва́ньский проли́в

Фортале́за *г.* (*Бразилия*) Fortaleza

Форт-Лами́ *г.* Fort Lamy; *см.* Нджаме́на

Форт-Ло́дердейл *г.* (*шт. Флорида, США*) Fort Lauderdale

Форт-Смит 1. *г.* (*шт. Арканзас, США*) Fort Smith; **2.** *г.* (*Северо-Западные территории, Канада*) Fort Smith

Форт-Уи́льям *г.* Fort William; *см.* Та́ндер-Бей

Форт-У́эйн *г.* (*шт. Индиана, США*) Fort Wayne

Форт-У́эрт *г.* (*шт. Техас, США*) Fort Worth

Фо́рфар *г.* (*обл. Тейсайд, Шотландия, Великобритания*) Forfar

Фоша́нь *г.* (*пров. Гуандун, Китай*) Foshan

Фра́йберг *г.* (*ФРГ*) Freiberg

Фра́йбург *г.* (*ФРГ*) Freiburg

Фра́кия *ист. обл.* (*Болгария, Греция и Турция*) Thrace

Фра́нклин *г.* (*шт. Индиана, США*) Franklin

Франко́ния *ист. обл.* (*ФРГ*) Franconia

Фра́нкфорт *г.* (*адм. центр шт. Кентукки, США*) Frankfort

Фра́нкфурт-на-Ма́йне *г.* (*ФРГ*) Frankfurt am Main, Frankfort on the Main

Фра́нкфурт-на-О́дере *г.* (*ФРГ*) Frankfurt an der Oder, Frankfort on the Oder

Фра́нца-Ио́сифа Земля́ *арх.* (*Баренцево м., СССР*) Franz Josef Land

Фра́нция, Французская Республика *гос-во* (*Западная Европа*) France, French Republic

Францу́зская Полине́зия (*общее назв. островных владений Франции в юго-вост. части Тихого ок.*) French Polynesia

Францу́зская Ривье́ра = Лазу́рный бе́рег

Фре́дериктон *г.* (*адм. центр пров. Нью-Брансуик, Канада*) Fredericton

Фредери́сия *г.* (*Дания*) Fredericia

Фре́йзер **1.** *о.* (*Тихий ок., Австралия*) Fraser Island; **2.** *р.* (*Канада*) Fraser

Фре́сно *г.* (*шт. Калифорния, США*) Fresno

Фри́а *г.* (*Гвинея*) Fria

Фри́гия *ист. страна* (*Малая Азия*) Phrygia

Фри́зские острова́ (*Северное м., Нидерланды, ФРГ и Дания*) Frisian Islands

Фри́мантл *г.* (*шт. Западная Австралия, Австралия*) Fremantle

Фри́таун *г.* (*столица Сьерра-Леоне*) Freetown

Фро́уэрд *мыс* (*крайняя юж. точка Южной Америки, Чили*) Cape Froward

Фру́нзе *г.* Frunze; *см.* Бишке́к

Фудзиса́ва *г.* (*о. Хонсю, Япония*) Fujisawa

Фудзия́ма *влк.* (*о. Хонсю, Япония*) Fuji(yama)

Фукуи́ *г.* (*о. Хонсю, Япония*) Fukui

Фукуо́ка *г.* (*о. Кюсю, Япония*) Fukuoka

Фуку́сима *г.* (*о. Хонсю, Япония*) Fukushima

Фукуя́ма *г.* (*о. Хонсю, Япония*) Fukuyama

Фуля́н *г.* Fowliang; *см.* Цзиндэчжэ́нь

Фунаба́си *г.* (*о. Хонсю, Япония*) Funabashi

Фунафу́ти *г.* (*столица Тувалу*) Funafuti

Фунша́л *г.* (*о. Мадейра, Португалия*) Funchal

Фуси́нь *г.* (*пров. Ляонин, Китай*) Fuxin, Fou-hsin, Fusin

Фу́та-Джалло́н *плато* (*Гвинея*) Fouta Djallon

Фуцзя́нь *пров.* (*Китай*) Fujian, Fukien

Фучжо́у *г.* (*адм. центр пров. Фуцзянь, Китай*) Fuzhou, Foochow

Фушу́нь *г.* (*пров. Ляонин, Китай*) Fushun

Фэ́рбенкс *г.* (*шт. Аляска, США*) Fairbanks

Фэ́рфилд *г.* (*шт. Новый Южный Уэльс, Австралия*) Fairfield

Фюн *о.* (*Балтийское м., Дания*) Fyn

Х

Хаапа́й *о-ва* (*Тихий ок., гос-во Тонга*) Haapai

Хаба́ровск *г.* (*центр Хабаровского края, РСФСР, СССР*) Khabarovsk

Хаба́ровский край (*РСФСР, СССР*) Khabarovsk Territory

Ха́вант *г.* (*граф. Гэмпшир, Англия, Великобритания*) Havant

Ха́верфордуэст *г.* (*граф. Дивед, Уэльс, Великобритания*) Haverfordwest

Ха́ген *г.* (*ФРГ*) Hagen

Ха́ддерсфилд *г.* (*метроп. граф. Уэст-Йоркшир, Англия, Великобритания*) Huddersfield

Ха́ддингтон *г.* (*обл. Лотиан, Шотландия, Великобритания*) Haddington

Хайали́а *г.* (*шт. Флорида, США*) Hialeah

Хайдараба́д **1.** *г.* (*адм. центр шт. Андхра-Прадеш, Индия*) Hyderabad; **2.** *г.* (*Пакистан*) Hyderabad

Ха́йдельберг = Ге́йдельберг

Хайко́у *г.* (*пров. Гуандун, Китай*) Haikou, Hoihow

Ха́йленд *обл.* (*Шотландия, Великобритания*) Highland

Хайна́нь 1. *прол.* (*между о. Хайнань и п-овом Лэйчжоу, Китай*) Hainan Strait; **2.** *о.* (*Южно-Китайское м., Китай*) Hainan

Хай-Пойнт *г.* (*шт. Северная Каролина, США*) High Point

Ха́йфа *г.* (*Израиль*) Haifa

Хайфо́н *г.* (*Вьетнам*) Haiphong, Hai Phong

Хака́сская автоно́мная о́бласть (*Красноярский край, РСФСР, СССР*) Khakass Autonomous Region

Хакода́те *г.* (*о. Хоккайдо, Япония*) Hakodate

Хала́па *г.* (*Мексика*) Jalapa

Халде́я *ист. обл.* (*в Месопотамии*) Chald(a)ea

Ха́леб *г.* (*Сирия*) Haleb

Халл *г.* (*пров. Квебек, Канада*) Hull

Ха́лли (*науч. ст. Великобритании, Антарктида*) Halley

Хальмахе́ра *о.* (*Молуккские о-ва, Индонезия*) Halmahera

Ха́льмстад *г.* (*Швеция*) Halmstad

Ха́ма *г.* (*Сирия*) Hama

Хамада́н *г.* (*Иран*) Hamadan

Хамама́цу *г.* (*о. Хонсю, Япония*) Hamamatsu

Ха́мбер (*эстуарий рек Уз и Трент, о. Великобритания*) Humber

Ха́мберсайд *граф.* (*Англия, Великобритания*) Humberside

Ха́мерсли *хр.* (*Австралия*) Hamersley Range

Ха́ммонд *г.* (*шт. Индиана, США*) Hammond

Ха́мптон *г.* (*шт. Виргиния, США*) Hampton

Хамхы́н *г.* (*КНДР*) Hamhung

Ханаа́н *ист.* (*древнее назв. терр. Палестины, Сирии и Финикии*) Canaan

Ха́нка *оз.* (*СССР и Китай*) Khanka

Ха́нко *п-ов* (*Финляндия*) Hangö, Hanko

Ха́ннибал *г.* (*шт. Миссури, США*) Hannibal

Хано́й *г.* (*столица Вьетнама*) Hanoi

Хан-Те́нгри *пик* (*горн. сист. Тянь-Шань, СССР*) Tengri Khan, Khan Tengri

Ха́нтингдон *г.* (*граф. Кембриджшир, Англия, Великобритания*) Huntingdon

Ха́нтингтон 1. *г.* (*шт. Западная Виргиния, США*) Huntington; **2.** *г.* (*шт. Индиана, США*) Huntington

Ха́нтингтон-Бич *г.* (*шт. Калифорния, США*) Huntington Beach

Ха́нтсвилл *г.* (*шт. Алабама, США*) Huntsville

Ха́нты-Манси́йск *г.* (*центр Ханты-Мансийского авт. окр., Тюменская обл., РСФСР, СССР*) Khanty-Mansi(y)sk

Ха́нты-Манси́йский автоно́мный о́круг (*Тюменская обл., РСФСР, СССР*) Khanty-Mansi Autonomous Area

Ха́нфорд *г.* (*шт. Вашингтон, США*) Hanford

Ханчжо́у *г.* (*адм. центр пров. Чжэцзян, Китай*) Hangzhou, Hangchow

Ханчжоува́нь *зал.* (*Восточно-Китайское м., побережье Китая*) Hangzhou (*или* Hangchow) Bay

Ханьда́нь *г.* (*пров. Хэбэй, Китай*) Handan, Hantan

Ханько́у *г.* Hankow; *см.* Уха́нь

Ханьшу́й *р.* (*Китай*) Han

Ханья́н *г.* Hanyang; *см.* Уха́нь

Ха́рар = Ха́рэр

Хара́ре *г.* (*столица Зимбабве*) Harare

Ха́ра-Ус-Нур *оз.* (*Монголия*) Khara Usu Nur

Харби́н *г.* (*адм. центр пров. Хэйлунцзян, Китай*) Harbin

Харге́йса *г.* (*Сомали*) Hargeisa

Харда́нгер-фьорд (*Северное м., побережье Норвегии*) Hardanger Fjord

Ха́ри *р.* (*о. Суматра, Индонезия*) Hari

Харк *г.* (*Иран*) Khark

Ха́рлем *г.* (*Нидерланды*) Haarlem

Ха́ррисберг *г.* (*адм. центр шт. Пенсильвания, США*) Harrisburg

Ха́ррогит *г.* (*граф. Норт-Йоркшир, Англия, Великобритания*) Harrogate

Ха́рроу(-он-те-Хилл) *г.* (*метроп. граф. Большой Лондон, Англия, Великобритания*) Harrow (on the Hill)

Ха́ртлпул *г.* (*граф. Кливленд, Англия, Великобритания*) Hartlepool

Харту́м *г.* (*столица Судана*) Khart(o)um

Ха́ртфорд I *г.* (*адм. центр шт. Коннектикут, США*) Hartford

Ха́ртфорд II *г.* (*адм. центр граф. Хартфордшир, Англия, Великобритания*) Hertford

Ха́ртфорд-Си́ти *г.* (*шт. Индиана, США*) Hartford City

Ха́ртфордшир *граф.* (*Англия, Великобритания*) Hertfordshire, *сокр.* Herts

Ха́руэлл *г.* (*граф. Беркшир, Англия, Великобритания*) Harwell

Ха́рьков *г.* (*центр Харьковской обл., Украинская ССР, СССР*) Kharkov

Харья́на *шт.* (*Индия*) Haryana

Ха́рэр *г.* (*Эфиопия*) Har(r)ar

Ха́сково *г.* (*Болгария*) Khaskovo

Ха́сселт *г.* (*Бельгия*) Hasselt

Хатанга *р.* (*СССР*) Khatanga

Ха́тангский зали́в (*м. Лаптевых, побережье СССР*) Khatanga Bay

Хатино́хе *г.* (*о. Хонсю, Япония*) Hachinohe

Хатио́дзи *г.* (*о. Хонсю, Япония*) Hachioji

Ха́ттерас *мыс* (*вост. побережье США*) Cape Hatteras

Ха́ттисберг *г.* (*шт. Миссисипи, США*) Hattiesburg

Ха́тчинсон *г.* (*шт. Канзас, США*) Hutchinson

Хаты́нь *ист. деревня* (*Минская обл., Белорусская ССР, СССР*) Khatyn

Ха́уленд *о.* (*Тихий ок., влад. США*) Howland Island

Ха́фель *р.* (*ФРГ*) Havel

Хафу́н *мыс* (*крайняя вост. точка Африки, Сомали*) Cape Hafun

Хевро́н *г.* (*Иордания*) Hebron

Хе́йверилл *г.* (*граф. Суффолк, Англия, Великобритания*) Haverhill

Хе́йгерстаун *г.* (*шт. Мэриленд, США*) Hagerstown

Хе́йзлтон *г.* (*шт. Пенсильвания, США*) Hazleton

Хе́йстингс 1. *г.* (*шт. Небраска, США*) Hastings; **2.** *г.* (*о. Северный, Новая Зеландия*) Hastings

Хе́кате *прол.* (*между о-вами Королевы Шарлотты и побережьем Канады*) Hecate Strait

Хе́лена *г.* (*адм. центр шт. Монтана, США*) Helena

Хелуа́н *г.* (*Египет*) Helwân, Hilwân

Хе́льсингборг *г.* (*Швеция*) Hälsingborg, Helsingborg

Хельсингёр *г.* (*Дания*) Helsingör

Хе́льсинки *г.* (*столица Финляндии*) Helsinki

Хе́мниц *г.* (*ФРГ*) Chemnitz

Хе́нгело *г.* (*Нидерланды*) Hengelo

Хере́с-де-ла-Фронте́ра *г.* (*Испания*) Jerez de la Frontera

Хе́рефорд *г.* (*адм. центр граф. Херефорд-энд-Вустер, Англия, Великобритания*) Hereford

Хе́рефорд-энд-Ву́стер *граф.* (*Англия, Великобритания*) Hereford and Worcester

Херсо́н *г.* (*центр Херсонской обл., Украинская ССР, СССР*) Kherson

Херсоне́с *ист. г.* (*Крым, СССР*) the Chersonese

Хеса́н *г.* (*КНДР*) Hyesan

Хива́ *г.* (*Хорезмская обл., Узбекская ССР, СССР*) Khiva

Хиви́нское ха́нство *ист. гос-во* (*в Средней Азии, Узбекская ССР и Туркменская ССР, СССР*) Khiva

Хигасио́сака *г.* (*о. Хонсю, Япония*) Higashiosaka

Хиджа́з *пров.* (*Саудовская Аравия*) Hejaz, Hijaz

Хи́йумаа *о.* (*Балтийское м., Эстония*) Hiiumaa

Хи́ла *р.* (*США*) Gila

Хи́лверсюм *г.* (*Нидерланды*) Hilversum

Хи́лла *г.* (*Ирак*) Hilla

Хи́ло *г.* (*шт. Гавайи, о. Гавайи, США*) Hilo

Хи́льдесхайм *г.* (*ФРГ*) Hildesheim

Хима́чал-Пра́деш *шт.* (*Индия*) Himachal Pradesh

Химе́дзи *г.* (*о. Хонсю, Япония*) Himeji

Хи́мки *г.* (*Московская обл., РСФСР, СССР*) Khimki

Хи́нкли *г.* (*граф. Лестершир, Англия, Великобритания*) Hinckley

Хи́ос 1. *г.* (*о. Хиос, Греция*) Chios; **2.** *о.* (*Эгейское м., Греция*) Chios

Хира́цука *г.* (*о. Хонсю, Япония*) Hiratsuka

Хиро́саки *г.* (*о. Хонсю, Япония*) Hirosaki

Хиро́си́ма *г.* (*о. Хонсю, Япония*) Hiroshima

Хита́ти *г.* (*о. Хонсю, Япония*) Hitachi

Хихо́н *г.* (*Испания*) Gijón

Хмельни́цкий *г.* (*центр Хмельницкой обл., Украинская ССР, СССР*) Khmelnitski

Хо́барт *г.* (*адм. центр шт. Тасмания, Австралия*) Hobart

Хо́бокен *г.* (*шт. Нью-Джерси, США*) Hoboken

Хов *г.* (*граф. Восточный Суссекс, Англия, Великобритания*) Hove

Ходе́йда *г.* (*Йемен*) Hodeida

Хо́жув *г.* (*Польша*) Chorzów

Хой *о.* (*Оркнейские о-ва, Атлантический ок., Великобритания*) Hoy

Хокити́ка *г.* (*о. Южный, Новая Зеландия*) Hokitika

Хокка́йдо *о.* (*Тихий ок., Япония*) Hokkaido

Хокс-Бей *стат. р-н* (*Новая Зеландия, о. Северный*) Hawke's Bay

Хо́льок *г.* (*шт. Массачусетс, США*) Holyoke

Хомс *г.* (*Сирия*) Homs

Хонга́й *г.* (*Вьетнам*) Hon Gai, Hongai

Хонгха́ *р.* (*Вьетнам и Китай*) Songka

Хо́ндо *о.* Hondo; *см.* Хо́нсю

Хониа́ра *г.* (*столица гос-ва Соломоновы Острова, о. Гуадалканал*) Honiara

Хо́нсю *о.* (*Тихий ок., Япония*) Honshu

Хопёр *р.* (*СССР*) Khoper

Хораса́н *ист. обл.* (*Иран*) Khurasan, Khorasan

Хорва́тия, Республика Хорватия (*Югославия*) Croatia, Republic of Croatia

Хоре́зм *ист. гос-во* (*Средняя Азия*) Khoresm

Хормýзский проли́в Strait of Hormuz; *см.* Ормýзский проли́в

Хо́рнси *г.* (*метроп. граф. Большой Лондон, Англия, Великобритания*) Hornsey

Хо́рнчерч *г.* (*метроп. граф. Большой Лондон, Англия, Великобритания*) Hornchurch

Хоро́г *г.* (*центр Горно-Бадахшанской АО, Таджикская ССР, СССР*) Khorog

Хорремаба́д *г.* (*Иран*) Khorramabad

Хорремше́хр *г.* (*Иран*) Khorramshahr

Хот-Спрингс *г.* (*шт. Арканзас, США*) Hot Springs

Хошими́н *г.* (*Вьетнам*) Ho Chi Minh (City)

Христиа́ния *г.* Christiania; *см.* О́сло

Хуайна́нь *г.* (*пров. Аньхой, Китай*) Huainan

Хуайхэ́ *р.* (*Китай*) Huai He, Hwai (Ho)

Хуа́н-де-Фýка *прол.* (*между о. Ванкувер и п-овом Олимпик, Тихий ок.*) Strait of Juan de Fuca

Хуа́н-Ферна́ндес о-ва (*Тихий ок., Чили*) Juan Fernández

Хуанхэ́ *р.* (*Китай*) Huang He, Hwang Ho

Хýбли-Дха́рвар *г.* (*шт. Карнатака, Индия*) Hubli-Dharwar

Хубсугýл *оз.* (*Монголия*) Lake Khubsugul

Хубэ́й *пров.* (*Китай*) Hubei, Hupeh, Hupei

Хувентýд *о.* (*Карибское м., Куба*) Isle of Pines

Хýгли *р.* (*зап. рукав дельты Ганга, Индия*) Hooghly, Hugli

Худжа́нд *г.* (*центр Худжандской обл., Таджикская ССР, СССР*) Khojend

Хузиста́н *ист. обл.* (*Иран*) Khuzistan

Хуна́нь *пров.* (*Китай*) Hunan

Хунедоа́ра *г.* (*Румыния*) Hunedoara

Хуни́н *г.* (*Аргентина*) Junín

Хуфу́ф *г.* Hofuf; *см.* Эль-Хуфу́ф

Хух-Хо́то *г.* (*адм. центр авт. р-на Внутренняя Монголия, Китай*) Hohhot, Huhehot

Хынна́м *г.* (*КНДР*) Hungnam

Хью́стон *г.* (*шт. Техас, США*) Houston

Хью́стонский судохо́дный кана́л (*соединяет г. Хьюстон с Мексиканским зал., США*) Houston Ship Canal

Хэбэ́й *пров.* (*Китай*) Hebei, Hopeh, Hopei

Хэджу́ *г.* (*КНДР*) Haeju

Хэйлунцзя́н *пров.* (*Китай*) Heilongjiang, Heilungkiang

Хэна́нь *пров.* (*Китай*) Henan, Honan

Хэнъя́н *г.* (*пров. Хунань, Китай*) Hengyang

Хэфэ́й *г.* (*адм. центр пров. Аньхой, Китай*) Hefei, Hofei

Хюэ́ *г.* (*Вьетнам*) Hué

Хя́меэнлинна *г.* (*Финляндия*) Hämeenlinna

Ц

Цайц *г.* (*ФРГ*) Zeitz

Цари́цын *г.* Tsaritsyn; *см.* Волгогра́д

Ца́рское Село́ *г.* Tsarsko(y)e Selo; *см.* Пу́шкин

Цви́ккау *г.* (*ФРГ*) Zwickau

Цезаре́я *ист. г.* (*на терр. совр. Израиля*) Caesarea

Цейло́н Ceylon; *см.* Шри-Ла́нка

Це́лебес *о.* Celebes; *см.* Сулаве́си 2

Целебе́сское мо́ре Celebes Sea; *см.* Сулаве́си 1

Целиногра́д *г.* (*центр Целиноградской обл., Казахская ССР, СССР*) Tselinograd

Центра́льная Аме́рика (*юж. часть материка Северная Америка, расположенная в тропических широтах*) Central America

Центра́льная Кордилье́ра *горы* (*Испания*) Cordillera Central

Центральноафрика́нская Респу́блика *гос-во* (*Центральная Африка*) Central African Republic

Центральночернозёмный райо́н (*экон. р-н, СССР*) Central Black Earth Region

Центра́льные Полинези́йские Спора́ды *о-ва* Central Polynesian Sporades; *см.* Лайн

Центра́льные равни́ны (*США и Канада*) Central Valley

Центра́льный масси́в *горн. массив* (*Франция*) Massif Central

Це́ре *ист. город-гос-во* (*на терр. совр. Италии*) Caere

Церко́вная о́бласть = Па́пская о́бласть

Цзили́нь Jilin; *см.* Гири́н

Цзилу́н *г.* (*пров. Тайвань, Китай*) Chi-lung, Chilung

Цзина́нь *г.* (*адм. центр пров. Шаньдун, Китай*) Jinan, Tsinan

Цзиндэчжэ́нь *г.* (*пров. Цзянси, Китай*) Jingdezhen, Chingtechen, Kingtehchen

Цзини́н *г.* (*авт. р-н Внутренняя Монголия, Китай*) Jining

Цзиньчжо́у *г.* (*пров. Ляонин, Китай*) Jinzhou, Chin-chou, Chinchow

Цзюлу́н *г.* (*Сянган* (*Гонконг*)) Jiulong

Цзянси́ *пров.* (*Китай*) Jiangxi, Kiangsi

Цзянсу́ *пров.* (*Китай*) Jiangsu, Kiangsu

Цинда́о *г.* (*пров. Шаньдун, Китай*) Qingdao, Tsingtao

Цинха́й I *пров.* (*Китай*) Qinghai, Tsinghai

Цинха́й II *оз.* Qing Hai, Tsing Hai; *см.* Кукуно́р

Цинцинна́ти *г.* (*шт. Огайо, США*) Cincinnati

Циньхуанда́о *г.* (*пров. Хэбэй, Китай*) Qinhuangdao, Chinwangtao

Цицика́р *г.* (*пров. Хэйлунцзян, Китай*) Qiqihar, Tsitsihar

Црес *о.* (*Адриатическое м., Югославия*) Cres

Цуга́ру *прол.* (*между о-вами Хонсю и Хоккайдо, Япония*) Tsugaru Strait

Цуси́ма *о-ва* (*Корейский прол., Япония*) Tsushima

Цхинва́ли *г.* (*центр Юго-Осетинской АО, Грузинская ССР, СССР*) Tskhinvali

Цю́рих *г.* (*Швейцария*) Zurich

Цю́рихское о́зеро (*Швейцария*) Lake of Zurich

Ч

Ча́гос *арх.* (*Индийский ок., влад. Великобритании*) Chagos Archipelago

Чад 1. Республика Чад *гос-во* (*Центральная Африка*) Chad, Tchad, Republic of Chad; **2.** *оз.* (*Нигер, Чад, Нигерия и Камерун*) Lake Chad

Чандига́рх 1. *союзная терр.* (*Индия*) Chandigarh; **2.** *г.* (*адм. центр штатов Пенджаб и Харьяна, а также союзной терр. Чандигарх, Индия*) Chandigarh

Чанцзя́н *р.* Chang Jiang; *см.* Янцзы́

Чанчу́нь *г.* (*адм. центр пров. Гирин, Китай*) Changchun

Чанша́ *г.* (*адм. центр пров. Хунань, Китай*) Changsha

Чаны́ *оз.* (*СССР*) Lake Chany

Чапа́ла *оз.* (*Мексика*) Lake Chapala

Чарджо́у *г.* (*центр Чарджоуской обл., Туркменская ССР, СССР*) Chardzhou

Ча́рлстон 1. *г.* (*адм. центр шт. Западная Виргиния, США*) Charleston; **2.** *г.* (*шт. Южная Каролина, США*) Charleston

Ча́тем 1. *г.* (*граф. Кент, Англия, Великобритания*) Chatham; **2.** *о-ва* (*Тихий ок., Новая Зеландия*) Chatham Islands

Чаттану́га *г.* (*шт. Теннесси, США*) Chattanooga

Ча́унская губа́ (*Восточно-Сибирское м., побережье СССР*) Chaun Bay

Чебокса́ры *г.* (*столица Чувашской АССР, РСФСР, СССР*) Cheboksary

Че́виот-Хилс *горы* (*Великобритания*) Cheviot Hills

Чеджу́ *г.* (*Республика Корея*) Cheju

Чеджудо́ *о.* (*Восточно-Китайское м., Республика Корея*) Cheju

Че́лмсфорд *г.* (*адм. центр граф. Эссекс, Англия, Великобритания*) Chelmsford

Че́лтнем *г.* (*граф. Глостершир, Англия, Великобритания*) Cheltenham

Челю́скин *мыс* (*крайняя сев. точка Азии, п-ов Таймыр, СССР*) Cape Chelyuskin

Челя́бинск *г.* (*центр Челябинской обл., РСФСР, СССР*) Chelyabinsk

Чемульпо́ *г.* Chemulpo; *см.* Инчхо́н

Чена́б = Чина́б

Ченстохо́ва *г.* (*Польша*) Częstochowa

Черапу́нджи *г.* (*шт. Мегхалая, Индия*) Cherrapunji

Черепа́шьи острова́ Tortoise Islands; *см.* Гала́пагос

Череповéц *г.* (*Вологодская обл., РСФСР, СССР*) Cherepovets

Черибо́н = Чиребо́н

Черка́ссы *г.* (*центр Черкасской обл., Украинская ССР, СССР*) Cherkassy

Черке́сск *г.* (*центр Карачаево-Черкесской АО, Ставропольский край, РСФСР, СССР*) Cherkessk

Чёрная Во́льта *р.* (*Буркина-Фасо и Гана*) Black Volta

Черни́гов *г.* (*центр Черниговской обл., Украинская ССР, СССР*) Chernigov

Черновцы́ *г.* (*центр Черновицкой обл., Украинская ССР, СССР*) Chernovtsy

Черного́рия, Социалистическая Республика Черногория (*Югославия*) Montenegro, Socialist Republic of Montenegro

Чёрное мо́ре (*Атлантический ок., между Европой и Малой Азией*) Black Sea

Че́рского хребе́т (*сев.-вост. СССР*) Cherskogo Range

Че́рчилл 1. *г.* (*пров. Манитоба, Канада*) Churchill; **2.** *оз.* (*Канада*) Churchill; **3.** *р.* (*Канада*) Churchill

Чесапи́кский зали́в (*Атлантический ок., побережье США*) Chesapeake Bay

Ческе-Будеёвице *г.* (*Чехословакия*) České Budějovice

Честер *г.* (*адм. центр граф. Чешир, Англия, Великобритания*) Chester

Честерфилд *г.* (*граф. Дербишир, Англия, Великобритания*) Chesterfield

Чехия, Чешская Республика (*Чехословакия*) Czechia, Czech Republic

Чехословакия, Чешская и Словацкая Федеративная Республика *гос-во* (*Центральная Европа*) Czech and Slovak Federativ Republic

Чечено-Ингушская Автономная Советская Социалистическая Республика (*РСФСР, СССР*) Checheno-Ingush Autonomous Soviet Socialist Republic

Чешир *граф.* (*Англия, Великобритания*) Cheshire

Чешская губа (*Баренцево м., СССР*) Cheshskaya Bay

Чешский Лес *горы* (*на границе Австрии, ФРГ и Чехословакии*) Bohemian Forest

Чжанцзякоу *г.* (*пров. Хэбэй, Китай*) Zhangjiakou, Changchiakou

Чжучжоу *г.* (*пров. Хунань, Китай*) Zhuzhou, Chu-chou, Chuchow

Чжэнчжоу *г.* (*адм. центр пров. Хэнань, Китай*) Zhengzhou, Cheng-chou, Chengchow

Чжэцзян *пров.* (*Китай*) Zhejiang, Chekiang

Чиангмай *г.* (*Таиланд*) Chiang Mai

Чиатура *г.* (*Грузинская ССР, СССР*) Chiatura

Чивитавеккья *г.* (*Италия*) Civitavecchia

Чикаго *г.* (*шт. Иллинойс, США*) Chicago

Чиклайо *г.* (*Перу*) Chiclayo

Чили, Республика Чили *гос-во* (*Южная Америка*) Chile, Republic of Chile

Чилоэ *о.* (*Тихий океан, Чили*) Chiloé

Чилтерн-Хилс *возв.* (*Великобритания*) Chiltern Hills

Чильян *г.* (*Чили*) Chillán

Чимборасо *влк.* (*горн. сист. Анды, Эквадор*) Chimborazo

Чимботе *г.* (*Перу*) Chimbote

Чимкент *г.* (*центр Чимкентской обл., Казахская ССР, СССР*) Chimkent

Чинаб *р.* (*Индия и Пакистан*) Chenab

Чингола *г.* (*Замбия*) Chingola

Чинджу *г.* (*Республика Корея*) Chinju

Чиндуин *р.* (*Мьянма*) Chindwin

Чиребон *г.* (*о. Ява, Индонезия*) Cheribon

Чирчик *г.* (*Ташкентская обл., Узбекская ССР, СССР*) Chirchik

Чита *г.* (*центр Читинской обл., РСФСР, СССР*) Chita

Читтагонг *г.* (*Бангладеш*) Chittagong

Чиуауа *г.* (*Мексика*) Chihuahua

Чогори *гора* (*горн. сист. Каракорум, на границе Индии и Китая*) Godwin Austen

Чойбалсан *г.* (*Монголия*) Choybalsan

Чок-Ривер *г.* (*пров. Онтарио, Канада*) Chalk River

Чонбури *г.* (*Таиланд*) Chon Buri

Чонджу *г.* (*Республика Корея*) Chŏnju

Чу *р.* (*СССР*) Chu

Чубут *р.* (*Аргентина*) Chubut

Чувашская Автономная Советская Социалистическая Республика, Чувашия (*РСФСР, СССР*) Chuvash Autonomous Soviet Socialist Republic, Chuvashia

Чудское озеро (*СССР*) Chudsko(y)e Ozero

Чукотский автономный округ (*Магаданская обл., РСФСР, СССР*) Chukot Autonomous Area

Чукотский полуостров (*на сев.-вост. азиатской части СССР*) Chukot(ski) Peninsula, Chukchi Peninsula

Чукотское море (*Северный Ледовитый ок., у берегов СССР и Аляски, США*) Chukchi (*или* Chuckchee) Sea, Sea of Chukotsk

Чулым *р.* (*СССР*) Chulym, Chulim

Чуна *р.* (*СССР*) Chuna

Чунци́н *г.* (*пров. Сычуань, Китай*) Chongqing, Chungking

Чусова́я *р.* (*СССР*) Chusovaya

Чхонджи́н *г.* (*КНДР*) Chŏngjin

Чхонджу́ *г.* (*Республика Корея*) Chŏngju

Чэнду́ *г.* (*адм. центр пров. Сычуань, Китай*) Chengdu, Chengtu

Чэндэ́ *г.* (*пров. Хэбэй, Китай*) Chengde, Chengteh

Ш

Шайе́нн *г.* (*адм. центр шт. Вайоминг, США*) Cheyenne

Ша́льготарьян *г.* (*Венгрия*) Salgótarján

Шамбери́ *г.* (*Франция*) Chambéry

Шампа́нь *ист. обл.* (*Франция*) Champagne

Шампле́йн *оз.* (*США и Канада*) Lake Champlain

Ша́ннон *р.* (*Ирландия*) Shannon

Шанта́рские острова́ *арх.* (*Охотское м., СССР*) Shantarskie Islands

Шанха́й *г.* (*Китай*) Shanghai

Шаньду́н *пров.* (*Китай*) Shandong, Shantung

Шаньду́нский полуо́стров (*Китай*) Shandong, Shantung Peninsula

Шаньси́ *пров.* (*Китай*) Shanxi, Shansi

Шаньто́у *г.* (*пров. Гуандун, Китай*) Shantou

Шара́нта *р.* (*Франция*) Charente

Ша́ри *р.* (*Центральноафриканская Республика, Чад и Камерун*) Chari, Shari

Шарк *зал.* (*Индийский ок., побережье Австралии*) Shark(s) Bay

Ша́рлотт *г.* (*шт. Северная Каролина, США*) Charlotte

Шарло́тта-Ама́лия *г.* (*адм. центр влад. США на Виргинских о-вах, о. Сент-Томас*) Charlotte Amalie

Ша́рлоттаун *г.* (*адм. центр пров. Остров Принца Эдуарда, Канада*) Charlottetown

Ша́ста *гора* (*Каскадные горы, США*) Mount Shasta

Шатт-эль-Ара́б *р.* (*Иран и Ирак*) Shatt al Arab

Шату́ра *г.* (*Московская обл., РСФСР, СССР*) Shatura

Шахджаханпу́р *г.* (*шт. Уттар-Прадеш, Индия*) Shahjahanpur

Ша́хты *г.* (*Ростовская обл., РСФСР, СССР*) Shakhty

Шва́бия *ист. обл.* (*ФРГ*) Swabia

Шва́рцвальд *горы* (*ФРГ*) Black Forest, Schwarzwald

Шведт *г.* (*ФРГ*) Schwedt

Швейца́рия, Швейцарская Конфедерация *гос-во* (*Центральная Европа*) Switzerland, Swiss Confederation

Швери́н *г.* (*ФРГ*) Schwerin

Шве́ция, Королевство Швеция *гос-во* (*Северная Европа*) Sweden, Kingdom of Sweden

Шебо́йган *г.* (*шт. Висконсин, США*) Sheboygan

Шевче́нко *г.* (*центр Мангистауской обл., Казахская ССР, СССР*) Shevchenko

Ше́клтона ше́льфовый ледни́к (*Антарктида*) Shackleton Ice Shelf

Ше́лби *г.* (*шт. Монтана, США*) Shelby

Ше́лихова проли́в (*между п-овом Аляска и о. Кадьяк*) Shelikof Strait

Шелле́фтео *г.* (*Швеция*) Skellefteå

Ше́льда *р.* (*Франция, Бельгия и Нидерланды*) Schelde

Шемаха́ *г.* (*Азербайджанская ССР, СССР*) Shemakha

Шенандо́а *р.* (*США*) Shenandoah

Ше́рбро *о.* (*Атлантический ок., Сьерра-Леоне*) Sherbro Island

Ше́рбрук *г.* (*пров. Квебек, Канада*) Sherbrooke

Шербу́р *г.* (*Франция*) Cherbourg

Ше́рвудский лес *ист.* (*Великобритания*) Sherwood Forest

Ше́тланд *обл.* (*Шотландия, Великобритания, Шетландские о-ва*) Shetland

Шетла́ндские острова́ (*Атлантический ок., Великобритания*) Shetland Islands, Shetland

Ше́ффилд *г.* (*метроп. граф.*

Саут-Йоркшир, Англия, Великобритания) Sheffield

Ши́беник *г.* (*Республика Хорватия, Югославия*) Šibenik

Шиби́н-эль-Ком *г.* (*Египет*) Shibîn el Kôm

Ши́лка *р.* (*СССР*) Shilka

Шилло́нг 1. *г.* (*адм. центр шт. Мегхалая, Индия*) Shillong; **2.** *нагорье* (*Индия*) Shillong

Ши́мла = Си́мла

Шингу́ *р.* (*Бразилия*) Xingú

Ши́пка *пер.* (*горы Стара-Планина, Болгария*) Shipka Pass

Шира́з *г.* (*Иран*) Shiraz

Ширва́н *ист. обл. и гос-во* (*Азербайджанская ССР, СССР*) Shirvan

Ши́ре *р.* (*Малави и Мозамбик*) Shire

Шицзячжуа́н *г.* (*адм. центр пров. Хэбэй, Китай*) Shijiazhuang, Shihchiachuang

Шиша́лдина вулка́н (*о. Унимак, США*) Shishaldin

Шко́дер I *г.* (*Албания*) Shkodër

Шко́дер II = Скада́рское о́зеро

Шле́звиг-Го́льштейн *земля* (*ФРГ*) Schleswig-Holstein

Шоа́ *пров.* (*Эфиопия*) Shoa

Шолапу́р *г.* (*шт. Махараштра, Индия*) Sholapur

Шо́прон *г.* (*Венгрия*) Sopron

Шотла́ндия (*адм.-полит. часть Великобритании*) Scotland

Шошо́ни *вдп.* (*р. Снейк, США*) Shoshone Falls

Шпицбе́рген *арх.* (*Северный Ледовитый ок., Норвегия*) Spitsbergen

Шпре́(е) *р.* (*ФРГ*) Spree

Шри́вепорт *г.* (*шт. Луизиана, США*) Shreveport

Шри-Ла́нка 1. Демократическая Социалистическая Республика Шри-Ланка *гос-во* (*на о. Шри-Ланка, Индийский ок., Южная Азия*) Sri Lanka, Democratic Socialist Republic of Sri Lanka; **2.** *о.* (*у юж. оконечности п-ова Индостан, Индийский ок., гос-во Шри-Ланка*) Sri Lanka

Шро́пшир *граф.* (*Англия, Великобритания*) Shropshire, *сокр.* Salop

Шру́сбери *г.* (*адм. центр граф. Шропшир, Англия, Великобритания*) Shrewsbury

Ште́ттин *г.* Stettin; *см.* Ще́цин

Штра́льзунд *г.* (*ФРГ*) Stralsund

Шту́тгарт *г.* (*ФРГ*) Stuttgart

Шуазёль *о.* (*Тихий ок., гос-во Соломоновы Острова*) Choiseul

Шума́гина острова́ (*Тихий ок., США*) Shumagin Islands

Шу́мен *г.* (*Болгария*) Shumen

Шуме́р *ист. страна* (*в Двуречье, на юге совр. Ирака*) Sumer

Шу́я *г.* (*Ивановская обл., РСФСР, СССР*) Shuya

Шэньси́ *пров.* (*Китай*) Shaanxi, Shensi

Шэнья́н *г.* (*адм. центр пров. Ляонин, Китай*) Shenyang

Шяуля́й *г.* (*Литва*) Shaulyai, Šiauliai

Щ

Щёлково *г.* (*Московская обл., РСФСР, СССР*) Shchelkovo

Ще́цин *г.* (*Польша*) Szczecin

Э

Э́бро *р.* (*Испания*) Ebro

Э́вансвилл *г.* (*шт. Индиана, США*) Evansville

Э́ванстон *г.* (*шт. Иллинойс, США*) Evanston

Эвбе́я *о.* (*Эгейское м., Греция*) Euboea

Эвенки́йский автоно́мный о́круг (*Красноярский край, РСФСР, СССР*) Evenki Autonomous Area

Э́верглейдс *нац. парк* (*США*) Everglades National Park

Эвере́ст *гора* (*горн. сист. Гималаи, на границе Китая и Непала*) Mount Everest

Э́веретт *г.* (*шт. Вашингтон, США*) Everett

Э́вора *г.* (*Португалия*) Évora

Эге́йское мо́ре (*часть Средиземного м., между п-овами Балканским и Малой Азией*) Aegean Sea

Э́гер *г.* (*Венгрия*) Eger

Э́де 1. *г.* (*Нигерия*) Ede; **2.** *г.* (*Нидерланды*) Ede

Эдéа *г.* (*Камерун*) Edéa

Эдж *о.* (*арх. Шпицберген, Северный Ледовитый ок., Норвегия*) Edge Island

Э́динбург *г.* (*адм. центр обл. Лотиан, Шотландия, Великобритания*) Edinburgh

Эди́рне *г.* (*Турция*) Edirne

Э́дмонтон 1. *г.* (*метроп. граф. Большой Лондон, Англия, Великобритания*) Edmonton; **2.** *г.* (*адм. центр пров. Альберта, Канада*) Edmonton

Эдо́м *ист. страна* (*Передняя Азия*) Edom

Эдуа́рд *оз.* (*Заир и Уганда*) Lake Edward

Э́дуардс *плато* (*США*) Edwards Plateau

Эз-Зака́зик *г.* (*Египет*) Zagazig

Эз-Зувайти́на *г.* (*Ливия*) Ez Zuetina

Э́йвон 1. *граф.* (*Англия, Великобритания*) Avon; **2.** *р.* (*впадает в зал. Ла-Манш, Великобритания*) Avon; **3.** *р.* (*приток р. Северн, Великобритания*) Avon

Э́йлсбери *г.* (*адм. центр граф. Бакингемшир, Англия, Великобритания*) Aylesbury

Э́ймери шéльфовый ледни́к (*Антарктида*) Amery Ice Shelf

Э́йндховен *г.* (*Нидерланды*) Eindhoven

Эйр 1. *п-ов* (*на юге Австралии*) Eyre Peninsula; **2.** *оз.* (*Австралия*) Lake Eyre

Э́йре Eire; *см.* Ирла́ндия 1

Э́йс(с)елмер *зал.* Ijsselmeer; *см.* Зёйдер-Зе

Экбата́на 1. *г.* Ecbatana; *см.* Хамада́н; **2.** *ист.* (*др.-греч. назв. г. Хамадан в Иране*) Ecbatana

Эквадо́р, Республика Эквадор *гос-во* (*Южная Америка*) Ecuador, Republic of Ecuador

эква́тор (*линия, делящая земной шар на Северное и Южное полушария*) equator

Экваториа́льная Гвинéя, Республика Экваториальная Гвинея *гос-во* (*Центральная Африка*) Equatorial Guinea, Republic of Equatorial Guinea

Экваториа́льное противотечéние (*Атлантический и Тихий океаны*) Equatorial Countercurrent

Экибасту́з *г.* (*Павлодарская обл., Казахская ССР, СССР*) Ekibastuz

Экс-ан-Прова́нс *г.* (*Франция*) Aix-en-Provence, Aix

Э́ксетер *г.* (*адм. центр граф. Девоншир, Англия, Великобритания*) Exeter

Э́ксмур *плато* (*Великобритания*) Exmoor

Эла́м *ист. гос-во* (*на терр. совр. Ирана*) Elam

Э́ланд *о.* (*Балтийское м., Швеция*) Öland

Э́лберт *гора* (*Скалистые горы, США*) Mount Elbert

Э́лгин *г.* (*обл. Грампиан, Шотландия, Великобритания*) Elgin

Э́лгон *гора* (*на границе Уганды и Кении*) Mount Elgon

Элевси́н *ист. г.* (*Греция*) Eleusis

Электроста́ль *г.* (*Московская обл., РСФСР, СССР*) Electrostal

Эли́забет *г.* (*шт. Нью-Джерси, США*) Elizabeth

Элизабетви́ль *г.* Elisabethville; *см.* Лубумба́ши

Эли́ста *г.* (*столица Калмыцкой АССР, РСФСР, СССР*) Elista

Э́лкхарт *г.* (*шт. Индиана, США*) Elkhart

Э́ллеф-Ри́нгнес *о.* (*о-ва Свердруп, Канадский Арктический арх., Канада*) Ellef Ringnes Island

Э́ллис *о-ва* Ellice Islands; *см.* Тува́лу 2

Э́лсмир *о.* (*Канадский Арктический арх., Канада*) Ellesmere Island

Э́лсуэрта Земля́ (*часть терр. Антарктиды*) Ellsworth Land

Эль-Асна́м *г.* (*Алжир*) El Asnam

Эль-Ахмади́ = Ахмади́

Эль-Аю́н *г.* (*адм. центр Западной Сахары*) El Aaiún

Э́льба I *о.* (*Тирренское м., Италия*) Elba

Э́льба II *р.* (*Чехословакия и ФРГ*) Elbe

Эльбаса́н *г.* (*Албания*) Elbasan

Э́льблонг *г.* (*Польша*) Elbląg

Эльбру́с *гора* (*Кавказ, СССР*) Elbrus, Elborus

Эльбу́рс *горы* (*Иран*) Elburz Mountains

Эль-Ги́за *г.* (*Египет*) El Gîza

Эль-Джади́да *г.* (*Марокко*) El Jadida

Эльдора́до *миф. страна* (*на терр. Латинской Америки*) Eldorado

Эльза́с *ист. пров.* (*Франция*) Alsace

Эль-Кати́ф *г.* (*Саудовская Аравия*) Al Qatif

Эль-Куве́йт *г.* (*столица Кувейта*) Al Kuwait

Эль-Мансу́ра *г.* (*Египет*) El Mansura

Эль-Мардж *г.* (*Ливия*) Al Marj

Эль-Маха́лла-эль-Ку́бра *г.* (*Египет*) El Mahalla el Kubra

Эль-Ми́нья *г.* (*Египет*) El Minya

Эль-Обе́йд *г.* (*Судан*) El Obeid

Эль-Па́со *г.* (*шт. Техас, США*) El Paso

Эльто́н *оз.* (*СССР*) Elton

Эль-Файю́м *г.* (*Египет*) El Faiyûm

Эль-Ферро́ль *г.* (*Испания*) El Ferrol

Эль-Хали́ль = Хевро́н

Эль-Хуфу́ф *г.* (*Саудовская Аравия*) Al Hufuf

Э́льче *г.* (*Испания*) Elche

Элязы́г *г.* (*Турция*) Elâzig

Э́мба *р.* (*СССР*) Emba

Э́мден *г.* (*ФРГ*) Emden

Эми́-Ку́си *гора* (*нагорье Тибести, Чад*) Emi Koussi

Эмс *р.* (*ФРГ*) Ems

Энге́ла *мыс* (*крайняя сев. точка Африки, Тунис*) Engela, Ras Engela

Э́нгельс *г.* (*Саратовская обл., РСФСР, СССР*) Engels

Э́нглвуд *г.* (*шт. Колорадо, США*) Englewood

Э́ндерби Земля́ (*часть терр. Антарктиды*) Enderby Land

Энзели́ *г.* (*Иран*) Enzeli

Энкарнасьо́н *г.* (*Парагвай*) Encarnación

Эн-На́джаф *г.* (*Ирак*) An Najaf

Энне́ди *плато* (*Чад*) Ennedi

Э́ннис *г.* (*адм. центр граф. Клэр, Ирландия*) Ennis

Эннески́ллен *г.* (*адм. центр окр. Фермана, Северная Ирландия, Великобритания*) Enniskillen

Э́нсхеде *г.* (*Нидерланды*) Enschede

Энте́ббе *г.* (*Уганда*) Entebbe

Э́нтре-Ри́ос = Междуре́чье

Эну́гу *г.* (*Нигерия*) Enugu

Э́нфилд *г.* (*граф. Мит, Ирландия*) Enfield

Эпи́р *ист.-геогр. обл.* (*Греция*) Epirus

Э́псом *г.* (*граф. Суррей, Англия, Великобритания*) Epsom

Эр *г.* (*обл. Стратклайд, Шотландия, Великобритания*) Ayr

Э́рвингтон *г.* (*шт. Нью-Джерси, США*) Irvington

Эрг Большо́й Восто́чный *пуст.* (*Алжир и Тунис*) Grand Erg Oriental

Эрг Большо́й За́падный *пуст.* (*Алжир*) Grand Erg Occidental

Эрг-Иги́ди *пуст.* (*Алжир и Мавритания*) Erg Iguidi

Эрг-Шеш *пуст.* (*Алжир и Мали*) Erg Chech

Э́ребру *г.* (*Швеция*) Örebro

Э́ребус *влк.* (*п-ов Росса, Антарктида*) Mount Erebus

Э́ресунн *прол.* (*между Скандинавским п-овом и о. Зеландия*) Öresund

Эрзинджа́н *г.* (*Турция*) Erzincan, Erzinjan

Эрзуру́м *г.* (*Турция*) Erzurum

Э́ри **1.** *г.* (*шт. Пенсильвания, США*) Erie; **2.** *оз.* (*Канада и США*) Lake Erie

Эриду́ *ист. г.* (*в Шумере, на терр. совр. Ирака*) Eridu

Э́ри-кана́л (*соединяет оз. Эри с р. Гудзон, США*) Erie Canal

Эритре́я *пров.* (*Эфиопия*) Eritrea

Эрмоси́льо *г.* (*Мексика*) Hermosillo

Эрн **1.** *р.* (*Ирландия*) Erne; **2.** *р.* (*Великобритания*) Erne

Эр-Рия́д *г.* (*столица Саудовской Аравии*) Riyadh, Er Riad

Э́рфурт *г.* (*ФРГ*) Erfurt

Э́скильстуна *г.* (*Швеция*) Eskilstuna

Эски́шехи́р *г.* (*Турция*) Eskişehir

Эскуи́нтла *г.* (*Гватемала*) Escuintla

Эсмера́льдас *г.* (*Эквадор*) Esmeraldas

Эспи́риту-Са́нто *о.* (*о-ва Новые Гебриды, Тихий ок., Вануату*) Espíritu Santo

Э́спо *г.* (*Финляндия*) Espoo

Эссеки́бо *р.* (*Гайана*) Essequibo

Э́ссекс 1. *граф.* (*Англия, Великобритания*) Essex; **2.** *ист. англо-сакс. кор-во* (*Великобритания*) Essex

Э́ссен *г.* (*ФРГ*) Essen

Эсто́ния, Эстонская Республика *гос-во* (*Центральная Европа*) Estonia, Estonian Republic

Э́тна *влк.* (*о. Сицилия, Италия*) Etna

Этру́рия *ист. кор-во* (*на терр. Италии*) Etruria

Эфа́те *о.* (*о-ва Новые Гебриды, Тихий ок., Вануату*) Efate

Эфе́с *ист. г.* (*на терр. совр. Турции*) Ephesus

Эфио́пия, Народная Демократическая Республика Эфиопия *гос-во* (*Северо-Восточная Африка*) Ethiopia, People's Democratic Republic of Ethiopia

Эфио́пское наго́рье (*Эфиопия*) Ethiopian Highlands

Эчмиадзи́н *г.* (*Армянская ССР, СССР*) Echmiadzin

Эш-Шели́фф = Эль-Асна́м

Ю

Ю́вяскюля *г.* (*Финляндия*) Jyväskylä

Юго-Восто́чный мыс = Са́ут-Ист-Пойнт

Ю́го-За́падная А́фрика South West Africa; *см.* Нами́бия

Ю́го-Осети́нская автоно́мная о́бласть, Ю́жная Осе́тия (*Грузинская ССР, СССР*) South Ossetian Autonomous Region, South Ossetia

Юго́рский полуо́стров (*между Карским и Баренцевым морями, СССР*) Yugor(ski) Peninsula

Юго́рский Шар *прол.* (*между материком Евразия и о. Вайгач, соединяет Баренцево и Карское моря*) Yugorski Shar

Югосла́вия, Социалистическая Федеративная Республика Югославия *гос-во* (*Юго-Восточная Европа*) Yugoslavia, Socialist Federal Republic of Yugoslavia

Юджи́н *г.* (*шт. Орегон, США*) Eugene

Ю́жная Австра́лия *шт.* (*Австралия*) South Australia

Ю́жная Аме́рика *материк* (*Западное полушарие*) South America

Ю́жная Гео́ргия *о.* (*Атлантический ок., Антарктика, влад. Великобритании*) South Georgia

Ю́жная Дако́та *шт.* (*США*) South Dakota

Ю́жная Кароли́на *шт.* (*США*) South Carolina

Ю́жная Коре́я South Korea; *см.* Коре́я 2

Ю́жная Роде́зия Southern Rhodesia; *см.* Зимба́бве

Ю́жно-Африка́нская Респу́блика *гос-во* (*Южная Африка*) Republic of South Africa

Ю́жно-Кита́йское мо́ре (*Тихий ок., у берегов Азии*) South China Sea

Ю́жно-Сахали́нск *г.* (*центр Сахалинской обл., РСФСР, СССР*) Yuzhno-Sakhalinsk

Ю́жно-Шотла́ндская возвы́шенность (*Великобритания*) Southern Uplands

Ю́жные А́льпы *горы* (*о. Южный, Новая Зеландия*) Southern Alps

Ю́жные Оркне́йские острова́ (*Атлантический ок., Антарктика, влад. Великобритании*) South Orkney Islands, South Orkneys

Ю́жные Са́ндвичевы острова́ (*Атлантический ок., Антарктика, влад. Великобритании*) South Sandwich Islands

Ю́жные Спора́ды *о-ва* (*Эгейское м., Греция*) Southern Sporades

Ю́жные Шетла́ндские острова́

(*Атлантический ок., Антарктика, влад. Великобритании*) South Shetland Islands, South Shetlands

Ю́жный о́стров (*Тихий ок., Новая Зеландия*) South Island

Ю́жный по́люс (*в пределах Полярного плато, Антарктида*) South Pole

Ю́жный поля́рный круг (*параллель 66°33′ юж. широты*) Antarctic Circle

Юи́нта *горы* (*США*) Uinta Mountains

Юймы́нь *г.* (*пров. Ганьсу, Китай*) Yumen

Юката́н *п-ов* (*между Мексиканским зал. и Карибским м., Центральная Америка*) Yucatán

Юката́нский проли́в (*между п-овом Юкатан и о. Куба*) Yucatán Channel

Ю́кон 1. *терр.* (*Канада*) Yukon; **2.** *р.* (*Канада и США*) Yukon; **3.** *плато* (*Канада и США*) Yukon

Ю́нгфрау *гора* (*горы Бернские Альпы, Швейцария*) Jungfrau

Ю́нион *о-ва* Union Islands; *см.* Токела́у

Юнион-Сити *г.* (*шт. Нью-Джерси, США*) Union City

Юньна́нь *пров.* (*Китай*) Yunnan

Юра́ *горы* (*на границе Франции и Швейцарии*) Jura

Ю́та *шт.* (*США*) Utah

Ютика *г.* (*шт. Нью-Йорк, США*) Utica

Ютла́ндия *п-ов* (*между Балтийским и Северным морями, Дания и ФРГ*) Jutland

Я

Я́блоновый хребе́т (*Забайкалье, СССР*) Yablonovy Range

Я́ва *о.* (*Большие Зондские о-ва, Индонезия*) Java

Ява́нский жёлоб Java Trench; *см.* Зо́ндский жёлоб

Ява́нское мо́ре (*Тихий ок., между о-вами Калимантан, Суматра, Сулавеси и Ява*) Java Sea

Яво́жно *г.* (*Польша*) Jaworzno

Я́йце *г.* (*Социалистическая Республика Босния и Герцеговина, Югославия*) Jaice

Я́кима *г.* (*шт. Вашингтон, США*) Yakima

Яку́тск *г.* (*столица Якутской АССР, РСФСР, СССР*) Yakutsk

Яку́тская Автоно́мная Сове́тская Социалисти́ческая Респу́блика, Яку́тия (*РСФСР, СССР*) Yakutsk Autonomous Soviet Socialist Republic, Yakutia

Я́лта *г.* (*Крымская обл., Украинская ССР, СССР*) Yalta

Ялу́торовск *г.* (*Тюменская обл., РСФСР, СССР*) Yalutorovsk

Ялуцзя́н *р.* (*КНДР и Китай*) Yalu, Yalu Jiang

Ямага́та *г.* (*о. Хонсю, Япония*) Yamagata

Яма́йка 1. *гос-во* (*на о. Ямайка, Вест-Индия*) Jamaica; **2.** *о.* (*Большие Антильские о-ва, Атлантический ок., гос-во Ямайка*) Jamaica

Яма́л *п-ов* (*на сев. СССР*) Yamal

Яма́ло-Не́нецкий автоно́мный о́круг (*Тюменская обл., РСФСР, СССР*) Yamalo-Nenets Autonomous Area

Я́мбол *г.* (*Болгария*) Yambol

Я́муна *р.* Yamuna; *см.* Джамна

Ямусу́кро *г.* (*столица Кот-д'Ивуара*) Yamoussoukro

Я́на *р.* (*СССР*) Yana

Янго́н *г.* (*столица Мьянмы*) Yangown, Yangon

Я́нгстаун *г.* (*шт. Огайо, США*) Youngstown

Ян-Ма́йен *о.* (*Атлантический ок., Норвегия*) Jan Mayen Island

Янцзы́ *р.* (*Китай*) Yangtze

Янцюа́нь *г.* (*пров. Шаньси, Китай*) Yangquan, Yangchuan

Янчжо́у *г.* (*пров. Цзянсу, Китай*) Yangzhou, Yangchou, Yangchow

Яньа́нь *г.* (*пров. Шэньси, Китай*) Yanan

Япо́ния *гос-во* (*на Японских о-вах, Восточная Азия*) Japan

Япо́нский жёлоб (*Тихий ок.*) Japan Trench

Япо́нское мо́ре (*Тихий ок.,*

между Азией и Японскими о-вами) Sea of Japan

Япо́нское тече́ние Japan Current; *см.* Куроси́о

Япура́ = Жапура́

Ярке́нд **1.** *г.* (*Синьцзян-Уйгурский авт. р-н, Китай*) Yarkand; **2.** *р.* (*Китай*) Yarkand

Я́рмут *г.* (*пров. Новая Шотландия, Канада*) Yarmouth

Яросла́вль *г.* (*центр Ярославской обл., РСФСР, СССР*) Yaroslavl

Я́сло *г.* (*Польша*) Jasło

Я́ссы *г.* (*Румыния*) Iaşi

Я́унде *г.* (*столица Камеруна*) Yaoundé

Я́ффа *г.* (*Израиль*) Jaffa

ПРИЛОЖЕНИЕ

Название республики, данное в корпусе словаря	Название, принятое республикой в 1991 г.
Абхазская Автономная Советская Социалистическая Республика, Абхазия Abkhazian Autonomous Soviet Socialist Republic, Abkhazia	Абхазская Советская Социалистическая Республика, Абхазия Abkhazian Soviet Socialist Republic, Abkhazia
Армянская Советская Социалистическая Республика, Армения Armenian Soviet Socialist Republic, Armenia	Республика Армения, Армения Republic of Armenia, Armenia
Башкирская Автономная Советская Социалистическая Республика, Башкирия Bashkir Autonomous Soviet Socialist Republic, Bashkiria	Республика Башкортостан, Башкортостан Republic of Bashkortostan, Bashkortostan
Белорусская Советская Социалистическая Республика, Белоруссия Byelorussian Soviet Socialist Republic, Byelorussia	Республика Беларусь, Беларусь Republic of Byelarus, Byelarus
Бурятская Автономная Советская Социалистическая Республика Buryat (*или* Buriat) Autonomous Soviet Socialist Republic	Бурятская Советская Социалистическая Республика Buryat (*или* Buriat) Soviet Socialist Republic
Грузинская Советская Социалистическая Республика, Грузия Georgian Soviet Socialist Republic, Georgia	Республика Грузия, Грузия Republic of Georgia, Georgia
Дагестанская Автономная Советская Социалистическая Республика, Дагестан Dagestan Autonomous Soviet Socialist Republic, Dag(h)estan	Республика Дагестан, Дагестан Republic of Dag(h)estan, Dag(h)estan
Кабардино-Балкарская Автономная Советская Социалистическая Республика, Кабардино-Балкария Kabardino-Balkarian Autonomous Soviet Socialist Republic, Kabardino-Balkaria	Кабардино-Балкарская Советская Социалистическая Республика, Кабардино-Балкария Kabardino-Balkarian Soviet Socialist Republic, Kabardino-Balkaria
Калмыцкая Автономная Советская Социалистическая Республика, Калмыкия Kalmyk (*или* Kalmuk) Autonomous Soviet Socialist Republic, Kalmykia	Калмыцкая Советская Социалистическая Республика, Калмыкия Kalmyk (*или* Kalmuk) Soviet Socialist Republic, Kalmykia
Каракалпакская Автономная Советская Социалистическая Республика, Каракалпакия Kara-Kalpak Autonomous Soviet Socialist Republic, Kara-Kalpak	Советская Республика Каракалпакистан, Каракалпакистан Soviet Republic of Kara-Kalpakistan, Kara-Kalpakistan

Киргизская Советская Социалистическая Республика, Киргизия Kirg(h)iz Soviet Socialist Republic, Kirg(h)izia	Республика Кыргызстан, Кыргызстан Republic of Kyrg(h)yzstan, Kyrg(h)yzstan
Коми Автономная Советская Социалистическая Республика Komi Autonomous Soviet Socialist Republic	Коми Советская Социалистическая Республика, Коми Республика Komi Soviet Socialist Republic, Komi Republic
Марийская Автономная Советская социалистическая Республика Mari Autonomous Soviet Socialist Republic	Республика Марий-Эл, Марий-Эл Republic of Mariy-El, Mariy-El
Мордовская Автономная Советская Социалистическая Республика, Мордовия Mordovian Autonomous Soviet Socialist Republic, Mordovia	Мордовская Советская Социалистическая Республика, Мордовия Mordovian Soviet Socialist Republic, Mordovia
Северо-Осетинская Автономная Советская Социалистическая Республика, Северная Осетия North-Ossetian Autonomous Soviet Socialist Republic, North-Ossetia	Северо-Осетинская Советская Социалистическая Республика, Северная Осетия North-Ossetian Soviet Socialist Republic, North-Ossetia
Татарская Автономная Советская Социалистическая Республика Tatar Autonomous Soviet Socialist Republic	Республика Татарстан, Татарстан Republic of Tatarstan, Tatarstan
Удмуртская Автономная Советская Социалистическая Республика Udmurt Autonomous Soviet Socialist Republic	Удмуртская Республика Udmurt Republic
Чечено-Ингушская Автономная Советская Социалистическая Республика Checheno-Ingush Autonomous Soviet Socialist Republic	Чечено-Ингушская Республика Checheno-Ingush Republic
Чувашская Автономная Советская Социалистическая Республика, Чувашия Chuvash Autonomous Soviet Socialist Republic, Chuvaschia	Чувашская Советская Социалистическая Республика, Чувашия Chuvash Soviet Socialist Republic, Chuvashia
Якутская Автономная Советская Социалистическая Республика, Якутия Yakutsk Autonomous Soviet Socialist Republic, Yakutia	Якутская-Саха Советская Социалистическая Республика, Якутия Yakutsk-Sakha Soviet Socialist Republic, Yakutia

Дополнение: Содружество Независимых Государств (СНГ) the Commonwealth of Independent States